EEN SPOOR VAN BLOED

Van Val McDermid zijn verschenen:

De terechtstelling*
De wraakoefening*
De verre echo*
Zeemansgraf*
Misdaadkoning
Een duister domein

Tony Hill thrillers:

De sirene*
Het profiel*
De laatste verzoeking*
De kwelling*
De wrede hand*
Een spoor van bloed

Kate Brannigan thrillers:

Doodslag
Valstrik
Klopjacht
Kunstgreep
Wildgroei
Schrikbeeld

*In POEMA-POCKET verschenen

Val McDermid

Een spoor van bloed

Sijthoff

Uitgeverij Sijthoff en Drukkerij Koninklijke Wöhrmann BV vinden het belangrijk om op milieuvriendelijke en duurzame wijze met natuurlijke bronnen om te gaan.

Oorspronkelijke titel: *Fever of the Bone*
Vertaling: Annemieke Oltheten
Omslagontwerp: Wouter van der Struys / Twizter.nl
Omslagfotografie: Arcangel / Image Store

ISBN 978 90 218 0368 5
NUR 305

www.uitgeverijsijthoff.nl
www.boekenwereld.com
www.watleesjij.nu

Voor mijn allegaartje van een familie, zowel biologisch als logisch. Het is waar dat ik de pest heb aan kamperen, maar ik kan met trots zeggen dat ik het in deze grote familietent al jaren uithoud.

No contact possible to flesh
Allayed the fever of the bone

Whispers of Immortality
T.S. Eliot

Uiteindelijk draait het allemaal om bloed. Er zijn krenkingen die overkomelijk zijn. Ze vallen gewoon onder het hoofdstuk 'je lesje geleerd'. Gevaren die je verder moet zien te vermijden. Maar er zijn soorten van verraad die je niet kunt negeren. En soms is bloed dan de enige remedie.

Niet dat je genoegen schept in het doden zelf. Dat zou pervers zijn. En pervers ben je niet. Er is een reden voor wat je doet. Het gaat om het helen van je leven. Het gaat erom dat je iets moet doen waardoor je je beter gaat voelen.

Mensen hebben het vaak over een nieuwe start. Maar er zijn er niet veel die het ook echt in de praktijk brengen. Ze denken dat alles anders wordt, bijvoorbeeld als je verhuist of van baan verandert of een andere geliefde neemt. Maar jij begrijpt wat het echt betekent. Bezig zijn met je lijst werkt zuiverend. Het is alsof iemand in het klooster gaat en al zijn wereldse goederen verbrandt en dan toekijkt hoe alles wat jou met de aarde verbindt in vlammen opgaat. En als dat hele verleden dan in rook is opgegaan, kun je echt opnieuw beginnen. Met een gloednieuwe verzameling aspiraties en ambities. Een aanvaarden van wat mogelijk is en van wat voorbij is.

En deze vergelding is zo volmaakt evenwichtig. Het ene verraad wordt door het andere gecompenseerd, het ene leven wordt ingewisseld voor het andere, het ene verlies valt weg tegen het andere. Het geeft een gevoel van vrijheid als de laatste adem vervliegt en als je aan het werk kunt gaan met je messen en je scalpels. En terwijl het bloed gestaag weg druppelt, heb jij het gevoel dat je eindelijk het juiste doet, het enige logische onder de gegeven omstandigheden. Uiteraard zal niet iedereen hier hetzelfde over denken.

Er zijn misschien mensen die vinden dat NIEMAND *het met je eens zal zijn. Maar dat is niet waar, dat weet je. Jij weet dat anderen jouw standpunt zouden toejuichen als ze er ooit achter zouden komen wat je hebt gedaan, wat je doet. Mensen van wie de dromen ook bruut zijn verwoest. Zij zouden het volledig begrijpen. En zij zouden willen dat zij, net als jij, over de middelen konden beschikken om hetzelfde te doen.*

Als dit naar buiten komt, wordt het misschien wel een trend.

I

Het gewelfde plafond werkte als een enorme geluidsversterker voor de stemmen in de zaal. Een jazzkwartet deed nog een dappere poging om eroverheen te komen, maar de concurrentie klonk te schel. Het rook er naar van alles en nog wat: gekookt voedsel, alcohol, zweet, testosteron, eau de cologne en de adem van een honderdtal mensen. Nog niet zo lang geleden zou de menselijke lucht zijn geabsorbeerd door sigarettenrook, maar mensen waren in grote hoeveelheden veel minder welriekend dan ze dachten, iets wat veel caféhouders sinds het rookverbod ook hadden ontdekt.

Er bevonden zich niet veel vrouwen in de zaal en de meeste ervan liepen rond met dienbladen vol hapjes en drankjes. Zoals altijd als er gevierd werd dat er weer een politieman met pensioen ging, waren de stropdassen losgetrokken en de gezichten rood aangelopen. Maar de handen die vroeger nog wel eens ondeugende dingen hadden willen doen, werden nu in bedwang gehouden door de aanwezigheid van hoge politiemensen. Het was zeker niet voor het eerst dat dr. Tony Hill zich afvroeg hoe hij hier in vredesnaam was terechtgekomen. En waarschijnlijk ook niet voor het laatst.

De vrouw die zich door de mensenmassa een weg naar hem baande, was waarschijnlijk de enige persoon in de hele zaal met wie hij echt tijd wilde doorbrengen. Moord had hen bij elkaar gebracht, moord had ervoor gezorgd dat ze elkaar zo goed gingen begrijpen, moord had hun geleerd respect te hebben voor elkaars geest en moreel besef. Desondanks was hoofdinspecteur Carol Jordan nu al jaren de enige collega die bij hem de grens had overschreden naar datgene wat hij vermoedelijk toch wel vriendschap zou moeten noemen. Soms erkende hij stiekem dat het woord vriendschap niet een goede benaming was voor de band die hen ondanks hun gecompliceerde persoonlijke geschiedenis verbond. Hoewel hij al jaren werkzaam was als klinisch psycholoog, was hij niet in staat een meer passende omschrijving te vinden. Vooral nu niet, op deze plek waar hij niet wilde zijn.

Carol was er veel beter in dan hij om dingen te ontlopen waar ze geen zin in had. Ze kon ook heel goed aangeven welke dingen dat waren en navenant handelen. Maar vanavond was zij hier nota bene uit eigen vrije wil. Voor haar had het een betekenis die Tony niet helemaal kon volgen. Toegegeven, John Brandon was de eerste hooggeplaatste politieman geweest die hem serieus had genomen, die hem uit de wereld van patiënten en onderzoek had gehaald en die hem een prominente plaats bij het actief profileren van misdadigers had gegeven. Maar als hij het niet was geweest, had iemand anders het wel gedaan. Tony had waardering voor het feit dat Brandon er altijd openlijk voor was uitgekomen dat hij de waarde van het profielschetsen inzag. Maar meer dan een beroepsmatig contact was het nooit geworden. Hij zou deze avond hebben gemeden als Carol niet nadrukkelijk had gezegd dat men zijn afwezigheid raar zou vinden. Tony wist dat hij raar was. Maar hij wilde liever niet dat andere mensen in de gaten kregen hoe raar. Dus stond hij nu hier, en telkens als er iemand zijn kant op keek, liet hij een zuinig glimlachje zien.

Maar Carol leek helemaal in haar element. Ze bewoog zich gemakkelijk door de mensenmassa in een glanzende blauwe jurk die de juiste welvingen accentueerde, vanaf de schouders via de borsten naar de heupen en de kuiten. Haar blonde haren leken wat lichter, hoewel Tony wist dat dit kwam door het toenemende aantal zilveren draden tussen het goud en niet door de zorgzame handen van de kapper. Terwijl ze door de zaal liep en links en rechts mensen begroette, zag ze er met haar glimlachende mond, haar opgetrokken wenkbrauwen en haar opengesperde ogen uiterst geanimeerd uit.

Ten slotte stond ze naast hem en gaf hem een glas wijn aan. Daarna nam ze een slokje uit haar eigen glas. 'Dat is rode wijn,' zei Tony.

'De witte is afgrijselijk.'

Hij nam voorzichtig een slokje. 'En deze is beter?'

'Vertrouw me maar.'

Ze dronk veel meer dan hij, dus dat moest hij dan maar doen. 'Komen er nog toespraken?'

'De adjunct-hoofdcommissaris gaat een paar woorden zeggen.'

'Een paar? Dat moet ik nog zien.'

'Inderdaad. En alsof dat nog niet erg genoeg is, hebben ze ook Gods favoriete smeris opgegraven om John zijn gouden horloge te overhandigen.'

Tony veerde achterover in afgrijzen en dat was niet helemaal gespeeld. 'Sir Derek Armthwaite? Is die nog niet dood?'

'Helaas niet, nee. Hij was de hoofdcommissaris aan wie John zijn carrière te danken heeft en daarom leek het wel gepast hem ook uit te nodigen.'

Tony huiverde. 'Help me eraan herinneren dat ik mijn afscheidsfeest niet door jouw collega's laat organiseren.'

'Je krijgt helemaal geen afscheidsfeest, je bent niet een van ons,' zei Carol, en ze glimlachte om duidelijk te maken dat het niet beledigend bedoeld was. 'Ik trakteer je op de beste curry in Bradfield, daar zul je het mee moeten doen.'

Voordat Tony nog iets kon zeggen, werd hun gesprek ruw onderbroken door een harde luidsprekerstem die de adjunct-hoofdcommissaris van de gemeentepolitie van Bradfield aankondigde. Carol dronk haar glas leeg en glipte weg op zoek naar een volgend drankje en vermoedelijk ook om wat te netwerken. Ze was nu al een paar jaar hoofdinspecteur en de laatste tijd had ze leidinggegeven aan haar eigen uitgelezen TZM, het Team Zware Misdrijven. Hij wist dat ze het moeilijk vond een keus te moeten maken tussen het praktijkwerk op het scherp van de snede en het verlangen om op te klimmen tot een niveau waarop ze het beleid mee kon bepalen. Tony vroeg zich af of de keus haar uit handen zou worden genomen nu John Brandon niet meer in beeld was.

Zijn godsdienst leerde hem dat alle levens even waardevol waren, maar hoofdinspecteur Stuart Patterson had nooit trouw kunnen blijven aan dat principe als het ging om zijn relaties met de doden. De een of andere schurftige heroïneverslaafde, die doodgestoken was in een zinloze bendestrijd, zou hem nooit zoveel doen als dit dode en verminkte kind. Hij stond naast de witte tent die de plaats delict beschermde tegen het gestage geroffel van de regen van die nacht. Hij liet de specialisten hun werk doen en probeerde de vergelijking tussen dit dode meisje en zijn eigen amper dertien jaar oude dochter te vermijden.

Het meisje op wie nu alle aandacht was gevestigd, had een van Lily's klasgenootjes kunnen zijn als ze een ander schooluniform aan had gehad. Ondanks de bladaarde die door de regen en de wind was verspreid over de doorzichtige plastic zak die haar gezicht en haren bedekte, zag ze er schoon en goed verzorgd uit. Haar moeder had haar pal na negen uur als vermist opgegeven, wat duidde op een dochter die beter op de tijd lette dan Lily en een gezin dat zich beter hield aan een strak tijdschema. Het was theoretisch mogelijk dat dit niet Jennifer Maidment was, daar het lichaam was gevonden voordat het meisje officieel als vermist was geregistreerd en er op de plaats delict nog geen foto van het vermiste meisje voorhanden was. Maar hoofdinspecteur Patterson achtte het niet waarschijnlijk dat twee meisjes van dezelfde school in de binnenstad op dezelfde avond vermist zouden raken. Tenzij de een betrokken was bij de dood van de ander. Vandaag de dag moest je overal rekening mee houden.

Het doek van de tentopening klapperde heftig en een beer van een man wrong zich naar binnen. Zijn schouders waren zo breed dat hij de grootste maat beschermende overall, waarmee het politiekorps van West Mercia zijn mensen uitrustte, niet helemaal dicht kon krijgen. De regen droop over een gladgeschoren schedel met de kleur van sterke thee en druppelde langs een gezicht dat eruitzag alsof hij een groot deel van zijn jeugd in een boksring had doorgebracht. In zijn hand had hij een vel papier in een doorzichtige plastic envelop.

'Ik ben hier, Alvin,' zei Patterson met een stem waarin een diepe melancholieke wanhoop doorklonk.

Rechercheur Alvin Ambrose liep op zijn tenen langs het voorgeschreven pad naar zijn baas. 'Jennifer Maidment,' zei hij. Hij hield de envelop omhoog, waardoor er een digitale foto zichtbaar werd die op gewoon papier was uitgeprint. 'Is ze dat?'

Patterson bekeek het ovale gezicht dat omlijst werd door lange bruine haren, en knikte mistroostig. 'Dat is ze.'

'Leuk meisje,' zei Ambrose.

'Nu niet meer.' De moordenaar had haar niet alleen van het leven beroofd, maar ook van haar schoonheid. Hoewel hij altijd voorzichtig was met het trekken van conclusies, dacht Patterson dat hij er gerust van uit kon gaan dat de rode gelaatskleur, de opgezwollen tong, de uitpuilende ogen en de strak zittende plastic zak wezen op dood door verstikking. 'De zak zat met plakband om haar nek geplakt. Een verdomd rottige manier van doodgaan.'

'Ze moet op de een of andere manier in bedwang zijn gehouden,' zei Ambrose. 'Anders had ze wel geprobeerd zich los te wringen.'

'Daar is niets van te zien. We weten meer als ze er in het lijkenhuis naar hebben gekeken.'

'Is ze aangerand?'

Patterson rilde onwillekeurig. 'Hij heeft haar met een mes bewerkt. Wij hebben het niet meteen gezien. Haar rok viel eroverheen. De dokter heeft er toen naar gekeken.' Hij sloot zijn ogen en deed even een schietgebedje. 'De klootzak heeft haar vreselijk toegetakeld. Ik weet niet of het hier echt gaat om een seksuele aanranding. Het lijkt meer op een seksuele vernietiging.' Hij wendde zich af en liep in de richting van de uitgang. Hij koos zijn woorden zorgvuldig en vergeleek in gedachten het lichaam van Jennifer Maidment met andere lichamen waarvan hij de doodsoorzaak had onderzocht. 'Ik heb nog nooit zoiets ergs gezien.'

Buiten de tent ging het verschrikkelijk tekeer. Wat die middag was begonnen als een felle regenbui met windvlagen was uitgegroeid tot een heuse orkaan. De inwoners van Worcester hadden op nachten als deze geleerd dat ze het opkomende water van de Severn moesten vrezen. Dan verwachtten ze overstromingen, maar geen moord.

Het lichaam was gevonden aan de rand van een soort rustplaats voor automobilisten, die was ontstaan toen de hoofdweg een paar jaar tevoren was rechtgetrokken. De vroegere strakke bocht was nu een plaats waar truckers en chauffeurs van bestelbusjes stopten, aangetrokken door de vette happen die overdag vanuit een omgebouwd bestelbusje werden verkocht. 's Nachts deed het dienst als illegale parkeerplaats voor vrachtwagens, waarop meestal zo'n vier of vijf combinaties stonden van chauffeurs die geen bezwaar hadden tegen een primitieve slaapplaats om zo een paar pond uit te sparen. Die avond was de Hollandse trucker die even moest pissen, onaangenaam verrast.

De parkeerplaats was aan het oog van de passerende voertuigen onttrokken door een dicht bosje met volgroeide bomen en zwaar struikgewas. De storm huilde door de bomen en Ambrose en Patterson waren meteen doornat toen ze op een drafje terugliepen naar de Volvo. Eenmaal in de auto tikte Patterson op zijn vingers af wat ze moesten doen. 'Neem contact op met de mensen van Verkeer. Ze hebben een paar camera's langs de weg staan met nummerbordherkenning, maar ik weet niet precies waar. We moeten een volledige beschrijving hebben van alle voertuigen die hier vanavond langs zijn gereden. Neem contact op met de familierechercheurs. Een van hun mensen moet met me mee naar het huis van de ouders. Probeer het schoolhoofd te pakken te krijgen. Ik wil weten met wie ze bevriend is, van wie ze les heeft en die mensen wil ik morgenvroeg meteen spreken. Zorg ervoor dat de agent die het eerst ter plaatse was mij de bijzonderheden mailt. Neem contact op met de persdienst en breng ze op de hoogte. We brengen morgen om tien uur verslag uit aan de krantenjongens. Oké? Heb ik nog iets vergeten?'

Ambrose schudde zijn hoofd. 'Ik ga er meteen mee aan de slag. Ik laat me wel door een van de verkeersjongens terugbrengen. Ga je zelf naar haar huis?'

Patterson zuchtte. 'Ik kijk er niet naar uit. Maar hun dochter is dood. Dan kun je het niet afschuiven op de een of andere agent. Ik zie je wel weer op het bureau.'

Ambrose stapte uit en liep in de richting van de politieauto's die in een rij voor de op- en afrit van de parkeerplaats stonden. Zijn chef keek hem na. Het leek net of Ambrose zich nooit ergens door van de wijs liet brengen. Hij zette ergens zijn stevige schouders onder en liet zich niet afschrikken door wat een onderzoek met zich meebracht. Patterson had er die avond een lief ding voor overgehad om iets van zijn ogenschijnlijke ongevoeligheid te hebben.

2

Carol zag dat John Brandon steeds meer in zijn element raakte. Zijn droeve bloedhondgezicht zag er levendiger uit dan ze ooit had gezien toen hij nog werkte, en zijn geliefde Maggie stond naast hem, met het toegeeflijke glimlachje dat Carol zo vaak had gezien als ze bij hen aan tafel zat en als Brandon zich weer eens in een onderwerp vastbeet, als een terriër die een konijn te pakken had. Ze gaf haar lege glas aan een passerende serveerster, nam er een vol voor in de plaats en ging op weg naar de nis van de zaal waar ze Tony had achtergelaten. Zijn gezichtsuitdrukking had beter bij een begrafenis gepast, maar iets anders had ze ook niet kunnen verwachten. Ze wist heel goed dat hij dit soort gelegenheden pure tijdverspilling vond, en vermoedelijk was dat voor hem ook zo. Ze wist dat het voor haar anders lag.

Bij het moderne politiewerk draaide het niet meer om het vangen van boeven. Het ging om politiek, net als bij welke andere grote organisatie dan ook. Vroeger was een avond als deze een excuus geweest voor een lekkere ouderwetse zuippartij compleet met strippers. Tegenwoordig ging het om contacten, netwerken, gesprekken die op het bureau niet mogelijk waren. Ze hield er evenmin van als Tony, maar ze had er een zeker talent voor. Als ze dit moest doen om haar plaats te behouden op de onofficiële carrièreladder, dan moest dat maar.

Ze bleef staan en draaide zich om toen ze een hand op haar arm voelde. Rechercheur Paula McIntyre van haar team boog haar hoofd naar Carols oor. 'Hij is net binnengekomen,' zei ze.

Carol hoefde niet te vragen wie 'hij' was. De naam en de reputatie van John Brandons opvolger waren alom bekend, maar omdat hij uit een heel ander deel van het land kwam, was er niemand in Bradfield die uit de eerste hand veel over hem wist. Er waren niet veel hogere politiemensen die de overstap maakten van het district

Devon & Cornwall naar Bradfield. Waarom zou je een betrekkelijk rustig leventje in een mooi toeristisch gebied willen ruilen voor de voortdurende uitputtingsslag waaruit het politiewerk in een post-industriële stad uit het noorden bestond; een stad met bedroevende statistieken als het ging om geweldsdelicten; een stad waar het gebruik van messen en vuurwapens aan de orde van de dag was. Tenzij je natuurlijk een ambitieuze smeris was, die dacht dat het zijn carrière ten goede kwam als hij de leiding kreeg over het op vier na grootste politiekorps van het land. Carol vermoedde dat het woord 'uitdaging' wel meer dan één keer voorbij was gekomen in het gesprek waarin James Blake solliciteerde naar de functie van hoofdcommissaris. Haar ogen speurden de zaal af. 'Waar?'

Paula keek over haar schouder. 'Hij stond zo-even nog te slijmen met de adjunct-hoofdcommissaris, maar nu staat hij er niet meer. Sorry, chef.'

'Geeft niet. Bedankt voor het seintje.' Carol hief als teken van dankbaarheid haar glas en liep verder in de richting van Tony. Tegen de tijd dat ze zich met moeite een weg had gebaand door de menigte was haar glas weer leeg. 'Ik moet nog iets drinken,' zei ze, terwijl ze naast hem tegen de muur leunde.

'Dat is je vierde glas,' merkte hij op. Het klonk niet onvriendelijk.

'Wie telt er nu zoiets?'

'Ik, klaarblijkelijk.'

'Jij bent mijn vriend, niet mijn psychiater.' Carols stem klonk ijzig.

'Daarom zeg ik voorzichtig dat je misschien wat te veel drinkt. Als ik jouw psychiater was, zou ik lang zo kritisch niet zijn. Dan zou ik het aan jou overlaten.'

'Hoor eens, met mij gaat het prima, Tony. Er was een tijd na... Ik geef toe dat er een tijd was dat ik te veel dronk. Maar ik heb alles weer onder controle. Oké?'

Tony stak in een gebaar van verzoening zijn handen op met de palmen naar voren. 'Je moet het zelf weten.'

Carol zuchtte diep en zette haar lege glas naast het zijne op het tafeltje. Hij kon je het bloed onder de nagels vandaan halen als hij zo redelijk was. En zij was echt de enige niet die het vervelend vond als de gestoorde kanten van haar leven onder het tapijt vandaan werden gehaald. *Zal ik hem eens een koekje van eigen deeg geven?* Ze glimlachte lief. 'Zullen we dan maar naar buiten gaan om een luchtje te scheppen?'

Uit zijn glimlach sprak verbazing. 'Oké, als jij dat wilt.'

'Ik heb een paar dingen ontdekt over je vader. Laten we ergens heen gaan waar we rustig kunnen praten.' Ze zag hoe zijn glimlach veranderde in een droeve grimas. De identiteit van Tony's vader was pas aan het licht gekomen na zijn dood, dankzij zijn beslissing om zijn hele bezit na te laten aan de zoon die hij nooit had gekend. Carol wist heel goed dat Tony op z'n zachtst gezegd ambivalent stond ten opzichte van Edmund Arthur Blythe. Hij was er net zo happig op om over zijn pas ontdekte vader te praten als zij om haar vermeende afhankelijkheid van alcohol aan de orde te stellen.

'Touché. Ik haal nog een glas voor je.' Terwijl hij de glazen pakte, dook er uit het gedrang opeens een man op, die pontificaal voor hen bleef staan.

Carol schonk hem haar gebruikelijke taxerende blik. Jaren geleden had ze de gewoonte ontwikkeld om in gedachten de mensen die haar pad kruisten te beschrijven, waarbij ze haar beeld onder woorden bracht alsof het bestemd was voor een poster van een gezocht persoon of voor een politietekenaar. Deze man was klein voor een politieman, stevig gebouwd maar niet dik. Zijn haar was netjes geknipt, met aan de zijkant de witte streep van een scheiding die het lichtbruine haar verdeelde. Zijn huid had de gezonde, roze kleur van een man uit de provincie die regelmatig op vossen jaagt, zijn lichtbruine ogen waren omringd door fijne rimpeltjes die aangaven dat hij waarschijnlijk achter in de veertig of begin vijftig was. Hij had een kleine brede neus, volle lippen, een kin als een pingpongbal en een autoritaire uitstraling die niet had misstaan bij een conservatieve politicus van de oude stempel.

Ze was zich er ook zeer goed van bewust dat zij het mikpunt was van eenzelfde onderzoekende blik. 'Hoofdinspecteur Jordan,' zei hij. Een volle bariton met een flauw spoor van een accent uit het zuidwesten van het land. 'Ik ben James Blake. Uw nieuwe hoofdcommissaris.' Hij stak Carol een hand toe die ze moest schudden. Het was een warme hand, breed en droog als papier.

Net als zijn glimlach. 'Aangenaam,' zei Carol. Blake bleef haar strak aankijken en ze moest zich van zijn blik losrukken om Tony aan hem voor te stellen. 'Dit is dr. Tony Hill. Hij werkt af en toe met ons samen.'

Blake wierp een vluchtige blik op Tony en gaf met een lichte beweging van zijn kin te kennen dat hij haar gehoord had. 'Ik wilde de gelegenheid te baat nemen om even kennis te maken. Ik ben erg onder de indruk van wat ik over uw werk heb gehoord. Ik ben van plan om her en der wat te veranderen en uw domein is een van mijn prioriteiten. Ik zou u graag morgenochtend om halfelf op mijn kantoor spreken.'

'Natuurlijk,' zei Carol. 'Ik kijk ernaar uit.'

'Goed. Dat is dan afgesproken. Tot morgen, hoofdinspecteur.' Hij draaide zich om en baande zich een weg terug door de mensenmassa.

'Merkwaardig,' zei Tony. Het kon worden uitgelegd op diverse manieren, die allemaal even passend waren en niet allemaal beledigend.

'Zei hij dat echt: "domein"?'

'Domein,' zei Tony zwakjes.

'Dat glas wijn, weet je nog? Daar heb ik echt behoefte aan. Laten we wegwezen. Ik heb een lekkere fles sancerre in de koelkast staan.'

Tony keek Blake na. 'Ken je dat cliché over bang zijn en drank? Dat je angst met drank moet bezweren? Volgens mij is dat nu van toepassing.'

Familierechercheur Shami Patel legde uit dat ze pas onlangs was overgeplaatst van het naburige korps van West Midlands. Dat verklaarde waarom Patterson haar niet kende. Hij had liever iemand gehad die bekend was met zijn manier van werken. Het contact met de familie van slachtoffers van een moord was altijd moeilijk; door hun verdriet konden ze nog wel eens op onvoorspelbare en vijandige manieren reageren. Deze zaak was dubbel zo moeilijk. Deels omdat de lustmoord op een tiener op zichzelf al emotioneel onverdraaglijk was. Maar in dit geval kwam er nog het probleem van het tijdsbestek bij.

Ze zaten in Pattersons auto om te schuilen tegen de regen en ondertussen praatte hij haar bij. 'Bij deze zaak zijn er meer problemen dan gewoonlijk,' zei hij.

'Onschuldig slachtoffer,' zei Patel kortaf.

'Dat is het niet alleen.' Hij liet zijn vingers door zijn zilveren krullen glijden. 'Gewoonlijk zit er wat ruimte tussen het tijdstip waarop een meisje als zij wordt vermist en het tijdstip waarop wij het lichaam vinden. Dan hebben we de gelegenheid om wat meer te weten te komen over de achtergrond van het gezin en over de bewegingen van de vermiste persoon. De mensen willen ons vreselijk graag helpen, omdat ze willen geloven dat we het kind nog kunnen vinden.' Hij schudde zijn hoofd. 'Maar nu niet.'

'Ik snap wat u bedoelt,' zei Patel. 'Ze zijn nauwelijks gewend aan de gedachte dat ze vermist wordt en dan komen wij hun al vertellen dat ze dood is. Ze zullen er kapot van zijn.'

Patterson knikte. 'En denk alsjeblieft niet dat ik niet met ze meevoel. Maar de moeilijkheid voor mij is dat een gesprek bijna onmogelijk is.' Hij zuchtte. 'De eerste vierentwintig uur van een moordonderzoek zijn cruciaal.'

'Staat er ergens genoteerd wat mevrouw Maidment zei toen ze Jennifer als vermist opgaf?'

Het was een goede vraag. Patterson haalde zijn BlackBerry uit zijn binnenzak, vond zijn leesbril en toverde de e-mail tevoorschijn die Ambrose had doorgekregen van de agent achter de balie die het telefoontje van Tania Maidment had aangenomen. 'Ze is niet zelf naar het bureau gekomen maar ze heeft gebeld,' zei hij met een blik op het schermpje. 'Ze wilde het huis niet leeg achterlaten, voor het geval Jennifer thuiskwam en niet naar binnen kon. Jennifer had een sleutel, maar haar moeder wist niet of ze die bij zich had. De moeder had haar niet meer gezien sinds ze 's morgens naar school was gegaan...' Hij scrolde verder. 'Ze zou na school met een vriendinnetje mee naar huis gaan en daar wat eten en huiswerk maken, ze had om acht uur thuis zullen zijn. Dat was geen probleem, want dat vriendinnetje en zij deden dat vaker bij een van beiden thuis. Mama heeft nog even gewacht en heeft om kwart over acht het vriendinnetje gebeld. Het vriendinnetje had haar na school niet meer gezien en ze had geen afspraak met haar over eten of huiswerk. Jennifer had alleen maar gezegd dat ze naar de supermarkt zou gaan en daarna naar huis. En toen heeft mevrouw Maidment ons gebeld.'

'Ik hoop wel dat we haar telefoontje serieus hebben genomen,' zei Patel.

'Gelukkig wel. Agent Billings heeft gevraagd om een persoonsbeschrijving en die heeft hij aan alle units doorgestuurd. Daarom konden we het lichaam zo gauw identificeren. Eens kijken... Leeftijd: veertien, lengte: een meter vijfenzestig, slank postuur, bruin haar tot op de schouders, blauwe ogen, gaatjes in de oren met simpele gouden oorringetjes. Ze droeg het uniform van de middelbare meisjesschool van Worcester – witte blouse, flessengroen vest, een rok en een blazer. Zwarte panty en laarzen. Ze droeg een zwarte regenjas over haar uniform.' Voor zichzelf voegde hij eraan toe: 'Die was niet op de plaats delict.'

'Is ze enig kind?' vroeg Patel.

'Geen idee. Ik heb ook geen idee waar meneer Maidment is. Zoals ik al zei, dit wordt een verdomd moeilijke zaak.' Hij stuurde snel een sms naar Ambrose met instructies om de vriendin te spreken te krijgen met wie Jennifer zogenaamd een afspraak had. Toen sloot hij de BlackBerry af en rechtte zijn schouders. 'Zijn we klaar?'

Ze trotseerden de regen en liepen het pad op naar het huis van de familie Maidment, een vroegtwintigste-eeuwse bakstenen twee-onder-een-kapwoning van twee verdiepingen met een goed onderhouden voortuin. Binnen brandden de lampen en de gordijnen waren wijd open. De twee politiemensen zagen een woonkamer en een eetkamer van een type dat ze zich geen van beiden konden veroorloven. Allemaal glanzende vlakken, dure stoffering en het soort prenten aan de muur die je niet bij IKEA kon krijgen. Patterson had zijn vinger nog niet op de bel of de deur zwaaide al open.

De toestand van de vrouw die op de drempel stond, zou in normale omstandigheden een reactie hebben uitgelokt. Maar Patterson had genoeg moeders in paniek gezien en stond dus niet te kijken van de wilde haren, de uitgelopen oogmake-up, de stukgebeten lippen en de opeengeklemde kaken. Toen ze hen daar zag staan met hun mistroostige gezichten, sperde ze haar opgezwollen ogen open. De ene hand ging naar haar mond, de andere naar haar borst. 'O god,' zei ze met een stem die al bibberde van de tranen die elk moment konden gaan vloeien.

'Mevrouw Maidment? Ik ben hoofdinspecteur...'

De hoge rang vertelde Tania Maidment wat ze niet wilde weten. Haar gejammer onderbrak Patterson voordat hij zijn naam kon noemen. Ze wankelde en was van haar stokje gegaan als hij niet een stap naar haar toe had gezet, zijn arm om haar ingezakte schouders had geslagen en haar tegen zich aan had laten vallen. Hij droeg haar half het huis in, met agent Patel achter hen aan.

Toen hij haar voorzichtig op de zachte sofa liet zakken, rilde Tania Maidment als een vrouw die ieder moment onderkoeld kon raken. 'Nee, nee, nee,' bleef ze maar herhalen tussen haar klapperende tanden door.

'Het spijt me verschrikkelijk, maar we hebben een lichaam gevonden en we denken dat het uw dochter Jennifer is,' zei Patterson met een wanhopige blik in de richting van Patel.

Die reageerde onmiddellijk en ging naast de radeloze vrouw zitten. Ze nam haar bevroren handen in haar eigen warme handpalmen. 'Kunnen we iemand voor u bellen?' vroeg ze. 'Iemand die bij u kan blijven?'

Mevrouw Maidment schudde haar hoofd, schokkerig maar onmiskenbaar. 'Nee, nee, nee.' Toen hapte ze naar adem alsof ze verdronk. 'Haar vader... Hij komt morgen terug. Uit India. Hij zit al in het vliegtuig. Hij weet niet eens dat ze vermist wordt.' Toen kwamen de tranen in een verschrikkelijke uitbarsting van hese snikken. Patterson had zich nog nooit zo nutteloos gevoeld.

Hij wachtte tot de eerste aanval van verdriet was uitgewoed. Er leek geen einde aan te komen. Ten slotte had Jennifers moeder geen energie meer over. Patel, die haar arm om de schouder van de vrouw geslagen hield, gaf hem een nauwelijks waarneembaar knikje. 'Mevrouw Maidment, we zullen een kijkje in Jennifers kamer moeten nemen,' zei Patterson. Het was hardvochtig, dat wist hij. Een team van de technische recherche kon er elk moment zijn om het hele huis aan een grondig onderzoek te onderwerpen, maar hij wilde als eerste de privéruimte van het dode meisje kunnen bekijken. De moeder was nu misschien wel helemaal kapot, maar het kwam ook wel eens voor dat ouders opeens tot het besef kwamen dat de levens van hun kinderen elementen konden bevatten die ze niet wereldkundig wilden maken. Het was niet zozeer dat ze het onderzoek wilden belemmeren; het was meer dat ze niet altijd het belang inzagen van dingen die zijzelf beschouwden als irrelevant. Patterson wilde niet dat zoiets ook hier gebeurde.

Zonder op een reactie te wachten glipte hij de kamer uit en liep naar boven. Patterson vond dat je een goede indruk kon krijgen van het soort leven dat een gezin leidde als je zag in wat voor omgeving ze leefden. Terwijl hij de trap op ging, vormde hij zijn eigen oordeel over het huis waar Jennifer Maidment had gewoond. Het had een glans die wees op geld, maar het miste het steriele van obsessieve ordelijkheid. Een slordig stapeltje geopende brieven lag op het tafeltje in de hal, iemand had zijn handschoenen uitgedaan die nu op een plank boven de radiator lagen en er stonden een paar dode bloemen in een vaas op de vensterbank van de overloop.

Toen hij boven aan de trap stond, zag hij vijf gesloten deuren. Dit was dus een huis waarin ze elkaars privacy respecteerden. Eerst kwam de ouderslaapkamer, daarna een grote badkamer, toen een studeerkamer. Allemaal in duisternis gehuld. Er werden niet veel geheimen prijsgegeven. De vijfde deur bleek die van de kamer waar hij naar zocht. Heel even ademde hij de geur van Jennifers leven in en deed toen pas het licht aan – een zoete perzikgeur vermengd met citrusvruchten.

Hij was even van zijn stuk gebracht, omdat alles hem aan de kamer van zijn dochter deed denken. Als hij het geld had gehad om Lily haar gang te laten gaan, had ze vermoedelijk ook gekozen voor deze roze, witte en pastelkleurige inrichting. Posters van jongens- en meisjespopgroepen, op de toilettafel een rommeltje van make-up die was uitgeprobeerd, een kleine boekenkast met romans die hij ook in zijn eigen huiskamer had zien rondslingeren. Hij nam aan dat de twee deuren in de muur aan de overkant naar een inloopkast leidden die stampvol zou hangen met een mengeling van praktische en trendy kledingstukken. De jongens van de technische recherche konden daar hun hart aan ophalen. Hij was speciaal geïnteresseerd in de toilettafel en in het bureautje dat in een hoek van de kamer stond weggestopt.

Patterson trok een paar rubberen handschoenen aan en begon de inhoud van de laden door te nemen. Beha's en slipjes, met allerlei strikjes en kantjes, maar zo onschuldig dat het bijna zielig was. Panty's, een stuk of wat strak opgerolde sokken, niets waarin iets verborgen werd. Hemdjes en topjes met spaghettibandjes, T-shirts, onwaarschijnlijk strak door de lycra. Goedkope oorbellen, armbanden, hangers en halskettingen netjes in een opbergbakje. Een stapeltje oude kerst- en verjaardagskaarten die Patterson oppakte en terzijde legde. Iemand zou die met mevrouw Maidment moeten doornemen als ze zich op iets anders dan op haar verdriet kon concentreren.

Er viel hem niets anders op, dus richtte hij zijn aandacht op het bureau. De veelbegeerde Apple laptop was dicht, maar Patterson kon aan het lampje zien dat hij in de slaapstand stond en niet was uitgeschakeld. De nieuwste iPod was verbonden met de computer, de oortelefoontjes lagen er in een verwarde kluwen naast. Patterson trok de stekker van de computer uit het stopcontact, schreef op een papiertje dat het hier bewijsmateriaal betrof en klemde hem onder zijn arm. Hij keek even de kamer rond of hij niets over het hoofd had gezien en ging toen weer naar beneden.

Mevrouw Maidment huilde niet meer. Ze zat rechtovereind, haar ogen op de vloer gericht, haar handen ineengeklemd in haar schoot, de tranen nog glinsterend op haar wangen. Zonder op te kijken zei ze: 'Ik snap niet hoe dit heeft kunnen gebeuren.'

'Dat snappen we geen van allen,' zei Patterson.

'Jennifer liegt niet over waar ze heen gaat,' zei ze met een stem die dof en zwaar was van verdriet. 'Ik weet wel dat iedereen denkt dat zijn eigen kind nooit liegt, maar bij Jennifer was dat echt zo. Zij en Claire, ze doen alles samen. Ze zijn altijd hier of bij Claire thuis of samen ergens heen. Ik snap het niet.'

Patel legde even haar hand op mevrouw Maidments schouder. 'We komen er wel achter, Tania. We komen er wel achter wat er met Jennifer is gebeurd.'

Patterson wou dat hij daar evenveel vertrouwen in had. Hij ging zitten, ontmoedigd en moe, en hij maakte zich op om de vragen te stellen die vermoedelijk voor het merendeel tevergeefs waren, maar die toch moesten worden gesteld. En de antwoorden moesten worden afgewogen op waarheid en leugens. Omdat die er allebei zouden zijn. Dat was altijd zo.

3

Carol had niet gelogen. De sancerre was heerlijk pittig, met de smaak van kruisbes, koel en tintelend. Maar Tony was niet echt in de stemming en nipte er alleen maar aan. Wanneer Carol kwam aanzetten met informatie over zijn vader, als een hond die een natte krant voor de voeten van zijn baasje laat vallen, wilde hij zijn hoofd erbij houden.

Carol ging zitten op de bank tegenover de leunstoel waarin Tony was gaan zitten. 'En? Ben je niet benieuwd naar wat ik te weten ben gekomen over je vader?'

Tony meed haar blik. 'Hij was mijn vader niet, Carol. Niet op een manier die iets voorstelde.'

'De helft van je genetische erfenis komt van hem. Zelfs een psycholoog die alleen maar met gedragstherapie bezig is, moet toegeven dat zoiets telt. Ik dacht dat je zo veel mogelijk over hem te weten wilde komen.' Ze nam een slok wijn en glimlachte hem bemoedigend toe.

Tony zuchtte. 'Het is me tot nu toe gelukt te leven zonder iets over mijn vader te weten, behalve dan dat hij mij niet in zijn leven wilde hebben. Als jij niet zo alert was geweest en je ermee had bemoeid toen mijn moeder me probeerde de nalatenschap te ontfutselen, had ik er gewoon niets van geweten.'

Carol proestte het uit. 'Nou doe je net alsof je wou dat ik Vanessa niet had teruggefloten toen ze je wilde belazeren.'

Volgens hem had ze het zelden zo bij het juiste eind gehad. Maar op die dag in het ziekenhuis toen ze Vanessa had afgehouden van haar verdorven plannen, was Carol alleen maar bezig geweest om voor hem op te komen. Om nu te suggereren dat ze ongewild meer problemen had veroorzaakt dan ze had opgelost, zou haar alleen maar kwetsen. En dat wilde hij niet. Nu niet en nooit niet. 'Ik ben je echt wel dankbaar voor wat je hebt gedaan. Ik weet alleen niet zeker of ik iets over hem wil weten.'

Carol schudde haar hoofd. 'Je vindt het gewoon moeilijk om al die verdedigingsmuren af te breken die je in al die jaren hebt opgetrokken. Maar wees maar niet bang, Tony. Vanessa is misschien wel een eng mens, maar uit wat ik tot dusver heb ontdekt blijkt dat je vader precies het tegenovergestelde was. Ik geloof niet dat je ergens bang voor hoeft te zijn.'

Tony walste de wijn rond in zijn glas; zijn schouders waren defensief gekromd. Een mondhoek trilde in een bitter glimlachje. 'Er moet iets zijn, Carol. Hij heeft me in de steek gelaten. En haar trouwens ook.'

'Misschien wist hij niet van jouw bestaan af.'

'Hij wist genoeg van me af om me een huis en een boot en een hoeveelheid geld na te laten.'

Carol dacht na. 'Als je zijn geld gaat aannemen, vind ik dat je hem ook wel iets verschuldigd bent.'

Daar had ze gelijk in, vond hij. Maar het idee dat hij in ruil voor onwetendheid zijn erfenis aan een liefdadig doel zou kunnen schenken, was misschien zo gek nog niet. 'Ik vind dat hij er verdomd lang over heeft gedaan om iets van zijn schuld aan mij in te lossen. En dat geld is een druppel op een gloeiende plaat. Hij heeft mij met Vanessa laten zitten.' Tony zette zijn glas neer en klemde zijn handen in elkaar. Een groot deel van zijn werkende leven had hij patiënten geholpen bij het omzeilen van de verraderlijke klippen van hun emoties. Maar al dat luisteren had het er voor hemzelf niet gemakkelijker op gemaakt. Hoewel hij had geleerd om op de meeste sociale situaties adequaat te reageren, wist hij nog steeds niet of hij in het mijnenveld van persoonlijke relaties zijn weg zou kunnen vinden. Als hij ooit tekort zou schieten als iemand die normaal menselijk gedrag vertoonde, zou dat nu zijn. Maar bij Carol kon hij niet aankomen met zwijgen en een kwinkslag. Hij vermande zich en voelde hoe zijn schouders pijn deden van de spanning. 'Carol, wij weten allebei hoe gestoord ik ben. Ik geef Vanessa niet de schuld van wat ze me heeft aangedaan. Ze is net zo goed een product van haar omgeving en haar genen als ik. Maar ik twijfel er geen seconde aan dat zij een groot deel van de reden is waarom ik zo slecht in de wereld pas.'

'Ik vind helemaal niet dat je er zo slecht in past,' zei Carol.

Een vriendelijke opmerking, dacht hij, waarmee ze zijn eerlijkheid aftroefde. 'Misschien niet, maar jij hebt vanavond minstens een hele fles wijn op,' zei hij. Zijn poging tot humor was te weinig subtiel om de afstand tussen hen beiden te kunnen overbruggen. Ze keek hem woedend aan en hij haalde verontschuldigend zijn schouders op. 'Hij had de invloed van mijn moeder wat kunnen verzachten en dat heeft hij niet gedaan. Na al die jaren kun je dat echt niet meer met geld goedmaken.'

'Hij heeft er vast zijn redenen voor gehad. Hij klinkt echt heel aardig, Tony.'

Hij stond op. 'Vanavond niet. Ik ben er nog niet klaar voor. Laat me erover nadenken, Carol.'

Haar glimlach was geforceerd. Hij kende al haar gezichtsuitdrukkingen en hij zag nu dat ze teleurgesteld was. Het deed er niet toe dat hij haar in haar beroep het ene succes na het andere had helpen scoren; als het op hun persoonlijke relatie aankwam, dacht hij soms wel eens dat hij haar alleen maar teleurgesteld had.

Carol dronk haar glas leeg. 'Tot de volgende keer dan maar,' zei ze. 'Het loopt niet weg.'

Hij wuifde even en liep naar de trap die haar appartement in het souterrain scheidde van zijn huis boven. Toen hij zich omdraaide om haar goedenacht te wensen, zag hij haar glimlach zachter worden. 'Ik ken je,' zei ze. 'Vroeg of laat moet je het toch weten.'

Alvin Ambrose wist met veel moeite zijn identiteitskaart uit de binnenzak van zijn jas te peuteren toen hij naar het huis liep. Hij wist dat zijn omvang, zijn huidskleur en het feit dat het al na tienen was allemaal tegen hem pleitten in de ogen van de mensen die in deze chique twee-onder-een-kapwoning uit de jaren zeventig woonden. Als de deur werd opengedaan, kon hij maar beter meteen met zijn kaart gaan zwaaien.

De man die opendeed keek met gefronste wenkbrauwen op zijn horloge. Toen begon hij omstandig de identiteitskaart van Ambrose te bestuderen. 'Weet u wel hoe laat het is?'

Ambrose wist nog net een bijdehante opmerking in te houden en zei: 'Meneer David Darsie? Ik ben rechercheur Ambrose van de politie van West Mercia. Het spijt me dat we u moeten storen, maar we moeten met uw dochter praten.'

De man schudde zijn hoofd, en slaakte een zucht waaruit moest blijken hoe verbaasd hij was. 'Dit is echt ongelooflijk. Komt u ons zo laat lastigvallen, omdat Jennifer Maidment nog niet thuis is? Het is pas halfelf.'

Hij moest deze lulhannes nodig op zijn plaats zetten. 'Nee meneer,' zei Ambrose. 'Ik val u nog zo laat lastig omdat Jennifer Maidment vermoord is.'

De ergernis op het gezicht van David Darsie veranderde bliksemsnel in afgrijzen, alsof iemand hem een klap had gegeven. 'Wat? Hoe kan dat nou?' Hij keek over zijn schouder alsof hij bang was dat er zich ieder moment nog iets afgrijselijks kon aandienen. 'Haar moeder heeft net nog opgebeld.' Hij streek over zijn dunne, donkere haren. 'Jezus. Ik bedoel...' Hij slikte hevig.

'Ik moet echt met uw dochter praten,' zei Ambrose, en hij ging wat dichter bij de open deur staan.

'Ik weet niet... Dit is ongelooflijk. Hoe kan... Mijn god, Claire zal er helemaal kapot van zijn. Kan dit niet tot morgen wachten? Dan kunnen wij het haar voorzichtig vertellen.'

'Dit kan niet voorzichtig worden gedaan, meneer Darsie. Ik moet echt vanavond nog met Claire spreken. Dit is een moordonderzoek. We mogen geen tijd verliezen. Hoe sneller ik met Claire kan praten, des te beter het is voor het onderzoek. Ik heb er absoluut geen bezwaar tegen als u en uw vrouw bij ons gesprek aanwezig zijn, maar het moet vanavond plaatsvinden.' Ambrose wist dat hij hard overkwam op mensen die niet wisten dat hij ook zijn zwakheden had. Als het in het belang van het onderzoek was, maakte hij graag gebruik van alle middelen die hem ter beschikking stonden. Hij liet zijn stem zakken waardoor hij klonk als het donkere gerommel van tanks die een straat komen binnenrijden. 'Nu. Als u er geen bezwaar tegen hebt.' Zijn voet stond al over de drempel en Darsie had geen andere keus dan een stap achteruit te doen.

'Kom binnen,' zei hij, en hij maakte een handgebaar naar de eerste deur rechts.

Ambrose ging hem voor naar een gezellige woonkamer. De meubels zagen er versleten, maar comfortabel uit. Een wandmeubel stond vol met dvd's en gezelschapsspellen; een stapel kinderspeelgoed in alle soorten en maten lag in de hoek tussen een bank en een breedbeeld-tv. De salontafel was bezaaid met meccano-onderdelen, en een stapel kinderboeken leunde tegen de zijkant van een andere bank. Er waren geen mensen in de kamer en Ambrose keek Darsie verwachtingsvol aan.

'Sorry voor de rommel,' zei hij. 'Vier kinderen, en netheid zit niet in de familie.' Ambrose probeerde zich geen kritisch oordeel aan te meten over deze man die zich druk maakte over de toestand van de kamer, terwijl hij net had gehoord dat de beste vriendin van zijn dochter was vermoord. Hij wist dat mensen in een shocktoestand nog wel eens onvoorspelbaar en tegenstrijdig reageerden.

'Uw dochter?'

Darsie knikte heftig. 'Een ogenblikje. Ik zal Claire en haar moeder ophalen.'

Darsie was zo snel terug met zijn vrouw en dochter dat Ambrose wist dat de schijtlaars hun niet zelf van het nieuws op de hoogte had durven brengen. Claire, mager en uitgeteerd in een donzige badjas over een flanellen pyjama en met knalroze crocs, deed nog haar best om er als een afstandelijke tiener uit te zien, maar haar moeder maakte eerder een vermoeide dan een ontzette indruk. Ze bleven alle drie in de buurt van de deur staan wachten tot Ambrose het heft in handen zou nemen.

'Ga alstublieft zitten,' zei hij, en hij gunde hun even de tijd om op de bank plaats te nemen. 'Het spijt me jullie te moeten storen, maar het is belangrijk.'

Claire haalde haar schouders op. 'U doet maar. Het slaat nergens op. Jen is gewoon een keertje stout geweest en is nu te laat thuis.'

Ambrose schudde zijn hoofd. 'Het spijt me, Claire. Het is een stuk erger.'

De paniekerige blik liet niet lang op zich wachten. Tegenwoordig zagen ze zoveel verschrikkelijke dingen op hun computer en op tv dat de juiste conclusie snel getrokken was. Voordat Ambrose iets kon zeggen, was haar nonchalante houding helemaal verdwenen. 'O mijn god,' jammerde Claire. 'Er is iets heel ergs met haar gebeurd, hè?' Ze sloeg haar handen voor haar gezicht, haar vingers klauwden in haar wangen. Ze wierp zich tegen haar moeder aan, die instinctief een beschermende arm om haar heen sloeg.

'Ik ben bang van wel,' zei Ambrose. 'Ik moet je tot mijn spijt vertellen dat Jennifer eerder op de avond is gestorven.'

Claire schudde haar hoofd. 'Ik geloof u niet.'

'Het is waar. Het spijt me echt, Claire.' Hij slikte even toen het meisje in huilen uitbarstte.

'Laat ons maar even,' zei haar moeder, die van schrik roze en witte vlekken op haar gezicht had gekregen. 'Alstublieft.'

Ambrose liet hen alleen. Hij ging op de trap zitten en wachtte. De mensen dachten vaak dat het leven van een politieman alleen maar uit actie bestond – autoachtervolgingen en verdachten tegen de muur aan rammen. Ze begrepen niet dat het grotendeels een kwestie was van geduld. Patterson had dat. Dat was een van de redenen waarom Ambrose zijn chef graag mocht. Patterson wentelde de prestatiedruk die zijn superieuren hem oplegden niet af op zijn team. Hij wist heel goed dat hij druk op de ketel moest houden, maar hij vond dat sommige dingen tijd vergden.

Pas na tien minuten kwam David Darsie de woonkamer uit. 'Ze hebben nog wat tijd nodig. Wilt u soms een kop koffie of thee?'

'Koffie, alstublieft. Zwart met twee klontjes suiker.'

Hij zat nog tien minuten met een kop koffie in zijn hand voordat mevrouw Darsie zich bij hem voegde. 'Ze is erg overstuur,' zei ze. 'Ikzelf trouwens ook. Jennifer is een fantastisch meisje. Ze zijn al vanaf de basisschool dikke vriendinnen. Claire voelt zich volkomen thuis bij de familie Maidment. En omgekeerd geldt dat voor Jennifer ook. Ze waren altijd samen hier of bij Jennifer thuis, of ze waren samen aan het shoppen of zoiets.'

'Daarom is Claire zo'n belangrijke getuige voor ons,' zei Ambrose. 'Als er iemand weet wat Jennifer vanavond op het programma had staan, dan is dat waarschijnlijk uw dochter. Met mij praten is het beste wat ze nu voor haar vriendin kan doen.'

'Dat begrijpt ze wel. Ze probeert gewoon wat rustiger te worden, maar daarna praat ze wel met u.' Mevrouw Darsie legde haar kin en haar wang in haar hand. 'God, die arme Tania. Ze was enig kind, weet u. Tania en Paul hadden al jaren geprobeerd kinderen te krijgen toen Jennifer kwam, en ze waren dolblij met haar. Niet dat ze haar verwenden of zoiets. Ze waren heel streng. Maar je hoefde maar te zien hoe ze met haar omgingen om te weten dat Jennifer hun alles was.'

'We vroegen ons af waar meneer Maidment vanavond was,' zei Ambrose, die wilde profiteren van haar duidelijke bereidheid om over de familie Maidment te praten.

'Hij was in India. Hij is eigenaar van een firma die werktuigmachines maakt, hij is daarheen geweest om nieuwe klanten te krijgen om tijdens de kredietcrisis het hoofd boven water te houden.' Haar ogen stonden vol tranen. 'Hij weet hier nog niets van, hè?'

'Dat zou ik echt niet kunnen zeggen,' zei Ambrose zacht. 'Op dit moment zijn mijn collega's bij mevrouw Maidment om haar bij te staan. Zij zullen wel weten hoe ze het best met meneer Maidment in contact moeten komen.' Hij legde een warme hand om de elleboog van mevrouw Darsie. 'Denkt u dat Claire nu met me zou kunnen praten?'

Claire zat volledig ineengekruld op de bank, met een vuurrood gezicht en met ogen die opgezwollen waren van het huilen. Zo ineengedoken zag ze er veel jonger uit dan veertien. 'U zei dat Jennifer dood is,' zei ze zodra Ambrose binnenkwam. 'U bedoelt dat iemand haar heeft vermoord, hè?'

'Ik ben bang van wel,' zei Ambrose en hij ging tegenover haar zitten, terwijl haar moeder weer een beschermende houding aannam. 'Het spijt me.'

'Hebben ze... heeft zij... Hebben ze haar pijn gedaan? Ik bedoel, natuurlijk hebben ze haar pijn gedaan, ze hebben haar vermoord, hè. Maar hebben ze haar zeg maar gemarteld?' Het was overduidelijk dat ze gerustgesteld wilde worden. Over het algemeen loog Ambrose niet tegen getuigen, maar soms was het, menselijkerwijs gesproken, de enige mogelijkheid.

'Het heeft vast niet lang geduurd,' zei hij. Zijn lage bromstem was al een troost op zich.

'Wanneer is het gebeurd?' vroeg Claire.

'Dat kunnen we nog niet zeggen. Wanneer heb je haar voor het laatst gezien?'

Claire haalde diep adem. 'We kwamen samen uit school. Ik dacht dat ze met mij mee naar huis zou gaan, omdat we nog wat voor biologie moesten doen, en de bètavakken doen we meestal hier omdat mijn pa scheikunde geeft en hij ons zeg maar kan helpen als we iets niet weten. Maar zij zei nee, ze ging naar huis omdat haar vader morgen thuiskomt en zij nog een taart wilde bakken. Als welkomstcadeautje of zoiets.'

'Wat aardig. Deed ze zoiets wel vaker als haar vader weg was geweest?'

Claire haalde haar schouders op. 'Dat weet ik eigenlijk niet. Ik kan me niet herinneren dat ze zoiets ooit eerder heeft gedaan, maar ik heb er nooit zo op gelet. Hij gaat alsmaar weg, haar vader. Soms maar voor een paar nachten, maar de laatste tijd soms wel weken achter elkaar.'

'Dat is vanwege de economische toestand in China en India,' viel haar moeder haar in de rede. 'Hij moet nieuwe markten aanboren, daarom moest hij zo vaak weg.'

Ambrose wou dat Claires moeder zich erbuiten hield. Hij probeerde zijn verhoren altijd soepel te laten verlopen. Op die manier vertelden de mensen vaak veel meer dan ze van plan waren. Hij had er de pest aan als andere mensen zich ermee bemoeiden. 'En meer heeft Jennifer niet over haar plannen verteld? Alleen dat ze naar huis ging om een taart te bakken?'

Claire fronste haar voorhoofd om zich alles nog beter te kunnen herinneren. 'Ja. Ik was een beetje boos omdat ze er daarvoor niets over had gezegd. Omdat we de afspraak hebben dat we elkaar niet laten stikken. "Vriendinnen laten elkaar niet in de steek," dat is zeg maar onze lijfspreuk. Ik bedoel, ze heeft me niet eens gevraagd of ik mee wilde komen om te helpen.'

'Dus op dat moment vond je het een beetje vreemd? Dat Jennifer daar opeens mee aan kwam zetten?'

'Nogal.' Claire knikte. 'Ik bedoel, niet gek of zo. Maar gewoon niets voor haar. Maar ik was niet van plan er een punt van te maken, hoor. Ze wilde iets aardigs doen voor haar vader, dat is haar zaak.'

'Heb je nog afscheid van haar genomen?'

'Nou ja, we hebben niet echt afscheid genomen. Niet echt. We staan bij de bushalte en de bus komt eraan en ik stap het eerst in en dan zegt Jennifer opeens: "O ja, ik moet nog chocola hebben voor de taart, ik moet nog bij de supermarkt langs." Er is een kleine Co-op supermarkt vijf minuten lopen van school, ziet u. Dus ik zit al in de bus en zij duwt allemaal mensen opzij om weer uit te stappen, en als ik haar weer zie loopt ze langs de bus heen in de richting van de supermarkt. En ze zwaait naar me en ze lacht. En ze zegt iets van "tot morgen". Nou ja, zo zag het eruit, dat ze dat zei.' Claire vertrok haar gezicht en de tranen rolden over haar wangen. 'Dat is het laatste wat ik van haar heb gezien.'

Ambrose wachtte terwijl de moeder over Claires haren streelde en probeerde haar dochter weer kalm te krijgen. 'Ik krijg de indruk dat Jennifer vandaag niet helemaal zichzelf was,' zei hij. 'Ze was anders dan anders, hè?'

Claire haalde een schouder op. 'Ik weet het niet. Ja, kan wel.'

Ambrose, die zelf vader was van een tienerzoon, herkende dit als pubertaal voor 'jazeker'. Hij glimlachte onbevangen naar haar. 'Ik weet dat je niet iets wilt zeggen waarmee je het gevoel hebt dat je Jennifer verraadt, maar bij een moordonderzoek is er geen plaats voor geheimen. Denk je dat ze misschien een afspraakje met iemand had? Iemand over wie ze niet wilde praten?'

Claire snoof en veegde met de rug van haar hand haar neus af. 'Dat zou ze nooit voor mij geheimhouden. Nooit. Iemand moet haar gepakt hebben op weg naar de Co-op. Of daarna, op weg naar huis.'

Ambrose ging er niet verder op in. Hij schoot er niets mee op om Claire tegen zich in het harnas te jagen. 'Zaten jullie vaak te internetten?'

Claire knikte. 'We internetten meestal bij haar thuis. Ze heeft een betere computer dan ik. En we hebben de hele tijd contact; msn'en, sms'en en dat soort dingen.'

'Zitten jullie op een vriendennetwerk?'

Claire keek hem aan alsof ze wilde zeggen 'ja, duh', en knikte. 'We zitten op Rig.'

Dacht ik het niet? Een paar jaar geleden was het MySpace geweest. Dat was weer ingehaald door Facebook. Toen was RigMarole opgedoken met een entree die nog gebruikersvriendelijker was, met het bijkomende voordeel dat je er gratis software kon downloaden die stemmen herkende. Je hoefde nu niet eens meer te kunnen typen om toegang te hebben tot een wereldwijde gemeenschap van gelijkgestemde leeftijdgenoten en goed gecamoufleerde roofdieren. Ambrose probeerde zijn eigen kinderen in de gaten te houden, bijvoorbeeld met wie ze online contact hadden, maar hij wist dat het onbegonnen werk was. 'Weet jij toevallig wat het wachtwoord van Jennifer was? Het zou ons echt helpen als we zo snel mogelijk bij haar profiel en haar boodschappen konden komen.'

Claire keek even tersluiks naar haar moeder, alsof ze zelf ook geheimen had die ze niet wilde openbaren. 'We hadden een soort code. Zodat niemand het kon raden. Haar wachtwoord bestond uit mijn initialen, plus de laatste zes cijfers van mijn mobiele nummer. Zeg maar CLD435767.'

Ambrose toetste de code in zijn mobiel. 'Daarmee help je ons fantastisch, Claire. Ik zal je niet langer lastigvallen, maar ik moet je nog één ding vragen: heeft Jennifer het ooit gehad over iemand voor wie ze bang was? Iemand door wie ze zich bedreigd voelde? Dat zou een volwassene kunnen zijn, iemand van school of iemand die naast haar woonde. Iedereen eigenlijk.'

Claire schudde haar hoofd; haar gezicht vertrok zich weer in verdriet. 'Daar heeft ze het nooit over gehad.' Haar stem klonk zielig, haar blik was intriest. 'Iedereen vond Jennifer aardig. Waarom zou iemand haar willen vermoorden?'

4

Carol stond er versteld van hoe snel de aanwezigheid van John Brandon uit zijn vroegere kantoor was uitgegomd. Zijn inrichting was bescheiden geweest, en onopvallend; een enkel familieportret en een ingewikkeld koffiezetapparaat waren de enige voorwerpen die iets verraden hadden over de man zelf. James Blake was duidelijk uit heel ander hout gesneden. Leren leunstoelen, een antiek bureau en houten dossierkasten moesten de indruk wekken van een landhuis, de muren hingen vol met bewijzen van Blakes succes. Je kon ze onmogelijk over het hoofd zien – zijn ingelijste afstudeerbul van Exeter, foto's van hem met twee eerste ministers, met de prins van Wales, en met allerlei staatssecretarissen en met nog een paar mindere goden. Carol wist niet zeker of dit wees op ijdelheid of dat het bedoeld was als een schot voor de boeg van eventuele bezoekers. Ze zou haar mening opschorten tot ze hem wat beter kende.

Blake, die er gepolijst en opgedoft uitzag in zijn gala-uniform, wuifde Carol naar een van de kuipstoeltjes voor zijn bureau. In tegenstelling tot Brandon vroeg hij niet of ze thee of koffie wilde. En hij bleek ook niet een man te zijn voor beleefdheden. 'Ik zal maar meteen ter zake komen, Carol,' zei hij.

Dus zo zou het er in de toekomst aan toegaan. Geen zogenaamd bruggen bouwen, geen huichelarij dat ze zoveel gemeenschappelijk hadden. Het was Carol duidelijk dat het gebruik van haar voornaam geen eerste stap was op de weg naar vriendschap, maar wel een stevige poging om haar op haar plaats te zetten door te weigeren haar aan te spreken met haar rang. 'Daar ben ik blij om, hoofdcommissaris.' Ze weerstond de verleiding om haar armen en benen over elkaar te slaan, en in plaats daarvan verkoos ze het zijn open houding te imiteren. Ze had wel het een en ander opgestoken van al die jaren dat ze met Tony had opgetrokken.

'Ik heb naar je staat van dienst gekeken. Je bent een zeer goede politievrouw, Carol. En je hebt jezelf omringd met een eersteklas team.' Hij zweeg afwachtend.

'Dank u, hoofdcommissaris.'

'En daar zit ook het probleem.' Blakes mond plooide zich tot een glimlach die liet zien hoezeer hij te spreken was over zijn eigen slimheid.

'We hebben ons succes nooit als een probleem beschouwd,' zei Carol, die wel wist dat dit niet helemaal het antwoord was waar hij op zat te wachten.

'Ik begrijp dat de voorwaarden waaronder jouw team opereert inhouden dat je in actie komt bij zware misdrijven binnen jouw district die niet kunnen worden toegewezen aan een van de landelijke brigades.'

Carol knikte. 'Dat klopt.'

'Maar als jullie even geen zwaar misdrijf hebben liggen, houden jullie je bezig met onopgeloste zaken?' Hij kon zijn minachting niet verbergen.

'Dat is zo. En ook daar hebben we een paar opmerkelijke successen geboekt.'

'Dat bestrijd ik niet, Carol. Wat ik me afvraag is of jouw talenten het best tot hun recht komen bij *cold cases*.'

'Cold cases zijn belangrijk. Wij komen op voor de doden. Wij zorgen ervoor dat families een zaak kunnen afsluiten en we slepen mensen voor het gerecht die jaren onterecht deel hebben uitgemaakt van de maatschappij.'

Blakes neusvleugels trilden alsof er een onaangename geur naar hem toe dreef. 'Zijn dat de woorden van je vriend dr. Hill?'

'Zo denken we er allemaal over, hoofdcommissaris. Cold cases zijn belangrijk. En ze hebben ook een niet te verwaarlozen uitwerking op het publiek. Ze laten mensen beseffen dat de politie het oplossen van zware misdrijven hoog in het vaandel heeft staan.'

Blake haalde een doosje pepermuntjes tevoorschijn en stopte er een in zijn mond. 'Dat is allemaal waar, Carol. Maar eerlijk gezegd zijn cold cases meer iets voor brave ploeteraars. Voor werkpaarden, niet voor raspaarden zoals jij en je team. Ze worden opgelost met moed, beleid en trouw, niet door een briljant optreden zoals je dat mag verwachten van jou en van je team.'

'Ik vrees dat ik het niet eens ben met uw inschatting, hoofdcommissaris.' Ze begreep niet helemaal waarom ze zo kwaad werd. Alleen wel dat ze het werd. 'Als het zo eenvoudig lag, zouden deze zaken al lang geleden zijn opgelost. Het gaat er niet alleen om dat er nieuwe forensische technieken op oude zaken worden toegepast. Het gaat erom dat we de zaken vanuit nieuwe gezichtspunten bekijken, dat we ook het ondenkbare onder ogen zien. Mijn mensen zijn daar goed in.'

'Dat kan best. Maar het is geen efficiënt gebruik van mijn budget. Jouw team vertegenwoordigt een schrikbarende investering. Jullie hebben een potentieel en een niveau aan talenten en kennis die zouden moeten worden ingezet voor het oplossen van nieuwe zaken. Niet alleen zware misdrijven, maar ook andere ernstige zaken die op het bordje van de recherche komen te liggen. De mensen die wij dienen hebben recht op politiewerk van het allerhoogste niveau. Het is mijn taak om daarvoor te zorgen op de manier die financieel het meest gunstig is. Dus ik waarschuw je, Carol. Ik laat voorlopig alles bij het oude, maar jouw team zal aan een nauwkeurig onderzoek onderworpen worden. Jullie zijn op proef. Over drie maanden neem ik een besluit gebaseerd op een nauwgezette evaluatie van jullie taken en jullie resultaten. Maar ik waarschuw je maar vast, ik voel intuïtief dat jullie gewoon weer mee moeten gaan draaien met het normale recherchewerk.'

'Dit klinkt alsof u al een besluit hebt genomen, hoofdcommissaris,' zei Carol, die zichzelf dwong om normaal te klinken.

'Dat hangt van jou af, Carol.' Ditmaal was de glimlach ontegenzeglijk zelfgenoegzaam. 'En dan nog iets – nu we het toch over budgetten hebben... Je besteedt kennelijk nogal wat geld aan de adviezen van dr. Hill.'

Nu was het vonkje boosheid uitgegroeid tot een uitslaande brand. 'Dr. Hill heeft een wezenlijke bijdrage geleverd aan ons succes,' zei ze. Ze kon het niet helpen dat ze wat kortaf klonk.

'Hij is klinisch psycholoog, geen forensische wetenschapper. Zijn deskundigheid is niet uniek.' Blake trok een lade open en haalde er een brochure uit. Hij wierp een blik op Carol alsof hij verbaasd was dat ze er nog stond. 'De politieacademie heeft haar mensen een opleiding laten volgen in gedragswetenschappen en profielschetsen. Als we daar gebruik van gaan maken, kunnen we een fortuin besparen.'

’Ze hebben niet de deskundigheid van dr. Hill. En ook niet zijn ervaring. Dr. Hill is wel degelijk uniek. Meneer Brandon dacht er ook zo over.’

Er volgde een lange stilte. ‘Meneer Brandon is er niet meer om je te beschermen, Carol. Hij heeft misschien gedacht dat het gepast was om jouw...’ hij zweeg even en toen hij weer begon te praten was het duidelijk wat hij insinueerde ‘... *huisbaas* een dergelijk groot deel van het budget van de politie van Bradfield toe te schuiven. Ik niet. Dus als je een profielschetser nodig hebt, neem er dan een aan wie niet de schijn van corruptie plakt, hè.’

Patterson voelde diep in zijn schedel een stevige koppijn opkomen. Dat was niet echt verwonderlijk; hij had nog geen twee uur slaap gehad. Je kon het de kijkers die hem op tv zagen niet kwalijk nemen dat ze dachten dat hun toestel was ingeruild voor een zwartwit-apparaat, als je tenminste afging op zijn zilveren haardos en grauwe huid. Alleen de rode oogjes zouden hen weer aan het twijfelen brengen. Hij had genoeg koffie op om een Harley-Davidson mee te kunnen aantrappen, maar zelfs daarmee zag hij er nog niet uit als een man die je graag aan het hoofd zag van jouw moordonderzoek. Er was niets zo ontmoedigend als een persconferentie als je niets anders in de aanbieding had dan de naakte feiten van de moord zelf.

Misschien zouden ze vanaf nu het geluk aan hun kant hebben. Misschien zou er door alle media-aandacht een getuige naar voren komen die Jennifer Maidment had gezien nadat ze afscheid had genomen van haar beste vriendin. Dan zou hoop eindelijk eens zegevieren over ervaring. Een veel waarschijnlijker scenario was dat er een stroom van getuigenissen op gang zou komen die allemaal op niets berustten. De meeste zouden van mensen zijn die het goed meenden maar aan wie ze net zomin iets hadden als aan de aandachtstrekkers en onbegrijpelijke klootzakken die het gewoon leuk vonden om de politie aan het werk te houden.

Terwijl de journalisten achter elkaar aan naar buiten liepen, zocht hij Ambrose op. Die hing over de schouder van hun flegmatieke forensische computerexpert mee te kijken naar Jennifers laptop. Gary Harcup was even na middernacht uit zijn bed gehaald om te kijken wat er op de laptop stond. Ambrose had nauwelijks oog voor zijn chef, maar keek onmiddellijk weer naar het scherm, waarbij hij zijn vermoeide, bruine ogen samenkneep om beter te kunnen focussen. 'Dus wat je me vertelt, is dat al deze sessies van verschillende computers kwamen? Ook al is duidelijk dat het dezelfde persoon is die met Jennifer praat?'

'Inderdaad.'

'Hoe kan dat nou?' Ambrose klonk gefrustreerd.

'Volgens mij maakte degene die met Jennifer chatte gebruik van internetcafés en bibliotheken. Nooit twee keer dezelfde plek.' Gary Harcup had zijn omvang gemeen met Ambrose, maar meer ook niet. Waar Ambrose strak gepolijst en gespierd was, was Gary mollig, verfomfaaid en bebrild, en met zijn grote bos warrig bruin haar en dito baard zag hij eruit als een beer in een stripverhaal. Hij krabde op zijn hoofd. 'Hij gebruikt een gratis e-mailaccount dat niet op te sporen is. Geen van de chatsessies duurt langer dan een halfuur, dus valt hij niemand op.'

Patterson trok een stoel bij. 'Wat is er aan de hand, jongens? Heb je iets voor ons, Gary?'

Maar het was Ambrose die antwoord gaf. 'Volgens Claire Darsie zaten zij en Jennifer de hele tijd op RigMarole. En Gary heeft een hele stapel van hun gesprekken in de chatroom weten op te duikelen.'

'Is er iets bruikbaars bij?' Patterson leunde naar voren zodat hij beter zicht had op het scherm. Een vleugje zeep zweefde van Ambrose naar hem toe en maakte dat Patterson zich geneerde voor zijn eigen ongewassen toestand. Hij had zich niet de tijd gegund om te douchen, hij had alleen even snel het scheerapparaat over zijn wangen gehaald.

'Er is heel veel onzin bij,' zei Gary. 'Het gebruikelijke tienergebabbel over *X Factor* en *Big Brother*. Over popsterren en soapacteurs. Geroddel over hun schoolgenootjes. Ze praatten voor het merendeel met andere kinderen uit hun klas, maar er zijn een paar outsiders die ook op RigMarole zaten. Voor het grootste deel andere meisjes van hun leeftijd die van dezelfde jongensbands houden.'

'Ik hoor een "maar",' zei Patterson.

'Dat hoor je goed. Er is er eentje die wat anders is,' zei Ambrose. 'Eentje die probeert hetzelfde te klinken, maar die af en toe een verkeerde toon aanslaat. Hij lijkt bang om iets los te laten waaruit blijkt waar hij of zij woont. Kun je het ons laten zien, Gary?'

Gary's vingers fladderden over de toetsen en een stroom gesprekjes werd zichtbaar op het scherm. Patterson begon oplettend te lezen, maar hij wist niet precies waar hij naar zocht. 'Denk je dat het een pedofiel is die zijn volgende slachtoffer aan het paaien is?'

Ambrose schudde zijn hoofd. 'Zo klinkt het niet. Wie het ook is, hij of zij probeert Jennifer en haar vriendinnetjes uit de tent te lokken en bevriend met ze te raken. Pedo's proberen meestal eentje van de groep te isoleren. Ze spelen in op de gewone onzekerheden, over uiterlijk, gewicht, persoonlijkheid, er niet bij horen. Dat is hier niet aan de hand. Het gaat meer over het tonen van solidariteit. Lid zijn van de groep.' Hij tikte met zijn vinger op het scherm. 'Het is op geen enkele manier opdringerig.'

'En dan wordt het echt interessant,' zei Gary terwijl hij zo snel het scherm af scrolde dat de afzonderlijke teksten en smileys niet meer te onderscheiden waren. 'Dit is van vijf dagen geleden.'

> Jeni: Wat bedoel je, zz?
> zz: Ieder1 heeft geheimen, ieder1 schaamt zich ergens voor. Dingen die je niet aan je vrienden vertelt.
> Jeni: Ik niet. Mijn beste vriendin weet alles over me.
> zz: Dat zeggen we allemaal & dan liegen we.

'Dan mengen de anderen zich erin en wordt het een algemeen gesprek,' zei Gary. 'Maar dan zondert zz Jennifer af in een privéchatsessie. Kijk maar.'

> zz: Ik wilde alleen met jou praten.
> Jeni: Wrom?
> zz: Omdat ik weet dat je een GROOT geheim hebt.
> Jeni: Dan weet je meer dan ik.
> zz: Soms kennen we onze eigen geheimen niet. Maar ik ken een geheim waarvan je niet wilt dat anderen het weten.
> zz: Kweenie waar je het over hebt.
> zz: Zorg dat je morgen zelfde tijd weer online bent. Dan praten we verder.

'En dan stopt de sessie,' zei Gary.

'Wat is er de volgende dag gebeurd?' vroeg Patterson.

Gary leunde achterover in zijn stoel en wreef door zijn haren. 'Dat is het probleem. Er is iets door zz tegen Jennifer gezegd, waarna ze heeft besloten het gesprek te wissen.'

'Ik dacht dat er niet zoiets bestond als het geheugen van de computer wissen, dat je dat alleen maar kon doen door heel hard met een hamer op de harde schijf te slaan,' zei Patterson. De hoofdpijn had zich nu echt een plaatsje in zijn hoofd veroverd en het gevolg was een zwaar, dof gebonk tussen zijn oren. Hij kneep hard in de brug van zijn neus in een poging de pijn uit te bannen.

'Daar komt het op neer, ja,' zei Gary. 'Maar dat betekent nog niet dat je er met een muisklik bij kunt komen. Ik ga er nu van uit dat dit meisje geen flauw idee had hoe ze haar computer schoon moest maken. Maar dat neemt niet weg dat ik een heleboel software in dit schatje moet stoppen om terug te kunnen krijgen wat zij heeft proberen te wissen.'

'Godverdomme,' kreunde Ambrose. 'Hoe lang gaat dat duren?'

Gary haalde zijn schouders op, waarbij zijn hele stoel met hem meedeed. 'Van het een komt het ander, hè? Misschien ben ik er in een paar uur achter, maar het kan ook dagen duren.' Hij spreidde zijn handen in een hulpeloos gebaar. 'Wat kan ik zeggen? Het is iets heel anders dan de onderhoudsbeurt van een auto. Ik kan jullie met geen mogelijkheid een schatting geven.'

'Oké,' zei Patterson. 'Kunnen we even teruggaan naar wat je in het begin zei. Je vertelde aan Alvin dat deze sessies allemaal van verschillende computers kwamen. Is er een manier om erachter te komen waar die computers staan?'

Gary schokschouderde, vlocht toen zijn vingers in elkaar en liet zijn knokkels kraken. 'In principe wel, maar er is geen garantie. Er zijn websites met gegevens van individuele computereigenaren, maar computers veranderen ook wel eens van eigenaar.' Hij trok zijn mondhoeken naar beneden als een droevige clown. 'Maar er is wel een redelijke kans dat je er een stelletje kunt opsporen.'

'Op die manier kunnen we er misschien achter komen waar die klootzak zijn hol heeft,' zei Patterson. 'Dat moet nu óók een prioriteit voor ons zijn. Kun je je daarop concentreren en ook nog de computer zelf onderzoeken? Of moeten we er nog iemand anders bij halen?'

Als Gary een hond was geweest, zouden zijn nekharen rechtovereind zijn gaan staan. 'Dat lukt wel,' zei hij. 'Ik laat de programma's los op Jennifers computer en ondertussen zoek ik op van wie de diverse computers waren.'

Patterson stond op. 'Goed. Maar als het te lang duurt, zorgen we dat je er voor het domme werk hulp bij krijgt.'

Gary keek hem woedend aan. 'Dom werk bestaat niet in ons vak.'

Patterson kon nog net voorkomen dat hij zijn ogen ten hemel sloeg. 'Nee, natuurlijk niet. Sorry Gary. Ik bedoelde er niets mee.' Hij gaf hem nog net geen schouderklopje, zoals hij zou doen bij de hond thuis. Hij stond op. 'Alvin, heb je even?'

Buiten op de gang liet Patterson zich tegen de muur aan zakken. Het gebrek aan voortgang voelde hij als een zware last op zijn schouders drukken. 'We schieten verdomme geen zak op,' zei hij. 'We hebben geen enkele getuige. Ze is de bus uit gestapt, maar ze is niet bij de Co-op geweest. Het is net alsof Jennifer Maidment tussen de bushalte en de winkel in het niets is opgelost.'

Een mondhoek van Alvin ging even omhoog en zakte toen weer in. 'Als ze tenminste van plan was naar de Co-op te gaan.'

'Wat bedoel je? Volgens jou zei Claire Darsie dat Jennifer naar de Co-op wilde om chocola te kopen voor de taart voor haar vader. Ze zag haar die richting uit lopen. Jennifer heeft naar haar gezwaaid.'

'Dat betekent nog niet dat ze de waarheid sprak,' zei Ambrose met een uitdrukkingsloos gezicht. 'Alleen het feit dat ze die kant uit liep, betekent nog niet dat ze er echt heen ging. Claire zei dat het allemaal niets voor Jennifer was. Dus misschien had Jennifer wel heel andere plannen. Plannen die geen klap te maken hadden met de Co-op. Of met de taart voor haar vader. Misschien was er wel helemaal geen taart.'

'Denk je dat ze een afspraak met iemand had?'

Ambrose schokschouderde. 'Wat is er belangrijk genoeg om een tienermeisje te laten liegen tegen haar beste vriendin? Meestal gaat het dan om een jongen.'

'Denk jij dat ze wist dat die indringer op Rig een kerel was?'

'Dat weet ik niet. Ik betwijfel of ze zo wereldwijs was. Ik denk eerder dat ze meer te weten wilde komen over dat zogenaamde geheim.'

Patterson zuchtte. 'En Gary moet eerst zijn kunsten uithalen, want nu hebben we geen flauw benul wat dat zou kunnen zijn.'

'Dat is waar. Maar in de tussentijd kan het misschien geen kwaad om eens met pa en ma te gaan praten. Horen of er überhaupt ooit sprake is geweest van een taart.'

5

Al voordat hij werd geboren was Daniel Morrison in de watten gelegd. Geen kind was ooit zo gewenst geweest als hij, en kosten noch moeite waren gespaard om zijn leven zo prettig mogelijk te maken. Tijdens haar zwangerschap had zijn moeder Jessica niet alleen de alcohol en verzadigde vetten afgezworen, maar ook haarlak, stomerijen, deodorant en insectenwerende middelen. Alles waarvan men ooit had gezegd dat het misschien wel eens kankerverwekkend zou kunnen zijn, was uit Jessica's omgeving verbannen. Als Mike terugkwam uit de pub, stinkend naar sigarettenrook, moest hij in de bijkeuken al zijn kleren uittrekken en douchen voordat hij bij zijn zwangere vrouw in de buurt mocht komen.

Toen Daniel na een door Jessica zelfverkozen keizersnee op de wereld kwam met een perfecte apgarscore, wist ze dat ze gelijk had gehad met al die preventieve maatregelen. Ze schroomde niet om die mening te delen met iedereen die ernaar wilde luisteren, en met een flink aantal mensen die daar géén zin in hadden.

En daarmee hield de drang naar volmaaktheid niet op. In elk stadium van Daniels ontwikkeling werd hij voorzien van pedagogisch verantwoord, bij zijn leeftijd passend speelgoed, en andere soorten prikkels. Toen hij vier was werd hij ingeschreven bij de beste privébasisschool in Bradfield, en daar ging hij heen, getooid met een grijze flanellen korte broek, een overhemd en das, een kastanjebruine blazer en een pet die niet zou hebben misstaan in de jaren vijftig.

En zo ging het maar door. Designerkleding en moderne kapsels; elke winter naar Chamonix, elke zomer naar Italië; wit crickettenue en rugbytruien; Cirque du Soleil, klassieke concerten en schouwburg. Als Jessica vond dat Daniel iets nodig had, kreeg hij het. Een andere man had er misschien de rem op gezet. Maar Mike hield van zijn vrouw – ook van zijn zoon natuurlijk, maar niet zoveel als van Jessica – en dus koos hij voor de weg die haar het gelukkigst maakte. Zij gaf Daniel in alles zijn zin, hij deed hetzelfde met Jessica. Hij had geboft dat hij vroeg in de jaren negentig had ingezien dat mobiele telefoons het helemaal zouden gaan maken. Er waren tijden geweest dat hij het gevoel had gehad dat het geld aan de bomen groeide. Dat Jessica wist hoe ze het moest uitgeven, was daarom nooit een probleem geweest.

Wat wel langzaam tot Mike Morrison was doorgedrongen, was dat zijn veertienjarige zoon niet zo aardig was. In de afgelopen maanden was gebleken dat Daniel niet langer bereid was alles te accepteren wat Jessica het beste voor hem vond. Hij was zijn eigen ideeën over wat hij wilde aan het ontwikkelen, en omdat Jessica hem er altijd van had doordrongen dat hij overal recht op had, had hij dus geen zin om met minder dan de prompte en volledige vervulling van zijn wensen genoegen te nemen. Ze hadden al een paar fikse ruzies achter de rug, waarna Jessica meestal in tranen was en Daniel zich terugtrok op zijn kamer, waar hij dan soms dagen achtereen niet meer uit wilde komen.

Het waren niet de ruzies die Mike dwarszaten, ook al was Jessica nog zo boos en gefrustreerd. Hij kon zich uit zijn puberteit soortgelijke ruzies herinneren, wanneer hij probeerde voor zichzelf op te komen als zijn ouders dwarslagen. Wat hem zorgen baarde was het langzaam tot zekerheid wordende vermoeden dat hij geen flauw idee had wat er in het hoofd van zijn zoon omging.

Hij wist nog hoe het was om veertien te zijn. Hij had zich druk gemaakt om vrij simpele dingen. Voetbal, zowel ernaar kijken als zelf spelen; meisjes, zowel echt als fantasie; of de popgroep Cream beter was dan Blind Faith; en wanneer hij zich eindelijk toegang kon verschaffen tot een feestje met alcohol en drugs. Hij was echt geen brave hendrik geweest. Hij had afstand genomen van de verwachtingen van zijn ouders, maar hij was ervan overtuigd geweest dat hij daarom juist een beter contact zou krijgen met Daniel als die ging puberen.

Daar had hij zich verschrikkelijk in vergist. Daniel had Mikes pogingen om een band tussen hen te smeden door ervaringen uit te wisselen beloond met een schouderophalen, een sneer en een volledige weigering om zich met hem in te laten. Na de zoveelste afwijzing had Mike schoorvoetend moeten accepteren dat hij geen idee had wat er zich afspeelde in het hoofd of in het leven van zijn zoon. Daniels dromen en verlangens, zijn angsten en zijn fantasieën, zijn passies en zijn keuzes waren onpeilbaar voor zijn vader.

Mike kon er alleen maar naar raden waar zijn zoon mee bezig was gedurende de vele uren dat ze niet bij elkaar waren. En omdat de beelden die zijn fantasie hem voortoverde hem niet aanstonden, had hij besloten er maar helemaal niet meer aan te denken. Hij nam aan dat Daniel het zo wel prima vond. Wat hij niet had kunnen weten was dat zijn moordenaar het ook wel prima vond.

Sommige ontmoetingen konden beter niet op de werkplek plaatsvinden. Carol had dat altijd intuïtief geweten; Tony had er een rationele verklaring voor: 'Als je mensen uit hun territorium haalt, blijft er niet veel meer over van hiërarchische verhoudingen. Ze zijn dan een beetje uit hun evenwicht, maar ze proberen ook voordelig uit te komen, zich te onderscheiden. Ze worden er creatiever van, meer vernieuwend. En dat is van groot belang bij ieder team dat voorop wil blijven lopen. De dingen nieuw en inventief houden is een van de moeilijkste opgaven, vooral bij hiërarchisch opgebouwde organisaties als de politie.'

Bij een team als het hunne was het zelfs nog belangrijker om voor de troepen uit te lopen. Zoals James Blake haar zo fijntjes onder de neus had gewreven, waren eliteteams zonder uitzondering aan meer kritiek onderhevig dan gewone afdelingen. Het ontwikkelen van nieuwe initiatieven die effectief bleken te zijn, was een rechttoe-rechtaan-manier om de critici de wind uit de zeilen te nemen. Op dit moment was de druk groter dan ooit, maar ze had er alle vertrouwen in dat haar mensen net zo hard voor hun posities zouden vechten als zijzelf. Daarom vroeg ze nu wat iedereen wilde drinken in de karaokeruimte van hun favoriete Thaise restaurant.

En dat niet alleen. Ze was ook iets anders aan het oefenen wat ze van Tony had geleerd: iemands keuze en de manier waarop diegene tot die keuze komt, kunnen veel over iemand zeggen, zelfs bij heel kleine dingen. Dus nu had ze de kans om het beeld dat zij daarvan had om te zetten in kennis, om te zien of de dingen die ze dacht te weten over haar team werden bevestigd door wat ze kozen en hoe ze het kozen.

Stacey Chen was een makkie geweest. In de drie jaren dat ze samenwerkten had Carol hun eigen whizzkid nooit iets anders zien drinken dan earl grey. Ze had aparte afgesloten zakjes bij zich in haar chique leren rugzak. In bars en in clubs waar thee niet op de lijst met drankjes stond, bestelde ze gewoon kokend water en deed daar dan haar eigen zakje in. Ze was een vrouw die precies wist wat ze wilde en als ze er eenmaal achter was wat dat was, kon niemand haar daar meer van afbrengen. Haar rechtlijnigheid maakte het ook moeilijk om te peilen hoe ze zich voelde. Als mensen nooit van voorkeur veranderden, kon je er onmogelijk achter komen of ze gestrest waren of juist heel blij, vooral als ze net als Stacey uiterst terughoudend waren. Het leek griezelig veel op een racistische typering, maar het viel niet te ontkennen dat Stacey beter wist om te gaan met het begrip 'ondoorgrondelijk' dan alle andere mensen uit Carols kennissenkring.

Na al deze tijd kon ze nog steeds niet veel toevoegen aan de simpele feiten die er op Staceys cv stonden. Haar ouders kwamen uit Hongkong en hadden een succesvolle groot- en detailhandel in levensmiddelen. Het gerucht ging dat Stacey zelf miljoenen had verdiend met de verkoop van software die ze in haar vrije tijd had ontwikkeld. In ieder geval kleedde ze zich als een miljonair, in kleding die op maat gemaakt leek, en af en toe vertoonde haar gedrag arrogante trekjes die haar bescheiden ijver in een ander daglicht stelden. Als ze niet zo briljant was geweest op technologisch gebied, zou Carol vermoedelijk nooit uit vrije wil zo nauw met iemand als Stacey hebben willen samenwerken. Maar op de een of andere manier was er respect tussen hen gegroeid en had hun samenwerkingsverband vruchten afgeworpen. Carol kon zich haar team zonder de bijzondere inbreng van Stacey niet meer voorstellen.

Rechercheur Paula McIntyre was duidelijk aan het wikken en wegen wat ze moest gaan kiezen. Waarschijnlijk vroeg ze zich af of ze het zou wagen een echt drankje te bestellen. Carol schatte in dat Paula die gedachte zou verwerpen, omdat haar verlangen naar alcohol niet opwoog tegen haar verlangen naar de goedkeuring van Carol. *Weer goed gegokt.* Paula koos een cola. Er bestond een onuitgesproken band tussen Paula en haar chef; door hun baan hadden ze beiden schade opgelopen die de normale ervaringen van politiemensen in de frontlinie deed verbleken. Bij Carol ging het om een kwetsuur die was ontstaan door het verraad van juist die mensen op wie ze had moeten kunnen vertrouwen. Achteraf was ze verbitterd en kwaad geweest en had ze er bijna de brui aan gegeven. Paula had er ook over gedacht de politie de rug toe te keren, maar bij haar was het niet een kwestie geweest van verraad, maar meer van een onredelijk schuldgevoel. Wat ze gemeen hadden was dat de weg terug naar een situatie waarin ze zich weer prettig voelden in het beroep dat ze hadden gekozen, was uitgestippeld met hulp van Tony Hill. Bij Carol was dat in zijn hoedanigheid als vriend; bij Paula in die van onofficiële therapeut. Carol was hem dankbaar, zowel voor het een als voor het ander. Niet in de laatste plaats omdat niemand zoveel informatie uit een verhoor kon krijgen als Paula. Maar eerlijk gezegd was er ook een beetje jaloezie bij te pas gekomen. *Zielig*, vermaande ze zichzelf.

En dan had je Kevin nog. Carol realiseerde zich opeens dat nu John Brandon met pensioen was, rechercheur Kevin Matthews degene was met wie ze het langst had samengewerkt. Ze hadden beiden meegewerkt aan het eerste onderzoek naar een seriemoordenaar waar de politie van Bradfield ooit mee te maken had gehad. De carrière van Carol had als gevolg hiervan een hoge vlucht genomen; die van Kevin was in de kiem gesmoord. Toen ze naar Bradfield was teruggekeerd om het Team Zware Misdrijven op poten te zetten, was zij degene geweest die hem een tweede kans had gegeven. *Dat heeft hij me nooit helemaal vergeven.*

Na al die jaren kon ze nog steeds niet iets te drinken voor hem bestellen zonder hem eerst te vragen waar hij zin in had. De ene maand was het cola light, de andere koffie en dan weer warme chocola. Of als ze in de pub waren was het een biertje uit het vat of een ijskoude Duitse pils of een witte wijn met spuitwater. Ze wist nog steeds niet of het kwam omdat iets hem gauw verveelde of dat hij niet erg standvastig was.

Twee leden van het team waren er niet. Brigadier Chris Devine lag ergens op een Caraïbisch strand met haar partner. Carol hoopte dat moord het laatste was waar ze aan dacht, maar ze wist dat als Chris ook maar het minste vermoeden had van wat er hier speelde, ze de eerste de beste vlucht naar huis zou nemen. Net als alle anderen hield Chris van haar baan.

Het laatste teamlid, rechercheur Sam Evans, was afwezig zonder opgaaf van reden. Carol had ze allemaal persoonlijk over de vergadering verteld of ge-sms't, maar blijkbaar wisten ze geen van allen waar Sam was of waar hij mee bezig was. 'Hij heeft vanmorgen vroeg een telefoontje gekregen, en toen heeft hij zijn jas gepakt en is vertrokken,' had Stacey gezegd. Carol was verbaasd dat ze het überhaupt had gemerkt.

Kevin grijnsde. 'Hij kan er niets aan doen, hè? De jongen zou een olympische medaille kunnen halen bij het onderdeel "je eigen boontjes doppen".'

En dit is nu net het verkeerde moment om te laten zien dat het TZM geen echt team is, maar meer een verzameling eigenwijze individuen die soms per ongeluk wel iets weg hebben van een stelletje linedancers. Carol zuchtte. 'Ik ga de drankjes bestellen. Hopelijk komt hij gauw.'

'Bestel maar vast mineraalwater voor hem,' zei Kevin. 'Voor straf.'

Terwijl hij dit zei, ging de deur open en kwam Sam binnenrennen met een computer onder zijn arm en een zelfgenoegzame grijns op zijn gezicht. 'Sorry dat ik zo laat ben, chef.' Hij stak de dikke, grijze doos naar voren en zwaaide ermee alsof hij Roger Federer in eigen persoon was die net de schaal op Wimbledon in ontvangst heeft genomen. 'Ta-dáá!'

Carol sloeg haar ogen ten hemel. 'Wat heb je daar, Sam?'

'Ziet eruit als een gewone pc, waarschijnlijk uit begin jaren negentig, want hij heeft een diskettestation voor 5 inch floppy's en eentje voor floppy's van drieënhalve inch,' zei Stacey. 'Met een geheugentje van niks naar de huidige maatstaven, maar genoeg voor de basisfuncties.'

Paula kreunde. 'Dat bedoelt de chef niet, Stacey. Wat heeft dit te betekenen, dat bedoelt ze.'

'Bedankt Paula, maar ik kan zelf nog wel praten, hoor, ondanks Sams spectaculaire entree.' Carol raakte met een glimlach Paula's schouder aan om het minder als een terechtwijzing te laten klinken. 'En Sam, Paula vroeg het al, maar wat heeft dit allemaal te betekenen?'

Sam zette de computer met een klap op de tafel en gaf er een liefkozend klapje op. 'Dit schatje is de computer waarvan Nigel Barnes heeft gezworen dat hij niet bestond.' Hij wees met een vinger naar Stacey. 'En dit is jouw kans om hem achter de tralies te krijgen voor de moord op zijn vrouw.' Hij sloeg zijn armen voor zijn brede borst over elkaar en grijnsde.

'Ik snap nog steeds niet waar het over gaat,' zei Carol, die wel doorhad dat deze opmerking van haar werd verwacht. Ze was al bijna vergeten dat Sam veel te laat was. Ze wist dat Sams neiging om in zijn eentje te opereren gevaarlijk was en slecht voor de teamgeest, maar ze kon niet zo lang boos blijven. Te veel van zijn eigenschappen waarmee hij tweedracht zaaide waren nu juist die eigenschappen die Carol in het begin van haar carrière zo sterk gemotiveerd hadden. Ze wilde gewoon dat hij het stadium van de ongegeneerde eerzucht achter zich liet en dat hij zou beseffen dat je niet altijd sneller ging als je alleen reisde.

Sam gooide zijn jasje over een stoel en ging op het puntje van de tafel net naast de computer zitten. 'Dit is een cold case, chef. Danuta Barnes en haar dochtertje van vijf maanden worden al vermist sinds 1995. Ze zijn verdwenen en daarna nooit meer door iemand gezien. Destijds had men het vermoeden dat haar man Nigel hen beiden had vermoord.'

'Ik kan me dat nog goed herinneren,' zei Kevin. 'Haar familie beweerde met grote stelligheid dat hij haar en de baby had vermoord.'

'Goed zo, Kevin. Hij wilde het kind niet; ze hadden de hele tijd ruzie gehad over geld. De recherche heeft het huis helemaal overhoopgehaald, maar ze hebben nog geen bloedspatje gevonden, laat staan lijken. En genoeg lege plekken in de klerenkast om zijn verhaal te bevestigen dat ze er gewoon met de baby vandoor was gegaan.' Sam haalde zijn schouders op. 'Hun valt niets te verwijten, ze hebben gedaan wat ze konden.'

'Niet helemaal blijkbaar,' zei Carol met een wrang trekje om haar mond. 'Kom op, Sam, je staat te trappelen om het ons te vertellen.'

'Ik kreeg het een halfjaar geleden op mijn bureau, gewoon een routineherziening. Ik ben bij Nigel Barnes langs geweest, maar het dossier bleek niet meer helemaal te kloppen. Hij heeft iets meer dan een jaar geleden het huis verkocht. Dus heb ik de nieuwe eigenaren gevraagd of ze iets ongewoons waren tegengekomen toen ze aan het verbouwen waren.'

'Wist je waar je naar zocht?' vroeg Kevin.

Sam gaf een knikje in zijn richting. 'Toevallig wel, ja. Destijds in 1997 had een attente technische rechercheur opgemerkt dat het scherm en het toetsenbord niet pasten bij de computer zelf. Het merk en de kleur waren anders. Nigel Barnes beweerde bij hoog en bij laag dat hij het zo gekocht had, maar de Stacey van toen wist dat hij loog, omdat het scherm en het toetsenbord bij hetzelfde postorderbedrijf waren gekocht en die verkochten alleen de hele configuratie. Dus moest er op een bepaald moment een andere computer zijn geweest. Ik vroeg me af of de harde schijf misschien nog ergens rondslingerde. Maar de nieuwe eigenaren ontkenden dat, het huis was helemaal kaal opgeleverd. De gierige klootzak had zelfs de peertjes uit de lampen en de batterijen uit de rookmelders meegenomen.' Hij vertrok zijn gezicht in een grimas. 'Dus toen dacht ik dat ik het moest opgeven.'

'Totdat vanmorgen de telefoon ging,' onderbrak Paula hem. Onderhand wisten ze allemaal wel hoe en wanneer ze elkaar bij hun stoere verhalen moesten voorthelpen.

'Precies. De nieuwe eigenaren hadden kennelijk besloten om de kelder te renoveren, wat inhield dat ze al het oude gips moesten wegbreken. En raad eens wat er achter een gipsplaat verstopt stond?'

'Toch niet de oude computer!' Paula gooide haar handen in gespeelde verbazing de lucht in.

'De oude computer.' Sam ving Staceys blik en knipoogde. 'En als daar geheimen op staan, weten we allemaal welke vrouw die kan vinden.'

'Wat raar dat hij hem niet kapot heeft gemaakt,' zei Kevin. Zijn peenkleurige krullen vingen het licht toen hij zijn hoofd schudde.

'Hij heeft waarschijnlijk gedacht dat hij de harde schijf had schoongeveegd,' zei Stacey. 'In die tijd wisten de mensen nog niet hoeveel gegevens er achterblijven als je de schijf opnieuw formatteert.'

'Maar je zou toch denken dat hij dat ding had meegenomen. Of dat hij hem ergens in een afvalcontainer had gegooid. Of dat hij hem aan een van die liefdadigheidsinstellingen had gegeven die oude computers voor Afrika inzamelen.'

'Luiheid of arrogantie. Kies jij maar. Laten we ze allebei dankbaar zijn, want ze zijn onze beste vrienden.' Carol stond op. 'Goed werk, Sam. En daar moeten jij en wij allemaal in de komende maanden zo veel mogelijk mee doorgaan.' Hun gezichtsuitdrukkingen varieerden van verbazing tot berusting. 'Onze nieuwe hoofdcommissaris vindt het TZM een te grote luxe. Hij vindt dat we het geld niet waard zijn. Dat iedereen resultaten kan behalen bij de cold cases waaraan we werken als we niet aan actuele zaken werken. Dat we onze talenten ten dienste moeten stellen van alle afdelingen van de recherche.'

De onmiddellijke reactie was een chaos aan uitroepen waartussen geen enkele kreet zat die het standpunt van Blake ondersteunde. Hun stemmen stierven weg met als laatste die van Sam, die nog gauw 'zak' zei.

Carol schudde haar hoofd. 'Daar hebben we niets aan, Sam. Ik wil net zomin als jullie weer in een gewoon rechercheteam zitten. Ik vind het fijn om met jullie te kunnen werken en ik vind de manier waarop we onze onderzoeken vormgeven ook prima. Ik vind het fijn dat we creatief kunnen zijn en vernieuwend. Maar niet iedereen heeft daar waardering voor.'

'Dat is de pest als je werkt voor een organisatie die applaudisseert als je de pikorde respecteert. Ze houden er niet van individualisme dat van hogerhand is goedgekeurd,' zei Paula. 'Teams zoals dat van ons, die in geen enkel straatje passen, kunnen altijd rekenen op kritiek.'

'Je zou denken dat ze waardering hadden voor ons oplossingspercentage,' klaagde Kevin.

'Niet als zij dan zelf een minder efficiënte indruk maken,' zei Carol. 'Oké. We hebben drie maanden om te laten zien dat het TZM het beste instrument is waarmee we de dingen die we het beste kunnen ook echt doen. Ik weet dat jullie inzet bij elk onderzoek dat we op ons nemen honderd procent is, maar ik zou willen dat jullie nog net iets meer uit de kast halen om mij te helpen ons bestaan te rechtvaardigen.'

Ze keken elkaar aan. Kevin duwde zijn stoel naar achteren en stond op. 'Laat die drankjes dan maar zitten, chef. Aan de slag, zou ik zeggen.'

6

Het stortregende nog steeds toen Alvin Ambrose zijn chef kwam ophalen van de lijkschouwing van Jennifer Maidment. Elke kans om nog sporen te verzamelen op de plaats delict was allang verkeken. De enige bron van tastbare informatie over het lot van Jennifer kwam van het lichaam van het meisje. Hoofdinspecteur Patterson liep op een drafje naar de auto, het hoofd naar beneden, de schouders opgetrokken tegen de striemende regen. Hij liet zich op de plaats naast de bestuurder vallen. De walging was van zijn gezicht af te lezen en de blauwe ogen waren bijna niet meer te zien tussen de oogleden, die dik opgezet waren vanwege slaapgebrek. Ambrose wist niet of de walging werd veroorzaakt door het weer of door de lijkschouwing. Hij knikte in de richting van de kartonnen koffiebeker in de bekerhouder. '*Latte macchiato* met halfvolle melk,' zei hij. Niet dat Patterson nog magerder hoefde te worden.

Patterson rilde. 'Bedankt, Alvin, maar ik moet er niet aan denken. Neem jij hem maar.'

'Hoe ging het?' vroeg Ambrose, terwijl hij de auto behoedzaam naar de uitgang van de parkeerplaats reed.

Patterson trok ruw aan zijn veiligheidsgordel en stak hem in de gleuf. 'Het is nooit goed, hè? Vooral niet als het een kind betreft.'

Ambrose wist dat hij niet verder moest aandringen. Patterson had nu even tijd nodig om wat rustiger te worden, om zijn gedachten op een rijtje te krijgen, en dan zou hij zijn assistent wel van de relevante zaken op de hoogte brengen. Ze waren bij de hoofdweg aangekomen en Ambrose minderde vaart. 'Waarheen?'

Patterson dacht na; hij was geen man voor spontane beslissingen. 'Is er in de tussentijd nog iets nieuws binnengekomen?'

Er was heel wat binnengekomen, een ratjetoe aan kleine dingetjes die stuk voor stuk niet veel voorstelden. Waardeloze aanwijzingen, een rommeltje dat door politiemensen die veel lager in rang waren al voor het eind van de middag naar de prullenmand was verwezen. Een van de taken van Ambrose in hun partnerschap was dat hij de binnengekomen zaken moest schiften. Hij moest bepalen waar Patterson beslist naar moest kijken. Het was een verantwoordelijkheid waar hij in het begin wat beducht voor was geweest toen Patterson hem had uitverkoren als zijn onderknuppel, maar hij was er algauw achter gekomen dat zijn oordeel betrouwbaar was. Dat Patterson dit eerder dan hijzelf had geweten, had het respect van Ambrose voor zijn chef alleen maar versterkt. 'Niets bijzonders,' zei Ambrose.

Patterson zuchtte, waarbij hij zijn holle wangen opblies en weer inzoog. 'Laten we dan maar bij de ouders langsgaan.'

Ambrose voegde in en bedacht ondertussen hoe hij het beste kon rijden. Voordat hij bij de eerste afslag was, begon Patterson te praten. Dat was, dacht Ambrose, vrij vlug voor de chef z'n doen. Daaraan kon je afmeten hoe zwaar hij de zaak van Jennifer Maidment opnam.

'De doodsoorzaak was verstikking. Die plastic zak over haar hoofd zat strak om haar hals geplakt. Ze heeft zich kennelijk niet verweerd. Geen klap op haar hoofd gehad. Geen schrammen of blauwe plekken, geen bloed of huid onder haar vingernagels.' Zijn stem klonk zwaar, de woorden kwamen langzaam en weloverwogen.

'Dat klinkt alsof ze gedrogeerd was.'

'Lijkt er wel op, ja.' Pattersons gezicht veranderde toen de triestheid plaatsmaakte voor woede. Zijn wangen vertoonden twee donkerrode vlekken en zijn lippen waren strak weggetrokken over zijn tanden. 'En natuurlijk duurt het dan verdomme nog weken voordat we de uitslag van het toxicologisch onderzoek binnenkrijgen. Ik wil je wel vertellen, Alvin, dat de manier waarop wij in dit land omgaan met forensische wetenschap een lachertje is. Zelfs dat aftandse ziekenfonds van ons werkt nog sneller. Je laat bij de huisarts je bloed onderzoeken en binnen twee dagen heb je de uitslag binnen. Maar op een uitslag van toxicologie moet je soms wel zes weken wachten. Als die kloterige politici echt boeven willen afschrikken en het oplossingspercentage omhoog willen schroeven, moeten ze geld pompen in de forensische diensten. Het is toch krankzinnig dat we ons maar bij een heel klein deel van de zaken kunnen veroorloven gebruik te maken van de technologie. En zelfs als de rekenmeesters het dan eindelijk goedvinden, duurt het goddomme nog eeuwen. Tegen de tijd dat we de uitslag binnenkrijgen, bevestigt die negen van de tien keer alleen maar wat we al via ouderwets politiegeploeter wisten. De forensische wetenschappers zouden er moeten zijn om het onderzoek vooruit te helpen, niet om alleen maar te bevestigen dat we de juiste boef te pakken hebben. Je weet wel, die serie *Waking the Dead*? En *CSI*? Als ik daarnaar kijk op tv is het net alsof ik naar de een of andere afgrijselijke zwarte komedie kijk. Na één aflevering zou ik mijn hele budget voor een jaar al ophebben.'

Het was een bekende tirade, een van de vele die Patterson op zijn repertoire had staan, telkens als hij zich gefrustreerd voelde over een zaak. Ambrose begreep dat het onderwerp waarover zijn chef zat te kankeren volledig onbelangrijk was. Waar het wel om ging was dat Patterson zichzelf verweet dat hij nog steeds niets in de aanbieding had waarmee hij de pijn van de rouwende gezinnen wat zou kunnen verzachten. Het ging erom dat hij feilbaar was. En Ambrose kon niets zeggen waarmee hij dat gevoel van falen weg kon nemen. Hij volstond met te zeggen: 'Je hoeft mij niets te vertellen.' Er volgde een lange stilte waarin Patterson gelegenheid had weer wat rustiger te worden. 'Wat had de schouwarts nog meer te vertellen?'

'De verminking van de genitaliën was kennelijk het werk van een amateur. Een mes met een lang lemmet, heel scherp. Waarschijnlijk niet iets uitheems – kan een vleesmes geweest zijn.' Patterson deed geen poging om zijn afkeer te verhullen. 'Hij heeft het lemmet in de vagina gestoken en het toen rondgedraaid. De arts denkt dat hij misschien het hele zaakje heeft willen verwijderen – de vagina, de baarmoederhals en de baarmoeder zelf. Maar hij miste de nodige deskundigheid.'

'Dus waarschijnlijk zijn we niet op zoek naar iemand met een medische achtergrond,' zei Ambrose, die zoals altijd kalm en ogenschijnlijk onverstoorbaar bleef. Maar onder de oppervlakte voelde hij hoe zich langzaam de bekende doffe woede aan het vormen was, een woede die hij als tiener had leren beheersen toen iedereen ervan uitging dat een grote zwarte jongen altijd wel in was voor een partijtje knokken. Wanneer hij eraan toegaf, betekende het feit dat hij een grote zwarte jongen was dat hij altijd fout zat, hoe hij het ook wendde of keerde. Hij kon het beter oppotten dan dat hij uiteindelijk opgezadeld werd met de behoefte van al die anderen die zichzelf wilden bewijzen. En bij die anderen hoorden ook leraren en ouders. Dus had hij leren boksen, had hij geleerd de kracht van zijn woede te onderwerpen aan de discipline van de boksring. Hij had het ver kunnen brengen, zeiden ze allemaal. Maar hij had het in elkaar slaan van zijn tegenstanders nooit leuk genoeg gevonden om er zijn beroep van te maken.

'De arts zei godverdomme dat hij deze figuur niet eens zou vragen een kalkoen aan plakken te snijden,' zuchtte Patterson.

'Zijn er sporen van aanranding?' Ambrose gaf richting aan om de straat van de familie Maidment in te rijden. Hij wist hoe gek Patterson was op zijn Lily. Er zou geen genade zijn, geen medelijden als de moordenaar zijn slachtoffer ook nog verkracht had.

'Onmogelijk te zeggen. Geen anale verwondingen, geen sperma in haar mond of keel. Als we echt boffen vinden ze misschien iets in de monsters die naar het lab zijn opgestuurd. Maar verwacht er niet te veel van.' De auto kwam tot stilstand. Toen ze hem in het oog kregen, veerde het stelletje journalisten dat er rondhing weer wat op en dromde om het portier heen. 'Daar gaan we weer,' mompelde hij. 'Waardeloos zootje, zonder uitzondering.' Patterson baande zich een weg door de menigte heen, met Ambrose op zijn hielen. 'Ik heb geen commentaar,' mompelde hij.

'Heb een beetje consideratie met deze ouders,' zei Ambrose, en terwijl zijn chef naar het huis toe liep spreidde hij zijn armen om hen tegen te houden. 'Ik kan de jongens in uniform erbij halen om jullie te verwijderen, maar dat hoeft toch niet? Als jullie je nu koest houden, kijken we wel of we een gesprek van hen met de pers kunnen regelen. Oké?' Hij wist dat het een zinloos verzoek was, maar misschien probeerden ze zich wel een poosje wat op de achtergrond te houden. En zijn omvang kwam in dit soort situaties nog wel eens van pas.

Tegen de tijd dat hij bij de voordeur stond was Patterson al half binnen. De man die de deur openhield was in normale omstandigheden misschien wel knap te noemen. Zijn haardos was dik en donker, met hier en daar een paar zilveren haren. Hij had regelmatige gelaatstrekken en zijn blauwe ogen stonden een beetje schuin, iets wat vrouwen wel aantrekkelijk schijnen te vinden. Maar die dag had Paul Maidment de uitgemergelde en opgejaagde blik van iemand die nog maar één stap verwijderd was van een zwerversbestaan. Hij had zich niet geschoren, zijn haren stonden rechtovereind en zijn kleren zagen er verfomfaaid uit. Hij keek hen met roodomrande ogen wezenloos aan, alsof hij geen flauw idee had hoe het normale sociale verkeer verliep. Ambrose kon zich met geen mogelijkheid voorstellen wat het moest betekenen om uit het vliegtuig te stappen in de veronderstelling dat je zo dadelijk met je gezin herenigd zou worden en dan tot de ontdekking te komen dat je leven onherstelbaar verwoest was.

Familierechercheur Shami Patel stond aarzelend achter Maidment. Zij stelde iedereen aan elkaar voor. 'Het spijt me dat ik niet opendeed, ik was in de keuken thee aan het zetten,' zei ze. Ambrose had haar kunnen vertellen dat je bij Patterson niet met smoesjes moest aankomen, maar dat had nu geen zin.

Ze liepen achter elkaar de woonkamer in en gingen zitten. 'We zouden allemaal wel een kop thee lusten, Shami,' zei Ambrose. Ze knikte en liet hen alleen.

'Het spijt me dat ik niet op het vliegveld was om u persoonlijk af te halen,' zei Patterson. 'Ik moest andere dingen doen. Die te maken hadden met de dood van Jennifer, begrijpt u?'

Maidment schudde zijn hoofd. 'Ik heb geen idee wat jullie allemaal doen bij de politie, ik wil alleen dat jullie opschieten. Dat jullie de persoon vinden die dit op zijn geweten heeft. Dat jullie zorgen dat hij niet nog een gezin kapotmaakt.' Zijn stem stokte en hij schraapte luidruchtig zijn keel.

'Hoe gaat het met uw vrouw?' vroeg Patterson.

Hij kuchte. 'Ze is... De dokter is er geweest. Hij heeft haar iets gegeven waarmee ze onder zeil is. Ze heeft zich nog goed kunnen houden tot ik thuis was, maar toen... nou ja, het is beter dat ze van de wereld is.' Hij greep met zijn hand in zijn gezicht alsof hij het eraf wilde rukken. Zijn stem klonk een beetje gedempt. 'Ik wou dat ze nooit meer bij hoefde te komen, maar dat zal ze wel moeten. En als dat gebeurt, dan is dit nog steeds even erg.'

'Ik kan u niet zeggen hoe erg ik het voor u vind,' zei Patterson. 'Ik heb een dochter van ongeveer dezelfde leeftijd. Ik weet wat ze voor mij en voor mijn vrouw betekent.'

Maidment klauwde met zijn vingers over zijn gezicht en staarde hen aan, met ogen waaruit de tranen sprongen. 'Ze is ons enige kind. We krijgen er ook geen meer, niet op de leeftijd van Tania. Dat was het voor ons, hier houdt het op. We waren een gezin, nu zijn we gewoon nog maar twee mensen.' Zijn stem brak en beefde. 'Ik weet niet hoe we dit te boven moeten komen. Ik begrijp dit niet. Hoe heeft dit kunnen gebeuren? Hoe heeft iemand dit mijn meisje aan kunnen doen?'

Met een dienblad volgeladen met dampende bekers, melk en suiker kwam Shami terug. 'Thee,' zei ze en ze begon de bekers rond te delen. Het was een alledaags moment dat de stemming doorbrak en dat Patterson de mogelijkheid bood om verder te gaan met het gesprek.

'Volgens Claire zei Jennifer dat ze voor uw thuiskomst een taart wilde bakken. Dat ze naar de Co-op moest om nog wat chocola te kopen. Was dat iets wat ze wel vaker deed? Een taart bakken voor als u weer thuiskwam?' vroeg Patterson voorzichtig.

Maidment keek verbaasd. 'Dat had ze nog nooit eerder gedaan. Ik wist niet eens dat ze dat kon, een taart bakken.' Hij beet op zijn lip. 'Als ze dat niet had gedaan, als ze gewoon met Claire mee was gegaan zoals de bedoeling was...'

'We zijn er niet van overtuigd dat ze de waarheid tegen Claire sprak,' zei Patterson met zachte stem. Ambrose was altijd onder de indruk geweest van de zorg waarmee Patterson mensen bejegende die te maken hadden gehad met een gewelddadige dood. Het enige woord dat hij van toepassing achtte voor die houding was 'teder'. Alsof hij zich ervan bewust was hoeveel schade ze al hadden geleden en hij die niet erger wilde maken. Hij kon ook streng zijn en vragen stellen die Ambrose nauwelijks over zijn lippen zou kunnen krijgen. Maar altijd hield hij rekening met de pijn van andere mensen. Patterson liet zijn woorden even hangen en vervolgde toen: 'Wij vroegen ons af of ze dat als smoes gebruikte, zodat Claire niet te veel vragen zou stellen over waar ze werkelijk naartoe ging. Maar we moesten het bij u natrekken. Kijken of het iets was wat ze wel vaker deed als u weg was geweest.'

Maidment schudde zijn hoofd. 'Ze had nog nooit zoiets gedaan. We gingen meestal uit eten als ik langer dan een paar dagen was weg geweest. Met z'n drieën. Dan gingen we naar de Chinees. Dat vond Jennifer altijd het lekkerst. Ze heeft nog nooit een taart voor me gebakken.' Hij rilde. 'En dat zal nu ook niet meer gebeuren.'

Patterson wachtte even en zei toen: 'We hebben naar Jennifers computer gekeken. Blijkbaar waren zij en Claire heel vaak online, zowel samen als apart. Wist u daarvan?'

Maidment klemde zich vast aan zijn beker, alsof hij bevangen was door de kou. Hij knikte. 'Dat doen ze allemaal. Zelfs als je er een stokje voor wilde steken, zouden ze nog een manier vinden. Dus hebben wij en de familie Darsie de koppen bij elkaar gestoken en hebben bedongen dat er op de computers van de meisjes oudercontrole werd geplaatst. Dan kunnen ze niet overal heen en heeft ook niet iedereen toegang tot hen.'

Tot op zekere hoogte, dacht Ambrose. Hij deed op zijn beurt een duit in het zakje en zei: 'Ze maakte veel gebruik van RigMarole.' Patterson en hij werkten al zo lang samen dat ze hun tactiek van tevoren niet meer af hoefden te spreken. Ze wisten intuïtief hoe ze een gesprek aan de gang moesten houden. 'Dat vriendennetwerk. Heeft ze het daar ooit met u over gehad?'

Maidment knikte. 'We zijn erg open als gezin. We proberen niet te streng te zijn voor Jennifer. We hebben het altijd belangrijk gevonden om de dingen te bespreken, om uit te leggen waarom we willen dat ze iets niet doet of waarom we een bepaald soort gedrag niet goedkeuren. Daardoor hebben we altijd met elkaar kunnen communiceren. Ik denk dat ze meer met ons praatte dan de meeste tieners. Tenminste als ik luister naar wat onze vrienden en mijn collega's vertellen over hun kinderen.' Zoals zo vaak gebeurde bij mensen die plotseling iemand hebben verloren, leek het praten over zijn dode dochter Maidment naar een plaats te brengen waar hij zijn verdriet even kon vergeten.

'Wat zei ze dan over RigMarole?' vroeg Patterson.

'Ze vonden het leuk, zij en Claire. Ze zei dat ze online allerlei vriendjes en vriendinnetjes hadden ontmoet die van dezelfde tv-programma's hielden en van dezelfde muziek. Ik heb zelf ook een pagina op RigMarole. Ik weet hoe het werkt. Het is een hele simpele manier van contact maken met mensen die dezelfde interesses als jij hebben. En hun filters zijn erg goed. Het is gemakkelijk om iemand uit jouw vriendenkring te verwijderen als ze er niet in passen of als ze de grenzen overschrijden waar jij je prettig bij voelt.'

'Heeft ze het ooit over iemand gehad met de initialen zz?' vroeg Ambrose.

Maidment streek met een duim en een vinger over zijn oogleden en wreef daarna over de brug van zijn neus. Hij ademde diep in en uit. 'Nee. Ik weet vrij zeker van niet. U kunt voor dat soort dingen beter bij Claire terecht. Waarom vraagt u dat? Is ze door die persoon gestalkt?'

'Voor zover we kunnen beoordelen ging het daar niet om,' zei Ambrose. 'Maar we hebben een paar chatsessies in handen gekregen. Het lijkt erop dat deze zz het deed voorkomen alsof hij of zij een geheim van Jennifer kende. Heeft ze het ooit over iets dergelijks met u of met uw vrouw gehad?'

Maidment keek verwilderd. 'Ik heb geen idee waar u het over heeft. Hoor eens, Jennifer is niet een of ander losgeslagen kind. Ze leidt eerlijk gezegd een vrij beschermd leventje. We hebben ons eigenlijk nooit zorgen over haar hoeven te maken. Ik weet dat u dat vaker meemaakt, ouders die de indruk willen wekken dat hun kind nooit iets fout doet, maar dat zeg ik niet. Ik zeg dat ze betrouwbaar is. Misschien zelfs wat jong voor haar leeftijd. Als ze al een geheim had, dan zou het niet om iets gaan waar u nu aan denkt. Om drugs of om seks of zoiets. Dan zou het gaan over een jongen op wie ze verliefd was of zoiets onbenulligs. Niet iets waarvoor je vermoord wordt.' Het woord bracht Maidment weer met een klap terug bij de werkelijkheid, waardoor hij opnieuw instortte. De tranen biggelden over zijn wangen. Zonder een woord te zeggen pakte Shami een doos met papieren zakdoekjes en drukte hem er een paar in de hand.

Hier kwamen ze niets zinnigs meer te weten, dacht Ambrose. Vandaag niet. Misschien nooit. Hij keek even naar Patterson, die bijna onmerkbaar knikte.

'Het spijt me,' zei Patterson. 'We moeten weg. Ik kan u verzekeren dat we ons uiterste best zullen doen. Maar zonder uw hulp kunnen we niet. Misschien kunt u aan uw vrouw vragen of Jennifer iets gezegd heeft over deze zz. Of over geheimen.' Hij stond op. 'Mocht u iets nodig hebben, dan zal rechercheur Patel daarvoor zorgen. We houden contact.'

Ambrose liep achter hem aan het huis uit en hij vroeg zich af hoe lang het zou duren voordat Paul Maidment vijf minuten kon doorleven zonder aan zijn vermoorde dochter te denken.

7

Tony bekeek zijn woonkamer en overdacht dat hier het bewijs werd geleverd van de tweede wet van de thermodynamica: vermeerdering van entropie. Hij wist niet helemaal hoe het kwam maar alles leek zich op te hopen zodra hij even niet oplette. Boeken, kranten, dvd's en cd's, computergames en controllers, tijdschriften. Dit was allemaal nog min of meer begrijpelijk. Maar er lag nog veel meer en hij had geen flauw idee hoe dat er was terechtgekomen. Een cornflakesdoos. Een kubus van Rubik. Een stapeltje rode rubberen elastiekjes. Zes bekers. Een T-shirt. Een draagtas van een boekwinkel waar hij bij zijn weten nog nooit was geweest. Een luciferdoosje en twee lege bierflesjes waarvan hij niet meer wist dat hij ze had gekocht.

Heel even overwoog hij of hij de zaak op zou ruimen. Maar wat had dat voor zin? Het merendeel van de rommel had geen speciale plaats in huis, dus dan verplaatste hij de rotzooi alleen maar naar een andere kamer. En alle kamers hadden allemaal al hun eigen soort wanorde. Zijn studeerkamer, zijn slaapkamer, de logeerkamer, de keuken en de eetkamer waren elk op hun beurt een vergaarbak van een bepaald aspect van zijn slordigheid. De badkamer kon er nog wel mee door, maar daar bracht hij tijd door die louter functioneel was. Hij was nooit iemand geweest die las op de wc of werk meenam in bad.

Toen hij dit huis had gekocht, had hij gedacht dat er voldoende ruimte was om zijn spullen te absorberen zonder dat er al deze oncontroleerbare hoopjes van allerlei rotzooi ontstonden. Hij had het hele huis in gebroken wit laten schilderen. En hij had zelfs een enorme hoeveelheid ingelijste zwart-witfoto's van stadsgezichten van Bradfield gekocht, die hij kalmerend en interessant vond. Een dag of twee had het huis er redelijk stijlvol uitgezien. Nu vroeg hij zich af of er misschien ook nog een wet van Parkinson bestond die te maken had met thermodynamica: wanorde dijt uit om de ruimte te vullen die beschikbaar is.

Hij was er zo van overtuigd geweest dat hij meer dan genoeg ruimte had, dat hij meteen nadat hij in het huis was getrokken het verrassend lichte en ruime souterrain had laten verbouwen tot een zelfstandig appartement. Hij had zich voorgesteld om het te verhuren aan academici die hun verlofjaar doorbrachten aan de universiteit van Bradfield of aan arts-assistenten die een halfjaar in het ziekenhuis werkten. Geen langetermijnhuurders, niemand die een impact zou hebben op zijn leven.

In plaats daarvan zat hij nu met Carol Jordan als huurder. Het was niet gepland. Ze had destijds in Londen gewoond, had zich verschanst in een koel, elegant appartement in de Barbican, waarin ze de wereld op een afstand hield. Een paar jaar geleden, toen John Brandon haar had overgehaald weer in de vuurlinie van de politie te gaan werken, had ze haar appartement in Londen nog niet willen verkopen en had ze het ook nog niet aangedurfd iets in Bradfield te kopen. Haar verblijf in het souterrain was bedoeld als tijdelijk. Maar het bleek een regeling te zijn die hun beiden prima uitkwam. Ze vermeden het angstvallig zich aan elkaar op te dringen. Maar de wetenschap dat de ander in de buurt was, bood troost. Tenminste, dat vond hij.

Hij besloot om niet op te gaan ruimen. Na een paar dagen zou het er toch weer hetzelfde uitzien. Hij had wel wat beters te doen. In theorie moest Tony naast zijn parttimebaan in de gesloten inrichting Bradfield Moor voldoende tijd over hebben om met de politie samen te werken en om de artikelen te lezen en te schrijven die het contact met zijn verzamelde collega's in stand hielden. In de praktijk bevatte de dag nooit genoeg uren, vooral niet als hij ook nog de tijd meetelde die hij besteedde aan computerspellen, een liefhebberij waarvan hij in alle oprechtheid geloofde dat zijn onderbewuste creativiteit erdoor werd bevrijd. Het was verbazingwekkend hoeveel ogenschijnlijk onoplosbare problemen konden worden opgelost na een uurtje avonturen beleven met Lara Croft of na het bouwen van een middeleeuws Chinees koninkrijk.

Dat het de laatste tijd nog erger was geworden, was te wijten aan Carol. Zij had het briljante idee gehad dat hij met een Wii niet meer zo kreupel zou lopen, iets waar hij last van had sinds een patiënt hem had aangevallen. Hij had daar een kapotte knie aan overgehouden. 'Je zit veel te lang over je computer gebogen,' had ze gezegd. 'Je moet weer fit worden. En ik weet dat het geen zin heeft om je aan te raden naar een sportschool te gaan. Met een Wii zit je niet de hele tijd op je luie kont.'

Ze had gelijk gehad. Meer dan gelijk helaas. Misschien dat zijn chirurg wel een goedkeurende duim had opgestoken als ze hoorde hoeveel tijd Tony nu, al hinkend, in zijn woonkamer doorbracht met tennissen of kegelen of golf, of hoe hij zich te buiten ging aan rare spelletjes tegen buitenissig geklede konijnen. Maar Tony had het sterke vermoeden dat haar goedkeuring niet opwoog tegen de afkeuring van de redacteuren die hij zou moeten teleurstellen omdat hij op deze manier zijn deadline nooit haalde.

Hij stond op het punt om het hoofdkonijn te vernietigen bij een schietpartij in de straten van Parijs, toen hij werd onderbroken door de intercom die Carol had laten aanbrengen tussen haar appartement in het souterrain en zijn woning boven.

'Ik weet dat je er bent, ik kan je horen springen,' kraakte haar stem. 'Kan ik bovenkomen of heb je het te druk met je pogingen de Rafael Nadal van Bradfield te worden?'

Het kostte Tony niet veel moeite om zich los te maken van het scherm en hij drukte op de knop waarmee de deur openging. Toen Carol zich bij hem voegde, was de game-controller teruggezet op de oplader en had hij twee glazen mineraalwater ingeschonken. Carol pakte haar glas met een sceptische blik. 'Heb je niets beters?'

'Nee,' zei hij. 'Ik moet mijn vochthuishouding op peil houden.' Hij liep langs haar heen, terug naar de woonkamer.

'Dat geldt niet voor mij. En na de dag die ik heb gehad verdien ik wel iets extra's.' Carol hield voet bij stuk.

Tony liep door. 'En desondanks ben je hiernaartoe gekomen terwijl je weet dat ik juist probeer je van te veel drinken af te houden. Je daden logenstraffen je woorden.' Hij keek over zijn schouder en grijnsde haar toe in een poging om zijn strenge houding wat te verzachten. 'Kom hier nou maar zitten en praat tegen me.'

'Je hebt geen gelijk.' Carol, die nu duidelijk geïrriteerd was, liep achter hem aan en liet zich op de bank vallen die tegenover zijn stoel stond. 'Ik ben hier omdat ik iets belangrijks met je moet bespreken. Niet omdat ik eigenlijk diep in mijn hart niet wil drinken.'

'Je had me kunnen vragen naar jou toe te komen. Of om je ergens te ontmoeten waar ze alcohol schenken,' bracht Tony naar voren. Het was vervelend om telkens nieuwe argumenten te moeten bedenken, maar volgens hem was de beste manier om te laten zien hoeveel hij om haar gaf haar te helpen weer in een situatie terecht te komen waarin ze helemaal geen drankje meer nodig had.

Carol gooide haar handen in de lucht. 'Hou alsjeblieft op. Ik heb echt iets belangrijks te bespreken.' Ze klonk bloedserieus.

Dat was nog een goede reden waarom hij niet wilde dat ze te veel afhankelijk werd van alcohol. Haar behoefte aan drank maskeerde een heleboel andere dingen, bijvoorbeeld dat ze iets belangrijks met hem wilde delen, zoals een uitzonderlijk moeilijke dag – waardoor het vaak moeilijk was om haar te doorgronden. En dat hij haar niet altijd kon doorgronden, was onverdraaglijk voor hem. Tony leunde achterover in zijn stoel en glimlachte. Zijn blauwe ogen twinkelden in het licht van een leeslamp die naast zijn stoel stond. 'Toe maar dan. Ik zal niet meer de zeurende vriend spelen, maar weer teruggaan naar mijn rol van geïnteresseerde collega. Heeft dit toevallig iets te maken met jouw ontmoeting met je nieuwe chef?'

Als reactie schonk Carol hem een boosaardige grijns. 'In één keer goed geraden.' Ze bracht hem in een paar zinnen op de hoogte van het ultimatum dat James Blake aan haar team had gesteld. 'Het is zo onwezenlijk,' zei ze. De frustratie vrat duidelijk aan haar zelfbeheersing. 'We zijn volledig overgeleverd aan wat er zich in de komende drie maanden aandient. Moet ik nu soms hopen op een paar smakelijke moorden, alleen om te laten zien hoe goed mijn team is? Of moet ik bewijsmateriaal vervalsen om een paar cold cases die in de publiciteit stonden te kunnen oplossen? Je kunt een onderzoekseenheid van specialisten niet verplichten tot urenregistratie.'

'Nee, dat is zo. Maar daar gaat het hier niet om. Deze proefperiode stelt niets voor, om precies die redenen die je net op tafel hebt gelegd.' Tony krabde op zijn hoofd. 'Ik denk dat je verneukt bent. Dus dan kun je net zo goed dezelfde aanpak als altijd gebruiken.'

Hij zag hoe haar schouders inzakten. Maar ze wist dat ze bij hem altijd een eerlijk antwoord zou krijgen. Als ze daaraan gingen tornen, zou het vertrouwen dat ze in jaren hadden opgebouwd, inzakken als een plumpudding die te lang in de oven heeft gestaan. En daar ze geen van beiden iemand in hun leven hadden die hun zo na stond, konden ze zich dat niet veroorloven. 'Daar ben ik ook bang voor,' zuchtte ze. Ze nam een lange teug uit haar glas water. 'Maar dat is nog niet alles.' Ze keek in haar glas, haar dikke haardos verborg haar gezicht.

Tony deed even zijn ogen dicht en wreef over zijn neusrug. 'Hij heeft tegen je gezegd dat je geen gebruik meer van mij mocht maken.'

Verrast door zijn scherpzinnigheid rechtte Carol haar hals en ze keek hem geschrokken aan. 'Hoe wist je dat? Heeft Blake met je gepraat?'

Tony schudde zijn hoofd. 'Het was gewoon een kwestie van logisch denken.'

Carol knikte omdat ze het begreep. 'Hij heeft niet met je gepraat. Ik heb je aan hem voorgesteld en hij is daar niet op ingegaan.'

'Wat ik heb opgevat als een sein dat er voor mij geen plaats was binnen zijn budget noch in zijn plannen.' Hij glimlachte. 'Maak je over mij maar geen zorgen, er zijn genoeg hoofdcommissarissen die nog denken dat ik het geld waard ben.'

'Ik maak me ook geen zorgen over jou. Ik maak me zorgen over mij. En over mijn team.'

Hij spreidde zijn handen, waarmee hij hetzelfde uitdrukte als met een schouderophalen. 'Het is moeilijk om het op te nemen tegen een man die alleen maar het onderste uit de kan wil halen. Het klopt dat ik niet de goedkoopste optie ben, Carol. Jullie genereren tegenwoordig je eigen profielschetsers. Jullie bazen geloven dat ze er beter aan doen het voorbeeld van de Amerikanen te volgen, namelijk politiemensen scholen in de psychologie. Dat doen ze liever dan vertrouwen op specialisten zoals ik die geen ervaring hebben met het echte politiewerk.' Alleen iemand die hem zo goed kende als Carol zou de subtiele ironische ondertoon kunnen ontdekken.

'Ja nou, je krijgt waar je voor betaalt.'

'Er zijn erbij die best goed zijn, hoor.'

'Hoe weet je dat?'

Hij grinnikte. 'Ik ben een van de mensen die hen heeft opgeleid.'

Carol keek geschokt. 'Dat heb je nooit verteld.'

'Het was zogenaamd vertrouwelijk.'

'Waarom vertel je het me nu dan wel?'

'Omdat als je met hen moet gaan werken, je eigenlijk moet weten dat ze hebben geprofiteerd van de expertise van enkele van de meest ervaren profielschetsers die er zijn. Niet alleen van mij, ook van andere mensen in mijn vakgebied die ik hoog heb zitten. En bij deze slimme jonge politiemensen is hun kennis niet verpest. Ze hebben nooit hoeven te besluiten welke behandeling iemand moest hebben. Ze zijn heel erg gefocust op één aspect van de psychologie en ze zijn niet dom. Geef ze een kans. Denk niet meteen dat ze waardeloos zijn, alleen omdat ik het niet ben.' Er lag een diepere betekenis in zijn woorden die ze allebei begrepen. Helaas voor Tony was het geen geschikt moment om Carol te herinneren aan de band tussen hen die ten grondslag lag aan alles wat ze beroepsmatig samen hadden gedaan.

Ze bedekte haar ogen met haar hand als een vrouw die zichzelf tegen de zon beschermt. 'Blake was echt hatelijk, Tony. Hij insinueerde dat de redenen waarom ik verkies jou te raadplegen vunzig en corrupt zijn. Hij weet dat ik jouw onderhuurder ben en hij deed het klinken alsof daar meer achter zat, alsof we iets onverkwikkelijks te verbergen hadden.' Ze wendde haar hoofd af en nam nog een slok water.

Het was onbegrijpelijk waarom een hoge piet als Blake ervoor koos om een van zijn meest succesvolle mensen te ondermijnen, voordat hij wist wat ze allemaal kon. Maar dat had hij wel gedaan, en als hij Tony zelf had geraadpleegd, had die hem geen betere zere plek kunnen aanbevelen. Bij elk ander stel met dezelfde achtergrond zou het waarschijnlijk een goede gok zijn geweest dat ze minnaars waren. Maar de emotionele band die ze vanaf het begin van hun professionele relatie hadden gedeeld had nooit tot een lichamelijk contact geleid. Vanaf het allereerste moment was hij tegenover haar eerlijk uitgekomen voor de impotentie die hem in zijn relaties met vrouwen altijd parten had gespeeld. Zij was zo verstandig geweest om in te zien dat zij niet degene was die hem zou kunnen genezen. Maar ondanks hun stilzwijgende afspraak om hun gevoelens niet de vrije teugel te geven, waren er tijden geweest dat de aantrekkingskracht die er tussen hen bestond sterk genoeg had geleken om tegenwicht te bieden tegen zijn angst voor vernedering en voor haar vrees dat ze haar teleurstelling niet zou kunnen verbergen. Maar elke keer had het leven daar weer een stokje voor gestoken. En gegeven de afschuwelijke situaties die in hun wereld aan de orde van de dag waren, bleken die stokjes onoverkomelijke hinderpalen. Nooit zou hij die ene keer vergeten dat ze vanwege hem haar dekking had laten zakken en de duistere krachten die er toen de overhand hadden gekregen. Een tijdlang had het erop geleken dat ze nooit meer haar weg uit die afgrond omhoog zou vinden. Dat ze dat wel had gedaan, was volgens hem niet zozeer aan hem te danken als wel aan het feit dat haar baan alles voor haar betekende. Tony betwijfelde of Blake echt iets over hun achtergrond wist, maar het roddelcircuit had hem voorzien van voldoende informatie om hem tegen haar te gebruiken. Hij vond het vreselijk dat Blake dat kon doen. 'Stomme klootzak,' zei Tony. 'Hij zou juist bondgenoten moeten zoeken, niet mensen als jij van hem vervreemden.' Hij glimlachte zuinig. 'Niet dat er veel mensen als jij zijn.'

Ze ging verzitten. Waarschijnlijk wou ze nu dat ze rookte, dacht hij, zodat ze even ergens mee bezig kon zijn. 'Misschien is het verstandig als ik ergens anders ga wonen. Ik bedoel, we wisten allebei dat het als een tijdelijke oplossing bedoeld was. Toen ik nog niet wist of ik weer in Bradfield wilde werken.' Ze haalde wat halfslachtig een schouder op. 'Om mij de tijd te geven om erachter te komen of ik bij de politie wilde blijven.'

'Zo te horen heb je beide vragen beantwoord,' zei hij. Hij deed zijn best om niet te laten zien dat hij haar suggestie niet prettig vond. 'Ik snap best dat je iets wilt hebben wat helemaal van jezelf is. Iets groters. Maar je hoeft het voor mij niet te doen.' Hij grijnsde. 'Ik ben er bijna aan gewend dat er iemand in de buurt is van wie ik melk kan lenen.'

Carols glimlach was ietwat wrang. 'Meer ben ik dus niet voor je? Iemand van wie je midden in nacht melk kunt lenen.'

Het was lang stil. Toen zei Tony: 'Soms wou ik dat het zo eenvoudig lag. Niet alleen voor mij, maar ook voor jou.' Hij zuchtte. 'Ik wil echt niet dat je iets anders zoekt, Carol. Vooral als we niet meer samenwerken. Als we niet meer hier woonden, zouden we elkaar nauwelijks meer zien. Contacten onderhouden met mensen is niet mijn sterke punt en jij hebt krankzinnige werktijden.' Hij stond op. 'En? Wat dacht je van een glaasje wijn?'

Gary Harcup likte het vet van zijn vingers en veegde ze daarna af aan zijn spijkerbroek. De pizza was al drie uur koud, maar hij had het niet gemerkt. Hij at uit gewoonte, hij at als hij even na moest denken, hij at omdat er iets te eten was. Dat had niets te maken met genieten. Hij vond het heerlijk dat hij in een wereld leefde waarin je vierentwintig uur per dag eten kon laten bezorgen zonder dat je gebruik hoefde te maken van de telefoon. Een klik met de muis kon er al voor zorgen dat hij Chinees eten kreeg thuisbezorgd, of Indiaas of Thais of een pizza. Er waren dagen dat hij zijn computer alleen even in de steek liet om het eten aan de deur aan te nemen en om naar de wc te gaan.

In de gemeenschap waartoe hij behoorde, was Gary's manier van leven absoluut niet uniek. De meeste mensen die hij kende, leefden min of meer op dezelfde manier als hij. Af en toe moesten ze uit hun hol tevoorschijn komen om contact te hebben met allerlei soorten klanten, maar als ze dat konden vermijden, deden ze dat. Als ze een aparte soort waren geweest, waren ze na een paar generaties uitgestorven.

Gary hield van zijn computers. Hij vond het heerlijk om zich te bewegen in een virtuele wereld, om door tijd en ruimte te reizen zonder ooit de veilige moederschoot van zijn kleine, vieze appartement te hoeven verlaten. Hij vond een enorme bevrediging in het oplossen van problemen waarmee zijn klanten aan kwamen zetten, maar hij wist ook hoe frustrerend het was om af en toe iets niet te kunnen oplossen.

Neem nou dit karweitje voor de politie van West Mercia. Dat bestond voor het merendeel uit een simpel getallenkraken. Bijvoorbeeld het opsporen van de plaats waar bepaalde computers zich bevonden. Je moest gewoon de informatie intoetsen en dan zocht de software het verder wel uit. Een kind van vijf kon het. Maar het zorgvuldig uitpluizen van de rotzooi die over was van gewiste bestanden, dat was van een geheel andere orde. Gedeelten van bestanden tevoorschijn halen, bepalen welke waar thuishoorden, ze weer in elkaar passen als een legpuzzel die helemaal vernield was – dat was mannenwerk. Na een vluchtige verkenningsreis moest hij zeer tegen zijn zin toegeven dat zijn software hier niet op berekend was. Hij had iets beters nodig – en hij wist precies waar hij dat kon krijgen. In de loop van al die jaren dat hij in deze schaduwwereld had gewerkt, had Gary een netwerk opgebouwd van bondgenoten en contacten. De meesten zou hij niet hebben herkend als ze naast hem in de trein kwamen zitten, maar hij kende hun cyberidentiteit. Voor wat hij vandaag nodig had, was Warren Davy de juiste man. Warren, de man die bijna altijd wel ergens een oplossing vandaan haalde. Als het ging om heersers van het virtuele universum was Warren een van de besten. Ze kenden elkaar al vanaf het allereerste begin, van de tijd dat er nog niet eens internet was, toen tieners als zij alleen nog maar via de ether konden communiceren via bulletinboards die alleen gebruikt werden door hackers, freaks en geeks. Als iemand Gary nu kon helpen, was het Warren wel.

Even snel e-mailen en daarna onder de douche. Dat was al een paar dagen geleden voor het laatst gebeurd en hij had gemerkt dat hij jeuk had op plekken waar een man die vastgeplakt zit op zijn computerstoel onvermijdelijk oververhit raakt.

Toen hij weer achter zijn bureau ging zitten, met een schone boxershort aan en een nieuw T-shirt, was het antwoord al binnen. Op Warren kon je altijd rekenen, dacht hij. Hij was niet alleen een van de slimste jongetjes uit de klas, maar ook een van de vrijgevigste. Dankzij Warren was Gary in het bezit gekomen van veel van de software die hem zo gemakkelijk toegang verleende tot de informatie van andere mensen.

Leuk om weer eens van te je horen, Gary. Ik zit op dit moment op Malta voor een beveiligingsklus, maar ik denk dat ik wel iets voor je heb waar je wat aan hebt. Ik kan het je tegen kostprijs sturen. Het heet Ravel en je kunt het downloaden van de site van DPS. Gebruik de code TR61UPK om in te loggen, dan sturen we je zoals altijd aan het eind van de maand wel een rekening.

Je hebt gelijk, er is nog iets nieuwers en mooiers onderweg van SCHEN, maar dat gaat je drie keer zoveel kosten als Ravel. Ik weet dat de politie van Bradfield het aan het bèta-testen is, dus misschien kunnen die lui van West Mercia iets voor je regelen als het echt in gebruik is.

Veel succes bij je speurwerk.

Gary stak triomfantelijk zijn duim op naar het scherm, opgelucht dat hij Patterson waarschijnlijk iets zou kunnen laten zien. Warren was weer over de brug gekomen. Maar ook al was Warren van de meeste dingen op de hoogte, hij had een vrij positief beeld van hoe de diverse politiekorpsen samenwerkten. SCHEN kon best een afspraak met de politie van Bradfield hebben, maar Gary wist dat West Mercia geen schijn van kans had om daarvan mee te kunnen profiteren. SCHEN stond er alom om bekend dat ze zich nooit in hun dure kaarten lieten kijken. Gary wist al jaren van het bestaan van SCHEN. Hij wist zelfs dat de figuur die er verantwoordelijk voor was de cybernaam Hexadex gebruikte. Maar hij had nooit bij hem in de buurt kunnen komen. Het enige wat hij wist was dat die vent in de loop der jaren steengoede analytische software had ontwikkeld en dat hij een soort afspraak had met de politie van Bradfield, die altijd degenen leken te zijn die de nieuwste applicaties van SCHEN uittesten bij de misdaadbestrijding.

Gary zuchtte. Hij had nooit het soort creativiteit gehad dat SCHEN gigantisch rijk had gemaakt en waarmee Warren tonnen had verdiend. Maar hij had in ieder geval zijn groepje vaste klanten die niet wisten dat hij niet een van de echt grote jongens was. En dankzij vriendjes als Warren hoefden ze daar hopelijk ook nooit achter te komen.

Daniel Morrison hing uitgezakt achter zijn computer, met een chagrijnige uitdrukking in zijn blauwe ogen en met zijn volle lippen nors naar beneden. Zijn leven was zo fokking saai. Zijn ouders waren zeg maar niet van deze tijd. Zijn pa deed net alsof ze nog in het stenen tijdperk leefden, toen er niets anders te doen was dan naar voetbalwedstrijden gaan en naar plaatjes luisteren. Plaatjes, godverdomme. Oké, er waren er bij die wel retro en cool waren, maar dat gold niet voor die troep die zijn vader op de draaitafel legde. En hoe hij over meisjes praatte... Daniel sloeg zijn ogen ten hemel en liet zijn hoofd achterovervallen. Alsof het onschuldige poppetjes waren of zoiets. Hij vermoedde dat zijn pa geen flauw idee had van wat meisjes in de eenentwintigste eeuw zoal deden. Hij zou een rolberoerte krijgen als hij het wist. Daniel wist zeker dat letterlijk elk meisje met wie hij omging al meer over seks was vergeten dan zijn sukkel van een vader ooit had geweten. Hij wist nooit goed of hij moest lachen of kreunen als zijn vader weer eens aan kwam zetten met 'respect' en 'verantwoordelijkheid' als het om meisjes ging. Oké, hij had het misschien nog nooit echt gedaan, maar het scheelde niet veel en hij had een heel assortiment condooms met diverse kleurtjes en smaken klaarliggen. Hem zouden ze niet opzadelen met een of ander krijsend kind, nee, dank je wel. God, hij moest er niet aan denken. Hij had geprobeerd zijn vader te vertellen dat hij wist wat hij deed, maar die ouwe hoorde niet wat hij te zeggen had. Hij vond het nog steeds niet goed dat hij naar clubs ging of naar een popconcert met zijn vrienden. Hij zei dat hij alleen maar mocht als ze samen gingen. Hij dacht zeker dat hij ergens naartoe zou gaan met zijn zielige vader op sleeptouw. Ja, daag. Dat nooit.

Zijn moeder liet hem meestal zijn eigen gang gaan. Maar de laatste tijd klonk ze steeds meer als een kloon van zijn vader. Dan had ze het ook over huiswerk en concentratie en dat soort gelul. Daniel had huiswerk altijd aan zijn laars gelapt. Hij had nooit echt iets hoeven te doen. Nu zijn eindexamen in zicht kwam, was het bij sommige vakken niet meer zo gemakkelijk om je eruit te lullen. Toch ging het hem nog steeds gemakkelijker af dan bijna alle anderen zonder dat hij hoefde te gaan zitten vossen zoals zij.

Voor wat hij wilde doen had je ook helemaal geen examens nodig. Daniel wist al waar zijn toekomst lag. Hij zou de allerbeste stand-upcomedian van zijn generatie worden. Hij zou scherper, zwarter en grappiger zijn dan *Little Britain*, *Gavin and Stacey* en *Peep Show* bij elkaar. Zijn grappen zouden verdergaan dan ooit tevoren. Al zijn vrienden zeiden dat hij nu al de grappigste gozer was die ze ooit hadden gehoord. Toen hij zijn ouders over zijn toekomstplannen had proberen te vertellen, hadden ze ook gelachen. Maar niet op een positieve manier. Waar bleven ze nu met hun 'we zullen er altijd voor je zijn'? Mooi niet, dus.

Met een hartgrondige zucht duwde hij zijn zware pony uit zijn ogen en logde in op RigMarole. Dit was meestal de beste tijd van de dag om contact te maken met KK. Ze waren nu al een paar maanden online-buddy's. KK was cool. Volgens hem was Daniel geweldig grappig. En ook al was hij nog jong, net als de rest van zijn vrienden, hij kende een paar figuren die iets met comedy deden. Hij had Daniel verteld dat hij hem in contact kon brengen met mensen die hem konden helpen een beroemde stand-upcomedian te worden. Daniel was zo slim geweest om niet aan te dringen, en inderdaad, KK was over de brug gekomen. Ze zouden elkaar binnenkort ontmoeten en dan zou Daniels leven gaan veranderen, en wel totaal. Hij had in het duister zijn winterslaap gehouden, maar binnenkort zou hij in de schijnwerpers staan.

Dat KK af en toe wat klef was, moest hij maar voor lief nemen. Zoals de laatste tijd. Hij had het de hele tijd over geheimen. Toen ze bezig waren met een privéchatsessie, had hij alsmaar zitten zeiken dat hij Daniels geheimen kende. Dat hij wist wie hij werkelijk was. ik ben de enige die weet wie je echt bent had hij gezegd. Meer dan eens. Alsof Daniel zelf niet wist wie hij was. Alsof KK toegang had tot alle gebieden binnen Daniels leven. Dat vond Daniel wel maf. Oké, hij had KK een heleboel over zichzelf verteld, over zijn dromen, over zijn fantasieën om megaberoemd te worden. Maar dat betekende toch nog niet dat die vent al zijn geheimen kende.

Maar als hij KK nodig had om de weg naar de top te vinden, dan mocht die vent van Daniel zo ongeveer alles zeggen wat hij wilde. Wat deed dat er nog toe als Daniel constant op tv was en razend populair op YouTube.

Het kwam geen seconde bij hem op dat hij misschien wel eens beroemd zou kunnen worden om een heel andere reden.

8

Een week later

Hoewel hij ze al voor de derde keer las, vond Alvin Ambrose de getuigenverklaringen in de zaak van Jennifer Maidment nog steeds fascinerend. Ze waren van schoolvriendinnen, van leraren, van andere kinderen met wie ze via RigMarole had gecommuniceerd. Van politiemensen uit plaatsen als Dorset, Skye, Galway en zelfs uit een klein stadje in Massachusetts, die met tieners hadden gepraat die allemaal van slag, ja zelfs totaal kapot waren geweest toen ze hoorden wat er was gebeurd met de persoon met wie ze via internet contact hadden gehad. Ambrose had twee keer de informatie uitgeplozen, was speciaal alert geweest op iets wat anders dan anders klonk, doof voor het normale geroezemoes in de teamkamer. Tot dusver waren er nog geen alarmbellen gaan rinkelen.

De agenten die de gesprekken hadden gevoerd, hadden opdracht gekregen om te vragen naar de ongrijpbare zz, maar dat had niets opgeleverd. zz was alleen maar te vinden op Rig; geen van de leraren, familieleden of vrienden die niet op RigMarole zaten gaf blijk van enige herkenning. Degenen die zz online waren tegengekomen, wisten niets meer dan de politie al had geconcludeerd uit de chatsessies van Jennifer. zz had zich handig toegang weten te verschaffen tot haar netwerk, maar daarbij had hij niets verraden over zijn identiteit. Het was ongelooflijk frustrerend.

Er viel een schaduw over zijn bureau en toen hij opkeek zag hij Shami Patel, die net deed alsof ze op een onzichtbare deur klopte. 'Klop, klop,' zei ze, met een verlegen glimlachje.

Als ze de moeite had genomen hem op te zoeken, had ze waarschijnlijk iets interessants in de aanbieding. Bovendien was ze met haar royale rondingen en haar golvende dikke haardos een lust voor het oog. Dat kon niet bepaald gezegd worden van het merendeel van het publiek in de teamkamer van de recherche. Ambrose reageerde met een weids gebaar naar de gammele vouwstoel die naast zijn bureau stond. 'Ga zitten,' zei hij. 'Hoe gaat het bij de Maidments?'

Toen duidelijk was geworden dat de Maidments misschien wel de enigen waren die over informatie beschikten over de moord op hun dochter, had hij inlichtingen over Shami ingewonnen bij collega's die bij het korps West Midlands werkten, waar zij vandaan kwam. Hij moest zeker weten dat ze niet iets essentieels over het hoofd zou zien. Maar zijn bronnen waren daar heel duidelijk over geweest. Volgens hen was Patel waarschijnlijk de beste familierechercheur die ze hadden. 'Als je het mij vraagt is ze heel slim. Je moet haar niet onderschatten,' had een van hen gezegd. 'Ik snap niet waarom ze heikneuters als jullie verkiest boven ons.'

Patel ging zitten en sloeg een welgevormd been over het andere. Het gebaar had niets kokets, zag Ambrose bijna tot zijn spijt. Hij was door de bank genomen tevreden met zijn huwelijk, maar een man wilde nu eenmaal graag het idee hebben dat hij het waard was om mee te flirten. 'Ze zijn doodop,' zei ze. 'Het is net alsof ze in de slaapstand zijn gegaan om te bewaren wat er nog over is.' Ze staarde naar haar handen. 'Ik heb dat eerder gezien. Als ze daar weer uit komen, heb je dikke kans dat ze ons de volle laag gaan geven. Ze kunnen niemand anders de schuld geven, dus hun kritiek zal op ons gericht zijn, tenzij we de persoon vinden die Jennifer heeft vermoord.'

'En dat doen we niet,' zei Ambrose.

'Dat heb ik begrepen. En de technische recherche? Hebben die niets?'

Ambrose haalde zijn brede schouders op, waardoor de naden van zijn overhemd het zwaar te verduren kregen. 'We hebben wel een paar dingetjes, maar niet iets waar je een aanwijzing uit kunt halen, iets waar je een zaak op kunt bouwen als je een verdachte hebt. We wachten nog steeds op de forensische computerdeskundige, maar hij wordt ook met de dag minder hoopvol.'

'Dat dacht ik al.' Patel beet op haar lip en fronste haar wenkbrauwen een beetje.

'Heb je bij de ouders nog iets zinnigs gehoord? Ben je daarom hier?'

Ze schudde haastig haar hoofd. 'Nee. Ik wou... Ik heb alleen...' Ze schoof wat heen en weer op haar stoel. 'Mijn vriend is rechercheur bij West Midlands. Jonty Singh.'

Het was een korte mededeling, maar Ambrose begreep nu opeens wat het verhaal was achter de ogenschijnlijk raadselachtige verhuizing van Shami Patel naar Worcester. Een net Hindoestaans meisje met ouderwetse, vrome ouders die allang een nette Hindoestaanse jongen voor haar in gedachten hadden. En dan wordt ze verliefd op een sikh. Het kon zijn dat de familie erachter was gekomen en stennis had geschopt, of ze was hierheen verhuisd voordat de verkeerde persoon haar samen met Jonty op de achterste rij van de bioscoop had gesignaleerd. Door naar Worcester te verhuizen kon ze een leven leiden waarin ze niet de hele tijd over haar schouder hoefde te kijken. 'Oké,' zei Ambrose voorzichtig. Hij vroeg zich af welke kant dit op ging.

'Weet je nog wat er vorig jaar in Bradfield is gebeurd? Die voetballer die vermoord is en die bom tijdens de wedstrijd?'

Alsof iemand dat gauw zou vergeten. Zevenendertig doden en honderden gewonden toen een bom de viptribune opblies tijdens een wedstrijd van Bradfield Victoria voor de Premier League. 'Jazeker weet ik dat nog.'

'Jonty was er zijdelings bij betrokken. Al vóór die bomaanslag. Een van de eerste verdachten na de moord op die voetballer was iemand die hij een keer gearresteerd had. Hij heeft contact gehouden met zijn collega bij dat onderzoek, ene Sam Evans. Hij zit bij het Team Zware Misdrijven van Bradfield. Nou, ik zei dus tegen Jonty hoe we allemaal zaten te balen dat we geen steek verder kwamen met Jennifer. Ik weet dat ik dat niet had mogen doen, maar hij is ook bij de politie, hij weet dat hij er zijn mond over moet houden...'

'Dat geeft niet,' zei Ambrose. 'Wat had hij te zeggen, die rechercheur Singh van jou?'

'Hij zei dat ze bij het TZM in Bradfield werken met een profielschetser die enorm heeft bijgedragen aan het oplossingspercentage.'

Ambrose kon met moeite een sceptische blik binnenhouden, maar Patel zag het wel. Ze ging sneller praten, de woorden buitelden over elkaar heen. 'Die man is zo te horen echt verschrikkelijk goed. Sam Evans zei tegen Jonty dat hij levens heeft gered en dat hij zaken heeft opgelost waar niemand een kant mee op kon. Hij is echt het neusje van de zalm, brigadier.'

'De chef vindt al dat profileren grote onzin.' De stem van Ambrose klonk wat knorrig.

'En u? Wat vindt u ervan?'

Ambrose glimlachte. 'Ik vind er pas wat van als ik hier aan het roer sta. Op dit moment doet mijn mening er niet toe.'

Patel keek teleurgesteld. 'U zou in ieder geval eens met Sam Evans in Bradfield kunnen praten. Eens horen wat hij te zeggen heeft.'

Ambrose staarde naar de rommel op zijn bureau; zijn grote handen lagen als lege schelpen op de stapels papier. Hij hield er niet van om iets achter de rug van Patterson om te doen. Maar soms moest je wel je toevlucht nemen tot een sluipweggetje. Hij stak met een zucht zijn hand uit naar een pen. 'Nou, hoe heet die profielschetser?'

Carol liep met gemengde gevoelens haar teamkamer in toen ze haar team daar om de vergadertafel zag zitten, klaar voor de ochtendbijeenkomst. Ze was trots dat ze alles op alles wilden zetten om hun toekomst zeker te stellen, maar tegelijkertijd verbitterd omdat ze vermoedde dat het niets zou uithalen. 'Wat is er hier aan de hand?' vroeg ze terwijl ze een omweg maakte naar het koffiezetapparaat. 'Zijn de klokken buiten mijn medeweten een uur vooruitgezet?'

'Je weet dat we je graag achter de vodden zitten, chef,' zei Paula, die een doos met gebakjes rond liet gaan.

Carol ging zitten en blies voorzichtig in haar dampende koffie. 'Dit had ik echt nodig.' Het was onduidelijk of ze het over de koffie had of over het achter de vodden gezeten worden. 'Is er vannacht nog iets binnengekomen?'

'Ja' en 'nee', zeiden Kevin en Sam gelijktijdig.

'Wat is het nou?'

Sam snoof. 'Je weet best dat als dit joch zwart was geweest en in een achterbuurt woonde met een alleenstaande moeder, dit niet eens in de overdrachtsbriefing van de nachtdienst zou hebben gestaan.'

'Maar dat is hij niet en het staat erin,' zei Kevin.

'We laten ons gewoon koeioneren door de blanke middenklasse,' zei Sam minachtend. 'Het joch zit gewoon bij een meisje of anders had hij zijn buik vol van pa en ma en is hij ervandoor naar de grote stad.'

Carol keek Sam verbaasd aan. Als meest openlijk eerzuchtige van haar team was hij er meestal als de kippen bij als hij zich kon onderscheiden en als hij zijn reputatie kon verbeteren. Hem een standpunt te horen verdedigen dat in de klassenstrijd geworteld leek, was net zoiets als inzoomen op het Big Brotherhuis om de bewoners de relativiteitstheorie van Einstein te horen bespreken. 'Kan iemand me misschien uitleggen waar jullie het over hebben?' vroeg ze vriendelijk.

Kevin raadpleegde een paar vellen papier die voor hem lagen. 'Dit is binnengekomen vanuit de afdeling Noord. Daniel Morrison. Veertien jaar. Gisteren door zijn ouders als vermist opgegeven. Hij was de hele nacht niet thuisgekomen, ze waren vreselijk bezorgd, maar gingen ervan uit dat hij op de een of andere manier wilde bewijzen dat hij een grote jongen was. Ze hebben al zijn vrienden afgebeld en kregen nul op het rekest, maar ze dachten dat hij dan wel bij iemand zou zijn die ze nog niet kenden. Misschien een vriendinnetje over wie hij niets had verteld.'

'Dat is een redelijke veronderstelling,' zei Carol. 'Gezien wat we weten over jongens van die leeftijd.'

'Precies. Ze dachten dat ze wel weer contact met hem zouden krijgen als hij gisteren op school opdook. Maar daar was hij niet. Toen hebben zijn ouders besloten dat ze met ons moesten praten.'

'Ik neem aan dat ze ondertussen nog niets hebben gehoord? En dat Noord het daarom op ons bordje heeft gelegd?' Carol stak haar hand uit en Kevin gaf haar de uitdraai.

'Niets, nee. Hij neemt zijn mobieltje niet op, hij reageert niet op e-mails en hij heeft zijn account bij RigMarole niet geactiveerd. Volgens zijn moeder is dat niets voor hem, alle contact verbreken. Volgens haar is hij dood of gekidnapt.'

'Ik weet het niet,' zei Kevin langzaam. 'Jongens van die leeftijd willen op kunnen scheppen over hun veroveringen. Het is moeilijk voorstelbaar dat hij zijn maten niet heeft laten weten waar hij mee bezig was. En vandaag de dag betekent dat RigMarole.'

'Dat denk ik ook,' zei Carol. 'Ik denk dat Stacey maar eens moet uitzoeken of zijn mobieltje aanstaat, en zo ja of we kunnen lokaliseren waar hij zich bevindt.'

Sam wendde zich half af van de tafel en sloeg zijn benen over elkaar. 'Ongelooflijk. Een verwend blank jongetje gaat de hort op en wij weten niet hoe hard we moeten lopen om hem op te sporen. Willen we zo graag een onmisbare indruk maken?'

'Kennelijk wel,' zei Carol op scherpe toon. 'Stacey, doe je best. Paula, jij neemt contact op met de afdeling Noord, kijk hoever ze zijn, en of ze onze hulp willen. Kijk of je een kopie kunt krijgen van gesprekken die ze hebben gevoerd. En tussen twee haakjes, Sam, ik denk dat je ongelijk hebt. Als dit een zwart kind uit een achterbuurt was met een alleenstaande moeder die zijn verdwijning serieus nam, zouden wij hetzelfde doen. Ik weet niet wat jou precies dwarszit, maar zorg dat je dat kwijtraakt, alsjeblieft.'

Sam blies zuchtend zijn wangen op, maar hij knikte. 'Je zegt het maar, chef.'

Carol legde de vellen papier opzij voor later en keek de tafel rond. 'Is er nog iets anders?'

Stacey schraapte haar keel. Haar mondhoeken gingen een klein beetje omhoog. Carol bedacht dat het bij ieder ander zou betekenen dat diegene triomfantelijk grijnsde. 'Ik heb iets,' zei ze.

'Laat maar horen.'

'De computer die Sam heeft meegebracht uit dat vroegere huis van Barnes,' zei Stacey. Ze duwde een losse streng haar achter haar oor. 'Ik ben er de afgelopen tijd flink mee aan het stoeien geweest. Het was erg interessant.' Ze sloeg een stel toetsen aan op de laptop die voor haar stond. 'Mensen zijn ontzettend stom.'

Sam leunde naar voren, waardoor de hoeken en vlakken van zijn gladde gezicht nog beter uitkwamen. 'Wat heb je gevonden? Kom op, Stacey, laat eens zien.'

Ze klikte op een afstandsbediening, en het *smartboard* op de muur achter haar ging aan. Het liet delen van een lijst zien met ontbrekende letters en woorden. Weer een klik en de gaten werden opgevuld met stukken tekst die onderstreept waren. 'Dit programma voorspelt wat er niet staat,' zei ze. 'Zoals jullie kunnen zien is het een lijst met stappen voor het vermoorden van Danuta Barnes. Eerst zorgen dat ze stikt, dan haar in huishoudfolie wikkelen, haar zwaarder maken en dan haar lichaam dumpen in diep water.'

Paula floot. 'O mijn god,' zei ze. 'Je hebt gelijk. Ontzettend stom.'

'Dat is allemaal goed en wel,' zei Carol. 'Maar elke fatsoenlijke advocaat gaat aantonen dat het op zijn best indirect bewijs is. Dat het een fantasie kan zijn. Of de aantekeningen voor een kort verhaal.'

'Het is indirect totdat we het lichaam van Danuta Barnes vinden en de doodsoorzaak vergelijken met wat we hier hebben,' zei Sam, die zich bleef vastklampen aan de mogelijkheden van zijn ontdekking.

'Sam heeft gelijk,' zei Stacey boven het gekakel uit dat op zijn woorden was gevolgd. 'Daarom is dit andere bestand zo interessant.' Ze klikte nog eens en er verscheen een kaart van het Lake District.

De volgende klik toonde een kaart van het Wastwater waarop duidelijk de verschillende diepten in het meer te zien waren.

'Jij denkt dat ze in het Wastwater ligt.' Carol stond op en liep naar het scherm.

'Ik denk dat het een kijkje waard is,' zei Stacey. 'Volgens zijn lijst had hij een plek in gedachten waar hij heen kon rijden, maar die toch ver van alles lag. Het Wastwater past in dat plaatje. Tenminste als je naar de kaart kijkt. Kennelijk zijn er niet veel huizen daar.'

'Ongelooflijk, ja! Ik ben er een keer geweest,' zei Paula. 'We zijn er een paar jaar geleden voor een weekend met wat lui naartoe gegaan. Ik geloof dat we geen mens gezien hebben, afgezien van de eigenares van het pensionnetje. Ik hou wel van een beetje rust, maar zo stil was lichtelijk belachelijk.'

'Hij had een kajak,' zei Sam. 'Dat stond in het oorspronkelijke dossier. Dat weet ik nog. Hij kan haar dwars over zijn kajak hebben gelegd en toen het meer op gepeddeld zijn.'

'Goed werk, Stacey,' zei Carol. 'Sam, neem jij contact op met de duikerseenheid daarginds in Cumbria. Vraag of ze een onderzoek willen starten.'

Stacey stak haar hand op. 'Misschien heeft het zin om de faculteit geografie van de universiteit te vragen of zij toegang hebben tot ETM+.'

'Wat is dat?' vroeg Carol.

'Landsat Enhanced Thematic Mapper Plus. Het is een wereldomvattend archief van satellietfoto's dat wordt beheerd door NASA en het Geologische Onderzoeksbureau in de Verenigde Staten,' zei Stacey. 'Misschien hebben we daar iets aan.'

'Kunnen ze vanuit de ruimte zien of er een lijk ligt?' vroeg Paula.

'Ik vond het al fantastisch dat ik in het buitenland de BBC kan zien. Maar volgens jou kunnen ze bij de faculteit Geografie van de universiteit hier in de stad vanaf een satelliet onder water kijken? Dat is te gek, Stace, gewoon te gek.'

Stacey sloeg haar ogen ten hemel. 'Nee, Paula. Ze hoeven niet per se een lijk te kunnen zien. Maar ze kunnen tegenwoordig zover inzoomen dat je heel veel details kunt zien. Misschien kunnen ze het gebied waar we moeten zoeken wat inperken en bepalen waar zeker niets ligt.'

'Dat is te gek,' zei Paula.

'Dat is technologie. Er is een aardrijkskundefaculteit in de Verenigde Staten waar ze denken dat ze precies hebben vastgesteld waar Osama Bin Laden zich schuilhoudt door het aantal mogelijkheden terug te brengen door middel van satellietfoto's,' zei Stacey.

'Je meent het,' zei Paula.

'Ja, inderdaad. Dat was een team van de universiteit van Los Angeles. Eerst hebben ze geografische principes toegepast die zijn ontwikkeld om de verdeling van dieren in het wild te voorspellen – de *distance-decay*-theorie en de *island-biogeographic*-theorie...'

'Hè?' kwam Kevin tussenbeide.

'De *distance-decay*-theorie... Oké, je begint met een plaats waarvan je weet dat die aan de criteria voldoet waarin een organisme kan overleven. Zoals de grotten van Tora Bora. Je tekent een aantal concentrische cirkels met die grotten als middelpunt, en hoe verder je van dat middelpunt afraakt hoe onwaarschijnlijker het wordt dat je identieke omstandigheden aantreft. Met andere woorden, hoe verder hij verwijderd raakt van zijn favoriete gebied, des te waarschijnlijker wordt het dat hij mensen treft die niet met zijn doeleinden sympathiseren en des te moeilijker wordt het om zich te verstoppen. De *island-biogeographic*-theorie heeft te maken met het kiezen van een plek waar je kunt overleven. Dus als je een tijd op een eiland zou moeten zitten, zit je beter op het eiland Wight dan op het onbewoonde Rockall.'

'Ik snap niet waar die satelliet voor nodig is,' zei Paula met een bedenkelijk gezicht.

'Ze hebben de meest waarschijnlijke verblijfplaats van Bin Laden berekend, toen hebben ze ingecalculeerd wat ze over hem weten. Zijn lengte, het feit dat hij regelmatig nierdialyse nodig heeft, zodat er elektriciteit moet zijn, zijn behoefte aan beveiliging. En toen zijn ze de meest gedetailleerde satellietbeelden gaan bekijken die ze konden vinden en zijn toen uitgekomen bij drie gebouwen in een bepaalde stad,' zei Stacey geduldig.

'Maar hoe komt het dan dat ze hem nog niet gevonden hebben?' bracht Kevin – niet onverstandig – naar voren.

Stacey haalde haar schouders op. 'Ik zei alleen maar dat ze het vermoeden hadden. Niet dat het al gelukt was. Nog niet. Maar de beelden van satellieten worden met de dag gedetailleerder. Vroeger kwam een beeld overeen met een oppervlakte van dertig bij dertig meter. Nu is dat ongeveer vijftig centimeter. Je gelooft niet wat voor details de deskundige analisten kunnen opvangen. Het is net alsof je via Google Earth alle straten van de hele wereld kunt zien.'

'Ophouden, Stacey. Ik krijg er hoofdpijn van. Maar als we daar gebruik van kunnen maken, zou ik je eeuwig dankbaar zijn. Praat maar eens met die satellietjongens,' zei Carol. 'Maar laten we ons nu eerst concentreren op het inschakelen van het team in Cumbria. Ben ik iets vergeten?' De sippe gezichten om de tafel spraken voor zich. Ze vond het vreselijk om in deze positie te zitten. Wat zij nodig hadden was iets groots, iets waar de media op afkwamen, iets spectaculairs. Het enige probleem was dat wat voor Carol en haar team een lot uit de loterij was, voor iemand anders het allerergste kon betekenen wat hem kon overkomen. Ze had zelf te veel van dat soort ellende meegemaakt om het andere mensen toe te wensen.

Ze moesten maar hopen op betere tijden.

9

Zelfs toen hij in de puberteit kwam, had Seth Viner niet gebroken met zijn gewoonte om eerlijk te zijn tegenover zijn ouders. Hij kon zich niet herinneren dat hij ooit de behoefte had gevoeld om iets geheim te houden voor een van zijn beide moeders. Oké, soms kon hij gemakkelijker met de een praten dan met de ander. Julia was praktischer, stond wat meer met beide benen op de grond. In een crisissituatie was ze wat rustiger, je had meer kans dat ze je helemaal liet uitpraten. Maar ze woog zaken tegen elkaar af en ze was het lang niet altijd met hem eens. Kathy was emotioneler, zij was degene die snel met haar mening klaarstond. Niettemin koos ze altijd zijn partij – of hij nu gelijk had of niet, ze stond altijd achter hem. Maar zij was degene die hem dwong de dingen af te maken, degene die hem niet de gemakkelijkste weg liet kiezen als het eens wat tegenzat. Maar hij had er nooit spijt van gehad dat hij iets tegen een van beiden had verteld, zelfs niet bij dingen waar hij zich een beetje voor schaamde. Ze hadden hem geleerd dat er geen plaats voor geheimen was bij de mensen van wie je het meeste houdt.

Aan de andere kant hadden ze altijd geluisterd naar zijn vragen en hun best gedaan er een antwoord op te vinden. Of het nu: 'Waarom is de lucht blauw?' was, of: 'Waar vechten ze om in Gaza?' Ze scheepten hem nooit af met een smoesje. Zijn leraren stonden soms wel gek te kijken en zijn vrienden sloegen hem soms gade alsof hij gek was, maar hij wist allerlei dingen alleen maar omdat het bij hem was opgekomen er een vraag over te stellen en omdat het nooit bij Julia of Kathy was opgekomen om hem geen antwoord te geven. Hij vermoedde dat het iets te maken had met hun besluit om eerlijk te zijn over de reden waarom hij twee moeders had. Hij wist niet meer wanneer hij tot het besef was gekomen dat het eigenlijk nogal vreemd was dat hij twee moeders had in plaats van een van de meer conventionele regelingen, zoals een moeder en een vader of stiefvader, of een alleenstaande moeder en een stelletje grootouders, ooms en babysitters. Net als iedereen dacht hij in het begin dat zijn gezin normaal was, omdat hij geen vergelijkingsmateriaal had. Maar tegen de tijd dat hij naar school ging, wist hij dat het gezin waarin hij opgroeide anders was. En niet alleen vanwege Kathy's huidskleur. Vreemd genoeg leken de andere kinderen absoluut geen oog te hebben voor zijn anders-zijn. Hij herinnerde zich die keer in zijn eerste trimester dat Julia hem van school ophaalde. Dat deed Kathy meestal omdat ze thuis werkte als ontwerper van websites, maar ze was de stad uit vanwege de een of andere vergadering, dus was Julia eerder van haar werk vertrokken om hem op te halen. Ze had hem staan helpen met zijn rubberlaarzen toen Ben Rogers had gevraagd: 'Wie ben jij?'

Emma, die bij Seth in de straat woonde, had gezegd: 'Dat is de moeder van Seth.'

Ben had zijn wenkbrauwen gefronst. 'Nee, dat is niet zo. Ik heb de moeder van Seth wel eens gezien en dat is ze niet,' had hij gezegd.

'Dit is de andere moeder van Seth,' had Emma volgehouden.

Ben had er totaal geen probleem van gemaakt en was naadloos overgegaan op het volgende onderwerp van gesprek. Zo was het gebleven – onderdeel van het landschap, zo was het nu eenmaal, niets bijzonders – totdat Seth een jaar of negen was en zijn passie voor voetbal hem in direct contact had gebracht met kinderen die niet waren opgegroeid met het idee dat het hebben van twee moeders gewoon deel uitmaakte van het spectrum van de diverse soorten gezinsleven.

Een paar van de grotere kinderen hadden geprobeerd de wat ongebruikelijke huiselijke omstandigheden van Seth te gebruiken om druk op hem te kunnen uitoefenen. Ze waren er al snel achter dat ze daar de verkeerde voor hadden uitgekozen. Het leek net alsof Seth leefde in een stolp van onkwetsbaarheid. Hij liet beledigingen met een verbaasde blijmoedigheid van zich afketsen. En hij was te populair bij de andere jongens om een fysieke campagne mogelijk te maken. Gefrustreerd door zijn ijzeren zelfvertrouwen trokken de pestkoppen zich terug en richtten ze zich op een gemakkelijker slachtoffer. En zelfs dan zat Seth hen nog dwars. Hij wist op een bepaalde manier de leidinggevenden op de hoogte te brengen van dingen die niet door de beugel konden zonder dat hij ooit te boek kwam te staan als klikspaan. Hij was een goede vriend en een zinloze vijand.

Zo was hij zonder problemen de puberteit binnengestapt – aardig, populair en rechtdoorzee. Het enige waar hij kennelijk wat moeite mee had was zijn faalangst. Julia en Kathy wachtten gespannen af of het alsnog fout zou gaan. Voor hun gevoel hadden ze dat al gedaan sinds de dag dat Julia bevrucht was. De onheilsprofeten met hun negatieve waarschuwingen waren niet weg te slaan. Maar Seth was een blije, gemakkelijke baby geweest. Hij had een keer een koliekje gehad. Maar dat was eenmalig. En al na zeven weken had hij de hele nacht doorgeslapen. Hij had geen van de kinderziekten gehad, afgezien van af en toe een verkoudheid. Hij had als peuter ook geen kuren gehad, deels omdat de eerste keer dat hij dat buitenshuis had geprobeerd, Kathy was weggelopen en hem brullend en met een rood gezicht midden in een pad van een supermarkt had laten staan. Ze was blijven staan kijken om de hoek bij de cornflakes, maar dat had hij zich op dat moment niet gerealiseerd. De angst om in de steek gelaten te worden was genoeg geweest om hem te genezen van zijn driftbuien. Hij zeurde wel eens, zoals alle kinderen, maar noch Kathy noch Julia reageerde op de gewenste manier, dus daar had hij over het algemeen ook maar van afgezien.

De karaktertrek die ervoor zorgde dat hij niet helemaal perfect was, was het constante gekwebbel dat vaak al leek te beginnen als hij 's morgens zijn ogen opendeed en pas weer ophield als hij ze dichtdeed om te gaan slapen. Seth vond de wereld en zijn plaats daarin zo ontzettend interessant dat hij geen reden zag waarom iemand geen gedetailleerd verslag van zijn hele doen en laten wilde krijgen. Of een zeer uitgebreide opsomming van de plot van de dvd die hij het laatst had gezien – hoe onbenulliger hoe beter. Soms drong het – weliswaar wat laat – tot hem door dat zijn publiek met glazige blikken de ogen ten hemel sloeg, terwijl ze zaten te wachten tot hij eindelijk ter zake zou komen. Dan verblikte of verbloosde hij geen seconde en ging hij gewoon door tot het bittere einde, ook al liet Kathy onder zacht gekreun haar hoofd wel eens op de tafel zakken.

Tegen de achtergrond van wat er zich allemaal in de wereld afspeelde, waren er ergere karakterfouten denkbaar. Zijn moeders hadden allebei gemerkt dat zijn vrienden minder kritisch reageerden dan zij. En ze waren dankbaar dat de puberteit hun prachtige zoon niet had veranderd in een bokkig, eenlettergrepig monster. De laatste tijd rilden ze gewoon van de meeste van zijn vrienden. Die schattige, aanhankelijke jochies, die door hun huis huppelden en allerlei fantasiespelletjes deden, hadden een metamorfose ondergaan en waren nu grommende, stinkende wezens die vonden dat je ontrouw aan je soort was als je contact had met volwassenen. Het was, zei Kathy, een godswonder dat Seth dit speciale aspect van de overgangsrites naar volwassenheid had gemist.

'Hij heeft een afschuwelijke smaak op muziekgebied,' had Julia meer dan eens naar voren gebracht, alsof dat al zijn goede eigenschappen uitwiste. Ze had geen idee waar hij zijn voorliefde voor vroege *grunge* vandaan had; ze was alleen maar blij dat het tot dan toe nog niet te veel invloed op zijn kleding had gehad.

'Het had nog erger kunnen zijn,' zei Kathy altijd. 'Hij had ook een fan van musicals kunnen zijn.'

Het onvermogen van Seth om iets voor zichzelf te houden hield in dat Julia en Kathy zich geen zorgen maakten over zijn computergebruik. Weliswaar hadden ze er wel de passende oudercontroles op gezet, naast de extra beveiligingen die Kathy ook gebruikte ter bescherming van de websites die ze ontwierp. Maar ze keken niet letterlijk over zijn schouder, hoewel Kathy altijd wel zijn pagina op RigMarole controleerde, of er geen engerds of ongewenste figuren rondhingen.

Niet dat dat echt nodig was. Aan tafel praatte Seth heel vaak over Rig – met wie hij chatte, wat ze te zeggen hadden over de dingen waarover in die week getwitterd werd, dat hij iets had gehoord over een spannende, nieuwe applicatie.

Als je in huis woonde met iemand die je constant van alles op de hoogte hield, ontstond er het risico dat je uiteindelijk uit een soort zelfbescherming niet goed meer luistert. Tegenwoordig luisterden Kathy en Julia maar half naar wat Seth allemaal beweerde. Veel van wat hij te zeggen had ging verloren in de woordenstroom die de keukentafel overspoelde. De eerste keer dat hij het had over een nieuwe Rig-vriend die JJ heette, nam Kathy kennis van de naam en checkte daarna de pagina's van Seth om te kijken wat voor figuur het was. Zo te lezen was het een doorsnee, wat oenige puber die diep inging op de songteksten van Pearl Jam en Mudhoney en die beheerst werd door een mengeling van opschepperij en levensangst. Niets om je zorgen over te maken dus.

En zo werd JJ onderdeel van de achtergrondgeluiden. Het was gewoon alweer een referentiekader dat ze van zich af konden laten glijden. Dus het sprak ook vanzelf dat er geen alarmbellen gingen rinkelen toen Seth terloops liet vallen dat hij een afspraak met JJ had gemaakt om in de tweedehands-dvd-winkels van Bradfield op zoek te gaan naar bijzondere platen.

Als je gewend bent aan absolute eerlijkheid komt het gewoon niet bij je op dat wat je hoort niet de hele waarheid is.

Tony googelde de website van de makelaar in Worcester en klikte toen de site 'Nieuw in Verkoop' aan. De vrouw met wie hij contact had gehad op het kantoor had geklonken als een van zijn manisch-depressieve patiënten die zonder medicatie in de manische fase zat. Ze had hem twee dagen geleden verzekerd dat de foto's die middag zouden worden genomen en dat de gegevens 'binnen een paar uur' op de website zouden staan. Pas nu had hij de moed bij elkaar kunnen rapen de informatie te bekijken over het huis dat hij ging verkopen zonder het ooit te hebben gezien.

Uitgaande van de prijs die de makelaar had voorgesteld, wist hij dat het om een behoorlijk groot huis moest gaan, maar toch was hij niet voorbereid op de grote laatnegentiende-eeuwse villa die hij te zien kreeg. Het was een huis met een dubbele gevel, gebouwd van lichtrode baksteen waartegen de zachtgele verf van de diepe erkers en de imposante deur prachtig uitkwam. Aan weerszijden van de ramen waren zware geplooide gordijnen zichtbaar en de tuin zag eruit alsof er een goede tuinarchitect in bezig was geweest. 'Unieke kans om prachtig woonhuis te kopen met uitzicht op Gheluvelt Park,' stond er met grote letters boven. 'Vier slaapkamers, drie woonkamers, drie badkamers. Volledig ingerichte werkplaats met elektriciteit.' Tony's wenkbrauwen gingen omhoog en hij trok een zuinig mondje. Dat was een verdomd groot huis voor een man alleen. Misschien hield hij vaak feesten. Of misschien vond hij het gewoon prettig om de wereld te laten zien hoe goed hij geboerd had. Edmund Arthur Blythe had kennelijk wel een paar centen gehad.

Tony bedacht opeens dat deze verkoop bij hem hetzelfde resultaat zou opleveren. Hij had al vijftigduizend pond van de erfenis op zijn bankrekening staan, maar dat was nog maar een fractie van wat het huis hem ging opleveren. Hij had nooit gedacht dat hij ooit zoveel geld tot zijn beschikking zou hebben, dus had hij er ook nooit bij stilgestaan wat hij ermee zou doen. Hij had geen dure hobby's. Hij verzamelde geen kunst, reed niet in dure auto's en droeg geen dure pakken. Hij was sowieso geen enthousiast vakantieganger en hij had geen neiging om naar exotische streken te gaan waar het veel te heet was, de riolering dubieus en waarvoor je naalden in je armen en billen moest laten steken voordat je het vliegtuig in mocht. Waar hij het meest van genoot waren de dingen waar hij toevallig ook nog voor betaald werd – patiënten behandelen en een profiel maken van zieke geesten. Maar binnen niet al te lange tijd zou hij een rijk man zijn, of hij het nu wilde of niet.

'Ik kan het altijd weggeven,' zei hij hardop. Er waren massa's liefdadige doelen die met een dergelijk buitenkansje iets zinnigs konden doen. Maar dat sprak hem toch minder aan dan hij had verwacht. Kennelijk had Cyndi Lauper gelijk als ze zong dat geld alles anders maakte. Ongeduldig richtte hij zijn aandacht weer op het scherm.

Met een muisklik kon hij nog meer foto's te zien krijgen. Tony's vinger bleef er even boven hangen. Hij wist niet zeker of hij hier klaar voor was. Hij had er doelbewust voor gekozen om niet op onderzoek te gaan naar achtergrondinformatie over de man die voor de helft had bijgedragen aan zijn genetische materiaal. Hij wilde niet stuiten op een gelukkig en tevreden leven, op een populaire en evenwichtige man. Hij wilde niet tot de ontdekking komen dat hij was genegeerd door iemand die van zijn ellendige jeugd iets had kunnen maken wat meer in de buurt kwam van normaal. Als dat de waarheid zou blijken te zijn, zouden verbitterde gevoelens van wrok niet lang op zich laten wachten. Met iemand als Vanessa als moeder stevende je onvermijdelijk af op diepe ellende. Zowel zijn moeder als de grootmoeder die het leeuwendeel van de opvoeding voor haar rekening had genomen, hadden hem er grondig van doordrongen dat hij absoluut waardeloos was, dat hij voor galg en rad zou opgroeien, dat hij niet moest denken dat hij ooit een echte man zou worden. Wat hij als psycholoog geleerd had, was dat zijn jeugdervaringen een blauwdruk waren voor het soort mens dat hij in zijn beroepsleven probeerde te profileren. Hij leek meer op hen dan iemand – en dat gold zelfs voor Carol – had kunnen raden. Zij zaten achter slachtoffers aan, hij achter hen. Zij schetsten slachtoffers, hij schetste hen. De behoefte daaraan was hetzelfde, vermoedde hij.

Zijn behoeftes zouden heel anders zijn geweest als Blythe onderdeel van zijn leven was geweest. En hij had geen zin om na te denken over wat dat zou hebben betekend. Dus had hij alles per telefoon en per mail afgehandeld en had hij de notaris van Blythe de sleutels rechtstreeks naar de makelaar laten sturen. De notaris had net gedaan alsof het volkomen normaal was, maar Tony wist dat dat niet waar was. Hij begreep maar al te goed dat hij muren aan het optrekken was tussen hemzelf en de man die niet zijn vader had willen zijn. Er was geen reden waarom hij zijn eigen broze evenwicht in de waagschaal zou stellen voor iemand die pas na zijn dood de moed had gehad om zijn zoon te erkennen.

Maar toch zeurde in zijn hoofd een stem die hem zei dat hij er op een dag spijt van zou krijgen dat hij de kloof tussen hen in stand had gehouden. 'Misschien wel,' zei hij hardop. 'Maar ik kan het nu nog niet aan.' Heel even vroeg hij zich af of hij de verkoop van het huis moest opschorten, zodat het huis van Blythe onaangetast zou blijven. Dat hij er nog een kijkje zou kunnen gaan nemen als hij er wél klaar voor was.

Hij verwierp het idee nog bijna voordat het volledig vorm had gekregen. Misschien was hij er wel nooit klaar voor, en er was iets onethisch aan het leeg laten staan van huizen als er krapte op de huizenmarkt was.

Omdat hij zich ergerde aan zijn eigen besluiteloosheid, sloot hij de site met de gegevens af en trok hij een patiëntendossier naar zich toe. Hier kon hij tenminste iets zinnigs doen, hier kon hij zich mengen in de levens van mensen wier gedrag op een gevaarlijke manier was afgeweken van wat de meerderheid van de mensheid als normaal beschouwde. Zijn eigen verleden met zijn moeder had hem een goed inzicht gegeven in hoe verschillend de wereld eruit kon zien als iemands visie op een ingrijpende manier verwrongen was. Hij wist maar al te goed hoe het voelde om er niet bij te horen, hoe beangstigend het kon zijn om je weg te vinden in een wereld met regels en gewoontes die zo haaks stonden op de regels dankzij welke je hebt kunnen overleven. Tony had zichzelf geleerd om als een normaal mens te functioneren, en daarom meende hij dat hij anderen kon helpen om de schade die ze hadden opgelopen te verhelpen. Hij had te veel patiënten die niet meer konden worden geholpen, maar sommigen konden worden gered, gerehabiliteerd en teruggebracht naar iets wat leek op een normaal leven.

De telefoon haalde hem uit zijn lectuur. Een beetje verstrooid nam hij op. 'Hallo?' Carol had meer dan eens tegen hem gezegd dat hij verbaasd en op zijn hoede klonk als hij de telefoon opnam, alsof hij volledig werd verrast door een rinkelend stuk plastic dat praatte als je het optilde. 'Je doet me denken aan een gedicht dat ik nog van school ken,' had ze gezegd. 'Het heette "Een marsmannetje stuurt een kaart naar huis".'

De persoon aan de lijn klonk aarzelend, alsof hij het onmiddellijk met Carol eens zou zijn geweest. 'Spreek ik met dr. Hill?

Dr. Tony Hill?'

'Ja. Met wie spreek ik?'

'Met inspecteur Stuart Patterson. Van de recherche van West Mercia.'

'Ken ik u ergens van?' Tony wilde daar altijd meteen duidelijkheid over hebben. Hij was goed met gezichten, maar namen kon hij vaak moeilijk onthouden. Het zou niet de eerste keer zijn dat hij had gedacht met iemand te praten die hij niet kende om daarna te horen dat ze een maand daarvoor naast elkaar hadden gezeten bij een of ander etentje.

'Nee. Er is mij verteld dat u de aangewezen persoon bent met wie ik het moet hebben over profielschetsen.'

'Tja, daar houd ik me inderdaad mee bezig,' zei Tony. Hij trok een grimas naar de telefoon. 'Ik heb enige ervaring op dat terrein.'

'We zitten hier met een zaak. Ik denk dat we uw hulp wel kunnen gebruiken.'

'West Mercia? Dan hebben we het toch over Worcester, hè?' Nu klonk hij zelfs in zijn eigen oren wel erg omzichtig.

'En het gebied daaromheen, ja. Maar de moord is in de buitenwijk van de stad gepleegd. Heeft u erover gelezen? Vraagt u het daarom?' Pattersons woorden struikelden over elkaar heen, maar

Tony kon een vaag brouwend accent onderscheiden dat hij in verband bracht met het Zuid-Engelse accent uit de hoorspelserie *The Archers*.

'Nee, ik wist het gewoon niet precies... Aardrijkskunde is niet mijn sterke punt. Maar waarom denkt u dat u bij juist deze zaak iemand als ik nodig hebt?'

Patterson haalde diep adem. 'Er is hier een veertienjarig meisje vermoord en seksueel verminkt. We zijn er al meer dan een week mee aan de gang en we hebben niets wat ook maar in de buurt komt van een aanwijzing. We hebben alle voor de hand liggende dingen gedaan, maar we hebben geen aanknopingspunt kunnen vinden. We zijn ten einde raad, dr. Hill. Ik wil deze zaak afronden, maar het lukt ons niet op onze eigen manier. Ik heb een nieuwe invalshoek nodig.' Het was even stil. Tony zei niets, omdat hij voelde dat er nog meer kwam. 'Er is mij verteld dat u ons daarbij zou kunnen helpen.'

Dat was de tweede keer dat Patterson zei dat hem iets was verteld. Dus hij kwam niet naar Tony toe uit overtuiging, maar omdat hij onder druk stond. Als Carol geconfronteerd zou zijn met een misdaad zoals door Patterson beschreven, dan zou ze hem bijna onmiddellijk hebben opgebeld, en dat gold ook voor een stel andere rechercheurs met wie Tony had gewerkt. Dat kwam omdat ze in hem geloofden. Als je met mensen werkte die sceptisch stonden tegenover profielschetsers werd het werk dubbel zo moeilijk. Maar aan de andere kant betekende het ook dat je je alleen maar solide conclusies kon permitteren die op bewijzen waren gegrond. Het was altijd goed dat je weer eens met je neus op de feiten werd gedrukt.

Toen dacht hij *Worcester*, en meende hij de hand van Carol Jordan te herkennen. *Ze denkt dat ze mijn interesse in Blythe niet kan afdwingen, dus organiseert ze een moord in Worcester voor me zodat ik daarheen moet. Ze denkt dat ik me er toch mee bezig ga houden als ik er eenmaal ben.* 'Mag ik misschien weten wie met het voorstel kwam om mij in te schakelen?' vroeg hij, al zeker van het antwoord.

Patterson schraapte zijn keel. 'Dat ligt wat ingewikkeld.'

'Ik heb alle tijd.'

'Onze familierechercheur. Haar vriendje zit bij West Midlands. Een van de jongens van het TZM in Bradfield, een rechercheur die

Sam Evans heet, heeft vorig jaar in verband met die bomaanslag in Bradfield met haar vriendje samengewerkt. Om een lang verhaal kort te maken, die twee hebben contact gehouden, gaan af en toe samen Indiaas eten. En die rechercheur Evans, die heeft enthousiaste verhalen over u zitten vertellen. Toen heeft mijn rechercheur naar die Evans gebeld en heeft uw nummer gekregen.' Patterson kuchte even en schraapte zijn keel. 'En mijn rechercheur vond dat het tijd werd dat ik eens van mijn vaste stramien afweek.'

'U heeft geen contact gehad met hoofdinspecteur Jordan?' Tony kon het niet geloven.

'Ik ken geen hoofdinspecteur Jordan. Is hij de baas van Evans?'

In een andere situatie zou Tony zich misschien hebben geërgerd aan deze automatische aanname, maar nu wist hij zeker dat Patterson de waarheid sprak. Dit was geen doorgestoken kaart van Carol. 'Wat was de doodsoorzaak?' vroeg Tony.

'Verstikking. Ze had een plastic zak over haar hoofd. Ze heeft zich niet verweerd, want ze zat onder de drugs. GHB.'

'GHB? Hoe weet u dat? Ik dacht dat je dat niet kon aantonen, omdat het al in ons bloed zit.'

'Niet in deze hoeveelheden. Ze was nog niet lang dood toen we haar vonden, dus was het duidelijker te zien,' zei Patterson ernstig. 'We zijn nog in afwachting van een volledig toxicologisch bloedbeeld, maar voorlopig ziet het ernaar uit dat ze voldoende GHB ophad om het de moordenaar heel gemakkelijk te maken.'

Tony had automatisch aantekeningen zitten maken tijdens het luisteren. 'U zei "seksueel verminkt".'

'Hij heeft haar met een mes bewerkt. Een mes met een lang lemmet is mij verteld. Daarmee is ze vanbinnen behoorlijk toegetakeld. Wat denkt u? Denkt u dat u ons kunt helpen?'

Tony liet de pen vallen en duwde zijn leesbril omhoog om over zijn neus te wrijven. 'Ik weet het niet. Kunt u me de foto's van de plaats delict en de rapporten mailen? Dan kijk ik ernaar en geef ik u morgenvroeg uitsluitsel. Dan weet ik of ik van enig nut kan zijn.'

'Bedankt. Als het ja is, moet u dan hierheen komen?'

De man zat zich nu al zorgen te maken over zijn budget. 'Ik moet de plaats delict met eigen ogen zien,' zei hij. 'En waarschijnlijk wil ik ook met de ouders praten. Dus niet meer dan een dag of twee.

Misschien één overnachting. Hoogstens twee,' zei hij, waarmee hij liet merken dat hij het begreep. Hij gaf Patterson zijn e-mailadres, noteerde zijn telefoonnummer en sprak af de volgende morgen meteen te bellen.

Tony legde de telefoon neer, leunde achterover in zijn stoel en deed zijn ogen dicht. De politie van West Mercia wilde dat hij naar Worcester kwam, uitgerekend op de dag dat hij de verkoop van het huis van Edmund Arthur Blythe in Worcester in gang had gezet. Hij kende mensen die daar onmiddellijk een soort voorbestemming in zouden zien. Maar hij had niet zoveel op met toeval. Hij had patiënten die allerlei omineuze betekenissen in toeval zagen; tijdens de korte periode dat hij lesgaf op de universiteit had hij zijn studenten gewaarschuwd zich niet te laten meeslepen door die fantasieën. Wat had hij ook alweer gezegd?

'Dat hebben we allemaal wel eens meegemaakt. Op vakantie in een of ander achterafdorpje of op een strand dat niet in de *Lonely Planet* staat of ergens in een fantastisch visrestaurantje dat was aanbevolen door de plaatselijke bevolking. En we staan opeens oog in oog met iemand die voetbalt met onze broer of die elke morgen in dezelfde bus zit of die zijn hond uitlaat in hetzelfde park als wij. En we zijn stomverbaasd. En als we thuis zijn, vertellen we dat tegen iedereen – "je gelooft nooit wie ik tegen lijf liep..." Maar denk er eens rustig over na. Denk aan de enorme hoeveelheid momenten van elke dag van je vakantie dat je níét iemand tegen het lijf liep die je herkende. En als we het daar toch over hebben, denk aan de miljoenen momenten van elke dag thuis dat je níét iemand ontmoet die je herkent. Statistisch gezien is de kans groot dat je ongeveer overal waar je heen gaat uiteindelijk iemand die je kent tegen het lijf loopt. De wereld is een steeds kleiner wordende contactzone. Met elk jaar dat voorbijgaat wordt de kans op zo'n ogenschijnlijk betekenisvolle ontmoeting groter. Maar ze zijn niet betekenisvol. Tenzij je natuurlijk inderdaad een stalker hebt. In dat geval moet je alles negeren wat ik zeg en de politie bellen.

Dus als jullie patiënten een bepaalde versie van hun missie naar voren brengen die op het toekennen van betekenis aan toevallige gebeurtenissen berust, denk er dan aan dat toeval geen betekenis heeft. Het gebeurt gewoon. Accepteren en negeren.'

Zijn e-mailprogramma zei 'ping'. Inspecteur Patterson die er vlug bij was, vermoedde hij. Tony liet zich voorovervallen in zijn stoel, deed zijn ogen open en kreunde. 'Accepteren en negeren,' zei hij hardop.

10

Paula had nog geen halve minuut nodig om te zien dat de chef zelf de enige persoon in de rechercheteamkamer van afdeling Noord was die het een goed idee vond om het TZM bij het onderzoek naar een vermiste persoon te betrekken. Ze had te horen gekregen dat ze door rechercheur Franny Riley in hun centrale teamkamer zou worden bijgepraat. Toen ze binnenkwam, haalde de eerste persoon die ze aansprak een schouder op en wees met zijn duim achter zich. 'Die grote kerel daar, met die sigaret.'

Roken was uiteraard al jaren niet meer toegestaan op het kantoor van de politie in Bradfield. Maar bij de lijvige rechercheur die Paula werd aangewezen, hing er een sigaret uit zijn mondhoek. Hij brandde niet, maar de kwaadaardige donkere ogen waarmee hij haar uitdagend aankeek, vertelden haar dat deze man bij het minste of geringste zijn aansteker zou laten vlammen. Hij zag eruit als een rugbyspeler die flink door de mangel was gehaald, dacht Paula toen ze naar hem toe liep. Een slecht gerepareerde, kapotgeslagen neus, oren die niet even groot waren en geen nek. 'Ik ben rechercheur McIntyre,' zei ze. 'Paula McIntyre.' Ze stak haar hand uit. Franny Riley aarzelde even en verzwolg haar hand toen. Zijn greep voelde stevig aan, maar zijn huid was verrassend zacht.

'Franny Riley. Ik dacht dat jullie groepje een soort superteam was. Wat denkt de chef verdomme wel. Zit jullie tijd te verknoeien en zet ons neer als stomme idioten.' Hij keek zo mogelijk nog lelijker. Paula vroeg zich af hoe hij tussen zijn overhangende wenkbrauwen en de dikke wallen onder zijn ogen door nog iets kon zien.

'Laten we het hopen.'

Hij keek haar stomverbaasd aan. 'Wat?'

'Ik zou heel blij zijn als dit voor ons beiden tijdverspilling blijkt te zijn en als Daniel Morrison gezond en wel weer opduikt met een blik op zijn gezicht alsof hij net lekker geneukt heeft. Jij niet?' Paula zette een volledig charmeoffensief in en haalde haar pakje sigaretten tevoorschijn. 'Waar kun je hier een sigaretje roken?'

Het dak van het hoofdbureau van de afdeling Noord van de politie van Bradfield had een van de mooiste uitzichten van de stad. Het gebouw stond boven op Colliery Hill en keek uit over de omliggende wijken. Op een heldere dag kon je de belangrijkste gebouwen in het centrum van de stad zien liggen en in de verte ook het stadion van Bradfield Victoria en de parken die als groene longen hadden gediend sinds de industriële revolutie. Aan de noordkant spreidden de met heide bedekte heuvels zich uit tot aan de horizon; de wegen slingerden zich als linten door de openingen tussen de ronde toppen. Op de een of andere raadselachtige manier was er een bushokje van plexiglas op het dak terechtgekomen dat rokers bescherming bood tegen wind en regen en dat hun voorzag van wat waarschijnlijk de rookzone met het mooiste uitzicht in Bradfield was.

'Leuk,' zei Paula, terwijl ze voorzichtig op de smalle plastic bank ging zitten die tegen de achterwand was geschroefd. 'Is er al aangifte gedaan van een vermist bushokje?'

Riley schoot in de lach. Het was een raar geluid. Het klonk als een verstopte afvoer die wordt doorgeprikt. 'Wat denk je?' Hij inhaleerde diep. Zo te zien was roken een levensbehoefte voor hem. 'De hoofdcommissaris heeft ontzettend veel last van hoogtevrees, dus waarschijnlijk zitten we hier goed. En? Wat kan ik voor je doen, rechercheur McIntyre?'

'Ik hoopte dat je me kon vertellen wat jullie zoal hebben gedaan in de zaak-Morrison. Dan hoef ik hetzelfde niet nog eens te doen.'

Hij gromde. 'Ik dacht dat die kakballen van jullie altijd zo werkten: opnieuw beginnen, alles nog een keer overdoen en dan met de eer gaan strijken.'

'Ik denk dat je een ander stelletje klootzakken bedoelt, brigadier.' Paula wendde zich af om het vlammetje te beschermen toen ze haar eigen sigaret opstak. Ze voelde hoe ze ontspande toen de nicotine aan een duizelingwekkend dansje in haar hersens begon. Ze had de gave om de mensen met wie ze sprak te ontwapenen. Ze wist dat dat een van de belangrijkste redenen was waarom Carol Jordan haar zo waardeerde, maar ze stond er liever niet bij stil hoe het precies werkte, uit angst dat het dan niet meer lukte. Zonder er al te veel bij na te denken glimlachte ze Franny Riley samenzweerderig toe. 'Je weet vast al hoe het in elkaar zit.'

Ze zag hoe Riley zich ontspande. 'Slim meisje.'

'Je maakt je kennelijk niet zoveel zorgen over Daniel. Denk je dat hij gewoon is weggelopen?'

Riley haalde zijn brede schouders op. 'Niet echt weggelopen. Het is volgens mij gewoon een jongen die op avontuur is. Wat je al zei, hij komt waarschijnlijk weer opdagen met een blik van "lekker geneukt".'

'Waarom zeg je dat?'

Riley nam een agressieve haal van zijn sigaret en praatte door de uitgeblazen rook heen. 'Verwend opdondertje. Het lievelingetje van mama en papa. Waarom zou hij ervandoor gaan als hij thuis in alles zijn zin krijgt?'

Paula ging daar even niet op in. In haar ervaring kreeg je in de eerste paar dagen na een verdwijning meestal niet echt een goed beeld van een gezin. Je kon op het eerste gezicht best de indruk hebben dat het Daniel aan niets ontbrak, maar dat betekende soms ook dat een kind met heel andere problemen te maken had. 'Denk je niet langer aan een ontvoering?'

'Als hij was gekidnapt, zouden de ouders niet met ons praten, of we hadden onderhand wel een losgeldbrief gezien. Bovendien is de vader niet rijk genoeg voor losgeld. Hij heeft geld zat, maar niet zoveel dat het een ontvoering de moeite waard maakt.' Riley zoog het laatste restje tabak naar de filter toe en trapte de peuk kapot alsof hij vond dat het zo wel genoeg was.

'Wanneer is hij voor het laatst gezien?'

Riley gaapte, rekte zich uit en pakte nog een sigaret. 'Hij is een leerling van de William Makepeaceschool. Hij is maandag na school met de bus naar de stad gereden. Hij was alleen, maar een stel andere jongens uit zijn klas zaten bij hem in de buurt. Ze zijn allemaal op Bellwether Square uitgestapt. De andere jongens zijn toen een computerspel gaan kopen. Ze zeggen dat Daniel de andere kant uit liep, het plein over.'

'In de richting van Temple Fields?' Onwillekeurig merkte Paula dat ze kippenvel kreeg. Het had niets te maken met de koude wind die vanaf de heuvels aan kwam waaien.

'Dat klopt.'

'En toen?'

Riley haalde zijn schouders op. 'We hebben nog geen oproep uit laten gaan, dus er zijn nog geen vijfhonderd tijdverspillers tussen Land's End en John O'Groats die beweren dat ze hem hebben gezien.' Hij liep naar de opening van het bushokje en keek uit over de stad; kennelijk was hij klaar met zijn verslag. Paula wilde hem net afschrijven als een luie donder toen Riley haar verraste. 'Ik heb even naar de beelden van de bewakingscamera's gekeken,' zei hij. 'Die jongens spraken de waarheid. Daniel is het plein overgestoken en is toen een zijstraatje in gelopen waardoor je in Temple Fields uitkomt.' Hij draaide zijn hoofd om en keek haar taxerend aan. 'Jij kent het daar beter dan de meeste mensen, hè? Heb ik gelijk of niet?'

Heel even wist Paula niet zeker of hij het over haar seksuele voorkeur had. 'Pardon?' zei ze. Haar toon was scherp genoeg om aan te geven dat ze het niet zou accepteren als het hier om een staaltje van homohaat ging

'Dat ben jij toch, hè? Jij was het die tussen twee vuren zat toen die undercoveroperatie in Temple Fields faliekant mislukte?'

Paula had bijna nog liever gehad dat hij inderdaad een seksistische opmerking had gemaakt. Ze was bijna doodgegaan in een vunzig kamertje in die doolhof van straten en steegjes, omdat een moordenaar slimmer was dan zelfs Tony Hill had kunnen denken. Het had niet veel gescheeld of ze was eraan onderdoor gegaan, en het genezingsproces was moeilijk en risicovol geweest. Ze wist dat ze het zonder de hulp van Tony nooit had gered. Zelfs nu ze min of meer genezen was, vond ze het nog steeds afschuwelijk dat ze dit had moeten meemaken. 'Dat ben ik, ja,' zei ze. 'En ik weet heel goed dat de camerabeveiliging in Temple Fields nog steeds niets voorstelt.'

Riley stak een vinger op en knikte om aan te geven dat hij haar gehoord had. 'Slecht voor de zaken. Wij noemen het ons homodorp en we doen net alsof het allemaal fatsoenlijk is met die trendy bars en chique restaurants, maar jij en ik, wij kennen de waarheid. De seksshops en de hoertjes en de pooiers en de dealers willen niet dat hun klanten op de film komen. Dus zodra Daniel in Temple Fields verdwijnt, kunnen wij het verder wel schudden.'

'Misschien zijn er beelden van het moment waarop hij vertrekt?'

Riley krabde over zijn buik. 'Te veel mogelijkheden. Te veel mankracht voor een vermiste puber. Je weet hoe het is. En er zijn nog steeds geen garanties. Hij kan best op dit moment lekker liggen te pitten in een van die verdomde appartementen in een pakhuis. Of hij is er al vandoor, achter in de een of andere auto en wij weten nog steeds niets.'

'Dit is niet goed.' Paula stond op en ging naast Riley staan kijken naar de stad beneden. Ergens daarbeneden lag de sleutel tot de verdwijning van Daniel Morrison. Maar of hij nu op IJsland zat of hier, ze kwamen er geen stap verder mee. 'Dit is helemaal niet goed.'

'Wat ga je eraan doen? Met zijn ouders praten?'

Ze schudde haar hoofd. 'Dat heb ik niet voor het zeggen. Maar ik ga mijn chef aanraden om niets te doen zolang de situatie niet verandert. Jij hebt al het nodige blijkbaar al gedaan.'

Riley leek wat van zijn stuk gebracht. 'Oké dan,' zei hij en het lukte hem niet een verbaasde toon te verbloemen. 'Als we morgen nog niet verder zijn, komen we waarschijnlijk wel met de ouders op de proppen op een persconferentie. Maar dat hoor je dan nog wel van me.'

Paula drukte haar sigaret uit. 'Bedankt, brigadier.' Ze voelde hoe hij haar nakeek toen ze het dak over liep naar de brandtrap. Ze dacht dat ze er een vriend bij had. Dan had de dag toch nog iets opgeleverd.

Tony keek het overvolle curryrestaurant rond. Carol en hij gingen al naar hetzelfde Indiase restaurant aan de rand van Temple Fields sinds de eerste zaak waaraan ze samen hadden gewerkt. Ondertussen was er een andere kok en een vernieuwd interieur, maar het behoorde nog steeds tot de drukste en beste restaurants van de stad. Hij had zich er in het begin wel eens zorgen over gemaakt dat de tafeltjes zo dicht bij elkaar stonden dat mensen geen zin meer hadden in eten door de gesprekken van hem en Carol, totdat hij in de gaten kreeg dat het achtergrondgeluid zo hard was dat je elkaar onmogelijk kon afluisteren. En dus hadden ze er vaak samen gegeten. Tony vermoedde dat ze het allebei prettig vonden dat het neutraal terrein was, een niemandsland waar ze geen van beiden in het voordeel waren bij de ingewikkelde schermutselingen van hun relatie.

Hij wierp weer een blik op zijn horloge en toen hij opkeek zag hij eindelijk Carol, die tussen de volle tafels door naar hem toe laveerde. Haar wangen waren roze van de kille avondlucht, waardoor haar ogen nog blauwer leken. Haar dikke blonde haardos moest nodig worden bijgeknipt, de laagjes zagen er onverzorgd uit. Als ze hem het mes op de keel zouden zetten, had Tony toegegeven dat hij haar liever zo zag dan piekfijn na een bezoek aan de kapper. Maar niemand zette hem het mes op de keel, en Carol al helemaal niet.

Ze liet zich op haar stoel vallen met een sissende zucht, schudde haar jas af en pakte de bezwete fles met Cobrabier die voor haar stond. Ze stootte ermee tegen Tony's fles bij wijze van toost en nam een grote slok. 'Dat is beter,' zei ze. 'Je krijgt er dorst van als je hier op tijd moet zijn.'

'Een goede dag gehad?' Tony wist het antwoord al; ze waren hier omdat ze hem in een sms'je had gevraagd iets met haar te komen vieren.

'Ik geloof van wel,' zei Carol. Hun ober kwam soepel tot stilstand bij hun tafel en ze ratelden allebei hun bestellingen af zonder dat ze op de kaart hoefden te kijken. 'Misschien gaan we binnenkort een zaak van veertien jaar geleden oplossen.' Ze schetste de nieuwe bewijzen tegen Nigel Barnes. 'Het goede nieuws is dat Stacey de hoeveelheid plekken waar je een lijk kunt dumpen flink heeft kunnen terugbrengen, en nu is het onderwaterteam van Cumbria bereid om het te gaan proberen. Ik heb Sam erheen gestuurd als onze contactpersoon.'

'Goed zo. Daar krijg je het soort krantenkoppen mee die Blake een poosje koest houden.'

Haar mondhoeken zakten naar beneden. 'Ik weet het niet. Ik vermoed dat hij het gewoon afdoet als iets wat heel normaal is als je bij cold cases werkt, maar daar zou hij ongelijk in hebben. Zie je, de meeste rechercheurs waren er niet zoals Sam achteraan blijven zitten, als ze hoorden dat Nigel Barnes verhuisd was. Dat zou voor hen een goede reden zijn geweest om de hele zaak te vergeten. Maar de mensen van mijn team zijn bijzonder. Ze denken niet rechtlijnig, ze nemen wel eens een zijstraatje. Het is moeilijk aan een man als Blake uit te leggen wat dat in de praktijk betekent.'

'Vooral als hij het niet wil begrijpen,' zei Tony.

Carol glimlachte wrang. 'Precies. Maar laten we daar nu maar niet aan denken, laten we gewoon genieten van het feit dat mijn team op het punt staat weer een succes te boeken.'

'Jullie zijn goed bezig. Het is moeilijk om aan een gezin te moeten vertellen dat hun ergste nachtmerries zijn uitgekomen, maar je hebt in ieder geval een eind gemaakt aan de onzekerheid. En moordenaars voor het gerecht slepen, dat is altijd belangrijk. Het is het aloude cliché, maar niettemin waar. Jullie zijn er om voor de doden te spreken, om namens hen te handelen.' Hij glimlachte haar toe, er vormden zich rimpeltjes in de ooghoeken. Hij was blij dat de avond goed was begonnen, maar had een vermoeden dat het wel eens een heel andere kant zou kunnen uit gaan.

Er verscheen een bord vol met groenten en vispakora en ze namen er allebei wat van. Er heerste een respectvolle stilte terwijl ze alles opaten. Ten slotte slaakte Tony een tevreden zucht. 'Ik had niet in de gaten dat ik zo'n honger had.'

'Dat zeg je altijd,' mompelde Carol door haar laatste hap met zachte bloemkool in krokant beslag heen.

'Het is altijd waar.'

'En hoe was jouw dag?'

Op zijn hoede zei Tony: 'Nou, ik kan je tot mijn plezier vertellen dat, ook al wil James Blake me niet meer hebben, dat gelukkig niet geldt voor anderen. Ik heb vandaag een telefoontje gehad met het verzoek om hulp bij een moordonderzoek, dus het lijkt erop dat er nog wel vraag naar mij is.'

'Dat is fantastisch. Van een bekende?' Carol keek alsof ze echt blij was. Hij vermoedde dat ze dat niet zou blijven.

'Een inspecteur die Stuart Patterson heet.'

Carol fronste haar voorhoofd en schudde haar hoofd. 'Die naam klinkt niet bekend.'

'Van de politie van West Mercia.'

Verbazing flitste over haar gezicht en ze keek opeens niet zo blij meer. 'West Mercia? Ga je naar Worcester?' Daar was de beschuldigende toon die hij had verwacht.

'Ze hebben me daar nodig, Carol. Ik heb dit niet opgezocht. Het heeft mij opgezocht.' Hij wilde niet in de verdediging gedrongen worden, maar hij wist dat hij wel zo klonk.

'Je hoefde geen ja te zeggen.'

Tony gooide zijn handen omhoog. 'Ik hoef nooit ja te zeggen.

En tegelijk moet ik altijd ja zeggen. Dat weet je. Zoals ik net zei, wij zijn de enigen die nog voor de doden kunnen spreken.'

Carol liet haar hoofd hangen. 'Het spijt me. Je hebt gelijk. Het lijkt alleen... ik weet het niet. Toen ik probeerde met je over je vader te praten, heb je me onmiddellijk de pas afgesneden. Je wilde er niets mee te maken hebben. En nu ga je bij de eerste de beste gelegenheid hup naar de stad waar hij het grootste deel van zijn volwassen leven heeft gewoond. Je zult lopen in de straten waarin hij heeft gelopen, je zult de gebouwen zien die hij zag, misschien zelfs iets drinken in dezelfde pubs als mensen die hem kenden.'

'Daar kan ik niets aan doen, Carol. Ik ben echt niet naar Worcester gereden om een tienermeisje te vermoorden en te verminken omdat de politie van West Mercia dan heel misschien mijn hulp zou inroepen voor een profiel. Hier ben ik nu eenmaal goed in, hier ga ik van leven. Ik ben er goed in en ik kan helpen.' Hij hield zijn mond toen de ober met hun hoofdgerecht kwam aanzetten.

Toen ze weer alleen waren, zei ze: 'En ga je nu net doen alsof je niets met die stad te maken hebt als je er bent?'

'Dat zou geen huichelarij zijn. Ik héb er ook niets mee te maken.'

Carol liet een cynisch lachje horen, terwijl ze een stuk naanbrood vol stapelde met kip karahi. 'Afgezien van het huis en de boot die je daar hebt.'

'Dat is toeval, dat betekent verder niets.'

Ze wierp hem een lange blik toe, invoelend en lief. 'Je gaat voor de bijl, Tony. Zo niet, dan vreet het een gat in je hart.'

'Wat doe jij opeens melodramatisch, zeg,' zei hij in een poging om haar zorgen een andere kant uit te leiden. 'Waar is mijn pragmatische hoofdinspecteur gebleven?'

'Die is aan het proberen om jou in te laten zien wat je nodig hebt. Je doet je hele leven niets anders dan repareren wat kapot is. Dat doe je voor je patiënten, dat doe je als je een profiel voor ons maakt. Dat doe je voor de mensen om wie je geeft, mensen als Paula. En voor mij. Het enige wat ik wil is dat je ditmaal egoïstisch bent en dat je het voor jezelf doet.' Ze stak haar hand uit en legde die op de zijne. 'We kennen elkaar al ontzettend lang, Tony. We weten op wat voor manieren we allebei gestoord zijn. Als jij ooit een kans zag om mij te helpen, heb je die altijd aangegrepen. Waarom laat je mij niet hetzelfde voor jou doen?'

Hij voelde de dikke prop in zijn keel, alsof hij een naga chilli heel had doorgeslikt. 'Ik wil gewoon mijn werk doen.' Het kostte moeite om de woorden eruit te persen.

'Dat weet ik.' Carol praatte zachtjes, ze kwam bijna niet over het geroezemoes heen. 'Maar ik denk dat je er baat bij zult hebben als je erkende dat je je verleden onder ogen moet durven te zien.'

'Misschien.' Hij nam een slok bier en schraapte zijn keel. 'Misschien heb je gelijk.' Er kon nog net een klein glimlachje af. 'Je laat dit niet los, hè? Je bent niet van plan hierover op te houden, hè?'

Ze schudde haar hoofd. 'Hoe zou ik dat kunnen? Ik vind het niet fijn te zien dat je pijn hebt omdat je nog steeds in de ontkennende fase zit.'

Tony lachte. 'Sorry, maar wie is hier eigenlijk de psycholoog?'

Carol duwde zijn bord weer naar hem toe. 'Ik ben een goede leerling. Eet nu je eten op en laat mij je vertellen wat ik heb kunnen ontdekken.'

'Oké, jij wint,' zei hij gedwee, en hij pakte zijn vork.

'Het is nog lang geen volledig beeld,' zei Carol. 'Maar je moet ergens beginnen. Het eerste positieve is dat hij geen strafblad had. Hij had zelfs geen verkeersstrafpunten, hoewel hij in 2002 een paar bekeuringen voor te hard rijden heeft gehad. Waarschijnlijk omdat ze flitspalen hebben neergezet op de dichtstbijzijnde hoofdweg.'

'En toen is hij voorzichtiger gaan rijden.' Tony begon langzaam, met kleine hapjes, te eten.

'Het tweede positieve – tenminste, ik denk dat het waarschijnlijk gunstig voor hem was, hoewel niet voor de mensen die hem na stonden – is dat hij heel onverwacht is gestorven. Geen langdurige ziekte, geen lange periode waarin hij steeds zwakker werd. De doodsoorzaak was een zware hartaanval. Hij was bij een bijeenkomst van eigenaren van kanaalboten geweest en op de terugweg naar zijn eigen boot is hij op de kade in elkaar gezakt. Tegen de tijd dat de ambulance er was, kon niemand meer iets doen.'

Tony stelde zich voor hoe dat moest zijn geweest. De verlammende beklemming van die plotselinge pijn. Het verlies van controle. Het kwellende inzicht dat het gedaan is. Het duister dat je overvalt. De verschrikkelijke eenzaamheid. De afwezigheid van iemand van wie hij hield. Geen kans om afscheid te nemen. Geen kans om iets goed te maken. 'Wist hij dat hij kans liep op een hartaanval?'

'Niet echt. Hij had te horen gekregen dat hij aan hartfalen leed, maar daar heeft hij zich kennelijk niet veel van aangetrokken. Hij speelde golf, hij zat heel vaak op de kanalen met zijn boot te pielen, en hij werkte nog. Hij rookte de meeste avonden een sigaar, hij dronk elke dag bijna een hele fles rode wijn en hij genoot ervan om verscheidene keren per week in dure restaurants te eten. Zo gedraag je je niet als je van plan bent nog lang en gezond te leven.'

Tony schudde zijn hoofd. 'Hoe ben je die dingen te weten gekomen?'

'Ik ben hoofdinspecteur. Ik heb de patholoog-anatoom gebeld.'

'En die heeft je dit gewoon verteld? Vonden ze het niet gek dat je dat wilde weten?' Tony wist dat hij niet verbaasd moest staan over de gebrekkige privacy die de staat zijn burgers bood, maar soms stond hij er toch versteld van hoe gemakkelijk je bij informatie kon komen die eigenlijk vertrouwelijk was. 'Je had wel heel iemand anders kunnen zijn,' voegde hij eraan toe.

'Hij vond het wel gek, ja. Ik heb hem verzekerd dat we niet dachten dat er een luchtje zat aan de dood van Edmund Blythe, maar dat we rekening hielden met de mogelijkheid dat iemand bij ons in het district zijn identiteit had gestolen. Dus had ik uiteraard een paar details nodig.' Ze grijnsde en nam nog een lepel van de curry.

'Wat ben jij doortrapt, zeg. Daar was ik nooit op gekomen.'

Carol trok haar wenkbrauwen op. 'Jij moet nodig wat zeggen. Ik heb je wel eens in de verhoorkamer bezig gezien. Nou, dat loog er niet om. Sommige dingen die bij jou gewoon tweede natuur zijn als je probeert in de huid van iemand anders te kruipen, zouden nooit bij *míj* opkomen.'

Hij gaf met een knikje te kennen dat ze volkomen gelijk had. 'Dat is waar. Nou, bedankt. En de wereld is nog niet vergaan, hè?'

'Er is meer. Wil je het horen?'

Opnieuw voelde hij hoe zijn behoedzaamheid omhoogkwam alsof zijn ingewanden werden samengeknepen. 'Dat weet ik niet.'

'Ik geloof niet dat ik iets heb ontdekt waar jij een probleem mee krijgt,' zei Carol voorzichtig. 'Ik zou niet zo aandringen als ik dacht dat het traumatisch voor je zou zijn.'

Hij keek het restaurant rond naar de drukbezette tafels. Te oordelen naar de gezichten van de gasten was hier het hele scala aan menselijk leven aanwezig. Romantiek, zaken, onenigheid, vriendschap, vreugde, verdriet, familiebanden, eerste afspraakjes. Iedereen in deze ruimte kon in principe al deze relaties aangaan. Waar was hij zo bang voor? Hoe kon een dode man die niets over hem had geweten toen hij nog leefde, hem kwetsen? Hij keek Carol weer aan. Ze was hem blijkbaar de hele tijd aan blijven kijken. Hij bofte, dacht hij, dat hij haar kende, ook al werd hij wel eens gek van haar vasthoudendheid. 'Oké,' zei hij.

'Het was een slimme vent, die vader van jou...'

'Hij was geen vader,' viel Tony haar in de rede. Zijn haren gingen onmiddellijk overeind staan. 'Alsjeblieft, Carol. Je kunt erover blijven zeuren, maar dat zal ik nooit accepteren.'

'Sorry, sorry. Het was niet mijn bedoeling om te zeuren. Ik dacht er gewoon niet bij na. Hoe wil je dan dat ik hem noem?'

Tony haalde zijn schouders op. 'Edmund? Blythe?'

'Zijn vrienden noemden hem Arthur.'

'Noem hem dan maar Arthur.' Hij keek woedend naar zijn bord. 'Het spijt me dat ik je heb afgesnauwd. Maar ik kan niet op die manier aan hem denken. Dat kan ik echt niet. Ik heb het al eerder gezegd: met "vader" wil je zeggen dat er een relatie was. Een goede of een slechte, een eerlijke of een oneerlijke, een liefdevolle of hatende. Maar wij hebben nooit enig soort van relatie gehad.'

Carols blik was voldoende als verontschuldiging. 'Arthur was een slimme vent. Hij is een paar jaar na jouw geboorte met zijn bedrijf begonnen. Surginc, heette dat. Ik weet niet precies wat hij daarvoor heeft gedaan. De vrouw met wie ik bij Surginc heb gesproken, werkt daar al een jaar of dertig, maar ze wist niets over Arthurs leven vóór Worcester, behalve dat hij ergens uit het noorden kwam.'

Een scheve grijns. 'Dan zal dat wel Halifax zijn, want daar woonde mijn moeder destijds. Wat doet dat Surginc zoal?'

'Het is allemaal een beetje technisch, maar het komt erop neer dat ze weggooi-instrumenten voor chirurgen maken. Waarmee Arthur voor de troepen uit liep, was dat hij een serie instrumenten maakte die gerecycled konden worden en die gemaakt waren van een combinatie van plastic en metaal. Dus in plaats van dat ze maar één keer konden worden gebruikt, konden de materialen worden teruggewonnen en opnieuw gebruikt. Je moet me niet vragen wat er zo bijzonder is aan dat procedé, maar kennelijk is het iets unieks.

Hij had er patent op. En daar had hij er blijkbaar nog meer van.' Haar glimlach verzachtte de lijnen van haar gezicht, waardoor hij weer begreep waarom de mensen vaak onderschatten hoe hard ze was. 'Nu blijkt dus dat jij niet de eerste in jouw familie was die innovatief denkt.'

Hoewel hij juist van plan was om niets te voelen, was Tony toch blij met dit nieuws. 'Er klopt niet veel aan haar, maar dat kun je ook van mijn moeder zeggen. Het is fijn te horen dat mijn creativiteit niet alleen van haar komt.'

Carols gezicht verstrakte toen hij het over zijn moeder had. Dat verbaasde Tony niet. Bij hun eerste ontmoeting sprongen de vonken van vijandigheid er al af. Tony lag toen in het ziekenhuis om te herstellen van de gewelddadige aanval van een van de patiënten van Bradfield Moor. Hij was fysiek niet in staat geweest om als buffer tussen de twee vrouwen te fungeren en de wederzijdse afkeer was alleen maar versterkt toen het Vanessa door tussenkomst van Carol niet was gelukt hem op slinkse wijze de erfenis van Arthur Blythe door de neus te boren. 'Nou, er is wel een groot verschil tussen Arthur en Vanessa,' zei ze. 'Voor zover ik heb gehoord, was Arthur een van de goeien. Hij was niet alleen slim, maar hij was ook een goede werkgever – bij zijn bedrijf was er zelfs een constructie bedacht waarbij de werknemers deelden in de winst. Hij was heel sociaal, leuk in de omgang, vrijgevig. Hij had ongeveer vijfentwintig mensen in dienst, maar hij wist alles over hun gezinnen. Onthield de namen van hun kinderen, dat soort dingen. Toen hij twee jaar geleden het bedrijf verkocht, heeft hij het hele personeel met hun partners getrakteerd op een weekend in een chic hotel. Hij heeft kosten noch moeite gespaard.' Carol zweeg verwachtingsvol.

Tony kon slechts een wezenloos antwoord produceren. 'Geen wonder dat hij populair was.'

'Het enige waar ze nooit achter zijn gekomen is de reden waarom hij nooit getrouwd is. In al die jaren dat die vrouw voor hem werkte, is hij nooit op een feest van kantoor met een vrouw aan zijn arm verschenen. Een paar dachten dat hij homo was, maar dat dacht zij niet. Daarvoor had hij vrouwen te hoog zitten, dacht ze. Ze dacht dat hij misschien weduwnaar was of gescheiden toen hij nog heel jong was. Dus heb ik de gegevens bij het bevolkingsregister gecheckt. Hij is nooit getrouwd geweest.'

Tony moest even lachen. 'Dat klinkt alsof hij net zo goed in relaties met vrouwen was als ik.' *En waarschijnlijk om dezelfde reden. We zijn allebei door Vanessa verpest.*

Alsof ze gedachten kon lezen, zei Carol: 'Nou ja, er is wel een gemeenschappelijke factor.'

Tony greep naar zijn bier. 'Vanessa is puur gif. Maar ik kan haar niet van álles de schuld geven.'

Carol keek alsof ze het niet met hem eens was. 'Wat we wel kunnen zeggen, is dat Arthur echt iets van zijn leven heeft gemaakt toen hij eenmaal uit haar invloedssfeer was. Ik weet dat je het feit dat hij jouw bestaan genegeerd heeft tijdens zijn leven niet zomaar opzij kunt schuiven, maar van wat ik over hem heb gehoord... Ik weet het niet, ik krijg de indruk dat er een goede reden moet zijn geweest voor zijn afwezigheid. En als iemand die reden kent, is het Vanessa wel.'

'In dat geval moet het maar een raadsel blijven. Ik ben niet van zins om in de nabije toekomst met haar te gaan praten.' Tony duwde zijn bord aan de kant en gaf een seintje aan de ober. Hij hoopte dat Carol zou aanvoelen dat hij ergens anders over wilde praten. 'Wil je nog een biertje?'

'Waarom niet. Wanneer ga je naar Worcester toe?'

'Waarschijnlijk morgen of overmorgen. Ik moet morgenvroeg nog een keer met inspecteur Patterson praten als ik de spullen die hij heeft opgestuurd nog eens heb doorgekeken. Ik denk dat ik niet meer dan een paar dagen weg ben. Mijn hulp is een luxe die tegenwoordig nergens meer in het budget past,' voegde hij er droog aan toe.

'Het gaat om dat tienermeisje, hè? Ik heb het op het journaal gezien. Hoe staat het ervoor?'

Hij bestelde de biertjes en schonk haar een scheve grijns. 'Wat denk je? Ze doen een beroep op mij. Dat zegt genoeg.'

'Dus ze zitten muurvast?'

'Zo ongeveer.'

'Ik benijd je niet.'

'Ik benijd mezelf ook niet. Als je maar één lijk hebt, is het altijd moeilijk conclusies te trekken. Je kent dat wel. Hoe meer doden, hoe beter ik word.' Dat was, dacht hij, het ergste van het profielschetsen. Het gaf een heel nieuwe invulling aan het begrip 'profiteren van andermans ellende'. Een van de moeilijkste dingen waar hij ooit mee in het reine had moeten komen, was dat hij werkzaam was in de enige baan waar hij alleen maar dankzij seriemisdadigers goed uit de verf kon komen.

Het kwam zijn nachtrust niet ten goede.

11

Paula stapte voorzichtig over de rechthoekige plastic voetplaten die een officieel toegestane route vormden van de rand van de plaats delict naar het hart ervan. Het was hierboven verdomme wel akelig somber. Ze vroeg zich af wat deze kale heuvelrug zo aantrekkelijk maakte dat de een of andere speculatieve aannemer hier was gaan bouwen. Zelfs een natuurliefhebber zou nog moeite hebben om er iets positiefs over te zeggen. In de verte stond een groepje bomen en ertussendoor kon ze nog net iets onderscheiden wat eruitzag als een laag stenen huis. Waarschijnlijk een boerderij, gezien de schapen die liepen te grazen op de hellingen erboven en achter het bouwterrein waar zich nu zoveel intensieve activiteiten concentreerden.

'Het regent in ieder geval niet,' klonk de begroeting van Franny Riley toen ze het groepje mensen aan het eind van het pad bereikte. De niet-opgestoken sigaret in zijn mond wipte tijdens het praten op en neer.

'Ook goedemorgen, brigadier,' zei Paula. Een paar van de andere rechercheurs ter plekke wierpen haar nieuwsgierige blikken toe, maar de mensen van de technische recherche in hun witte pakken keken niet op of om. Ze hielden zich meer bezig met de doden dan met de levenden. 'Bedankt dat je me hebt gewaarschuwd.' Ze was helemaal niet blij geweest toen haar vrije uitslaapdag werd verstoord door het aanhoudende geblèr van haar mobieltje, maar het nieuws waar Franny Riley mee kwam, was dit wektelefoontje meer dan waard geweest.

'Ik denk dat we hem hebben gevonden,' had hij gezegd. Zijn stem klonk somber, dus ze wist dat het geen positieve vondst was geweest. 'Ik zal je sms'en hoe je er moet komen.'

Ze had Carol gebeld, in drie minuten gedoucht en nog eens twintig minuten later had ze gezegd wie ze was tegen de agent die regelde wie er toegang hadden tot de plaats delict. Hij had blijkbaar op haar staan wachten, waardoor haar indruk dat Franny Riley een goed politieman was alleen maar versterkt werd. En nu stonden ze hier op een meter afstand van een goot met betonnen randen waarin vermoedelijk het lichaam van Daniel Morrison lag.

'Wie heeft hem gevonden?' vroeg ze.

'Een anoniem telefoontje. Hij klonk alsof hij het in zijn broek deed.' Franny gebaarde met zijn duim naar de geteerde oprit. 'Er zijn een paar verse bandensporen waar iemand ervandoor is gegaan. Nog verser dan het lijk blijkbaar. En een enorme hoeveelheid afdrukken van laarzen. Die zijn er al sinds gistermiddag, toen het regende volgens de jongens die er verstand van hebben. Het heeft er alle schijn van dat de een of andere kloothommel hiernaartoe is gereden in de hoop dat er iets te stelen viel en dat hij toen onaangenaam werd verrast.'

'Kunnen we met zekerheid zeggen dat het Daniel Morrison is?'

'Dat lijkt er wel op.' Franny liet zijn schouders op en neer rollen in zijn jack. 'Kom op, laten we buiten de afzetting gaan staan, dan kunnen we een sigaret opsteken en dan kan ik je bijpraten.' Zonder op haar reactie te wachten rende hij al weg over de plastic platen als een man met een missie. Zodra ze buiten de politielinten stonden, stak hij een sigaret op. Paula volgde zijn voorbeeld en zag een paar afkeurende blikken van agenten in uniform. Tegenwoordig kreeg je het gevoel dat roken ongeveer even hoog op de lijst van maatschappelijke delicten stond als kindermisbruik. Ze was de hele tijd van plan om te stoppen, maar op de een of andere manier waren er altijd dingen die voorgingen. Ze was al een keer gestopt, maar nadat ze een vriend en collega was kwijtgeraakt door toedoen van hun gevaarlijke baan en zelf de dood in de ogen had gekeken, had ze zich weer op de nicotine gestort alsof het een geliefde was die aan grote gevaren ontsnapt was. In tijden van crisis was het beter dan andere soorten van drugs waaraan ze vrienden en collega's ten offer had zien vallen. Het had in ieder geval geen nadelige invloed op je oordeelsvermogen en je hoefde je ook niet te wagen aan dubieuze onderhandelingen met smeerlappen van dealers.

'Wat ligt er in die goot?' vroeg Paula.

'Een jongen. Hij voldoet aan de beschrijving van Daniel, en hij heeft het juiste schoolsweatshirt aan.'

'Heb je geen foto's?'

Riley blies een stroom dunne rook uit. 'Jawel. Maar daar hebben we niet zoveel aan totdat we zijn lichaam op de tafel hebben liggen. Hij heeft een plastic zak over zijn hoofd. Die is strak om zijn nek geplakt. Kennelijk is hij zo ook gestorven, te oordelen naar hoe hij eruitziet.' Hij schudde zijn hoofd. 'Maar dat is nog niet het ergste.'

Paula's maag kromp ineen. Ze had genoeg gezien om te begrijpen waar dat zinnetje op kon slaan. 'Verminkt?'

Riley keek over haar schouder in de richting van de bomen in de verte, zijn verweerde gezicht vormde een grimmig masker. 'Alleen nog maar een gat op de plaats van zijn penis en zijn ballen. Zo te zien liggen ze er niet bij, maar dat weten we pas zeker als we hem hebben opgetild.'

Ze was blij dat ze niet naar het lichaam had hoeven te kijken. Ze wist maar al te goed hoe medelijden en afgrijzen met elkaar streden als je bij het lijk stond van iemand die een gewelddadige dood was gestorven. Vooral als de slachtoffers jong waren. Ze zagen er altijd zo bedrogen uit, en hun kwetsbaarheid was een soort beschuldiging. 'Wat zegt jouw chef?' vroeg ze. 'Ik bedoel, een zwaarder misdrijf bestaat bijna niet.'

Riley snoof. 'Hij doet het bijna in zijn broek. Ik denk dat we er wel van uit kunnen gaan dat het tijd is voor een spelletje "afschuiven die hap". We gaan natuurlijk door met het onderzoek van de plaats delict, maar zeg maar tegen jouw chef dat jullie je gang kunnen gaan. Ik zal ervoor zorgen dat alle papieren in orde zijn en zo spoedig mogelijk bij jullie op het bureau liggen.'

'Bedankt,' zei Paula, en ze pakte haar mobieltje. Dit was een kans om zich te bewijzen tegenover Blake, dacht ze. Maar Daniel Morrison had wel een verdomd hoge prijs moeten betalen voor die kans. En zijn ouders hadden nog niet eens de aanbetaling gedaan.

Een belangrijke drijfveer voor Carol was altijd haar hang naar rechtvaardigheid geweest. Het bezielde haar persoonlijke en ook haar beroepsmatige leven. Als het ging om de mensen van wie ze hield, woog de verantwoordelijkheid om de slechte dingen in hun leven te verhelpen heel zwaar. In het geval van Tony was dat meestal op een teleurstelling uitgelopen, omdat de schade die bij hem was aangericht zulke diepe wortels had dat ze daar nooit bij kon komen. Laat staan dat ze er iets aan kon doen. Maar haar ontmoeting met Vanessa Hill had mogelijkheden geopend. Nog afgezien van het feit dat de vrouw een oppervlakkig, egoïstisch kreng was dat nooit een kind had mogen grootbrengen. Carol zou de beledigingen en insinuaties van de vrouw hebben geslikt als ze had gedacht dat zij daar Tony beter mee zou kunnen helpen. Maar toen ze achter het valse plan van Vanessa was gekomen om haar zoon de erfenis van de vader die hij nooit had gekend door de neus te boren, wist ze dat Vanessa alle schepen achter zich had verbrand die misschien tot samenwerking hadden kunnen leiden.

En toch kon Carol geen weerstand bieden aan de gedachte dat ze het moest proberen. Tony dacht misschien dat het niet was wat hij wilde, maar desondanks moest ze toch haar best voor hem doen. Het was niet gemakkelijk om tegen zijn wensen in te gaan, maar na zijn reactie van de avond tevoren wist ze nu zeker dat ze terecht haar twijfels had ingeslikt. Ze was ervan overtuigd dat de informatie die ze over Arthur Blythe had kunnen verzamelen iets positiefs voor Tony had betekend. Maar er viel nog zoveel te ontdekken. Ze wilde weten waar Blythe was geweest voordat hij in Worcester opdook, en wat hij had gedaan. Ze nam aan dat hij uit Halifax kwam, waar Tony was opgegroeid in het huis van zijn grootmoeder. Vanessa had daar nog steeds haar personeelsadviesbureau. Carol vroeg zich af hoe het haar verging met een banenmarkt die dagelijks kromp naarmate de wereldwijde recessie dieper invrat op alle arbeidsterreinen. Als er iemand zou overleven – en ook als overwinnaar uit de strijd zou komen – was het Vanessa Hill wel.

Carol keek niet bepaald uit naar een rechtstreekse confrontatie met Vanessa, maar ze kon er niet omheen dat Tony's moeder de belangrijkste informatiebron was als het ging om Arthur Blythe. Elke rechercheur die een knip voor de neus waard was, zou haar boven aan de lijst zetten van mensen met wie ze over Arthurs verleden moesten praten. Zeker, je moest alles met een korreltje zout nemen, maar je mocht niet voorbijgaan aan de mogelijkheden die zij bood.

Dus had ze 's ochtends meteen aan Kevin Matthews gevraagd of hij een smoes paraat wilde hebben als Blake haar zocht en daarna was ze dwars over de Pennines op weg gegaan naar Halifax. Over de snelweg was ze er eerder geweest, maar dan reed ze bijna twee keer zo veel kilometers als bij de rit dwars door het binnenland. Carol durfde het niet 'de mooie route' te noemen; er waren overal in het spectaculaire landschap te veel overblijfselen te zien van het vervuilde industrieverleden van de streek om het voor die kwalificatie in aanmerking te laten komen. Maar de dramatische binnenkomst in Halifax was ontegenzeggelijk prachtig met de lange slingerende weg omlaag van de hoge kam van de wilde heuvels tot in de donkere uitdijende stad die in de kom van het dal lag.

Het hoofdkantoor van Vanessa's bedrijf was gevestigd in een laag bakstenen gebouw aan de rand van de stad. Carol parkeerde op een plaats voor bezoekers en had nauwelijks de motor afgezet toen haar telefoon ging. Op het schermpje zag ze dat het rechercheur Matthews was. 'Verdomme,' zei ze terwijl ze de antwoordtoets indrukte. 'Kevin, wat is er?'

'Paula heeft net gebeld. Ze is op de plaats delict van de afdeling Noord. Een anonieme tip, zou wel eens om Daniel Morrison kunnen gaan. Ze willen het op ons bordje leggen.'

De plicht dicteerde dat Carol nu rechtsomkeert maakte naar Bradfield, maar ze was nu al hier, en haar gesprek met Vanessa Hill zou vermoedelijk niet veel tijd in beslag nemen. Bovendien lag de afdeling Noord in ieder geval aan de goede kant van Bradfield. 'Oké, Kevin. Sms me maar hoe ik moet rijden. Ik ben er zo gauw mogelijk. Zeg tegen Paula dat ze mij even moet vervangen. Ga jij er ook heen en zorg dat we alle nodige informatie krijgen. En zo gauw er een positieve identificatie is, wil ik dat jij samen met de familierechercheur de ouders gaat inlichten.'

'Begrepen. Wil je dat ik Tony waarschuw?'

Het was een routinevraag, omdat haar team wist dat Tony graag het lichaam wilde zien als het nog op de plaats delict lag. Als het tenminste om een zaak leek te gaan waarbij zijn deskundigheid gewenst was. Maar Tony mocht ze er niet meer bij roepen. En waarschijnlijk was hij al op weg naar West Mercia om voor iemand te werken die wél van zijn talenten mocht profiteren. 'Nee, dat hoeft niet. Ik zie je zo.'

Met het aangename gevoel dat wat ze deed urgent was, liep Carol naar de deuren van staal en glas, waar ze moest blijven staan, omdat ze eerst door de intercom moest vertellen wie ze was. Dat had ze niet verwacht. Er zat niets anders op dan haar volledige naam te noemen, met rang en al. 'Hoofdinspecteur Carol Jordan voor mevrouw Hill,' zei ze.

Het bleef lang stil. Carol zag in gedachten de consternatie en daarna het overleg. 'Hebt u een afspraak?' vroeg een krakerige vrouwenstem.

'Normaal gesproken achten wij het niet noodzakelijk een afspraak te maken,' zei Carol zo ijzig mogelijk. Er volgde weer een stilte en toen klonk er een zoemer. Ze stond in een hal die naar een kleine ontvangstruimte leidde die comfortabel maar onopvallend was ingericht. De vrouw achter het bureau keek verschrikt. Carol las haar naambordje, glimlachte en zei: 'Goedemorgen, Bethany. Ik kom voor mevrouw Hill.'

Bethany keek even schichtig naar de deur die naar het hoofdgedeelte van het gebouw leidde. 'Kunt u zich identificeren?' vroeg ze. Over het onderste gedeelte van haar gezicht flitste een krampachtig glimlachje.

Carol viste haar identiteitskaart uit haar tas en liet hem aan Bethany zien. Voordat ze kon reageren, zwaaide de deur open en kwam Vanessa Hill binnenstormen. Op het eerste gezicht was ze niet erg veranderd sinds Carol haar de laatste keer had gezien. Ze kon de jaren nog steeds op afstand houden dankzij een kapper die verstandig om wist te gaan met goudbruine verf en dankzij haar eigen vakkundige gebruik van make-up. Ze was nog steeds slank en ze had een mantelpakje aan met een mooie snit dat haar figuur goed deed uitkomen. De nauwe rok liet een paar nog steeds welgevormde benen zien. Maar de lijnen in haar gezicht die haar minder aardige karaktertrekken hadden verraden, leken te zijn gladgestreken. Botox, dacht Carol en ze verbaasde zich weer over de ijdelheid van vrouwen die dachten dat het injecteren van gif in je gezicht een goede zaak was.

'De politie wil u spreken,' zei Bethany. Ze klonk verschrikt, als een winkeldievegge in de menopauze die op de schouder wordt getikt door de beveiligingsman in een winkel.

Vanessa's mond krulde zich in een minachtende glimlach. 'Dit is de politie niet, Bethany. Dit is het vriendinnetje van mijn zoon. Niets om je zorgen over te maken.' Carol was een moment van haar stuk gebracht en stond met de mond vol tanden. Toen ze zag hoe ze Carol in verlegenheid had gebracht, ging Vanessa verder. 'Loop even mee, Carol. Laten we in het bijzijn van het personeel niet over familieaangelegenheden praten.'

Bethany keek opgelucht. Dankbaar dat ze onbedoeld geen blunder had begaan, dacht Carol, terwijl ze achter Vanessa de deur door liep die uitkwam in een kantoortuin. Iedereen was duidelijk druk bezig met van alles en nog wat. Ze zag geen enkele man, en toen ze langsliepen keek geen van de vrouwen op van de computer of van de telefoon. Vanessa's kantoor was aan de andere kant van de ruimte. Het was kleiner dan Carol verwachtte, en functioneler. Het enige spoor van luxe was een elektrisch massagekussen dat vastzat aan de stoel achter het bureau.

'Ik ben Tony's vriendinnetje niet,' zei Carol toen Vanessa de deur achter haar dichtdeed.

Vanessa zuchtte. 'Natuurlijk niet. Jammer genoeg.' Ze liep langs Carol heen, ging op haar stoel zitten en wuifde naar een ongemakkelijk uitziende bezoekersstoel tegenover haar. 'Laten we niet net doen alsof we elkaar aardig vinden, Carol. Wat kom je hier doen?'

'Edmund Arthur Blythe.' Bij het horen van die naam perste Vanessa haar lippen op elkaar en kneep haar ogen tot spleetjes. Carol ging onverdroten verder. 'Tony wil meer over hem weten. Hoe jullie elkaar hebben ontmoet, wat hij in Halifax deed, dat soort dingen.'

'Nee, dat wil hij niet. Jij misschien, maar Tony heeft daar geen belangstelling voor. Hij had het prettiger gevonden als je je helemaal nergens mee had bemoeid. Het was veel beter voor hem geweest als hij de nalatenschap van Eddie op mij had laten overschrijven.' Vanessa rechtte haar schouders en legde haar gevouwen handen op het bureau.

'Afgezien van een bedragje van wat was het ook alweer – een half miljoen of zo?'

Vanessa maakte een geluid dat misschien bedoeld was als lach. 'Als jij denkt dat mijn zoon ook maar iets om geld geeft, weet je veel minder over hem dan ik had gedacht. Geloof me maar, jouw bemoeizucht heeft Tony alleen maar verdriet gedaan. Je begrijpt helemaal niets van hem. Wat hij je ook mag hebben verteld, ík ben degene die weet hoe hij in elkaar zit. Ik heb hem gevormd, jij niet.' Ze stond op. 'Nou, als je niets anders te vragen hebt, kun je beter maken dat je wegkomt.'

‘Waarom wilt u het me niet vertellen? Het is allemaal zo lang geleden. Het gaat u nu niets meer aan. En u kunt niet dieper zakken in mijn achting. Waarom dan die geheimzinnigheid? Tony heeft er recht op te weten waarom zijn vader niet heeft willen blijven.’

‘En ik heb recht op mijn privacy. We zijn uitgepraat, Carol.’ Vanessa liep langs haar heen en gooide de deur open. ‘Als je nog eens komt kun je beter een huiszoekingsbevel meenemen.’

Woedend en teleurgesteld liep Carol met opgeheven hoofd langs Vanessa. Dit was een vernederende tijdverspilling geweest. Maar toen ze haar portier dichtsloeg, beloofde Carol zichzelf plechtig dat Vanessa Hill haar er niet onder zou krijgen. Nu had ze er weer een reden bij om op zoek te gaan naar het verhaal van Edmund Arthur Blythe. Niet alleen om Tony te helpen, maar ook om zijn moeder dwars te zitten. Op dit moment was het moeilijk te zeggen welk van die twee dingen haar het meest prikkelde.

12

Misschien kon hij beter met de trein naar Worcester gaan. Dan had hij meer tijd om alle informatie over de zaak nog eens door te nemen. En misschien was hij bij aankomst dan nog fit in plaats van volslagen uitgeput omdat hij de doolhof van snelwegen rondom Birmingham had moeten trotseren. De keus was niet moeilijk en normaal gesproken zou Tony er geen moment over hebben nagedacht. Maar zonder auto was hij afhankelijk van de welwillendheid van de politie van West Mercia. Als hij langs het huis van Arthur Blythe wilde rijden of een kijkje wilde nemen bij zijn fabriek, moest hij zich tegenover de een of andere politiechauffeur in allerlei bochten wringen om het uit te leggen. En als hij opeens behoefte voelde om midden in de nacht een kijkje te gaan nemen op de plaats delict, als hij bijvoorbeeld niet kon slapen, dan zouden ze denken dat hij nog gekker was dan ze al gedacht hadden. Hij besloot dat bewegingsvrijheid hem toch wel wat waard was. Tegen de tijd dat hij bij zijn hotel in Worcester voorreed, had hij zo vaak zijn eigen stommiteit vervloekt dat hij de tel was kwijtgeraakt. Waarom was het niet bij hem opgekomen om in Worcester gewoon een auto te huren? Hij had berekend dat hij er in twee uur zou zijn; het had hem drieënhalf uur gekost en hij had zich zelden zo afgepeigerd gevoeld. Tony liet zijn hoofd op het stuur rusten en hij probeerde tevergeefs de spieren in zijn schouders en nek wat te ontspannen. Hij sleepte zich de auto uit en checkte in.

Hij had de deur nog niet achter zich dichtgedaan of hij voelde al hoe de zware hand van een depressie op hem neerdaalde. Hij wist dat er hotelkamers waren waar je blij van werd. Hij had er zelfs wel eens overnacht, meestal als hij was ingehuurd door een bedrijf waar ze in de foute veronderstelling verkeerden dat hij kon helpen bij het motiveren van hun managers. Dit was niet een van die kamers. De inrichting – of nee, je kon het geen inrichting noemen, niet als het woord ook nog iets moest betekenen; de kamer bevatte verscheidene doodse bruintinten, variërend van de kleur van smerige goedkope melkchocola tot tabak. Het raam was te klein en keek uit op de parkeerplaats. De tv had maar zeven kanalen en het bed voelde aan als een houten pallet. Hij wist dat ze bij de politie op de centen moesten passen, maar ze hadden toch wel iets beters kunnen vinden?

Met een zucht liet Tony zijn tas vallen en ging op het bed zitten tegenover een foto van een Afrikaanse savanne. Het verband tussen Worcester en een gnoe ontging hem even. Hij haalde zijn mobieltje tevoorschijn en belde inspecteur Stuart Patterson. 'Ik ben in het hotel,' zei hij zonder inleiding.

'Ik weet niet hoe u dit soort dingen aanpakt,' zei Patterson. 'U zei, dacht ik, dat u de plaats delict wilde zien?'

'Inderdaad. Dat is een goed startpunt. Ik zou ook graag met de ouders willen praten als dat kan.'

Patterson bood aan dat rechercheur Ambrose hem kwam ophalen. Tony had liever met Patterson zelf gepraat, maar als je met een nieuw team werkte, betekende dat altijd dat je je aan hun manier van werken moest aanpassen. Dus moest hij voorlopig genoegen nemen met de assistent en van daaruit een bruggenhoofd bouwen.

Omdat hij nog een halfuur moest wachten, besloot Tony een wandelingetje te maken. Het hotel lag aan de rand van het stadscentrum en na vijf minuten liep hij al in een straat met banken, makelaars en vestigingen van winkelketens die de traditionele kleine winkels hadden verdrongen. Ze verkochten er allemaal dezelfde chocola, schoenen, wenskaarten en alcohol, net als in elke andere hoofdstraat in het land. Hij slenterde de straat door en wierp af en toe een blik in een etalage, totdat zijn oog opeens viel op de naam van de makelaar met wie hij zakendeed. Op een prominente plaats in de etalage stonden de gegevens aangeprezen van het huis dat hij probeerde te verkopen. 'Voor een man die niet in toeval gelooft, krijg ik er opeens wel vaak mee te maken. Dan moet ik er ook maar aan geloven, hè.' Het geluid van zijn stem verbrak het moment en voordat hij zich nog kon bedenken, liep hij bij de makelaar binnen. 'Goedemorgen,' zei hij opgewekt. 'Kan ik met iemand praten over dat huis in de etalage?'

Paula was nog nooit zo opgelucht geweest om haar chef te zien. De politiearts en de mensen van de technische recherche stonden te trappelen om het lichaam van Daniel Morrison weg te halen, maar ze had erop gestaan om het te laten liggen totdat de hoofdinspecteur het had gezien, en Franny Riley was haar bijgevallen. 'Jullie mogen het stoffelijk overschot niet verplaatsen zonder schriftelijke toestemming van de onderzoeksleider,' had ze geprotesteerd. 'Het kan me niet schelen of jullie chef het kwijt wil. Het blijft liggen tot hoofdinspecteur Jordan hier is.'

Kevin Matthews was er op tijd om haar ruggensteun te geven. Maar naarmate de tijd verstreek en Carol alsmaar niet kwam opdagen, werd de sfeer met de seconde vijandiger. Ten slotte zag Paula haar met grote passen over de oprit naar hen toe komen lopen. Ze zag er bepaald chiquer uit dan normaal. Waar ze ook geweest was, ze had duidelijk moeite gedaan om indruk te maken. 'Het spijt me dat ik jullie heb laten wachten,' zei Carol, die al haar charmes in de strijd wierp. 'Ik zat vast achter een ongeluk op de weg naar Barrowden, helemaal in het dal, waar ik geen bereik had. Jullie allemaal bedankt voor jullie geduld.'

Als ze zo deed, was er niemand als Carol Jordan. Dan rende iedereen zich de benen uit het lijf om haar een plezier te doen voor die ene goedkeurende blik. Het kon ook geen kwaad dat ze er goed uitzag; de stand van haar mond en haar directe blik betekenden dat niemand haar ooit voor een dom blondje zou houden. Paula wist dat ze een beetje verliefd was op haar chef, maar ze had erin berust dat ze daar nooit iets mee zou kunnen doen. Ze wist dat het zinloos was. 'Deze kant op, chef,' zei ze, en ze ging haar voor naar de sloot en stelde haar ondertussen voor aan brigadier Riley. 'Brigadier Riley is mijn contactpersoon geweest, het zou handig zijn als we hem erbij houden,' zei ze. Dit wilde zoveel zeggen als: hij is een van ons, al ziet hij er niet zo uit.

Ze ging naast Carol staan en keek neer op deze pijnlijke verminking van de menselijke waardigheid die daar onder in de sloot lag. De kleren van de jongen zaten onder het vuil en het bloed, en zijn hoofd in de doorzichtige plastic zak zag er onwerkelijk uit, als de een of andere afzichtelijke bijfiguur in het type horrorfilm dat de bioscoop nooit zal halen. 'Jezus,' zei Carol. Ze wendde haar gezicht af. Paula zag hoe de lippen van haar chef even trilden. 'Oké, haal hem er maar uit,' zei ze. Ze deed een pas opzij en wenkte dat de anderen konden komen.

'We zullen maar aannemen dat we hier te maken hebben met Daniel Morrison,' zei Carol. 'Het lichaam komt overeen met de beschrijving van de vermiste jongen en onder zijn jasje heeft hij een sweatshirt aan van de William Makepeaceschool. Dat betekent dat er zestig uur ligt tussen het moment dat Daniel voor het laatst gezien is en nu. Dus we hebben heel wat in te halen. Als we eenmaal een voorlopig tijdstip van overlijden hebben, weten we hoeveel uur we moeten invullen. Maar ik wil dat we te weten komen wat er in die uren is gebeurd. Paula, jij houdt contact met brigadier Riley; zorg dat we alles krijgen wat zij tot nu toe hebben gevonden. Kevin gaat met de familierechercheur mee om de ouders op de hoogte te stellen, maar ik wil dat jij ook nog bij hen langsgaat, Paula.' Carol begon terug te lopen naar de rand van de plaats delict. Haar teamleden volgden haar op de hielen.

'Maar Paula, jij gaat eerst naar de school. Je praat met leraren en vrienden. Het is een particuliere school, je krijgt te maken met meer eikels dan je lief is, maar daar laat je je niet door van de wijs brengen, want jij gaat precies te weten komen wat voor soort jongen Daniel Morrison was. We zullen Stacey loslaten op zijn computer. En Paula? Ik wil dat elke vierkante centimeter van de berm wordt afgespeurd, van het eind van de oprit tot aan de hoofdweg. Geef dat maar door aan brigadier Riley.' Toen ze bij de laatste plastic voetplaat was, draaide ze zich om en keek hen met een vermoeide glimlach aan. 'We zijn Daniel een resultaat verschuldigd. Laten we zorgen dat hij dat krijgt.'

'Moet ik Tony nog ophalen bij Bradfield Moor?' vroeg Paula. Over Carols schouder zag ze hoe Kevin een gebaar maakte alsof hij zijn keel doorsneed.

De spieren in Carols gezicht spanden zich. 'We zullen het ditmaal zonder Tony moeten doen. Als we denken dat we een profielschetser nodig hebben, moeten we het met iemand van de politieacademie doen.'

Ze wist haar minachting goed te verbergen, dacht Paula. Je moest de chef heel goed kennen om te zien dat ze geen hoge dunk had van deze troetelkinderen van Binnenlandse Zaken.

'En nog iets,' zei Carol. 'We moeten nagaan wie bekend waren met deze plek. Kevin, zo gauw je klaar bent neem jij contact op met de aannemer; vraag om een lijst van zijn personeel, inclusief architecten, opzichters, de hele rataplan. Ik zal regelen dat een paar agenten van afdeling Noord alvast beginnen met het natrekken van achtergronden en gesprekken, dan kunnen wij bekijken of er iets interessants bij is.' Ze haalde haar hand door haar haren met een gebaar dat Paula herkende. Dat deed de chef altijd als ze tijd wilde rekken. 'Heb ik nog iets overgeslagen?' vroeg ze. Niemand zei iets. Op een dag, droomde Paula, zou ze met een briljante inval op de proppen komen, iets wat niet bij Carol en bij niemand anders was opgekomen. Ze wendde zich af en haalde haar pakje sigaretten tevoorschijn. Helaas zat die briljante inval er vandaag niet in.

Het huis zag er in het echt aantrekkelijker uit dan op de foto. De verhoudingen kwamen beter uit, bijvoorbeeld die tussen huis en tuin. Dit huis, dat gebouwd was rond 1900, zag er prachtig uit. Tony deed het hek open en liep de oprit op, zijn voeten kraakten onregelmatig op het grind. Hij merkte daardoor dat hij een beetje mank liep, iets waar hij nog steeds last van had na zijn confrontatie met een patiënt die zijn medicijnen niet had ingenomen en een brandbijl. Ze hadden aangeboden hem nog eens te opereren, maar dat had hij geweigerd. Hij had het vreselijk gevonden toen hij niets kon, hij walgde van het besef hoe weinig controle hij over zijn leven had toen hij in zijn bewegingen beperkt was. Zolang hij het nog zonder operatie volhield, zou hij dat doen.

Hij was te vroeg voor de afspraak met de makelaar, dus liep hij langs de zijkant van het huis en kwam uit in een formele rozentuin. In deze tijd van het jaar waren de struiken weinig meer dan kale verwrongen takken, maar hij kon zich voorstellen hoe ze er in de zomer zouden uitzien. Hij wist niets over tuinieren, maar je had niet veel kennis nodig om te zien dat alles er prima verzorgd uitzag en dat het ontworpen was om ervan te genieten. Tony ging op een stenen bank zitten en keek uit over de rozen. Arthur Blythe had vast hetzelfde gedaan, stelde hij zich voor.

Maar hij had zeker over hele andere dingen nagedacht. Hij zou niet midden op de dag over een modderige parkeerplaats hebben geijsbeerd, omdat hij probeerde zich in een moordenaar te verplaatsen die deze speciale plek had uitgekozen voor het dumpen van zijn jonge slachtoffer. Alvin Ambrose, Pattersons assistent, had geholpen met nuttige informatie over het gebied en over de toestand waarin het slachtoffer verkeerde. De verminking was na het intreden van de dood toegebracht. 'Maar niet hier,' had Tony gezegd. 'Daar had hij een plek voor nodig waar hij alleen was.'

'En niet te vergeten het weer,' had Ambrose eraan toegevoegd. 'Het stortregende en het waaide verschrikkelijk. Al vanaf de late namiddag, ongeveer toen Jennifer bij haar vriendin Claire wegging. Eerlijk gezegd zou je er je hond niet in willen uitlaten, laat staan dat... u weet wel. Wat hij deed.'

Tony keek de hele parkeerplaats af. 'Hij had een plek nodig waar hij beschermd werd tegen het weer en tegen nieuwsgierige blikken. Maar ze was al dood, dus hij hoefde zich geen zorgen te maken dat iemand iets zou horen. Ik vermoed dat hij haar hier ook wel had kunnen bewerken achter in een bestelbusje of een vrachtwagen.' Hij sloot even zijn ogen, en probeerde zich een beeld te vormen van de parkeerplaats als het donker was. 'Dan kon hij het meest geschikte moment om haar te dumpen zelf kiezen. Beter dan gewoon hier op goed geluk heen rijden...' Zijn stem stierf weg en hij klauterde door het lage struikgewas naar de overhangende bomen toe. Het rook er naar leem en hars en oude urine. Hij kreeg er geen beelden bij, dus zocht hij Ambrose weer op, die geduldig bij de auto stond. 'Hij heeft hier eerder gebruik van gemaakt of hij heeft deze plek met een vooropgezette bedoeling uitgezocht. Niet dat we er nu achter kunnen komen welk van beide het is. En als hij er eerder gebruik van heeft gemaakt, is er geen reden om te geloven dat het voor misdadige doeleinden was. Misschien is hij hier gewoon gestopt om te plassen of omdat hij even een dutje wilde doen.'

'We gaan hier elke avond langs om aan de mensen die geparkeerd staan te vragen of ze iets ongewoons hebben gezien,' zei Ambrose, die duidelijk besefte dat het niet genoeg was. Tony waardeerde het dat de brigadier geen blijk gaf van de minachting of hooghartigheid die hij vaak tegenkwam als hij op pad was als profielschetser. Ambrose maakte een onverstoorbare indruk, maar zijn zwijgen was niet het zwijgen van een dom iemand. Hij zei wat als hij iets te zeggen had, en tot dusver was wat hij te zeggen had het beluisteren waard geweest.

'Het is natuurlijk de vraag wat een stelletje vrachtwagenchauffeurs als ongewoon zouden bestempelen,' mompelde Tony. 'Maar de dumpplek roept wel vragen op. Op dit moment lijkt het waarschijnlijker dat het niet om iemand gaat die hier in de buurt woont. Dus het lijkt niet erg zinvol om het gebruikelijke rijtje verdachten op te pakken.'

'Waarom denkt u dat het niet gaat om iemand uit de buurt?' Ambrose leek oprecht geïnteresseerd in het antwoord.

'Ik neem aan dat er hier in de buurt veel betere plekken zijn waar je een lichaam kunt dumpen, en iemand die hiervandaan komt zou die kennen – meer afgelegen, minder druk. Gewoon een plek die minder riskant is voor de moordenaar. Hier loop je betrekkelijk veel risico. Misschien heeft hij van tevoren de boel wel verkend, maar ik denk dat dit in wezen een toevalstreffer was van iemand die geen betere plek wist en die geen zin had een eind te moeten rijden met een lijk aan boord.'

'Klinkt logisch.'

'Ik doe mijn best,' zei Tony wrang.

Ambrose grijnsde, zijn onverstoorbaarheid was op slag verdwenen. 'Daarom hebben we uw hulp ingeroepen.'

'Dat was jullie eerste fout.' Tony draaide zich weer om en begon nog eens de rand van de parkeerplaats af te struinen. Aan de ene kant plande deze moordenaar zorgvuldig. Hij was weken bezig geweest om Jennifer voor te bereiden, haar klaar te stomen voor het moment dat ze toe zou happen. Hij had haar gepakt en had daarbij getuigen en verdenking weten te vermijden. En volgens Ambrose had hij geen sporen achtergelaten waarmee de technische recherche iets kon aanvangen. Toen had hij haar langs de kant van de weg gedumpt, en blijkbaar was hij er niet in geïnteresseerd wanneer ze werd gevonden. 'Misschien is hij gewoon niet zo sterk,' riep hij naar Ambrose. 'Misschien kon hij haar niet zo lang dragen.' Toen hij weer wat dichterbij stond, vervolgde hij: 'We zijn geneigd om dit soort criminelen bovenmenselijke eigenschappen toe te dichten. Omdat we diep in ons hart denken dat het monsters zijn. Maar lichamelijk gezien zijn het vaak doorsneetypes. Jij zou bijvoorbeeld zonder enige moeite een veertienjarig meisje een heel eind het bos in kunnen dragen, naar een plek waar ze misschien weken of maanden kan liggen zonder te worden ontdekt. Maar ik? Ik zou al moeite hebben haar de auto uit te krijgen, en uit het zicht van de weg.

Dus misschien is dat de reden voor deze ogenschijnlijke tegenstrijdigheid.'

Dat was zijn meest diepzinnige conclusie geweest na zijn bezoek aan de plaats delict. Hij hoopte dat hij meer te weten zou komen van de ouders van Jennifer, maar daar kon hij pas later op de middag terecht. Haar vader vond kennelijk dat hij weer even aan het werk moest, dus was hij pas om vier uur beschikbaar. Als Tony gevoelig was voor tekenen en voortekenen zou hij dit ook als zodanig hebben geïnterpreteerd. Hij was gaarne bereid geweest om zijn afspraak met de makelaar af te zeggen als hij dan met de ouders van Jennifer had kunnen praten. In plaats daarvan had de uiteindelijke afspraak met hen naadloos in zijn plannen gepast.

Ambrose had hem afgezet bij het hotel. Hij dacht waarschijnlijk dat Tony braaf getuigenverklaringen aan het doorlezen was, niet dat hij in de rozentuin zat te wachten op een makelaar die hem een huis ging laten zien dat allang van hem was. Dat druiste in tegen elke gangbare gedragsregel. Niet zo vreemd als het vermoorden van tienermeisjes, maar toch wel flink uitzonderlijk.

Het was, dacht Tony, maar goed dat Ambrose de waarheid niet kende.

13

Als Carol het helemaal niet meer zag zitten stelde ze zich voor wat het ergste zou zijn wat James Blake voor haar in petto kon hebben. Promotie. Maar niet het soort promotie dat haar de mogelijkheid bood haar troepen voor te gaan in de strijd. Het soort waarbij ze achter een bureau terechtkwam en een beleid moest uitstippelen, terwijl al het belangrijke werk elders werd gedaan.

Zoals op de momenten, die gelukkig zelden voorkwamen, wanneer haar team in de frontlinie hard aan het werk was om de moordenaar van Daniel Morrison te vinden en zij in haar kantoor duimen zat te draaien in afwachting van de lijkschouwing van de jongen. Gewoonlijk probeerde ze zich dan bezig te houden met administratie. Maar die dag was ze bezig met dringender zaken.

Leidinggeven aan haar team in hun werk met cold cases had nieuwe wapens toegevoegd aan Carols speurdersarsenaal. Ze was altijd goed geweest in het graven in achtergronden van slachtoffers en verdachten, maar nu had ze geleerd hoe ze deze archeologische vaardigheden moest gebruiken voor de periode dat er nog geen gegevens op de computer waren ingevoerd en er nog geen afrekeningen bestonden van mobiel telefoongebruik om een onderzoek vooruit te helpen. Zoals de jaren dat Edmund Arthur Blythe in Halifax had gewoond en vermoedelijk ook had gewerkt. Bibliotheken leverden het beste resultaat op en van daaruit kwam je vaak weer uit bij nog levende deskundigen die opmerkelijke details konden aanvullen. Maar je kon ook aan informatie komen via onbekende elektronische poorten. En Carol kon beschikken over het beste op dat gebied.

Stacey werd omringd door een hele hoop schermen. Ze had nu een barricade aan informatie gebouwd tussen zichzelf en de rest van het team. Ze was begonnen met twee, had uitgebreid naar drie en nu stonden er zes monitoren naast elkaar opgesteld, en op elk was een ander programma aan het draaien. Ze zat zich nu te concentreren op het schiften van het materiaal van de bewakingscamera's uit het stadscentrum door middel van software die gericht was op het herkennen van gezichten, maar er waren tegelijkertijd ook nog andere functies actief waar Carol niets van snapte. Stacey keek op toen haar chef naar haar toe kwam lopen. 'Nog niets gevonden,' zei ze. 'Het probleem met deze bewakingscamera's is dat ze nog steeds geen erg hoge resolutie hebben.'

'Maar we moeten de moed niet opgeven,' zei Carol. 'Stacey, kan ik ergens online toegang krijgen tot oude telefoonboeken?' Ze durfde eigenlijk wel te wedden dat Stacey niet opkeek van dit soort vragen.

'Ja,' zei Stacey, die onmiddellijk weer naar haar schermen keek. Haar vingers vlogen over het toetsenbord en op een van de schermen verscheen een kaart met een cursor die lichtsignalen gaf.

'En hoe doe ik dat?'

'Hangt ervan af hoever terug in de tijd je wilt gaan.'

'Naar het begin van de jaren zestig.'

Staceys handen bleven even boven de toetsen hangen. Toen begonnen ze weer te typen. 'Je hebt de meeste kans op een van de sites die met genealogie te maken hebben. Zij hebben een groot deel van de sociale informatie uit het openbare domein gedigitaliseerd: telefoonboeken, stratengidsen, kiesregisters. Ze zijn ook heel gebruiksvriendelijk, omdat hun doelgroep bestaat uit...'

'Idioten zoals ik?' vroeg Carol liefjes.

Stacey glimlachte zowaar een beetje. 'Mensen die niet in de ICT werkzaam zijn, wilde ik zeggen. Je kunt op Google "oude telefoonboeken" intoetsen en "voorouders" en dan vind je misschien wel wat. Maar je moet niet vergeten dat in de jaren zestig de meeste mensen nog geen telefoon hadden, dus misschien lukt het niet.'

'Ik kan alleen maar hopen,' zei Carol. Ze had haar hoop gevestigd op het feit dat Blythe in Worcester was opgedoken als ondernemer. Misschien was hij al met een bedrijf begonnen toen hij nog verkering had met Vanessa.

Een halfuur later zag ze tot haar grote vreugde dat ze gelijk bleek te hebben. Daar stond het zwart-op-wit op het scherm in het telefoonboek van 1964. *Blythe & Co, specialisten in metaalbewerking.* Carol controleerde de jaren ervoor en erna en kwam tot de conclusie dat het bedrijf maar drie jaar vermeld stond. Dus toen Blythe wegging hield het bedrijf op te bestaan. Het leek op een impasse. Hoe waarschijnlijk was het dat ze iemand op het spoor kwam die daar vijfenveertig jaar geleden had gewerkt, laat staan iemand die hem zo goed had gekend dat hij zich nog iets zinnigs kon herinneren?

Maar ze had wel voor hetere vuren gestaan. Nu was het echt tijd voor de bibliotheek. Ze hoefde maar even op zoek te gaan op het internet of ze had het nummer van de plaatselijke bibliotheek al te pakken. Toen ze een mevrouw aan de telefoon kreeg, legde ze uit dat ze op zoek was naar een deskundige op het gebied van de lokale geschiedenis, die misschien nog iets wist over kleine bedrijven in de jaren zestig. De bibliothecaresse aarzelde een moment, praatte toen op gedempte toon met iemand anders en zei ten slotte: 'Volgens ons moet u eens gaan praten met ene Alan Miles. Dat is een gepensioneerde leraar houtbewerking, maar hij is altijd erg geïnteresseerd geweest in de industriële geschiedenis van deze streek. Een momentje, ik zal u zijn telefoonnummer geven.'

De telefoon ging meer dan tien keer over voordat Alan Miles opnam. Carol wilde net de hoorn neerleggen toen een achterdochtige stem zei: 'Hallo?'

'Meneer Miles? Meneer Alan Miles?'

'Met wie spreek ik?' Hij klonk oud en boos. *Fijn, dat heb ik net nodig.*

'Mijn naam is Carol Jordan. Ik ben hoofdinspecteur van de politie in Bradfield.'

'Politie?' Nu hoorde ze angst in zijn stem. Dat was zo bij de meeste mensen. Ze maakten zich zorgen als ze met de politie moesten praten, zelfs degenen die daar geen enkele reden voor hadden.

'Ik heb uw nummer gekregen van een van de bibliothecaressen van de centrale bibliotheek. Zij dacht dat u me misschien zou kunnen helpen met een achtergrondonderzoek.'

'Wat voor soort achtergrondonderzoek? Ik weet niets van misdaad.' Hij klonk allesbehalve enthousiast.

'Ik wil proberen zo veel mogelijk te weten te komen over ene Edmund Arthur Blythe, een man die in het begin van de jaren zestig in Halifax een bedrijf voor specialistische metaalbewerking had. Volgens de bibliothecaresse kon ik dan het best met u praten.' Carol probeerde zo vleiend mogelijk te klinken.

'Waarom? Ik bedoel, waarom wilt u daar iets over weten?'

God bewaar me voor achterdochtige, oude mannen. 'Dat mag ik niet zeggen. Maar mijn team heeft zich gespecialiseerd in cold cases.' Wat niet meer dan waar was, zij het niet helemaal waar.

'Ik heb het niet zo op de telefoon,' zei Miles. 'Je kunt niet zien wie iemand is door de telefoon. Als u naar Halifax wilt komen, zal ik persoonlijk met u praten.'

Carol sloeg haar ogen ten hemel en onderdrukte een zucht. 'Houdt dat in dat u informatie voor me hebt over het bedrijf van Blythe?'

'Toevallig wel, ja. En ik kan u ook dingen laten zien.'

Carol dacht na. Op het bureau was alles onder controle. Ze waren nog lang niet zover dat ze iemand konden arresteren of verhoren. Tenzij de lijkschouwing onverwachte dingen opleverde, kon ze die avond gemakkelijk een paar uur verdwijnen. 'Heeft u vanavond misschien tijd?' vroeg ze.

'Vanavond? Om zeven uur. We spreken af voor het station van Halifax. Ik draag een geelbruin jack en ik heb een wollen pet op.'

De verbinding werd verbroken. Carol keek woedend naar de telefoon, zag toen de humor ervan in en glimlachte in zichzelf. Als ze weer een stukje opschoot in haar speurtocht naar de niet-vader van Tony, zou dat het contact met de knorrige Alan Miles meer dan waard zijn.

Toen Ambrose hem kwam ophalen voor zijn afspraak met de ouders van Jennifer Maidment, kon Tony nauwelijks zijn opluchting verbergen. Na de rondleiding door de makelaar had Tony met moeite zijn gedachten weer kunnen concentreren op de plaats delict waar hij eerder op de dag was geweest. Hij wist dat hem iets dwarszat aan deze moordenaar, maar hij kon er niet de vinger op leggen, en hoe meer hij erachter probeerde te komen, hoe meer de beelden van het huis van Arthur Blythe zich aan hem opdrongen. Tony trok zich zelden iets aan van zijn onmiddellijke omgeving. Hij was zich nooit bewust geweest van de inrichting van een huis. Dus hij was des te verbaasder dat hij moest toegeven dat hij Arthur Blythe om dit huis benijdde. Het had niet alleen te maken met comfort. Het voelde aan als een thuis, een plek die organisch was gegroeid rondom het idee van wat een man belangrijk vond. En hij moest, zeer tegen zijn zin, bekennen dat het pijn deed dat Arthur Blythe hem had afgedankt en daarna een tehuis had opgebouwd waaraan niets ontbrak. Zijn eigen huis zou nooit bij iemand dezelfde reactie oproepen. Bij hemzelf al helemaal niet. Hij had nooit dat absolute zelfbewustzijn gehad dat de man die hij nooit zijn vader had leren noemen duidelijk wel had gehad.

Dus de komst van Ambrose voelde aan als een bevrijding uit zijn vervelende gedachten. De opluchting was echter van korte duur. 'Heb je de uitdraaien van RigMarole meegebracht?' vroeg Tony zodra hij goed en wel in de auto zat. Toen hij over zz had gehoord, had hij Ambrose gevraagd kopieën mee te brengen van alles wat ze van de gesprekken hadden kunnen redden, zodat hij die kon bestuderen.

Ambrose staarde recht voor zich uit. 'De baas wil niet dat ze het bureau verlaten. Hij wil best dat u ze leest, maar hij wil dat u dat binnenshuis doet.'

'Wat? Vertrouwt hij me niet? Wat denkt hij dat ik ermee ga doen?'

'Ik weet het niet. Ik geef gewoon door wat hij zei.' De handen van Ambrose hielden het stuur strak omklemd. Tony merkte dat hij zich niet op zijn gemak voelde.

'Hij is niet bang dat ik ze doorverkoop aan de *Daily Mail*,' zei Tony. Zijn irritatie stond niet in verhouding tot het vergrijp. 'Nee, het heeft met controle te maken. Hij is bang dat hij de controle over zijn onderzoek kwijtraakt.' Hij gooide zijn handen in de lucht. 'Zo kan ik niet werken. Ik verspil mijn energie als ik me moet bezighouden met dit soort kinderachtigheden. Kijk eens, Alvin, ik werk nu eenmaal op mijn manier. Ik kan me niet voldoende concentreren als er de hele tijd iemand over mijn schouder mee kijkt. Ik moet niet midden in de drukte zitten, tussen allemaal rondrennende mensen. Ik moet dit spul bestuderen en ik moet dat doen op mijn voorwaarden.'

'Dat snap ik,' zei Ambrose. 'De inspecteur is er niet aan gewend om met iemand als u te werken.'

'Dan wordt het tijd dat hij dat leert,' zei Tony. 'Het zou geen kwaad kunnen als hij meer moeite deed om mij persoonlijk te ontmoeten. Kan ik dat aan jou overlaten of moet ik zelf met hem gaan praten?'

'Dat doe ik wel,' mompelde Ambrose. 'Ik zal zien wat ik kan doen.' Tijdens de rest van de rit werd er niet gepraat. Tony deed zijn best om alles uit te bannen wat tussen hem en de volgende stap in het ontdekkingsproces stond. Het enige wat nu telde was dat hij meneer en mevrouw Maidment uit hun pijn trok, zodat ze hem konden vertellen wat hij moest weten.

De man die de deur opendeed stond er stijf en broos als een gedroogde rietstengel bij. Ambrose stelde hen aan elkaar voor en ze liepen achter Paul Maidment aan naar de woonkamer. Tony had vaak horen zeggen dat iedereen op zijn eigen manier met verdriet omgaat. Hij wist niet of hij het daarmee eens was. Misschien reageerden ze aan de buitenkant wel anders dan anderen, maar als puntje bij paaltje kwam scheurde verdriet je leven in tweeën. Het leven van voor en van na je verlies. Er was altijd een breuk. Sommige mensen trokken zich nergens iets van aan; sommige mensen duwden het ergens in een heel diep gat in hun binnenste en rolden er een zware steen overheen; sommige mensen deden alsof er niets was gebeurd. Maar als je jaren later met hen sprak, dateerden ze herinneringen altijd in relatie met hun verlies. 'Jouw vader leefde toen nog,' of 'dat was na de dood van onze Margaret'. Het was even precies als praten over vóór Christus en na Christus. Eigenlijk ging het daar ook al over verlies en verdriet, of je nu geloofde dat Jezus de zoon van God was of niet.

In zijn functie van profielschetser kwam hij meestal in contact met mensen als ze zich aan de verkeerde kant van de kloof van verdriet bevonden. Hij wist zelden hoe ze waren geweest voordat hun leven in tweeën was gescheurd, maar hij kon vaak wel een gefundeerde gissing maken over hoe het er ooit aan de andere kant had uitgezien. Zijn besef van wat er verloren was gegaan, droeg aanzienlijk bij aan zijn vermogen om zich in te leven in de toestand waarin ze zich nu bevonden. Ze waren gestrand in een onbekend gebied, en probeerden de kaart te lezen terwijl een deel van het kompas ontbrak.

Zijn eerste indruk van Paul Maidment was die van een man die had besloten een streep te zetten onder de dood van zijn dochter en de draad weer op te pakken. Het was een besluit waar hij zich duidelijk maar met moeite aan kon houden. Tony had de indruk dat hij elk moment voor de derde keer kopje-onder kon gaan.

'Mijn vrouw... komt zo beneden,' zei hij, terwijl hij om zich heen keek als een man die voor het eerst zijn omgeving ziet en die niet meer precies weet hoe hij daar is terechtgekomen.

'U bent vandaag weer aan het werk gegaan,' zei Tony.

Maidment keek verschrikt op. 'Ja. Ik dacht... Er is te veel te doen, ik kan het niet aan iemand anders overlaten. De zaken... gaan op het moment niet zo goed. En we hoeven niet ook nog het bedrijf kwijt te raken na...' Hij maakte de zin niet af, leek afgeleid en overstuur.

'Het is uw schuld niet. Dit zou sowieso gebeurd zijn of u nu thuis was of niet,' zei Tony. 'U en Tania, u beiden heeft uzelf niets te verwijten.'

Maidment keek Tony woedend aan. 'Hoe kunt u dat nu zeggen? Iedereen zegt dat het internet gevaarlijk is voor tieners. We hadden beter op haar moeten letten.'

'Dat zou niet hebben uitgemaakt. Dit soort roofdieren zijn vastbesloten. Ja, u had Jennifer kunnen opsluiten en haar elk contact met andere mensen kunnen verbieden, maar afgezien daarvan kon u niets doen om dit te voorkomen.' Tony leunde naar voren om zo te proberen tot Paul Maidment door te dringen. 'Jullie moet jezelf vergeven.'

'Onszelf vergeven?' De vrouwenstem achter hem klonk een beetje onduidelijk, van de drank of van medicijnen. 'Wat weet u daar in godsnaam van? Heeft u soms ook een kind verloren?'

Maidment begroef zijn hoofd in zijn handen. Zijn vrouw liep naar het midden van de kamer met de overdreven voorzichtigheid van iemand die zich er nog net van bewust is dat ze niet alles meer onder controle heeft. Ze keek naar Tony. 'Dan bent u zeker die psycholoog. Ik dacht dat u was ingehuurd om die klootzak te ontleden die mijn dochter heeft vermoord, niet ons.'

'Ik ben Tony Hill, mevrouw Maidment. Ik ben hier om iets meer te weten te komen over Jennifer.'

'Daar ben je wat laat mee.' Ze liet zich in de dichtstbijzijnde stoel zakken. Haar gezicht was een masker van zorgvuldig aangebrachte make-up, maar haar haren waren verward en onverzorgd. 'Wat te laat om mijn prachtige meisje te leren kennen.' Haar stem trilde een beetje, omdat ze zo verschrikkelijk haar best deed om goed te articuleren.

'Dat vind ik echt verschrikkelijk,' zei Tony. 'Misschien kunt u me helpen. Hoe zou u haar omschrijven?'

Tania Maidments ogen werden vochtig. 'Mooi. Slim. Aardig. Dat zegt iedereen over zijn dode kind, hè? Maar bij Jennifer klopte het. Ze was niet moeilijk. Ik ben niet zo stom dat ik ga zeggen "we waren elkaars beste vriendin" of "we waren net zusjes", want dat waren we niet. Ik was haar ouder, haar moeder. Meestal konden we goed met elkaar opschieten. Meestal vertelde ze me wat ze deed en met wie. Negen dagen geleden zou ik hebben gezegd dat ze me dat altijd vertelde. Maar dan had ik duidelijk geen gelijk gehad. Dus kan ik over die andere dingen ook wel ongelijk hebben. Wie zal het zeggen?'

Maidment hief zijn hoofd op, tranen schitterden op zijn wangen. 'Ze was al die dingen. En nog meer. We droomden van een kind als Jennifer. Intelligent, talentvol, leuk. En we kregen zo'n kind. Een droomdochter. En nu is de droom weg, en als hij nooit was uitgekomen was dat minder erg geweest dan dit.'

Het was lang stil. Tony wist niets te zeggen dat niet banaal zou overkomen. Het was Ambrose die de impasse doorbrak. 'We kunnen niet iets doen waardoor Jennifer terugkomt, maar we zijn vastbesloten de persoon te vinden die haar heeft vermoord. Daarom is dr. Hill hier ook.'

Dankbaar dat hij weer een ingang had, zei Tony: 'Ik weet dat u al met de politie heeft gesproken. Maar ik wilde u vragen wat Jennifer heeft gezegd over RigMarole. Hoe ze erover praatte en waarvoor ze het gebruikte.'

'Ze had het er al tijden over,' zei haar moeder. 'U weet wel hoe dat gaat bij tieners. "Mam, iedereen heeft..." Noem maar wat. En dan ga je informeren en dan heeft niemand dat nog, maar ze willen het allemaal verschrikkelijk graag hebben. Zo ging het bij haar met RigMarole, ze wilde zo graag haar eigen account. Claire precies zo. Ik heb het met haar moeder erover gehad en we hebben het besproken met de meisjes. We zeiden dat ze allebei een account mochten hebben op voorwaarde dat ze alle controles installeerden.'

'Wat ze ook deden,' zei Maidment verbitterd. 'En dat duurde een paar dagen. Net lang genoeg om ons het gevoel te geven dat ze er op een verantwoorde manier mee omgingen.'

'Het was verantwoord voor zover zij het snapten, Paul,' zei Tania. 'Ze hebben gewoon niet begrepen welke risico's er waren. Dat doe je niet op die leeftijd. Je denkt dat je onkwetsbaar bent.' Ze kon niet verder praten, omdat haar stem het begaf alsof ze zich verslikt had in een kruimel.

'Heeft ze ooit iets gezegd waardoor u de indruk kreeg dat er iets was waardoor ze zich niet meer prettig voelde met Rig?'

Ze schudden allebei hun hoofd. 'Ze vond het prachtig,' zei Maidment. 'Ze zei dat het net was alsof de wereld openging voor haar en Claire. En natuurlijk hebben we dat positief uitgelegd.'

'Had ze ooit al eerder een ontmoeting gehad met iemand die ze online had leren kennen?'

Maidment schudde zijn hoofd en Tania knikte. 'Daar heb je me nooit iets over verteld,' zei hij op beschuldigende toon.

'Dat komt omdat het volkomen onschuldig was,' zei Tania. 'Zij en Claire hadden een afspraak met een stel meisjes uit Solihull. Ze zijn een middagje gaan winkelen bij Selfridge's in Birmingham. Ik heb van tevoren met de moeder van een van die meisjes gesproken. Ze hebben lol gehad en zeiden dat ze het nog eens zouden doen.'

'Wanneer was dat?' vroeg Tony.

'Ongeveer drie maanden geleden.'

'En ze waren maar met z'n vieren? Dat weet u zeker?'

'Natuurlijk weet ik dat zeker. Ik heb het zelfs nog een keer aan Claire gevraagd. Nadat jullie over RigMarole begonnen te praten. Ze heeft gezworen dat er niemand anders bij was geweest.'

Maar iemand zou langs elektronische weg de afspraken hebben kunnen afluisteren. Er kon een vijfde paar ogen zijn geweest dat getuige was van alles wat ze deden. Om uiting te geven aan die gedachte moest je wreder zijn dan Tony was. 'Jennifer klinkt heel verstandig.'

'Dat was ze ook,' zei Tania zacht. Haar vingers streelden over de stoelleuning alsof het om de haren van haar dochter ging. 'Niet op een saaie manier, ze was niet het braafste meisje van de klas. Daar was ze te pittig voor. Maar ze wist dat de wereld gevaarlijk kon zijn.' Haar gezicht schrompelde in elkaar. 'Ze was ons kostbaarste bezit. Ons enig kind. Ik heb ervoor gezorgd dat ze begreep dat je af en toe beter voorzichtig kon zijn.'

'Dat snap ik,' zei Tony. 'Dus wat voor lokmiddel zou haar doen besluiten iemand in het geheim te ontmoeten? Waardoor zou ze haar gezonde verstand negeren en een afspraak maken met een vreemdeling? Waardoor zou ze in verleiding komen om te liegen tegen haar beste vriendin? Ik bedoel, we liegen allemaal wel eens tegen onze ouders, zo gaat dat nu eenmaal. Maar tienermeisjes liegen niet tegen hun beste vriendin zonder een dringende reden. En ik zit mijn hersens te pijnigen wat dat zou kunnen zijn. Was er iets – wat dan ook – wat Jennifer zó graag wilde hebben dat ze voorzichtigheid en gezond verstand ervoor overboord zou gooien?'

De Maidments keken elkaar wat verward aan. 'Ik kan niets bedenken,' zei Tania.

'Hoe zit het met jongens? Zou er iemand kunnen zijn geweest op wie ze verliefd was? Iemand die haar zou hebben kunnen overreed om niet over hem te praten?'

'Dat had ze tegen Claire verteld,' zei Tania. 'Ik weet dat ze over de jongens praatten die ze leuk vonden. Als ze dat aan Claire had verteld, had dat niet geteld als een belofte breken.'

Ze had waarschijnlijk gelijk, dacht hij. Wat zij beschreef was het standaardgedrag van vrouwen, en vooral van tienermeisjes. Tony stond op. Hij kon hier niets meer doen. De politie had de kamer van Jennifer al doorzocht. Die zou al te veel overhoop zijn gehaald om hem iets nuttigs te vertellen. 'Als u nog iets bedenkt, belt u me dan,' zei hij, terwijl hij Paul Maidment een kaartje overhandigde met zijn mobiele nummer. 'En als u gewoon over Jennifer wilt praten, wil ik graag luisteren.' Meneer en mevrouw Maidment keken allebei wat verbaasd over dit abrupte einde van het gesprek. Tony dacht dat ze waarschijnlijk een uitgebreid vertoon van medelijden verwachtten. Maar wat zou dat voor zin hebben? Hij kon er de pijn niet mee wegnemen, ook al wilden ze dat. Maar Tania Maidment was niet in de stemming om zich daar zomaar bij neer te leggen.

'Dat is het?' vroeg ze. 'Vijf minuten van uw kostbare tijd en u gaat er alweer vandoor? Hoe kunt u in godsnaam in vijf minuten iets over mijn dochter hebben opgestoken?'

Tony was een beetje van zijn stuk gebracht. Mensen die net een geliefd persoon verloren hadden kozen, als ze een zondebok nodig hadden, meestal iemand van de politie, niet hem. Hij was eraan gewend met Carol mee te leven, niet zelf het doelwit van woede te zijn. 'Ik doe dit al heel lang,' zei hij. Hij deed zijn best niet defensief te klinken. 'Ik ga met haar vriendin Claire praten, ik ga haar e-mails lezen. U bent voor mij gewoon een van de bronnen die mij helpen een beeld van Jennifer te vormen.'

Tania keek alsof ze niet meer wist wat ze moest zeggen. Ze maakte een geluid dat op een ander moment misschien voor een minachtend snuiven zou kunnen doorgaan. 'Is het al zover gekomen? Ik ben "gewoon een van de bronnen" als het gaat over het leven van mijn dochter?'

'Het spijt me,' zei Tony kortaf. Als hij bleef zou dat de pijn van de Maidments alleen maar verlengen. Hij kon alleen maar elders van waarde voor hen zijn. Dus gaf hij beiden een knikje en liep de kamer uit, waardoor Ambrose achter hem aan moest rennen.

De rechercheur haalde hem halverwege de auto in. 'Dat ging niet zo best,' zei hij. 'Ik denk dat ze u een beetje bot vonden.'

'Ik ben niet zo goed in beleefdheidspraatjes. Ik heb gezegd wat ik moest zeggen. Ze hebben nu iets om over na te denken. Misschien rakelt het iets op in hun geheugen. Soms lijkt wat ik doe een beetje gevoelloos. Maar het werkt wel. Morgen wil ik met Claire praten. Misschien heeft Jennifer iets tegen haar gezegd.' Hij glimlachte wrang. 'Ik beloof dat ik me zal gedragen.'

'Wat wilt u nu doen?' vroeg Ambrose.

'Ik wil de berichten lezen die jullie van haar computer hebben gehaald. Waarom zet je me niet af bij mijn hotel en breng je me dan de papieren, zodra je je baas ervan hebt kunnen overtuigen dat hij mij de dingen op mijn manier moet laten doen, als hij waar voor zijn geld wil hebben?' Hij legde een hand op de arm van Ambrose omdat hij wel in de gaten had hoe bruusk hij klonk. Hij zat er nog steeds vaker naast dan hem lief was als het aankwam op normale menselijke reacties. 'Ik waardeer echt wat je voor me doet. Het is niet gemakkelijk uit te leggen hoe een profielschetser te werk gaat. Maar in ieder geval moet ik in gedachten in de huid van iemand anders kunnen kruipen. Ik ben niet graag in gezelschap van anderen als ik dat doe.'

Ambrose streek met zijn hand over zijn gladde schedel. Zijn ogen stonden bezorgd. 'Dat begrijp ik wel. Om u de waarheid te zeggen is het allemaal een beetje griezelig voor me. Maar u bent de expert.'

Hij zei het alsof dat iets was om blij mee te zijn. Tony keek op naar het huis van de familie Maidment en vroeg zich af wat voor soort verwarde geest hun leven had verwoest. Nu moest hij snel proberen in dat hoofd te komen en op ontdekkingstocht gaan. Het was geen aanlokkelijk vooruitzicht. Heel even voelde hij het gemis van Carol zo sterk dat hij er misselijk van werd. Hij draaide zich weer om naar Ambrose. 'Jammer genoeg wel, ja.'

14

Paula keek toe hoe de zoveelste puber wegsjokte uit het kamertje dat ze voor hun gesprekken hadden toegewezen gekregen. 'Was jij ook zo toen je veertien was?' vroeg ze aan Kevin.

'Ben je gek? Mijn moeder zou me een mep hebben verkocht als ik zo tegen een volwassene had gepraat. Ik ben er nog niet helemaal uit of het een kwestie van generaties is of van sociale klasse. Arbeidersjongens zullen ongetwijfeld ook hun kuren hebben, maar bij deze ettertjes ligt het toch anders. Ik weet niet of het komt omdat ze denken dat ze overal recht op hebben of zoiets, maar ik erger me er een ongeluk aan.'

Paula wist precies wat hij bedoelde. Ze was op scholen geweest nadat kinderen door een messteek om het leven waren gekomen; de plotselinge nachtmerrie die uit het niets kwam, bijna lukraak. Ze had gevoeld hoe de schok overal op de gangen voelbaar was, had de angst gezien op de gezichten van de tieners, terwijl ze zich afvroegen of zij misschien het volgende dodelijke slachtoffer zouden zijn, had in hun stemmen de angst gehoord onder al hun bravoure. Dat was haar hier niet overkomen. Het was net alsof de dood van Daniel een ver-van-mijn-bedshow was – een van de onderwerpen op het journaal, iets waar de ouders over praten als een dreiging in de verte. De enige die echt overstuur leek te zijn was Daniels klassenleraar. Zelfs de directeur van William Makepeace had gedaan alsof dit een kleine oneffenheid was en geen tragedie. 'Als ik kinderen had, zou ik ze zeker niet hierheen sturen.'

'Denk je daar ooit over? Over het hebben van kinderen, bedoel ik?' Kevin hield zijn hoofd scheef en keek haar aan.

Paula blies haar wangen op en ademde uit. 'Je komt meteen met het zware geschut, hè? Om je de waarheid te zeggen heb ik het tikken van de biologische klok nooit gehoord. En jij? Geniet je van het vaderschap?'

Hij keek verbaasd toen ze de vraag omdraaide. 'Het is het beste en het ergste,' zei hij langzaam. 'Zoals ik van mijn kinderen houd – en dat geldt vooral voor Ruby – is totaal, onvoorwaardelijk, voor eeuwig. Maar aan de negatieve kant staat de angst om te verliezen. Als je een zaak als deze hebt, waarbij ouders uiteindelijk aan het graf van hun kind staan, is het net of iemand een spijker in je hart slaat.'

Een klop op de deur onderbrak hen en de volgende puber kwam binnen zonder te wachten tot er 'binnen' werd gezegd. Hij was slank en donker en verreweg de kleinste jongen die ze die morgen hadden gezien. Met zijn volmaakte huid met de kleur van geroosterde amandelen, zijn dikke glanzende donkere haar, zijn neus die eruitzag als de boeg van een Vikingschip en zijn mond als een rozenknop waren zijn gelaatstrekken zo opvallend dat je nog eens een tweede keer moest kijken. 'Ik ben Asif Khan,' zei hij. Hij had zijn benen naar voren gestoken en bij de enkels over elkaar geslagen. 'En jullie zijn van de politie.'

Daar gaan we weer. Kevin stelde hen beiden voor en kwam onmiddellijk ter zake. 'Je weet waarom we hier zijn. Was Daniel een vriend van je?' Hij had geen hoge verwachtingen; de jongens van wie men wist dat ze met Daniel waren omgegaan, waren als eersten naar binnen gestuurd. Daarna waren er nog een stuk of acht geweest, van wie er geen een had verklaard dat hij Daniel goed kende.

'We waren maten, weet je.'

Paula leunde naar voren in haar stoel en bracht haar gezicht tot vlak bij de jongen. 'Doe me een lol, Asif. Stel je niet aan. Je bent een leerling van William Makepeace, niet van de een of andere achterbuurtschool. Je vader is arts, hij staat niet op de markt met een kraampje. Kom alsjeblieft niet aanzetten met die zogenaamde straattaal. Praat gewoon met ons, met respect, of we zetten dit gesprek op het bureau voort, op ons terrein en op onze voorwaarden.'

Asif sperde geschokt zijn ogen open. 'U mag niet zo tegen mij praten – ik ben minderjarig. Er zou eigenlijk een volwassene bij moeten zijn. We praten alleen maar met u omdat de school zei dat we dat beter konden doen.'

Paula haalde haar schouders op. 'Ik vind het prima. Laten we dan je vader ook maar naar het bureau halen, kijken of hij die praatjes van zijn zoon waardeert.'

Asif bleef Paula een paar seconden strak aankijken, liet toen een schouder zakken en wendde zich half van haar af. 'Oké, oké,' mompelde hij. 'Daniel en ik waren vrienden.'

'Kennelijk was dat niet algemeen bekend,' zei Kevin toen Paula weer achteruitschoof.

'Ik ging niet om met dat stelletje oenen waar Daniel mee rondhing, als je dat soms bedoelt. Daniel en ik, wij deden andere dingen samen.'

'Wat voor dingen?' vroeg Kevin, die in zijn verbeelding struikelde over de mogelijkheden.

Asif haalde zijn benen van elkaar en verborg ze onder zijn stoel. '*Comedy*,' zei hij. Hij wist zich kennelijk niet goed raad met zijn houding.

'Comedy?'

Hij wiebelde wat op zijn stoel. 'We wilden allebei stand-upcomedians worden. Oké?'

Een van de andere jongens had het erover gehad dat Daniel in stand-upcomedy geïnteresseerd was, maar hij had niets gezegd over zijn toekomstdroom. 'Dat is vrij heftig,' zei Paula. 'Staat hier niet op de lesrooster, wed ik.'

Heel even was er een spoor van een glimlach in Asifs ogen te zien. 'Pas als wij een serie op BBC Three hebben en als het niet te vunzig is,' zei hij. 'Dan gaan ze er onmiddellijk les in geven.'

'Dus jij en Daniel deelden die droom. Hoe ben je erachter gekomen dat jullie dat allebei wilden?' vroeg Kevin.

'Mijn neef is manager van een club in de stad. Ze hebben één keer per maand een avond dat ze comedy doen. Mijn neef laat me binnen, ook al mag hij dat niet. Dus op een avond wil ik naar binnen gaan en daar staat Daniel ruzie te maken met de kerel die bij de deur staat en zegt dus hij achttien is. Waar niemand in zou trappen, zelfs niet met een valse identiteitskaart. Dus ik vraag wat er loos is en hij zegt dat er een comedian is die hij vreselijk graag wil zien, hij had hem op de radio gehoord en hij wil zijn nummer zien. Dus ik haal mijn neef over om hem binnen te laten, en we raken aan de praat, en zo ben ik erachter gekomen dat hij maar één ding wil en dat is zelf ook comedian worden. Dus vanaf dat moment spreken we om de paar weken af bij mij thuis en dan proberen we ons materiaal uit op elkaar.' Hij wreef met een hand over zijn gezicht. 'Hij was best geestig, Daniel. Hij had een beregoed nummer over volwassenen die zeg maar proberen om mee te doen met jonge mensen. En hij had best wel iets bijzonders.' Hij schudde zijn hoofd. 'Dit is zó niet goed, hè?'

'We denken dat Daniel dinsdag na school naar Temple Fields is gegaan,' zei Kevin. 'Heeft hij het met jou erover gehad dat hij daar een afspraak met iemand had?'

Asif fronste zijn voorhoofd. 'Nee.'

'Je klinkt een beetje aarzelend.'

'Nou, hij heeft het niet over een speciale afspraak gehad,' zei Asif. 'Maar de laatste keer dat we elkaar zagen, vorige week, zei hij dat hij iemand online had ontmoet die een radioshow wilde beginnen om jonge stand-upcomedians een kans te geven. Zeg maar voor jongens en meisjes die nog te jong waren voor een optreden in de echte clubs.' Hij haalde zijn schouders op. 'Jongens zoals wij. Ik vroeg of hij voor mij ook een plekje kon regelen en hij zei dat hij dat wel kon doen, maar dat hij die kerel eerst wilde zien, dat hij eerst wilde weten wat voor vlees hij in de kuip had.' Hij keek opeens ongelukkig. 'Ik ben een beetje kwaad op hem geworden. Ik dacht dat hij me misschien kwijt wilde, dat hij er geen ander bij wilde hebben. Maar hij zei nee, zo was het niet, hij zei dat we vrienden waren en dat hij me nog steeds iets verschuldigd was voor mijn tussenkomst bij de club, toen in het begin. Hij wilde gewoon die man een keertje zien, dan alles regelen en dan mij er later bij betrekken.' Opeens ging er hem een licht op en hij sperde zijn ogen open. 'Shit. Denken jullie dat hij zo vermoord is?'

'Het is nog te vroeg om daar iets over te kunnen zeggen,' zei Kevin snel. 'In dit stadium weten we niet wat van belang kan zijn. Dus we zouden er veel mee opschieten als je ons alles vertelt wat je weet over dit contact van Daniel. Hoe hebben ze elkaar ontmoet, weet je dat?'

Asif knikte. 'Dat was op RigMarole. U weet wel, de site van dat netwerk. Ze zaten allebei in een *mosh pit* van *Gavin and Stacey* – dat is een soort fanclub. Ze vonden veel dezelfde dingen leuk, dus hebben ze met elkaar gepraat in een privéchatruimte, en toen bleek dat hij een producer van comedy was.'

'Heeft Daniel gezegd hoe hij heette?'

'Nee, dat was een van de dingen waar ik van baalde. Hij wou me niet eens de naam van die vent vertellen. Hij zei iets van dat die vent niet wilde dat iedereen zijn naam kende voor het geval dat iemand hem vóór was. Dus ik heb nooit geweten hoe hij heette. Alleen dat hij programma's maakte voor de BBC in Manchester. Dat zei hij tenminste,' voegde hij eraan toe.

'Je was er niet van overtuigd?' vroeg Kevin.

'Het leek gewoon allemaal een beetje rare manier van doen,' zei hij. 'Ik bedoel, hij had Daniel nog nooit zien optreden. Hoe wist hij nou dat hij het ook echt kon? Maar je kon Daniel niets vertellen. Hij trok zich van niemand iets aan.'

'Heeft Daniel verteld waar ze elkaar zouden ontmoeten? Of wanneer?' probeerde Kevin.

'Dat zei ik toch. Hij deed net alsof het om een staatsgeheim ging. Hij zou nooit zijn mond voorbijpraten. Ik heb jullie alles verteld wat ik weet.'

Het was, dacht Paula, een begin. Niet een bijzonder veelbelovend begin, maar in elk geval een begin.

Ambrose voelde zich weer een beetje opkikkeren toen hij het kantoor van Patterson binnen kwam lopen en zijn baas aantrof in gesprek met Gary Harcup. Hij had ertegen opgezien om een overdreven enthousiast verhaal te moeten houden over dat vreemde profielschetsertje uit Bradfield. Maar met Gary erbij was er iets om Pattersons aandacht af te leiden. En misschien was er zelfs wel iets waar ze meteen mee aan de slag konden.

Toen hij naar Patterson keek, zag Ambrose een man die zat te snakken naar een positief bericht. Zijn gezicht was bleek en weggetrokken, zijn oogleden waren zwaar en hij had wallen onder de ogen; zijn haren waren futloos en stug. Het was altijd hetzelfde als ze niet voldoende opschoten bij een zaak. Patterson slorpte alle druk en alle verdriet op tot je dacht dat hij eronderdoor zou gaan. Dan ging er ergens in zijn binnenste een luikje open waardoor hij nieuwe mogelijkheden zag, en opeens was hij dan weer opgewekt en vol zelfvertrouwen. Het was gewoon een kwestie van uitzitten. 'Kom binnen,' zei Patterson en hij gaf met een handgebaar te kennen dat Ambrose moest gaan zitten. 'Gary is er net.'

Ambrose knikte naar de mollige computerexpert die er zoals altijd weer onverzorgd bij liep. Zijn haren stonden rechtovereind, zijn T-shirt was gekreukeld en er zat iets in zijn baard wat Ambrose liever niet van dichtbij wilde bekijken. Hij boezemde niet bepaald vertrouwen in. Maar hij had in het verleden al zo vaak voor resultaten gezorgd dat het Ambrose niet interesseerde hoe hij eruitzag. Misschien moest hij zich ook nog maar geen oordeel over Tony Hill aanmatigen, niet te snel met een oordeel klaarstaan, alleen maar omdat de man de dingen wat anders benaderde dan ze gewend waren. Hij moest afwachten of hij net als Gary ook met resultaten kwam aanzetten. 'Gaat het een beetje, Gary?' vroeg hij.

Gary knikte zo heftig dat zijn buik ervan ging schudden. 'Prima, Alvin. Prima.'

'Vertel eens, wat heb je voor ons?' vroeg Patterson. Hij zakte achterover in zijn stoel en tikte zachtjes met een potlood op zijn bureau.

Gary haalde een stel doorzichtige plastic hoezen uit zijn rugzak. Elk bevatte een paar vellen papier. 'Het is een beetje een allegaartje. Dit...' hij tikte op de eerste hoes '... is een lijst van de computers die ik heb kunnen achterhalen. Het betreft ongeveer de helft. De andere zijn ergens in niemandsland, die zijn al een paar keer van eigenaar verwisseld.'

Patterson haalde de papieren uit de map en las snel het papier door dat bovenop lag. Toen hij klaar was, gaf hij het aan Ambrose. Het bekijken van de lijst van zeventien computers die Gary had geïdentificeerd, kostte niet veel tijd. Internetcafés, openbare bibliotheken en een vliegveld. 'Ze staan overal,' zei Patterson. 'Worcester, Solihull, Birmingham, Dudley, Wolverhampton, Telford, Stafford, Cannock, Stoke, Stone, Holmes Chapel, Knutsford, Stockport, Manchester Airport, Oldham, Bradfield, Leeds...'

'Ik had niet helemaal gelijk toen ik zei dat hij telkens een andere computer gebruikte,' zei Gary. 'Toen ik alles nog eens doornam, ontdekte ik dat er een paar twee of drie keer waren gebruikt. De computers die hij twee keer heeft gebruikt staan in Worcester, Bradfield en Stoke. Manchester Airport heeft hij drie keer gebruikt. Het zijn allemaal computers waar iedereen bij kan.'

'Het heeft te maken met het netwerk van snelwegen,' zei Ambrose, die in gedachten zag hoe de wegen zichtbaar werden als aderen in een onderarm. 'De M5, de M42, de M6, de M60 en de M62. Al die plaatsen zijn vanaf de snelweg gemakkelijk te bereiken. Als hij Jennifer heeft gestalkt, lag Worcester aan de ene kant van zijn tocht.' Hij keek op; zijn ogen schitterden toen hij weer een inval kreeg. 'En Leeds ligt aan het andere eind. Misschien woont hij daar wel.'

'Of misschien woont zijn volgende slachtoffer daar,' zei Patterson. 'Hij heeft drie keer gebruikgemaakt van Manchester Airport. Misschien staat die computer het dichtst bij waar hij woont. Je moet dit maar eens aan onze profielschetser laten zien, kijken wat hij denkt. Hebben ze niet een of ander computerprogramma waarmee ze kunnen uitvissen waar de moordenaar woont? Ik weet zeker dat ik daar iets over heb gehoord in verband met die zaak in Amerika met die sluipschutters die lukraak mensen doodschoten.'

Gary keek bedenkelijk. 'Ik weet niet of je met iets als dit ver komt met geografische profilering. En bovendien is het specialistisch werk.'

Patterson, die opeens helemaal was opgeleefd, ging rechtop zitten en zwaaide naar de papieren. 'Haal hem hierheen en laat dit aan hem zien. Daar betalen we hem voor.'

Ambrose wilde iets gaan zeggen, maar bedacht toen dat het niet het juiste moment was om het over de eis van Hill te hebben om het bewijsmateriaal op zijn eigen terrein te mogen bestuderen. Hij zou moeten wachten tot Gary weg was. 'Wat heb je nog meer, Gary?' vroeg hij.

'Dit is wat minder interessant,' zei Gary, toen hij de andere map op het bureau legde. Hij zag er vrij dun uit. 'Maar voordat ik hier iets over zeg, wilde ik jullie vertellen over iets anders wat ik heb uitgeprobeerd. Omdat zz gebruikmaakte van RigMarole om in contact te komen met Jennifer, dacht ik dat hij een eigen pagina moest hebben. Dat blijkt ook zo te zijn, maar de pagina is gedeactiveerd rond vier uur op de middag dat Jennifer verdween. Hij heeft zijn schepen achter zich verbrand.'

'Kun je nog achterhalen wat er op die pagina stond?'

Gary haalde zijn schouders op. 'Je moet dan de toestemming hebben van Rig. Ik denk niet dat ze je zonder zoekbevel iets zullen geven. En dan heb je nog ontzettend veel gedoe over databescherming. De persoonlijke gegevens die de mensen inbrengen zijn niet echt hun eigendom. Na de problemen die Facebook heeft gehad over het eigendomsrecht van de pagina's van leden, hebben alle vriendennetwerken uit alle macht complete Chinese muren opgericht tussen hun klanten en henzelf. Dus als er nog informatie te vinden is op de servers van Rig, kun je er misschien zelfs met een zoekbevel niet bij komen. En dan zul je het eerst moeten uitvechten met hun advocaten.'

'Dat is krankzinnig,' protesteerde Patterson.

'Zo gaat het nu eenmaal. Deze bedrijven willen niet de indruk wekken dat ze meteen overstag gaan als de politie aanbelt. Je wilt niet weten wat er zich allemaal afspeelt tijdens hun privéchatsessies. Als jullie van de politie gewoon binnen kunnen komen wandelen en kunnen meenemen wat jullie willen, hebben ze in een mum van tijd geen klant meer over.'

'God beware ons,' mompelde Patterson. 'Je zou bijna denken dat ze tegen moordenaars en pedofielen zeggen "maak maar lekker gebruik van onze sites".'

'Alleen als ze in het bezit zijn van een geldige creditcard en graag online inkopen doen,' zei Ambrose. 'In ieder geval bedankt, Gary. Ik praat wel met die lui van Rig en kijk wat ze te zeggen hebben. Heb je trouwens nog iets kunnen doen met de fragmenten die je op de harde schijf hebt gevonden?'

'Ik heb stukjes van het laatste gesprek tussen Jennifer en zz kunnen achterhalen. Het gesprek dat zij heeft gewist. Het zijn maar kleine stukjes, maar het is in ieder geval iets. Er zitten twee kopieën in,' voegde hij eraan toe.

Dat is wel verdomd weinig. Ambrose nam de twee velletje papier aan die Patterson hem gaf.

zz: ...dat... met... alleen... nie...
Jeni: waarom wil je...
zz: ...omdat... GROOT gehei...
Jeni: nietwaar
zz: je weet niet wa...
Jeni: ... nie...
zz: ... ik... waarhei...
Jeni: ...oe... mijn zaak...
zz: ik weet... ontdekken... hoe... info... jij nie...
Jeni: ...verzinnen?
zz: want ik... waar is... zult zie...
Jeni: ...dan maar

zz: diep ademhal...
Jeni: ... alsof... angrijk
zz: jij... echt...
Jeni: ... maf
zz: ... ka... ijzen...
Jeni: LEUGENAAR
zz: ...spraak morgen... bij Ca... je vertel... aten zien
Jeni: ...eloven?
zz: we moeten... 30 bij... egen nieman...
Jeni: ...er zijn. ... beter niet lieg...

Patterson fronste zijn voorhoofd. 'Het is niet bepaald gemakkelijk te lezen,' zei hij. 'Dit is verdomme geen Engels meer. Het is net een andere taal.'

'Dat is het ook. Ze noemen het sms'taal. Je dochter leest het even gemakkelijk als een krant,' zei Ambrose. 'Het komt erop neer dat ze zegt dat hij Jeni's grote geheim kent. Hij zegt iets waar Jennifer boos over wordt. Ze zegt dat hij niet goed bij zijn hoofd is, gestoord, en dan schreeuwt ze dat hij een leugenaar is. Dat is de betekenis van die hoofdletters, dat ze schreeuwt.'

'Krankzinnig,' mompelde Patterson.

'En dan zegt hij geloof ik dat ze elkaar morgen moeten ontmoeten. Hij noemt een tijd en een plaats en zegt dat ze er niet over mag praten. En dan zegt zij dat ze er zal zijn en dat hij het niet moet wagen om te liegen,' zei Gary.

'En waar moeten ze elkaar dan ontmoeten?' vroeg Patterson, helemaal roze van frustratie.

Gary haalde zijn schouders op. 'Wie zal het zeggen? Iets wat begint met Ca. Café? Cafetaria? Casino? Castle Street?'

'Kun je het aantal mogelijkheden wat meer beperken?'

Gary keek gekwetst. 'Je hebt geen idee, hè? Om dit bij elkaar te sprokkelen heeft me meer dan een week gekost. Ik heb bij een vriend moeten bedelen om software die nog in ontwikkeling is. Als je kijkt wat er op die computer stond is het een wonder dat we nog zoveel hebben. In ieder geval kun je nu een heleboel plaatsen uitsluiten waar ze niet naartoe is gegaan.'

Patterson kauwde op het stukje huid naast de nagel van zijn duim om uiting te geven aan zijn onderdrukte woede. 'Het spijt me, Gary,' gromde hij. 'Ik weet dat je je best hebt gedaan. Bedankt. Stuur de rekening maar.'

Gary wrong zich zo waardig mogelijk los uit zijn stoel, greep zijn rugzak en liep met grote passen naar de deur. 'Succes ermee,' zei hij ten afscheid.

'Het is een irritant mannetje, hè?' zei Patterson, toen de deur dicht was.

'Maar hij flikt het hem toch maar weer.'

'Waarom denk je dat ik hem erbij betrek? Oké, we moeten dus alle plaatsen in de stad die met Ca beginnen, opzoeken en controleren of er nog iets op de bewakingscamera's staat van negen dagen geleden. Kortom, meer dan genoeg te doen voor het team.' Patterson liep weer over van de energie. De wanhoop van even geleden had plaatsgemaakt voor optimisme. Het was, dacht Ambrose, precies het juiste moment om een goed woordje voor Tony Hill te doen.

'We moeten alle hens aan dek hebben in deze zaak,' begon hij, 'en daarom is het beter als er hier niet te veel mensen in de weg lopen, hè?'

15

Carol was de tel kwijt van het aantal keren dat ze in de zaal van de lijkschouwer had gestaan en had toegekeken hoe de patholoog-anatoom zich kweet van zijn precieze en weerzinwekkende taak. Maar ze was nog niet immuun voor de tragiek van de procedure. Ze werd nog steeds heel erg bedroefd als ze zag hoe een menselijk wezen werd gereduceerd tot de samenstellende delen, maar de droefheid werd getemperd door het verlangen om degene die verantwoordelijk was voor de aanwezigheid van dit lichaam voor het gerecht te slepen. Als iets de behoefte van Carol aan rechtvaardigheid versterkte was het eerder het lijkenhuis dan de plaats delict.

De patholoog-anatoom die vandaag dienst had was een man die haar vriend was geworden. Als een weerspiegeling van zijn gemengde afkomst gaf doctor Grisha Shatalov leiding aan zijn afdeling in het Bradfield Cross-ziekenhuis met een paradoxale mengeling van Wit-Russisch autoritair gedrag en Canadese gematigdheid. Hij geloofde dat de doden hetzelfde respect verdienden als de levende patiënten van wie hij de plakjes weefsel bestudeerde onder de microscoop, maar dat betekende nog niet dat hij kil en formeel te werk moest gaan. Vanaf het allereerste begin had hij Carol in zijn wereld welkom geheten, en hij had haar het gevoel gegeven dat ze lid was van een team dat geheimen vanuit het duister naar het licht moest brengen.

De laatste tijd zag Grisha er bijna even bleek uit als zijn lijken. Van de lange werkdagen in combinatie met een jonge baby was zijn huid grauw geworden, zijn lange driehoekige ogen waren omringd door donkere plekken, als het bandietenmasker van een wasbeer. Maar vandaag had hij zijn normale kleur terug en zag hij er bijna gezond en fit uit. 'Je ziet er goed uit,' zei Carol toen ze haar plaatsje opzocht tegen de muur naast de snijtafel. 'Ben je op vakantie geweest?'

'Ik heb wel het gevoel alsof ik er een paar dagen tussenuit ben geweest. Mijn dochter is er eindelijk achter hoe ze meer dan drie uur achter elkaar moet slapen.' Hij grijnsde. 'Ik was vergeten hoe heerlijk het is om op een normale manier wakker te worden.' Tijdens het praten ging zijn hand automatisch naar het blad naast hem waar hij instinctief de eerste van een reeks instrumenten uitzocht die wat er nog over was van Daniel Morrison aan hun nieuwsgierige blikken zouden prijsgeven.

Terwijl Grisha aan het werk was, liet Carol haar gedachten de vrije loop. Ze hoefde niet zo goed op te letten; hij zorgde er wel voor dat ze alles wat ze moest weten ook echt te weten kwam. Haar team stond in nauw contact met de afdeling Noord om ervoor te zorgen dat alle procedures op een correcte manier werden afgehandeld. Misschien kwam er iets naar voren uit de eerste gesprekken en onderzoeken. De briljante vaardigheden van Stacey aan de computer zouden een losse draad zichtbaar kunnen maken waar ze mee verder konden. Maar dan moesten ze wel geluk hebben. Er was weinig anders meer te doen totdat de informatiestroom naar hun teamkamer op gang kwam. Daar konden zij zich dan over buigen op zoek naar iets wat niet paste. Je kon nooit van tevoren uitleggen wat dat 'niet goed passen' precies inhield. Ze moesten het stellen zonder richtlijnen, zonder training en zonder checklist. Het kwam neer op een mengeling van ervaring en intuïtie. Het was een ondefinieerbare eigenschap die elk van haar teamleden bezat en het was een van de belangrijkste redenen waarom ze in haar team zaten. Elk van hen had een verschillend gebied waarin zijn of haar antenne speciale signalen opving en samen waren ze meer dan de som van de delen. Het zou toch doodzonde zijn als Blake zijn zin kreeg en als ze ieder hun eigen kant uit gingen.

Ze werd zo in beslag genomen door haar gedachten dat de lijkschouwing al voorbij was voordat ze het wist. Ze kon het nauwelijks geloven toen ze de stem van Grisha hoorde die haar uitnodigde mee te gaan naar zijn kantoor om de belangrijkste gegevens nog eens door te nemen. 'Nog eens,' vroeg ze, terwijl ze achter hem aan liep na nog een blik op het lichaam op de tafel te hebben geworpen. Een assistent was de lange incisies aan het hechten die Grisha op de torso van Daniel had aangebracht. Als het tegenwoordig mogelijk was maakte hij gebruik van een sleutelgatprocedure. Daarmee vermeed hij de traditionele Y-vormige incisie waardoor iedereen eruitzag als een slachtoffer van de baron von Frankenstein. Maar dat was niet mogelijk als hij te maken had met een slachtoffer van een moord. Carol, die een huivering niet kon onderdrukken, zou willen dat het anders was.

'Het maakt het gemakkelijker voor de nabestaanden,' had hij haar uitgelegd. 'Ze hebben dat afgrijselijke beeld in hun hoofd van een lijk na onze bemoeienis, dus als we kunnen vertellen dat het niet zo zal gaan, zijn ze eerder geneigd om in te stemmen met een lijkschouwing wanneer het om een medisch aandoende ingreep gaat.' Als ze nu naar Daniel keek zag ze dat hij daar gelijk in had.

Carol volgde hem naar zijn kantoor. Ze begreep niet hoe het mogelijk was, maar er leek nog minder ruimte voor Grisha en zijn bezoekers te zijn dan de laatste keer dat ze er was geweest. Overal lag papier. Grafieken, mappen, tijdschriften en stapels boeken. De planken lagen vol met boeken, ze stonden in stapels op de grond en leunden vervaarlijk tegen het computerscherm aan. Toen Carol een stapel computeruitdraaien weglegde om op de stoel voor de bezoeker te kunnen gaan zitten, was Grisha nauwelijks meer te zien. 'Je moet hier echt iets aan doen,' zei ze. 'Heb je niet een doctoraalstudent die geen werk omhanden heeft?'

'Eerlijk waar, ik denk dat anderen hun troep hier ook zijn gaan dumpen. Of dat, of de werkstukken die studenten van elkaar moeten nakijken planten zich uit zichzelf voort.' Hij schoof een stapel mappen opzij zodat hij haar beter kon zien. 'Zo, die Daniel van jou...' Hij schudde zijn hoofd. 'Het voelt nooit goed als je naar een stelletje organen kijkt die nog zo weinig gebruikt zijn. Het is moeilijk om niet te denken aan alle leuke dingen die hij niet heeft meegemaakt. De dingen die wij zo graag doen, maar die soms akelige gevolgen hebben die overal op de loer liggen.'

Carol kon alleen maar een antwoord bedenken dat sentimenteel of afgezaagd klonk. 'En? Vertel eens? Wat is de doodsoorzaak?'

'Verstikking. Een dikke plastic zak die over zijn hoofd was vastgeplakt was afdoende om de zuurstoftoevoer af te sluiten. Maar kennelijk heeft hij geen weerstand geboden. Geen bloed of huid onder zijn nagels. Nergens blauwe plekken, behalve een plek op zijn dijbeen die eruitziet alsof hij er al een dag of wat zat en die naar mijn mening volkomen onschuldig is.'

'Denk je dat hij gedrogeerd was?'

Grisha keek haar over de rand van zijn bril nadenkend aan. 'Je weet dat ik daar geen antwoord op kan geven. We zullen het pas weten als we de uitslag van het toxicologisch onderzoek binnenkrijgen, maar zelfs dan zijn we nog geen steek wijzer als het om GHB gaat, want het niveau van de hoeveelheid die al in ons bloed aanwezig is, stijgt na het overlijden. Als ik zo dom was dat ik hierover een gokje zou wagen, zou ik zeggen dat hij volledig onder de drugs zat. Geen drank, want er was geen alcohollucht in de maag. Overigens bestond zijn laatste maaltijd uit brood, vis, sla en iets wat lijkt op gombeertjes. Waarschijnlijk ging het om een sandwich met tonijn en waarschijnlijk heeft hij die niet meer dan een uur voordat hij stierf opgegeten.'

'En de castratie?'

'Te oordelen naar het bloedverlies zou ik zeggen na zijn overlijden, maar niet lang. Hij zou helemaal zijn leeggebloed als hij nog had geleefd.'

'Een amateur of een beroeps?'

'Dit is niet het werk van een chirurg. Ook niet van een slager, zou ik zeggen. Je moordenaar heeft een heel scherp mes gebruikt, een scalpel of iets dergelijks, met een klein snijvlak. Maar ondanks dat heeft hij het zaakje er niet in één nette snee af kunnen snijden. Hij heeft er niet op in staan hakken, maar hij heeft wel drie of vier keer moeten snijden. Dus ik zou zeggen dat dit niet iets was wat hij vaak gedaan had.'

'Was het zijn eerste keer?'

Grisha haalde zijn schouders op. 'Dat zou ik niet kunnen zeggen. Maar hij is grondig te werk gegaan, hij zat niet in het wilde weg te snijden. Zijn de penis en de testikels nog gevonden? Lagen ze op de plaats delict?'

Carol schudde haar hoofd. 'Nee.'

'Trofeeën. Zou je vriend dr. Tony dat niet zeggen?'

Carol glimlachte vermoeid. 'Hij is niet *míjn* dr. Tony, en ik zou wel gek zijn om hem naar de kroon te steken. Ik wou dat hij hier was om zijn duit in het zakje te doen, maar dat gaat ditmaal niet gebeuren.' Ze klonk gespannen.

Grisha rekte zijn nek uit zodat zijn hoofd naar achteren helde als bij een man die een klap wilde ontwijken. 'Ho Carol. Wat heeft hij gedaan om je zo van streek te maken?'

'Hij heeft niets gedaan. Onze nieuwe hoofdcommissaris. Die is van mening dat ik, als ik de deskundigheid van een profielschetser nodig heb, bij de politie zelf moet gaan zoeken.'

Grisha's mond vormde een o. 'En dat vinden we niet leuk, hè?'

Wat Carol ook wilde gaan zeggen, het werd verhinderd door een klop op de deur. De bekende rossige krullen van brigadier Kevin Matthews verschenen om de hoek van de deur. 'Sorry dat ik stoor,' zei hij met een onhandige grijns naar Grisha.

Carol stond op en vroeg: 'Zoek je mij?'

'Ja. Er wordt weer een jongen vermist. Het hoofdbureau heeft het rechtstreeks op ons bordje gelegd.'

Carol kreeg een zwaar gevoel in haar maag. Er waren tijden dat dit werk haar boven het hoofd groeide. 'Hoe lang al?'

'Zijn ouders dachten dat hij bij een vriend bleef slapen. Alleen was dat niet zo.'

Lang genoeg, dacht Carol. Meer dan lang genoeg.

16

Julia Viner zat op het puntje van een grote leunstoel, alsof ze ieder moment op kon springen. Haar vingers lagen geen moment stil in haar schoot. Springerig donker haar met strepen grijs was weggekamd uit haar gezicht, waardoor fijne gelaatstrekken zichtbaar werden en een olijfkleurige huid met dunne rimpels. Haar ogen waren scherp en donker als de ogen van een kleine vogel die gewend is aan het duister van heggen en die het licht wantrouwt. Ze droeg een wijde rok en een dunne, donkerrode wollen trui. Kathy Antwon zat op de leuning van de stoel met haar ene hand op Julia's schouder; de andere had ze diep weggeduwd in de zak van haar spijkerbroek. Carol kon de bult van de vuist door de stof heen zien. Ze had de norse blik van iemand die bang is, maar die dat niet tegenover zichzelf durft toe te geven. Haar lichtbruine huid had een donkere blos langs de hoge jukbenen, haar lippen had ze samengeperst.

'Wat moet u weten? Wat kunnen we doen om te helpen Seth te vinden?' vroeg Julia op gespannen toon.

'Het is voor ons van groot belang dat u absoluut eerlijk tegen ons bent,' zei Carol. 'Als kinderen vermist raken, willen ouders ons soms niet het hele verhaal vertellen. Ze willen niet dat hun kind in moeilijkheden komt of ze willen niet toegeven dat ze wel eens ruzie hebben, net als elk ander gezin. Maar echt waar, u kunt Seth het beste helpen door niets achter te houden.'

'Wij hebben niets te verbergen,' zei Kathy. Haar stem klonk ruw en zwaar van opgekropte emotie. 'We zullen u alles vertellen wat u wilt weten.'

Carol keek even naar Kevin, die klaarstond met zijn pen en zijn aantekenboekje. 'Dank u wel. Het eerste wat we nodig hebben is een recente foto van Seth.'

Kathy sprong overeind. 'Ik heb er een paar die ik dit weekend heb genomen. Ze staan op mijn laptop, wacht even, ik haal ze wel.' Ze liep vlug de kamer uit. Julia keek haar na. Heel even had haar gezicht een intrieste uitdrukking. Ze had zichzelf weer onder controle toen ze zich weer tot Carol wendde. 'Wat moet u weten?' herhaalde ze.

'Wanneer heeft u Seth voor het laatst gezien?'

'Toen ik gistermorgen naar mijn werk ging. Het was hetzelfde als alle andere ochtenden. We hebben samen ontbeten. Seth had het over een of ander project voor geschiedenis dat hij thuis moest maken. Hij wilde graag dat ik hem daarmee hielp. Ik ben afgestudeerd in geschiedenis, ziet u. Hij denkt dat ik alles weet over alles wat er is gebeurd voor het midden van vorige week.' Het leek net alsof ze een zwakke poging deed om een grapje te maken. 'Toen ben ik naar mijn werk gegaan.'

'Waar werkt u?' vroeg Carol.

'Ik heb de leiding over de afdeling Onderwijs bij de gemeente,' zei ze.

Dat maakte het al iets begrijpelijker hoe ze zich de grote, ranchachtige bungalow konden veroorloven, aan de rand van een wijk in Harriestown die bekendstond onder de naam 'de Ville'. In de jaren dertig van de vorige eeuw had er de fabriek van De Ville Machinebouw gestaan, die bestond uit diverse gebouwen waar ze motoren bouwden voor vliegtuigen, bedrijfsauto's en raceauto's. In de jaren tachtig had de laatste van de De Villes ingezien waar de toekomst lag en had het hele bedrijf verhuisd naar Zuid-Korea. Het terrein had hij verkocht aan een plaatselijke aannemer, en die had weer een dochter die pasgetrouwd was met een architect die zijn hart had verpand aan Frank Lloyd Wright en het zuidwesten van de Verenigde Staten. Het resultaat was een prachtig aangelegd nieuwbouwproject bestaande uit veertig huizen, dat als een bom was ingeslagen bij woningtijdschriften over de hele wereld. Niemand kon het helemaal geloven, maar degenen die hun huizen vóór de bouw voltooid was hadden gekocht, merkten algauw dat ze de eigenaar waren geworden van een van de gewildste huizen in het noorden van Engeland.

'En ik ben grafisch ontwerper,' zei Kathy toen ze terugkwam met een open laptop. 'Zo zijn wij hier terechtgekomen. Ik heb alle oorspronkelijk prospectussen ontworpen voor de Ville, dus op die manier kon ik vóór de grote meute een huis kopen.' Ze draaide de laptop zo dat Carol zicht had op het scherm waarop een foto te zien was met hoofd en schouders van een glimlachende, donkerharige jongen met de olijfkleurige huid en de donkere ogen van zijn moeder. Zijn haren waren lang, met een slordige scheiding aan de zijkant en ze vielen half over een oog. Een stel puistjes op zijn kin, een voortand waar een stukje af was en een licht gebogen neus maakten het portret dat Carol in gedachten al aan het vormen was compleet. 'Die is op zondag genomen.'

'Kunt u het misschien naar mijn team mailen? Dat is waarschijnlijk de snelste manier om het daar te krijgen.' Carol tastte al in haar zak naar een visitekaartje.

'Geen probleem,' zei Kathy. Ze zette de laptop op een bijzettafeltje en ging met haar vinger over de muismat. Carol overhandigde haar kaartje, waarop ook het algemene e-mailadres van het TZM stond. Ze wachtten alle drie terwijl Kathy deed wat haar was gevraagd. 'Zo, dat is gebeurd,' zei ze, en ze ging weer bij haar partner op de leunstoel zitten. Carol, die zich scherp bewust was van de blik van Seth, hoopte dat de screensaver niet lang op zich zou laten wachten. Julia greep de hand van Kathy stevig vast en zei: 'Hoofdinspecteur Jordan vroeg wanneer we Seth voor het laatst gezien hadden.'

'Nadat Julia naar haar werk vertrokken was, ben ik met Seth naar de bushalte gelopen. Meestal gaat hij alleen op weg naar school. Naar de bushalte is het maar drie minuten lopen. Maar we hadden bijna geen brood meer, dus besloot ik om naar de supermarkt te gaan. We zijn dus samen op weg gegaan. Toen we bij de halte waren, kwam de bus bijna meteen en ik heb hem nog nagezwaaid. Dat zal zo om tien over halfnegen zijn geweest. Hij zou bij zijn vriend Wil blijven slapen, dus had hij een schone onderbroek, sokken en een overhemd bij zich.'

'En voor zover u weet is hij de hele dag op school geweest?'

'Toen hij vandaag niet op de gewone tijd thuiskwam, heb ik de school gebeld,' zei Kathy. 'Ze zeiden dat hij er vandaag helemaal niet geweest was. Dus vroeg ik hoe het met gisteren zat. Toen heeft hij al zijn lessen gevolgd. Ik geef toe dat ik me afvroeg of hij misschien stiekem ergens met zijn vriendinnetje naartoe was gegaan en dat Wil hem dekte. Weet u, geen van beiden had zoiets al eerder gedaan. Het zijn geen wilde jongens. Maar je vraagt het je wel af, hè?'

'Dat is volkomen normaal. We zijn allemaal jong geweest,' zei Carol. 'Ik heb mijn ouders zeker niet alles verteld wat ik uithaalde.'

'Dus heb ik navraag gedaan bij Wil en bij Lucie, zijn vriendinnetje. Toen ontdekte ik dus dat hij niet bij Wil was en dat hij daar ook niet was geweest. Wil zei dat Seth hem gistermorgen had gezegd dat hun afspraak niet doorging, dat hij andere plannen had.'

'En Wil heeft niet gevraagd wat voor andere plannen dat waren?'

Kathy fronste haar wenkbrauwen. 'Hij heeft het me in ieder geval niet verteld. Maar misschien dat hij wat meer vertelt tegen iemand die een officiële reden heeft het hem te vragen.'

'Dat is niet eerlijk, Kathy,' protesteerde Julia. 'Je hebt geen reden om aan te nemen dat Wil je niet alles heeft verteld wat hij weet.'

Kathy sloeg haar ogen ten hemel. 'Jij bent zo goedgelovig. Als Seth tegen hem heeft gezegd dat hij niets mag zeggen, gaat hij mij echt niets vertellen, hoor.'

Carol wachtte even en vroeg toen: 'Hebben jullie überhaupt iets van Seth gehoord sinds zijn vertrek gistermorgen? Een sms'je? Een e-mail? Een telefoontje?'

De twee vrouwen keken elkaar vragend aan en schudden toen hun hoofd. 'Niets,' zei Kathy. 'Maar dat is niets bijzonders. Hij neemt meestal geen contact op, tenzij er een reden voor is. Zoals een andere afspraak dan de oorspronkelijke. Wat hij ditmaal dus niet aan ons heeft laten weten.'

Kevin schraapte zijn keel. 'Is zijn vriendinnetje thuis te bereiken?'

'Ja. Ik heb met haar over de vaste telefoonlijn bij haar thuis gesproken,' zei Kathy. 'Ze heeft hem gisteren bij de lunch voor het laatst gezien. Ze hebben samen in de schoolkantine gegeten – ze zitten op verschillende afdelingen, dus ze hebben elkaar niet in de klas gezien. Maar hij heeft tegen Lucie niet gezegd dat hij niet naar Wil ging. Ze dacht nog steeds dat hij daar zou blijven slapen.'

'Bleef hij vaak bij iemand slapen op een doordeweekse avond?' vroeg Kevin.

Kathy keek alsof ze hem een klap wilde verkopen. 'Natuurlijk niet. We zijn niet van die slappe liberalen die zich door hun kinderen de wet laten voorschrijven. Gisteravond was een uitzondering.

Wil en Seth zijn allebei enorme fans van grungemuziek en een van hun favoriete groepen deed een live-webcast. We zeiden dat ze er samen naar mochten kijken als een speciale traktatie.' Haar adem leek in haar keel te stokken en ze hoestte hulpeloos. Toen ze weer op adem was hijgde ze, met tranen in de ogen en een knalrood gezicht: 'Het is me de traktatie wel.'

Julia sloeg haar arm om haar heen en liet haar hoofd tegen haar arm rusten. 'Het is goed, Kathy. Het komt allemaal goed.'

'Kunnen jullie iemand anders bedenken bij wie hij op bezoek kan zijn gegaan of met wie hij een afspraak had?' vroeg Carol.

'Nee,' zei Kathy mat. 'We hebben al zijn andere schoolvrienden al afgebeld, maar niemand heeft hem sinds gisteren gezien.'

Carol vroeg zich af of er een tactvolle manier was waarop ze het onderwerp van het biologisch ouderschap van Seth ter sprake kon brengen en besefte dat die er niet was. Maar ze kon er niet omheen. 'Hoe zit het met zijn vader?' vroeg ze.

'Hij heeft geen vader,' zei Kathy. Als ze niet zo moe was geweest, had ze zich zeker veel meer opgewonden over deze vraag. 'Hij heeft twee moeders. Einde verhaal.'

'Seth is met kunstmatige inseminatie verwekt,' zei Julia, die haar arm nog vaster om haar partner legde. 'In de tijd dat donoren nog anoniem waren. Het enige wat we over de donor weten is dat hij een meter tachtig lang was, een slank postuur had, donker haar en blauwe ogen.'

'Bedankt voor die uitleg,' zei Carol met een glimlach.

'Is dat alles wat ze je vertellen?' vroeg Kevin. 'Ik dacht dat je een gedetailleerde beschrijving kreeg. Wat ze doen, wat hun hobby's zijn, dat soort dingen?'

'Dat verschilt van kliniek tot kliniek,' zei Julia. 'De kliniek die wij hebben gebruikt, beperkt zich tot het allernoodzakelijkste.'

'De vader kan dus op geen enkele manier zijn kind opsporen en contact met hem opnemen? En Seth kan dat ook niet met zijn vader?' vroeg Kevin.

'Het is donor, niet vader. Nee, het is volledig geanonimiseerd. Zelfs in de kliniek weten ze de naam van de donor niet. Alleen zijn codenummer,' zei Julia. Haar geduld was aan het opraken.

'En waarom zou Seth dat doen? Hij heeft nooit van enige nieuwsgierigheid naar zijn donor blijk gegeven. Hij heeft twee ouders van wie hij houdt en die van hem houden. Dat kunnen een heleboel kinderen niet zeggen,' zei Kathy, die nu openlijk vijandig was.

'Dat begrijpen we. Maar we hebben de plicht om alle mogelijkheden af te tasten.'

'Inclusief homohaat,' mompelde Kathy. Toen zei ze tegen Julia: 'Ik zei toch hoe het zou gaan.' Voordat Carol kon reageren, werd er gebeld. 'Ik ga wel,' zei Kathy, en ze liep met grote passen de kamer uit. Ze hoorden stemmengemompel en toen kwam Kathy terug met Stacey in haar kielzog. 'Het is er weer eentje van jullie.'

'Rechercheur Chen is onze IT-expert. We zouden graag uw toestemming hebben om de computer van Seth te onderzoeken,' zei Carol.

'Die staat op zijn kamer, ik loop wel even mee,' zei Kathy.

'Als u het goedvindt, zou ik graag eerst even met hoofdinspecteur Jordan willen praten,' zei Stacey.

Toen Carol de kamer uit liep, hoorde ze hoe Kevin het voor haar opnam. 'Als er iemand geen hekel aan homo's heeft, is zij het wel,' zei hij. 'Twee leden van ons team, twee van haar beste collega's, zijn lesbisch. Zij heeft ze uitgekozen en ze vertrouwt ze.'

Goed zo, Kevin. Ik wed dat Kathy daar absoluut niet van onder de indruk is. Ze zal denken dat Paula en Chris alleen maar fungeren als excuuspotten. Carol deed de deur achter zich dicht en keek Stacey vragend aan. 'Is er nieuws?'

'Van het verkeerde soort. Op de thuiscomputer van Daniel Morrison kun je niet internetten. Hij gebruikt hem alleen maar voor computergames en huiswerk. Hij heeft een netbook voor al zijn internetactiviteiten. En dat neemt hij altijd mee in zijn rugzak als hij niet thuis is. Dus we kunnen niets doen via een elektronische weg.'

'En zijn e-mailadres dan? Zijn account bij RigMarole? *Facebook*?'

Stacey haalde haar schouders op. 'Misschien dat we nog wat kunnen achterhalen. Maar hij kan wel een heel stel e-mailadressen en accounts hebben gehad waar we niets vanaf weten. Het is een echte tegenvaller. Met zo weinig kan ik niet veel kanten op.'

'Stond er nog iets op de bewakingscamera's?'

Ze schudde haar hoofd. 'Niets meer nadat hij weggelopen is van Bellwether Square. Ik denk dat hij in een auto is weggegaan.'

'Oké. Nu moet je je even op Seth concentreren. We kunnen beter proberen nog iets voor de levenden te doen.' *Als hij tenminste nog leeft, wat ik ernstig betwijfel nu Daniel ook al dood blijkt te zijn.* 'Zijn moeder heeft net een recente foto naar ons adres gemaild. Kun je die zo snel mogelijk naar alle korpsen doorsturen?'

'Dat zal ik meteen doen.'

'Bedankt. Hou me op de hoogte,' zei Carol. Ze ging terug naar de woonkamer, waar de sfeer nog even ongemakkelijk was als toen ze weg was gegaan. 'Het spijt me dat ik even weg moest,' zei ze. 'Misschien kunt u aan rechercheur Chen laten zien waar de computer van Seth staat? En we hebben officieel uw toestemming nodig om erin te kijken omdat hij minderjarig is.'

'Doe maar wat u moet doen,' zei Julia terwijl Kathy naar de deur liep. 'Het was niet haar bedoeling u te beledigen, hoofdinspecteur. Ze is helemaal van slag en bij haar uit zich dat altijd in boosheid.'

Carol glimlachte. 'Ik ben niet zo gauw beledigd, mevrouw Viner. Het enige wat ik op dit moment belangrijk vind, is dat we alles doen om Seth weer veilig thuis te krijgen.'

Julia deed zichtbaar haar best om kalm te blijven. 'Op weg naar huis. Toen Kathy had gebeld. Op de radio. Ze zeiden iets over een jongen die vermoord was. Iemand van de leeftijd van Seth.' Haar hand vloog naar haar mond en ze beet op haar knokkels.

'Dat was Seth niet, mevrouw Viner. We hebben die jongen kunnen identificeren en het gaat honderd procent zeker niet om Seth.'

Kathy kwam de kamer weer in en was net op tijd om te horen wat Carol zei. 'Zie je nou wel, dat zei ik toch. Dat kon Seth niet zijn.'

'Altijd optimistisch, hè?' Julia klampte zich aan haar vast.

'We gaan zeker praten met Wil en Lucie en met de andere vrienden van Seth. En we zetten zijn foto op onze website en geven hem door aan de media. Seth is nu onze prioriteit,' zei Carol en ze stond op. 'Kevin blijft bij u. Als er nog iets is waarvan u denkt dat het ons kan helpen bij het vinden van Seth, laat het hem dan weten. Ik blijf in de buurt van de telefoon, mocht u behoefte hebben om met mij te praten.'

Julia Viner keek haar smekend aan. 'Zorg dat we hem terugkrijgen. Het interesseert me niet waarom hij is verdwenen of wat hij heeft gedaan. Zorg dat we hem terugkrijgen.'

Terwijl ze naar haar auto terugliep klonken haar woorden na in Carols hoofd. Er waren grenzen aan haar kunnen, maar wat ze kon doen stond ter beschikking van Julia en Kathy. Maar toevallig maakte het dankzij haar Bluetooth niet uit of ze vanuit haar auto belde of vanuit haar kantoor. En ze was nog een paar antwoorden verschuldigd aan een andere verdwaalde jongen. Carol startte de motor en reed de stad uit over de hoofdweg naar Halifax.

17

Sam was niet onder van de indruk van de sombere grootsheid van het Wastwater. Hij vond de bergen benauwend en het donkere water van het meer deprimerend. Waarom iemand hier zijn vakantie zou vieren, was hem een raadsel. Wandelen was allemaal goed en wel als je op een Caraïbisch strand was, zoals zijn brigadier op dat moment. Door de hoeveelheid ijskoude regen waar ze hier mee te stellen hadden, voelde je je eerder ellendig dan prettig. En wat moest je met je avonden doen? Sam was gek op dansen. Hij was niet kieskeurig; het hoefde absoluut geen bijzondere club te zijn en ook geen specifieke dj of een speciaal soort muziek. Hij vond het gewoon heerlijk om in zijn hele lichaam het ritme te voelen vibreren, om zich te verliezen in de beat en om te bewegen met een ongeremdheid die hij anders nooit ergens liet zien. Hij durfde er wel iets onder te verwedden dat er hier binnen een straal van dertig kilometer geen enkele dansgelegenheid was. Tenzij het om volksdansen ging, maar dat was net zoiets als een snackbar vergelijken met een driesterrenrestaurant.

Hij had het grootste deel van de dag in zijn auto moeten schuilen, of in het busje van het team dat onderwateronderzoek deed. En de leden van het team waren niet erg spraakzaam. Ze hadden de lijst van Stacey aangepakt met de coördinaten erop, hadden zich over een kaart gebogen en hadden stukjes aangekruist. Hij vermoedde dat die overeenkwamen met de plekken die Stacey had uitgekozen nadat ze eerst nog had overlegd met de deskundigen van de universiteit van Bradfield die satellietbeelden hadden bekeken. Sommigen hadden een wetsuit aangetrokken, hadden zuurstoftanks op hun rug gebonden en waren toen de boot met de dikke opblaasbare rand in gestapt. Sam had geen flauw idee hoe ze de speurtocht gingen aanpakken. Hij had zich nooit geïnteresseerd voor duiken. Hij zag er de zin niet van in. Als je naar tropische vissen wilde kijken, kon je een dvd van David Attenborough pakken en gewoon lekker in je luie stoel blijven zitten.

De dag had eindeloos lang geleken. Duikers waren onder water verdwenen, zeiden iets onverstaanbaars via hun radioverbinding met het controleteam in het busje, kwamen weer boven water en doken ergens anders weer onder. Af en toe kwam de boot aan land en dan werden de duikers vervangen door een ander team. Sam kreeg er bijna spijt van dat hij zo ijverig bezig was geweest met de zaak van Danuta Barnes.

Maar toen, tegen het eind van de middag, werd alles anders. Het was, dacht hij, de vijfde keer dat er een team onder water was. Een van de duikers die aan het uitrusten was liep kwiek naar zijn auto en maakte een cirkel met zijn duim en wijsvinger. Sam draaide zijn raampje naar beneden.

'Het lijkt erop dat we iets hebben gevonden,' zei de duiker vrolijk.

'Wat voor soort iets?'

'Een grote bundel. In plastic gewikkeld. Volgens onze jongens zit het vast aan iets wat eruitziet als een visnet vol met stenen.'

Sam grijnsde. 'Wat gebeurt er nu?'

'We slaan er een touw omheen, zetten er luchtzakken onder en takelen dan het hele zootje op. Dan kijken we wat erin zit.'

Voor zijn gevoel duurde het hele bergingsproces afgrijselijk lang. Sam probeerde uit alle macht zijn ongeduld te onderdrukken, maar hij kon niet stil blijven zitten. Hij liep naar de oever en klom op een lage rots van waaraf hij een beter zicht had op de boot die op een afstand van een paar honderd meter lag. Maar hij was te ver weg om veel te kunnen zien van wat er gaande was. Ten slotte rees er een in zwart materiaal verpakte klomp op uit het meer, waar het water uitstroomde en die zo groot was als een bouwvakkers-wc. 'Jezus, dat is groot,' zei Sam hardop. Hij bleef geboeid staan kijken hoe het duikersteam het pak met veel moeite aan boord probeerde te tillen zonder de boot te laten kapseizen.

Het geluid van hun motor verstoorde de stilte van de late namiddag en Sam liep op een holletje terug naar de ruwe grindhelling van het strandje waar ze te water waren gegaan. De boot voer recht de oever op, maar Sam liep niet verder, want hij wilde niet onnodig zijn schoenen verpesten. Er waren vijf mensen nodig om de steeds kleiner wordende bundel uit de boot op het land te krijgen. Ze strompelden de oever op om het op het gras naast het busje te leggen. Het water stroomde er nog steeds aan alle kanten uit.

'Wat gebeurt er nu?' vroeg Sam.

De leider van het duikersteam wees naar een van zijn mannen die met een camera uit het busje tevoorschijn kwam. 'We nemen foto's. Daarna snijden we het open.'

'Nemen jullie het niet eerst mee naar een veilige plek?'

'We nemen het nergens mee naartoe, totdat we weten wat de meest geschikte bestemming is,' zei hij geduldig. 'Misschien zijn het wel rollen tapijt. Of dode schapen. Nogal zinloos om die mee naar het mortuarium te slepen, hè?'

Sam, die zich lichtelijk geneerde, knikte alleen maar en wachtte tot de agent met de camera een paar dozijn foto's van het lekkende pakket had genomen. Uiteindelijk deed hij een stap terug. Een van de duikers trok een lang mes uit een schede om zijn middel en sneed het pakket open. Toen hij het plastic terugrolde, hield Sam zijn adem in.

Het overgebleven water stroomde weg. Binnen in het zwarte plastic zaten drie pakketten die ook weer in plastic waren gewikkeld dat doorschijnend was geworden door tijd en water en dat zat vastgebonden met tape.

Sam had gedacht dat het om Danuta Barnes zou gaan en om de vijf maanden oude Lynette. Dit was duidelijk meer dan waar hij op had gerekend.

Tony had het misschien niet kunnen waarderen dat Carol hem beschreef als een jongen die de weg kwijt was, maar toch was dat niet zover bezijden de waarheid. In het uur sinds Alvin Ambrose zijn met moeite verkregen bundel papieren had afgeleverd, was Tony nauwelijks in staat geweest om een samenhangende gedachte te produceren. Het stel in de kamer naast die van hem had hun knallende ruzie afgesloten met even knallende seks. Aan de andere kant was iemand naar het soort motorsport aan het luisteren waar veel grommende motoren en piepende remmen aan te pas kwamen. Het was niet uit te houden.

Hij zou waarachtig nog in een noodlot gaan geloven.

Maar diep in zijn hart wist hij dat als het niet het lawaai was geweest, hij wel iets anders had verzonnen. Per slot van rekening kon hij uit een heleboel dingen kiezen. De slechte verlichting. Het harde bed. De stoel die te laag was voor het bureau. Elk van die dingen zou de beslissing hebben gerechtvaardigd die hij nu ging nemen. Als hij eerlijk tegen zichzelf was, had hij het besluit die middag al genomen. Toen had hij namelijk een bezoek gebracht aan een advocatenkantoor op loopafstand van het hotel, zodra hij zich had losgemaakt van de makelaar.

Tony pakte de papieren en liet ze in zijn nog steeds niet uitgepakte weekendtas glijden. Hij schreef zich niet echt uit. Dat kon wel tot morgen wachten. Hij stapte in zijn auto en reed dezelfde route als eerder op de dag. Hij nam onderweg maar een paar keer een verkeerde afslag. Verdorie, er waren dagen dat hij zich vaker vergiste als hij op weg was van de gesloten inrichting Bradfield Moor naar zijn eigen voordeur.

Hij parkeerde in de straat voor het huis dat hij, naar hij veronderstelde, het zijne mocht noemen. Hoewel dat te aanmatigend klonk. Dit was ontegenzeggelijk nog steeds het huis van Edmund Arthur Blythe. En toch vermoedde Tony dat zijn weldoener geen bezwaar zou hebben tegen zijn aanwezigheid, stel dat hij nog als geest aanwezig was.

De sleutels die de notaris hem had overhandigd, draaiden soepel om in het dubbele inlaatslot en de deur zwaaide geruisloos open. Binnen was het zalig rustig. Onopvallend aangebrachte dubbele beglazing dempte het lawaai van het verkeer en de stilte werd zelfs niet verstoord door het tikken van een klok. Tony zuchtte tevreden en zocht zich een weg naar de salon die hij eerder die middag had bewonderd. De diepe erker bood uitzicht op de tuin, hoewel er op dit tijdstip van de dag door de invallende duisternis niet veel van te zien was. Vanaf de bovenverdieping keek je uit over het park, maar vanaf de plaats waar hij stond maakte de tuin een stille, afgeschermde en geïsoleerde indruk, een plaats waar de huiseigenaar van zijn rust kon genieten.

Toen hij zich omdraaide, viel zijn oog op een hoge kast die vol stond met cd's. Hij liep erheen en schrok toen de planken opeens werden overspoeld door licht. Hij keek omhoog en zag dat er voor op de kast een bewegingssensor was aangebracht die bewegingen registreerde. 'Handig,' mompelde hij, terwijl hij een blik wierp op een verzameling die zowel negentiende-eeuwse klassieke muziek omvatte als de wat meer melodieuze twintigste-eeuwse jazz. Hij had kennelijk gehouden van muziek die je na kon fluiten, dacht Tony. Uit nieuwsgierigheid zette hij de cd-speler aan. Een rijke, warme saxofoon met een swing in het ritme; de laatste muziek waar Edmund Arthur Blythe naar had willen luisteren. Op een strip op de verlichte display van de cd-speler stond 'Stanley Turentine: Deep Purple'. Tony had nooit van de goede man gehoord, maar hij herkende de melodie en genoot van het effect dat de muziek op hem had.

Hij liep weg en deed een staande schemerlamp aan die precies goed stond om licht te werpen op een leunstoel met hoge rug waar een handig bijzettafeltje naast stond. De ideale opstelling voor een man die wilde lezen en af en toe misschien een aantekening wilde maken. Tony haalde de papieren uit zijn tas en ging in de stoel zitten. Een uur lang zat hij daar met de kopieën en de bescheiden saxofoons en probeerde hij vat te krijgen op ZZ en wijs te worden uit het laatste gesprek waar alleen nog stukjes en beetjes van over waren. 'je... je bent echt...' las hij keer op keer. Je wat? Je bent wat? Je bent wie? Je bent echt wat? Je echte wat?' Hij piekerde over '... je... tellen, maar het je laten...' Vertellen, dat is het, ja. Ik ga het je niet vertellen, ik laat het je zien. Ja, dat is het natuurlijk. Je wilt het haar laten zien, hè? Maar wat? Wat wil je haar laten zien?'

Hij stond op, begon te ijsberen en probeerde de een of andere hypothese te vinden die klopte met deze onbegrijpelijke gaten in het raadsel. Hoe meer hij probeerde door te dringen tot deze dialoog, hoe dichter het hem misschien in de buurt bracht van zowel slachtoffer als moordenaar. 'Je vertellen dat je eigenlijk wát bent? Je laten zien dat je iets... Maar wat? Wat is dat geheim? Het geheim waarvan ze niet eens weet dat ze het heeft? Wat voor geheim kunnen we hebben waar we zelf geen weet van hebben?'

Onder het ijsberen stond hij opeens voor een tafeltje met glazen en flessen drank. Niet de voorspelbare zware kristallen tumblers die precies zouden hebben gepast bij het ietwat ouderwetse comfortabele meubilair, maar moderne stijlvolle glazen die in de hand pasten zonder speciaal de aandacht te vragen. Hij pakte er een en genoot van de zwaarte ervan. In een opwelling schonk hij zichzelf een klein glaasje armagnac in. Het was geen drankje dat hij normaal zou hebben gekozen, maar de aanwezigheid van drie verschillende soorten op de tafel verried dat dit het favoriete drankje van Edmund Arthur Blythe was geweest. Het leek gepast om het glas te heffen met het lievelingsdrankje van zijn oudeheer en op zijn nagedachtenis te toosten. Nou ja, niet op zijn nagedachtenis als zodanig, want Tony had helemaal geen herinnering aan hem. Misschien op zijn poging om het over het graf heen goed te maken. Ook al was het een poging die tot mislukken was gedoemd.

Hij nipte al rondlopend aan zijn glas en overpeinsde alles wat hij over Jennifer en haar moordenaar te weten was gekomen. Ergens in zijn achterhoofd roerde zich iets. Iets wat al eerder aan de rand van zijn gedachten had geknabbeld. Wat was het geweest? Hij liep weer naar zijn tas en haalde het materiaal tevoorschijn dat Patterson aanvankelijk naar hem had gemaild. Foto's van de plaats delict en het verslag van de lijkschouwing, daar ging zijn interesse naar uit.

Hij bestudeerde elke foto zorgvuldig, waarbij hij speciaal aandacht schonk aan de foto's van het verminkte lichaam van Jennifer op de snijtafel. Daarna las hij het oorspronkelijke verslag van de misdaad nog eens door en lette daarbij vooral op de tijdstippen. 'De laatste keer dat ze is gezien is om kwart over vier. Het rapport van een vermissing komt net na negen uur binnen. En tenzij alle vrachtwagenchauffeurs liegen, kun je haar onmogelijk na halfacht hebben gedumpt toen de eerste twee chauffeurs samen gingen parkeren. Je hebt haar eigenlijk maar een paar uur gehad.' Hij legde het rapport neer en begon weer te ijsberen. Naast de sierlijke houten schoorsteenmantel bleef hij staan. Hij leunde ertegenaan en staarde in de lege vuurkorf. Hij probeerde zich tastend een weg te zoeken in de geest van Jennifers moordenaar, probeerde te voelen wat hij voelde, te weten wat hij had geweten.

'Je moest haar weghalen bij de mensen, haar drogeren, haar verstikken met het plastic, haar verminken en haar naar de dumpplaats brengen,' zei hij langzaam. 'Waar haal jij je plezier vandaan? Waar is het waarom? Waar raak je opgewonden van? Haar in je macht hebben? Haar controleren?'

Hij wendde zich af, liep terug naar het raam en keek nadenkend het duister in. 'Het is gewoon niet lang genoeg. Je hebt haar weken voorbereid. Waarvoor? Een paar uur? Dat denk ik niet. Je steekt er zoveel planning in, zoveel tijd, zoveel energie, dan wil je meer dan een paar gestolen uurtjes. Je hebt naar haar gesnakt. Dan moet je die dorst lessen. Maar jij kennelijk niet. Je hebt haar gewoon vermoord, kapotgesneden en gedumpt. Daar is niets logisch aan...' Alles wat hij wist vertelde hem dat dit soort moordenaars genoten van de tijd die ze met hun slachtoffers door konden brengen. Ze maakten schuilplaatsen, ver weg van nieuwsgierige blikken, zodat ze zich telkens weer konden bevredigen. Telkens weer, keer op keer. Ze namen niet al die risico's die het gevangennemen van een slachtoffer met zich meebracht om daarna af te zien van de mogelijkheid het plezier zo lang mogelijk te rekken. Degenen die op een levende prooi vielen, hielden hun slachtoffers gevangen en verkrachtten hen keer op keer, martelden hen en genoten van de kans om hun fantasieën te verwezenlijken. Vaak lag de nadruk op het bloed. Degenen die meer ophadden met een passief lijk, deden vaak hun uiterste best om het lichaam heel lang zo vers mogelijk te houden. De vroege stadia van ontbinding waren zelden een afschrikmiddel voor mensen die ernstig gestoord waren.

Maar dat was niet met Jennifer gebeurd. 'Vermoord, kapotgesneden en gedumpt,' herhaalde hij. 'Geen tijd om te spelen. Er is iets gebeurd wat je heeft tegengehouden. Maar wat?' Het moest iets onverwachts zijn geweest. Misschien kon hij niet meer bij de plaats komen waar hij haar mee naartoe wilde nemen. Of anders was er in zijn andere leven opeens iets gebeurd, waardoor hij zijn plannen niet ten uitvoer kon brengen. Wat het ook was, het was ongetwijfeld iets dringends. Alleen iets van het allergrootste belang zou een moordenaar van zijn bevrediging weghouden, vooral als hij zijn slachtoffer al in zijn macht had.

Het klonk logisch, dacht Tony. Maar het was niet het soort logica dat bevredigde. 'Vermoordde haar, sneed haar kapot, dumpte haar,' mompelde hij, terwijl hij terugliep naar het dranktafeltje en zichzelf een bodempje inschonk uit de tweede fles armagnac. Hij nam een slokje en hervatte zijn geijsbeer.

Plotseling bleef hij staan. 'Sneed haar. Sneed haar kapot.' Tony sloeg zich tegen zijn voorhoofd. Hij rende terug naar de foto's en vond daar de bevestiging van wat hij zich dacht te herinneren. 'Je hebt haar vagina weggesneden, haar baarmoederhals en je hebt haar baarmoeder eruit gerukt. Je hebt je helemaal op haar uitgeleefd. Maar je hebt de clitoris overgeslagen.'

Tony dronk zijn glas leeg en schonk zich nog eens in. De conclusie die in zijn hoofd ronddanste leek onafwendbaar. Elke onderzoeker van dit soort misdaad zou het absurd vinden, omdat het indruiste tegen alles wat je intuïtie je vertelde. Maar hij was nooit bang geweest om mogelijkheden onder ogen te zien waar anderen voor terugschrokken. Het was een van de redenen waarom Carol zoveel waarde hechtte aan zijn geest. Hij wist niet waarom, maar hij dacht niet dat inspecteur Patterson even ruimhartig zou zijn. Maar een andere conclusie was niet mogelijk. Het was de enige mogelijkheid die een verklaring gaf voor de twee ongerijmdheden die hij had onderkend.

'Dit is geen lustmoord,' verklaarde hij tegen de lege kamer. 'Er is niets seksueels aan. Ik weet niet wat er aan de hand is, maar het gaat hier niet om seksuele bevrediging.'

Wat meteen een vraag opwierp die voor Tony nog veel onrustbarender was. Als het niet om seks ging, waar ging het dan wel om?

18

Alan Miles was gemakkelijk te herkennen. Het motregende licht en van degenen die voor het station in Halifax stonden was hij de enige die niet de bescherming van de overkapping opzocht. Carol parkeerde op een plek waar het niet mocht en liep met gezwinde pas naar de licht gebogen man die de wereld in keek door het type bril dat ze niet meer had zien dragen sinds het ziekenfonds geen gratis brillen meer op recept verstrekte. De bovenrand was van hard zwart plastic, de rest van het glas was gevat in staal en zo dik als de onderkant van een melkfles. Hij had een gezicht als een brok steen van Paaseiland. Ze kon zich voorstellen hoe hij de wat minder intelligente vierdeklassertjes het leven zuur had gemaakt. 'Meneer Miles?' vroeg ze.

Hij draaide zijn hoofd om met de motoriek van een schildpad op leeftijd en nam haar van top tot teen op. Blijkbaar was hij tevreden met wat hij zag, want een buitengewoon lieve glimlach gaf hem een volledig andere uitstraling. Zijn hand ging naar de rand van zijn pet en hij tilde hem een heel klein stukje op. 'Juffrouw Jordan,' zei hij. 'Mooi op tijd. Dat mag ik wel bij een vrouw.' In het echt klonk hij als een *basso profundo* versie van de actrice Thora Hird.

'Dank u.'

'Ik hoop dat ik niet onbeleefd tegen u ben geweest toen u belde. Mijn manieren aan de telefoon zijn verschrikkelijk. Het is een apparaat waar ik niet mee overweg kan. Ik weet dat ik heel ontmoedigend over kan komen. Mijn vrouw zegt dat ik er niet meer aan moet komen, dat zij wel opneemt.'

'Als ik de keus had, zou ik het ook aan iemand anders overlaten,' zei Carol. Ze meende het; ze had de afgelopen twintig minuten gepraat met afdelingshoofden, persofficieren en haar eigen team omdat ze er zeker van wilde zijn dat alles wat er gedaan kon worden om Seth Viner te vinden ook inderdaad werd gedaan. En dat niemand vergat wat er met Daniel Morrison gebeurd was en dat hem recht werd gedaan. Het schuldgevoel over het feit dat ze ervandoor ging was enorm, maar niet groot genoeg om haar van haar andere missie af te leiden.

'Welnu, ik zie dat u met de auto bent. Dat kon niet beter,' zei Miles. 'Als u het niet erg vindt om te rijden, kunnen we een kijkje gaan nemen bij het fabriekscomplex waar Blythe & Co de scepter zwaaiden. Dan kunt u zelf de sfeer proeven. Er is een erg aardige pub een paar straten verder, waar we een glaasje tot ons kunnen nemen terwijl ik u ondertussen laat zien wat ik voor u heb. Als uw edele dat welkom is.'

Carol moest moeite doen om niet te gaan lachen. Ze had het gevoel dat ze per ongeluk was terechtgekomen in een van die BBC-series die op het platteland in Yorkshire speelden. *James Herriot*, bijvoorbeeld. 'Dat komt mij prima uit, meneer Miles.'

'Noem me maar Alan,' zei hij met een schalkse blik. Als hij een hangsnor had gehad, had hij nu de punten omhooggedraaid, dacht Carol toen ze hem voorging naar haar auto.

Hij zat stijf rechtop op de stoel naast haar, een kranig mannetje dat met zijn neus op de voorruit zat om beter te kunnen zien waar ze heen gingen. Hij wees haar de weg door een ingewikkeld netwerk van eenrichtingswegen. Ze lieten het stadscentrum achter zich en reden een steile weg op met aan weerszijden rijen kleine huisjes met een gevel van natuursteen. Ze sloegen ongeveer halverwege de heuvel af en kwamen terecht in een wirwar van smalle straatjes. De laatste afslag liep dood. Aan de ene kant zag Carol een rij bakstenen huizen waarvan de voordeur rechtstreeks uitkwam op straat. Aan de overkant zag ze de zijmuur van wat eruitzag als een pakhuis of een kleine fabriek. Het stond er blijkbaar al een aantal jaren, want het was een gebouw van natuursteen en het had een leistenen dak. Achter het gebouw was een klein plaatsje waar auto's konden staan, dat was afgesloten met een hoge schutting met een ketting. Op een metalen bord stond PERFORMANCE AUTOS – YORKSHIRE. 'Ziedaar,' zei Miles, 'dat was vroeger het gebouw waar Blythe & Co, specialisten in metaalbewerking, huisden.

Het was moeilijk om opgewonden te raken over zo'n prozaïsch gebouw, maar het betekende wel dat ze weer een stap verder was op haar zoektocht. 'Dat is heel wat, Alan, om te zien dat het er nog is.' Als hij wilde kon Tony deze tocht ook maken en dan kon hij in zijn fantasie door de tijd reizen. Op de een of andere manier dacht ze dat hij zou bedanken voor de eer. 'En wat kunt u me vertellen over het bedrijf van Blythe en over de eigenaar?'

'Zullen we ons naar de pub begeven?'

'Met het allergrootste genoegen,' zei Carol, die zich af begon te vragen waarom zij opeens ook klonk alsof ze meedeed in zo'n tv-serie uit Yorkshire. *Straks bestel ik nog een portje met citroen.*

De Weaver's Shuttle lag in elkaar gedoken in een steegje vlak bij een oude victoriaanse katoenfabriek, waar nu appartementen van waren gemaakt. De pub had een modernisering weten te vermijden en had kale stenen muren en lage balken met in het midden een ouderwetse bar waaraan stelletjes rustig zaten te praten. Oude mannen speelden domino en een groep vrouwen van middelbare leeftijd vermaakte zich met een beschaafd potje darts. De barman knikte Miles toe toen ze naar binnen liepen. 'Avond, Alan. Het gewone recept?' Hij pakte een klein bierglas en greep naar een houten pompzwengel.

'Jazeker, meneer de waard. Wat kan ik voor u bestellen, jongedame?' Miles zette zijn pet af en onthulde een glanzende kale schedel met een rand van staalgrijze krullen.

'Laat mij maar, Alan, het is mijn rondje.' Carol glimlachte. 'Ik voel wel wat voor een droge witte wijn,' zei ze toen. Ze betwijfelde of de wijn van dezelfde klasse zou zijn als de originele bieren waarvan de merknamen op de rij met handpompen langs de hele bar stonden.

'Ik heb vanavond een Zuid-Afrikaanse *sauvignon blanc* of een *pinot grigio* openstaan,' zei de barman. 'En er staat ook een Chileense chardonnay koud.'

'Doet u mij de sauvignon maar,' zei ze. Ze besefte dat ze wel aan een drankje toe was. Het was al een hele tijd geleden dat ze pas zo laat op de dag haar eerste glas ophad. Misschien was ze echt het punt gepasseerd dat alcohol het enige betrouwbare lichtpuntje op de dag was. Weer iets dat Tony misschien plezier zou doen.

Toen de wijn werd gebracht was hij koud en pittig, met de geur van gras en de smaak van kruisbes. Alan Miles zat aandachtig toe te kijken hoe ze haar eerste slok nam. Hij gniffelde. Er was geen ander woord voor, dacht Carol. 'Niet wat u verwachtte, hè?' vroeg hij.

'Dat geldt voor heel veel in het leven,' zei ze, verbaasd over haar eigen openheid.

'Als u het op die manier zegt... nou ja, dat is jammer, juffrouw Jordan,' zei hij. 'Maar genoeg over onszelf. U wilt iets weten over het bedrijf van Blythe. Eddie Blythe is hier vlak in de buurt geboren, hij is een eind verderop opgegroeid, in Sowerby Bridge. Volgens iedereen was hij een slimme jongen. Hij heeft op de technische school in Huddersfield gezeten en bleek veel talent te hebben op het terrein van de metaalkunde. Of het nu opzet of toeval was, in ieder geval heeft hij voor het coaten van metaal een nieuwe methode ontdekt die erg baanbrekend was voor de productie van medische instrumenten. Scalpels en verlostangen en zo, voor zover ik begrepen heb. Hij heeft op dat idee patent aangevraagd en heeft een fabriek opgericht om zijn producten te fabriceren. Hij deed het goed kennelijk. En toen heeft hij plotseling, in de lente van 1964, de hele reutemeteut verkocht aan het een of andere metaalbedrijf uit Sheffield. Een paar weken later hebben ze de productie naar Sheffield verhuisd. Ze hebben de belangrijkste arbeiders met zich meegenomen. Hebben hun verhuiskosten betaald en zo.' Hij zweeg en nam een slok van zijn bier.

'Dat lijkt heel erg grootmoedig,' zei Carol.

'Vermoedelijk was dat een onderdeel van de afspraak die Eddie Blythe heeft gemaakt.' Hij haalde een dunne envelop uit zijn binnenzak. 'Hier heb ik een fotokopie van een krantenartikel.' Hij gaf het aan haar.

De kop luidde: PLAATSELIJK BEDRIJF VERKOCHT. De paar alinea's voegden weinig toe aan wat Miles haar al verteld had. Maar over de breedte van twee kolommen was er een foto afgedrukt. Het onderschrift luidde *De hr. E.A. Blythe (L) schudt de hand van de hr. J. Kessock (R) van het constructiebedrijf van Rivelin ter bezegeling van hun afspraak*. Ze kneep haar ogen half dicht om de foto goed te kunnen bekijken en voelde zich vreemd geroerd. Hij had, dacht ze, wel iets van Tony in de manier waarop hij zijn schouders hield, en zijn hoofd, en ook in de vorm van zijn gezicht. Ze pakte een pen en noteerde de datum van het artikel.

'Hij is na de verkoop van zijn bedrijf de stad uit gegaan,' zei Miles. 'Ik heb niemand kunnen vinden die hem persoonlijk heeft gekend, dus ik weet niet wat de achterliggende reden was van die verkoop en van zijn vertrek uit de stad. Misschien heeft het zin in het archief van "De Drie H's" te kijken.'

'De drie wat?'

'Sorry. Ik vergeet dat u niet hier uit de buurt komt. De *Halifax and Huddersfield Herald*. Ze hebben hun oude nummers "gedigitaliseerd".' Miles sprak dat laatste woord uit alsof het uit een vreemde taal kwam. 'Mijn speciale belangstelling gaat uit naar de wolindustrie en ik heb al heel wat juweeltjes gevonden met hun zogenoemde "zoekmachine". Ze laten je gebruik maken van "strings" en dat soort dingen. Helaas kon ik vandaag niet op de computer in de bibliotheek om het na te trekken. We hebben thuis geen internet,' zei hij. Carol kon het verlangen in zijn stem horen, hoewel hij dat niet graag zou toegeven.

'Bedankt voor de suggestie. Ik ga wel even kijken als ik weer terug ben.' In ieder geval kon ze misschien een betere versie vinden van de foto die Miles nu opvouwde en weer terug in de envelop deed. 'U hebt me erg goed geholpen,' zei ze.

Hij trok een gezicht alsof hij wilde zeggen dat hij dat wat overdreven vond. 'U was er uit uzelf ook wel achter gekomen.'

'Misschien. Maar het had me veel meer tijd gekost. Echt waar, geloof me maar, ik ben altijd blij met mensen die me tijd besparen.'

'U hebt vast een heel zware baan,' zei hij. 'Het is al moeilijk genoeg voor een man, maar jullie vrouwen moeten jezelf altijd bewijzen, hè, meisje?'

Haar glimlach was ijzig. 'Net wat u zegt.'

'En heeft dit je wat verder geholpen met jullie oude zaak?' vroeg hij met een listige blik.

'Het was erg leerzaam.' Carol dronk haar glas leeg. 'Kan ik u misschien ergens afzetten?'

Miles schudde zijn hoofd. 'Ik woon maar vijf minuten lopen hiervandaan. Succes met uw onderzoek. Zoals de Mounties altijd zeggen: ik hoop dat u uw man te pakken krijgt.'

Ze schudde haar hoofd en vroeg zich onwillekeurig af waar Tony was en wat hij deed. 'Ik ben bang dat het daar te laat voor is. Dat is het probleem met cold cases. Soms zijn de mensen om wie het draait buiten ons bereik.'

Er stond nooit iemand te trappelen om de identificatie te doen. Hoe vaak je mensen ook vroeg om een naam aan hun doden te geven, het bleef altijd beroerd. De diverse rechercheteams hadden allemaal hun eigen gedragsregels. Sommige lieten het over aan hun familierechercheur; sommige onderzoeksleiders wilden het per se zelf doen. Bij het TZM van Carol werd dezelfde regel toegepast die voor alles gold – degene die officieel op de zaak zat, was ook de aangewezen persoon voor deze taak. En zo kwam het dat Paula onevenredig vaak in actie moest komen.

Als ze er toch niet onderuit kon, deed ze het maar het liefst alleen. Op die manier hoefde ze zich alleen maar te bekommeren om de treurende nabestaande die een confrontatie aan moest gaan met een levenloos lichaam en die moest bepalen of waar was waar ze het bangste voor waren.

De familierechercheur was al vanaf die ochtend bij de heer en mevrouw Morrison geweest. Ze hadden te horen gekregen dat het lichaam dat eerder die dag was gevonden, waarschijnlijk dat van hun zoon was. Maar Paula wist dat ze nog steeds in de ontkennende fase zaten, dat ze er nog steeds van overtuigd waren dat er op de plaats delict op een groteske manier van alles fout was gegaan, dat een volslagen vreemde werd aangezien voor hun geliefde zoon. Totdat ze met eigen ogen het lichaam van Daniel zagen, zouden ze zich aan de dunste strohalmpjes blijven vastklampen. Paula was degene die hen op brute wijze met beide benen op de grond moest zetten.

De familierechercheur ging haar voor naar de keuken, waar een dikke walm sigarettenrook hing. Jessica Morrison zat aan een tafel met een marmeren blad. Ze staarde door het raam van de serre naar het duister erachter. Een onaangeraakte kop thee stond naast haar gevouwen handen. Haar make-up lag op haar gezicht als het glazuur op een cake. Haar ogen waren bloeddoorlopen en wild, het enige zichtbare teken van de pijn die haar beheerste.

Haar man zat op een hoge kruk aan de ontbijtbar met naast zich een volle asbak met daar weer naast zijn mobieltje en het toestel van de vaste telefoonlijn. Toen Paula binnenkwam keek hij haar onwillekeurig met een pijnlijk hoopvolle blik aan. Ze schudde even haar hoofd. Hij deed zijn mond open, maar er kwam geen woord uit. Hij haalde een pakje sigaretten uit de zak van zijn verkreukelde overhemd en stak er een op. 'Ik heb al bijna twintig jaar niet meer gerookt,' zei hij. 'Gek hoe het terugkomt alsof je nooit bent gestopt.'

Als er al een gemakkelijke manier was om dit te doen, had Paula hem nog steeds niet gevonden. 'Ik ben bang dat ik een van u moet vragen met me mee te komen. We moeten er zeker van zijn dat het bij het lichaam dat we eerder op de dag hebben gevonden inderdaad om Daniel gaat,' zei ze. 'Het spijt me, maar het moet nu eenmaal.'

Jessica stond op, zo stijf als een oude dame met artritis. 'Ik kom mee.'

'Nee.' Mike sprong van zijn kruk af en stak zijn hand op. 'Nee, Jess. Jij kunt dit niet aan. Ik doe het wel. Ik ga met haar mee. Blijf jij maar hier. Je hoeft hem niet zo te zien.'

Jessica keek hem aan alsof hij gek was. 'Het is Daniel niet. Dus het maakt niets uit. Ik ga.'

Hij keek verslagen. Meer in contact met de werkelijkheid, dacht Paula. 'En als hij het wél is? Ik kan dit wel aan, Jess. Dit is niets voor jou.' Hij legde zijn hand op haar arm.

Ze schudde hem van zich af. 'Als het Daniel is, wat ik geen seconde geloof, dan moet ik hem zien. Ik ben zijn moeder. Niemand anders heeft het recht om afscheid van hem te nemen.' Ze liep rakelings langs hem heen de hal door naar de deur.

Mike Morrison keek smekend naar Paula. 'Ze is hier niet sterk genoeg voor,' zei hij. 'Dit zou ik moeten doen.'

'Ik denk dat u ook mee moet komen,' zei ze. 'Ze zal u nodig hebben. Maar ik denk dat ze gelijk heeft. Ze moet hem met eigen ogen zien.' Ze gaf hem in het voorbijgaan een klopje op de arm en liep achter Jessica aan naar de auto.

Paula was blij dat het niet zover rijden was naar het Bradfield Cross-ziekenhuis, waar de pathologieafdeling van dr. Grisha Shatalov zich bevond. De sfeer in de auto was grimmig; de stilte was zo overweldigend dat de hele ruimte ermee gevuld werd. Paula parkeerde op de plek die gereserveerd was voor de lijkwagen en ging hun voor het gebouw in door de onopvallende achteringang. Meneer en mevrouw Morrison liepen achter haar aan als makke schapen naar de slachtbank. Ze ging met hen naar een kleine kamer die was ingericht met discrete kleuren en waar een lange bank stond tegenover een scherm aan de muur. 'Wilt u misschien gaan zitten?' vroeg ze. 'Als u goed zit, krijgt u op het scherm het beeld te zien dat u moet identificeren.'

'Ik dacht dat we het...' Mike maakte zijn zin niet af. Hij wist niet wat voor woord hij moest gebruiken voor het lichaam waarvan Paula vermoedde dat het zijn zoon was.

'We denken dat het op deze manier minder traumatisch is,' zei Paula alsof ze het zelf geloofde. Waardoor dit in godsnaam minder traumatisch zou kunnen zijn, ging haar voorstellingsvermogen te boven. Ze wachtte tot ze zaten. 'Ik ben zo terug.'

Ze liet het echtpaar Morrison alleen achter en liep de hal door naar de kamer van de technische medewerkers van het mortuarium. 'We zijn klaar voor Daniel Morrison. Het lichaam dat vanmorgen is binnengebracht.'

'Het staat allemaal klaar,' bevestigde een van de medewerkers. 'Je hoeft alleen maar het scherm aan te zetten.'

Terug in de kijkkamer, zag Paula dat de Morrisons er klaar voor waren. Toen knipte ze het scherm aan. Eerst werd het zilvergrijs en toen verscheen het gezicht van Daniel. Knap werk, dacht ze. Verstikking leverde geen aantrekkelijke slachtoffers op, maar ze waren erin geslaagd om hem er minder dik en opgezwollen dan eerder te laten uitzien. Zijn ogen waren dicht, zijn haren gekamd. Met de beste wil van de wereld kon je niet zeggen dat hij er vredig bij lag, maar in ieder geval oogde hij lang niet zo gekweld als toen ze hem hadden gevonden.

'Dat is Daniel niet,' zei Jessica luid. 'Dat is mijn zoon niet.'

Mike legde zijn arm om haar schouder en klemde haar stevig vast. 'Het is Daniel,' zei hij bedroefd. 'Het is Daniel, Jess.'

Ze rukte zich los, kwam struikelend overeind en liep naar het scherm toe. 'Het is Daniel niet,' schreeuwde ze, en toen greep ze naar haar borst. Plotseling vertrok haar gezicht zich in een martelende pijn. Haar lichaam wrong zich in allerlei bochten en haar mond opende zich in een stille kreet van zielenpijn. Ze viel op de grond, haar lichaam in een stuip.

'Jess,' riep Mike terwijl hij naast haar op zijn knieën viel. 'Ga hulp halen,' schreeuwde hij tegen Paula. 'Ik denk dat ze een hartaanval heeft.'

Paula rende de kamer uit en gooide de deur van het kantoor van de technische medewerkers open. 'Ze heeft een hartaanval, toets een code in.'

Ze keken haar wezenloos aan. 'We zitten niet in het systeem,' zei er een.

'Nou, leg haar godverdomme dan op een brancard en breng haar naar het ziekenhuis,' riep Paula. 'Nu. Opschieten.'

Naderhand zou ze zich nauwelijks meer kunnen herinneren wat er in de minuten daarna allemaal gebeurde. De technici kwamen onmiddellijk in de benen, legden Jessica op een brancard en raceten met haar door de gangen naar de Spoedeisende Hulp. Mike en Paula renden erachteraan. Het personeel op Spoedeisende Hulp kwam meteen in actie met onverstoorbare rust en Paula werd, samen met Mike, naar de wachtruimte voor de familie gebonjourd.

Paula zorgde ervoor dat hij rustig zat en dat de receptioniste wist waar hij was en waar zij heen ging, en liep toen rechtstreeks naar de ambulanceparkeerplaats voor een shot nicotine. Ze had haar ene hand op de deur en de andere op haar sigaretten, toen een stem, die vaag bekend klonk, zei: 'Rechercheur McIntyre?' Ze draaide zich met een ruk om en keek recht in een paar warme bruine ogen en een aarzelende glimlach.

'Dokter Blessing,' zei ze, niet in staat de grijns tegen te houden die zich over haar gezicht verspreidde. 'Elinor, bedoel ik,' voegde ze eraan toe, omdat ze zich herinnerde dat ze tijdens hun laatste ontmoeting toestemming had gekregen haar zo te noemen.

'Leuk je te zien,' zei Elinor. Ze trok haar witte jas wat strakker om zich heen toen ze de kille lucht in stapten.

'Dat is wederzijds.' Het was al een tijd geleden dat ze iets had gezegd wat ze zo echt gemeend had. Toen de twee vrouwen elkaar hadden ontmoet tijdens een vorige zaak had Paula een trilling tussen hen gevoeld. Ze had zelfs gedacht dat Elinor misschien wel met haar probeerde te flirten, maar het was zo lang geleden dat ze dergelijke boodschappen had moeten ontcijferen en ze was toen zo moe; het was allemaal wat te veel geweest. Ze had er later werk van willen maken, maar zoals gewoonlijk had het leven daar een stokje voor gestoken.

'Werk je nog steeds voor hoofdinspecteur Jordan bij het Team Zware Misdrijven?' vroeg Elinor.

'Jazeker. Ik zit met een navelstreng vast aan het ergste wat mensen elkaar kunnen aandoen. En jij? Zit je nog steeds in meneer Denby's team?'

'Voorlopig. Hoewel ik binnenkort promotie maak. Maar nu, op dit moment, ben ik op weg naar Starbucks,' zei Elinor. 'Als ik nog één kop van dat bocht drink dat ze ons hier voorschotelen moet mijn maag worden uitgepompt. Heb je tijd?' Ze zag het pakje sigaretten in Paula's hand. 'Ze hebben tafels buiten.'

Paula voelde een scheut van woede. 'Ik zou het graag doen, maar ik kan niet.' Ze wees achter zich naar de Spoedeisende Hulp. 'Werk. Ik moet in de buurt blijven.' Ze spreidde haar handen in een gebaar van berusting.

'Geen probleem. Het is maar twee minuten lopen. Zal ik een kop koffie voor je halen?'

Paula kreeg een warm gevoel in haar buik. Ze had gelijk gehad, dit was een vrouw naar haar hart. 'Een grote latte macchiato met halfvolle melk zou heerlijk zijn.'

'Komt eraan.' Elinor liep vlug de oprit af, een witte waas in het licht van de straatlantaarns.

Paula stak een sigaret op en haalde haar mobieltje tevoorschijn. POSITIEVE IDENTIFICATIE VAN DANIEL MORRISON. MOEDER HARTAANVAL. BEN OP SP. HULP MET VADER toetste ze in, en ze stuurde de boodschap naar Carol. Zo, nu kon ze met een gerust hart een verkennend kopje koffie drinken met de mooie dokter Blessing. Op het werk ging het misschien niet allemaal voor de wind, maar haar persoonlijke leven zag er opeens veel rooskleuriger uit.

19

Het was niet zo dat ze hem miste als hij weg was. Het was niet zo dat ze constant op elkaars lip zaten. Als ze het allebei druk hadden, ging er wel eens een week voorbij waarin ze geen enkele avond samen doorbrachten. Maar als Tony er niet was, voelde Carol altijd hoe leeg het was in het huis boven haar appartement in het souterrain. Hun levens waren gescheiden, hun woningen ook, de deuren onder en boven aan de binnentrap creëerden een soort luchtsluis tussen hen.

En toch... Ze wist het wanneer hij er niet was. Misschien was er wel een alledaagse reden voor; misschien veroorzaakten zijn bewegingen op een onderbewust niveau in de constructie van het huis een vibratie waarvan de afwezigheid haar reptielenhersens van slag deden raken. Of misschien waren ze wel, zoals Blake had gesuggereerd, een beetje te veel op elkaar ingesteld. De gedachte deed Carol huiveren. Haar gevoelens voor Tony vormden een ingewikkeld web en ze wilde liever niet testen of dat web sterk of breekbaar was.

Dus prentte ze zichzelf in dat het maar goed was dat hij er niet was, alsof zijn aanwezigheid op de een of andere manier haar onderzoek naar zijn verleden zou dwarsbomen. Het zou zeker haar zeurende schuldgevoel verhevigen, omdat ze dingen achter zijn rug deed, en tegen zijn uitdrukkelijke wens in. Desondanks begon ze te googelen en bevond ze zich al snel op de homepage van de *Halifax and Huddersfield Herald.* Eerst zocht ze op 'Eddie Blythe', maar dat leverde niets op. Toen ze de voornaam verving door Edmund, kreeg ze een hele reeks treffers.

De eerste op de lijst, de meest recente als je naar de datum keek, was het verhaal dat Alan Miles haar in de pub had laten zien. Jammer genoeg was de foto niet ingescand. Het volgende resultaat was een verhaal over de voorgenomen verkoop van het bedrijf van Blythe aan de firma uit Sheffield. Halverwege het verhaal stond er een alinea die haar aandacht trok. 'De fabriekseigenaar, de heer Edmund Blythe, was niet bereikbaar voor commentaar. De heer Blythe is herstellende van een recente gewelddadige overval, waarover onze krant eerder berichtte.'

Een gewelddadige overval. Daar had Alan Miles niets over gezegd. Carol scrolde snel door de rest van de resultaten, op zoek naar iets wat niet over de fabriek ging. Een paar verhalen verder was het raak.

GEWELDDADIGE OVERVAL IN SAVILE PARK

Een zakenman uit Halifax is gisteravond naar het ziekenhuis gebracht om te herstellen na een brute overval toen hij met zijn verloofde naar huis liep door Savile Park.

Edmund Blythe, 27, de directeur van Blythe & Co, specialisten in metaalbewerking, werd neergestoken door een schurk die hem onder bedreiging van een mes wilde beroven.

Toen hij weigerde zijn portemonnee te overhandigen, sloeg de man met zijn wapen toe en trof Blythe in zijn borst. Volgens het ziekenhuispersoneel was de messteek vlak bij zijn hart en was het puur geluk dat de gevolgen niet dodelijk waren. De heer Blythe, woonachtig in Tanner Street, en zijn verloofde waren op de terugweg naar het huis van haar ouders, nadat ze de avond hadden doorgebracht bij vrienden die aan de andere kant van het park wonen.

Zijn bezorgde verloofde, die niet met naam genoemd wil worden, zei: 'Het was een vreselijke schok. Het ene moment liepen we heel onschuldig arm in arm. Het volgende moment sprong er een man uit de bosjes en begon met een mes te zwaaien. Ik kon het lemmet zien glanzen in het maanlicht. Ik was doodsbang. Hij zei dat Edmund zijn portemonnee moest afgeven, maar dat weigerde hij. Toen stortte de man zich op hem en ontstond er een worsteling. Ik begon te gillen en de man rende weg. Het was te donker om hem goed te kunnen zien. Hij was ongeveer een meter tachtig lang en hij had een platte pet op die hij over zijn haren had getrokken. Hij had een accent uit de buurt, maar ik betwijfel of ik zijn stem zou herkennen. Het was allemaal zo angstaanjagend.'

Inspecteur Terrence Arnold verklaarde: 'Deze man is duidelijk heel gevaarlijk. We adviseren de burgers om op hun hoede te zijn als ze na het invallen van de duisternis gaan wandelen in een afgelegen gebied.'

'Godsamme,' zei Carol hardop terwijl ze het artikel nog eens las. Waarom had Vanessa dit dramatische voorval in vredesnaam niet vermeld? Het was niets voor haar om de kans te laten liggen om even in het brandpunt van de belangstelling te staan. Om nog maar te zwijgen over de sympathie die haar ten deel kon vallen als betrokkene bij zo'n afschuwelijke overval.

Misschien verklaarde het wel een beetje waarom Edmund Blythe had besloten om Halifax in te ruilen voor Worcester. Bij een dergelijke totaal onverwachte overval zou iedereen vraagtekens zetten bij de plaats waar hij woonde. Maar dan zou hij toch niet zonder zijn verloofde zijn gegaan? Daar stond weer tegenover dat Vanessa, als ze niet uit Halifax weg had gewild, zich door niets en niemand zou laten overhalen.

Carol schonk zich nog een glas wijn in. Ze keek de andere artikelen door, maar er stond nergens meer iets over de overval. Er was kennelijk geen arrestatie op gevolgd. Niet helemaal verbazingwekkend gezien het ontbreken van een deugdelijke persoonsbeschrijving. Ongetwijfeld was het bekende rijtje verdachten opgepakt die vervolgens wat onder druk waren gezet, maar daar was niets uitgekomen. En Blythe zelf had er duidelijk niet over willen praten. Hij had zijn zaak verkocht en was bijna onmiddellijk erna vertrokken. Het was allemaal wel erg plotseling.

Het begon erop te lijken dat Carol nog eens op bezoek zou moeten bij de moeder van Tony. Alleen zou ze dit keer geen genoegen meer nemen met een weigering om te praten. Het enige wat haar ervan weerhield om spoorslags terug te keren naar Halifax en naar het hol van Vanessa, was een sms'je van Paula.

'O shit,' zei Carol. Strikt genomen hoefde ze haar gezicht niet te laten zien. Maar haar plichtsgevoel werd aangewakkerd door haar eerdere verzuim. BEN ER BINNEN EEN HALFUUR sms'te ze naar Paula. PAS JIJ ONDERTUSSEN OP DE WINKEL.

Niall Quantick haatte zijn leven. Hij haatte zijn waardeloze moeder. Hij haatte de armoedige straten rondom hun gore flat. Hij haatte het dat hij nooit geld had. Hij haatte school, haatte het dat hij elke dag moest komen opdagen. Dat had hij te danken aan de afspraak die zijn kutmoeder gemaakt had met de directeur, dat als hij niet kwam opdagen hij geen cent zakgeld meer van haar kreeg. Oké, hij hield nu nog even de schijn op om straks te kunnen ontsnappen aan haar en aan haar stomme kloteleventje, maar hij wilde niet dat zij dat wist. Hij was toch wel naar school gegaan, maar zijn minirevolutie tegen het systeem het afgelopen trimester was totaal gelukt. Ongeveer het enige wat hij niet haatte aan zijn leven was dat hij intelligent genoeg was om iedereen te slim af te zijn die hem een hak probeerde te zetten.

Hij nam een hijs van de joint die hij zich elke dag na school permitteerde als hij de hond uitliet om even weg te zijn uit de flat, want dan kon hij lekker chillen in het kutpark met de gebruikte naalden, de losers, de lijmzakjes en de hondenpoep. Wat een kloteleven.

Maar de grootste hekel had hij aan zijn kloterige vader, omdat die zijn leven had veranderd in deze eindeloze ellende. Misschien was zijn leven wel minder shitterig geweest als hij geen herinnering had gehad aan de tijd toen het nog anders was. De andere jongens met wie hij omging leken minder ontevreden met hun leven dan hij, en volgens hem kwam dat omdat zij niets hadden om het mee te vergelijken. O ja hoor, ze dachten dat ze wisten hoe het was om een dikke auto te hebben en vakanties waarin de zon elke dag scheen. Maar dat was gewoon omdat ze dachten dat beroemde voetballers zo leefden. Niall niet. Niall wist nog goed hoe het was om al die dingen te hebben.

Ze woonden nu in een smerige flat in een deel van Manchester dat zo slecht bekendstond dat mensen die een baan zochten moesten liegen over hun postcode. Daarvoor hadden ze in een vrijstaand huis aan de rand van Bradfield gewoond. Niall had zijn eigen slaapkamer gehad, plus een speelkamer. Hij had een PS 3 gehad en een xbox. Er was een kamer geweest met allemaal sportschoolspullen en waar je als je op de loopband stond naar een enorm plasmascherm keek. De Mercedes van zijn vader had naast de Audi van zijn moeder in de dubbele garage gestaan. Ze hadden seizoenkaarten voor Manchester United gehad, ze waren drie keer per jaar op vakantie gegaan en Niall wist niet meer hoeveel en welke cadeaus hij had gekregen voor zijn verjaardag en voor Kerstmis. Toen was alles drie jaar geleden onverwacht in elkaar gedonderd. Zijn vader en moeder hadden elkaar al maanden in de haren gezeten. Het leek *Eastenders* wel. Hij kon er niet achter komen waar het probleem lag, alleen dat er geen dag meer voorbijging dat ze elkaar niet naar de keel vlogen. Ten slotte had zijn vader hen meegenomen op vakantie naar Florida, zogenaamd om het weer goed te maken. Maar op de derde avond, na de zoveelste ruzie, was hij weggelopen uit de gehuurde villa. Zijn moeder had gezegd dat hij kon oprotten, dat zij wel met z'n tweetjes van de rest van de vakantie zouden genieten. Tien dagen later merkten ze bij thuiskomst dat het huis was verkocht, dat de kamers waren leeggehaald, dat de auto's weg waren en de sloten waren vervangen. Hij had het huis stiekem achter hun rug verkocht en had hun kleren in vuilniszakken gestopt en afgegeven bij het huis van zijn schoonouders.

Een ongelooflijke klotestreek. Dat had Niall op dat moment gedacht en dat dacht hij nog steeds.

Zijn moeder nam een advocaat, maar ze schoot er niet zoveel mee op. Het bedrijf van zijn vader bleek eigenaar te zijn van het huis en van al het andere. Op papier had zijn vader geen nagel om zijn kont te krabben. En nu gold dat ook voor Niall en voor zijn waardeloze moeder.

Hij stond er verbaasd over hoe puur slecht zijn vader kon zijn. Zijn moeder had hem een keer op een middag meegezeuld naar het autobedrijf van zijn vader in een poging om hem uit een soort schuldgevoel meer dan de vijftig pond te laten geven die hij nu elke week voor Niall neertelde. Niall had buiten moeten staan wachten bij de secretaresse, die van niets wist, terwijl ze tegen elkaar stonden te schreeuwen. Maar hij kon nog steeds elk woord horen. 'En hij is niet eens van mij,' had zijn vader in het heetst van de strijd geroepen.

Zijn moeder had niets gezegd, maar Niall hoorde een harde knal, alsof er iets van glas tegen de muur werd gegooid. Toen ging de deur open en had hij een spinnenweb van barsten gezien in de grote glasplaat naar de showroom, waardoor je de glimmende rij auto's niet meer kon zien. 'Kom mee,' zei ze. Ze greep hem bij de arm en stevende op de deur af. 'We willen ook helemaal geen geld van die verachtelijke, leugenachtige klootzak.'

Kijk naar jezelf, had Niall gedacht. Des te meer reden om zijn geld aan te nemen, als hij dan toch zo'n verachtelijke leugenaar was. Wie dacht hij godverdomme wel dat hij was, net te doen alsof Nialls moeder de een of andere slet was die een kind van een andere man kreeg en het afschoof op hem. Ze mocht dan een stomme koe zijn, een slet was ze niet. In tegenstelling tot zijn vader, die alles liever deed dan in de buidel tasten om zijn vrouw en kind te onderhouden.

Dus dankzij hem zaten ze nu diep in de shit, en daar kwamen ze niet meer uit totdat Niall zijn leven in eigen hand kon nemen. Hij zou zich koest houden en zo gauw hij kon zijn leven een andere wending geven en dan zijn vader laten zien wat voor man hij was.

Maar intussen kon hij geen kant op in dit rotleven dat hij zo haatte. Er was maar een klein lichtpuntje in al die ellende. Hij wilde Russisch leren omdat hij voor een oligarch wilde werken om te leren hoe hij zelf rijk kon worden. Het kon die kerels geen reet schelen op wie zijn tenen ze gingen staan. En dan braken ze verdomme ook nog alle botjes, gewoon voor de lol. Maar op zijn fokking school was er geen van de leraren bevoegd om Russisch te geven. Dus was hij in de stad op zoek gegaan naar iemand die gratis Russisch gaf. En toen was DD op zijn pagina op RigMarole opgedoken met een aanbod om hem te helpen.

Niall wist niet waar die DD voor stond. Waarschijnlijk een Russische voor- en achternaam. Maar DD wist van wanten. Hij had Niall online een paar basislessen gegeven om te kijken of hij het echt wilde. En deze week zouden ze elkaar voor het eerst echt ontmoeten, de eerste stap op de weg naar rijkdom. En misschien zelfs naar zijn eigen voetbalteam.

En dan kon die verachtelijke, leugenachtige klootzak de pot op.

De vraag stellen was één ding. Een antwoord vinden was iets totaal anders. Zijn probleem was niet dat hij zich op een vreemde plaats bevond; Tony voelde zich merkwaardig genoeg op zijn gemak in het huis van Blythe. Het ademde een natuurlijke rust uit waar hijzelf ook voor zou hebben gekozen als hij de fut had kunnen opbrengen om aandacht aan zijn omgeving te schenken.

Wat hem zorgen baarde was zijn onvermogen een plausibele reden te vinden voor de aanval op Jennifer Maidment. Het was moeilijk een persoonlijk motief te bedenken om een veertienjarig meisje uiteindelijk te vermoorden. Als het een moord door leeftijdgenoten was geweest, dan was het om een aanval met een mes gegaan, op straat of ergens in een steegje. Er zouden bijna zeker getuigen zijn geweest, of op z'n minst andere tieners of familieleden die er naderhand van wisten. Maar dit was veel te georganiseerd. Dit was een manier van doden die veel te volwassen was. En bovendien moest de moordenaar een voertuig tot zijn beschikking hebben. En bij een moord door leeftijdgenoten zouden de geslachtsorganen niet verminkt zijn.

Het was mogelijk dat de dood van Jennifer een afgrijselijk harteloze boodschap was voor een van beide ouders. Of voor beiden misschien. Maar op het eerste gezicht was het moeilijk voorstelbaar hoe de Maidments iemand konden kennen die vond dat het vermoorden en verminken van een tiener een evenredige reactie was op wat dan ook. Hij was manager van een ingenieursbureau, zij was parttimelerares van kinderen met leer- en opvoedingsmoeilijkheden. En als de moord bedoeld was als boodschap, waren ze wel op een verdomd rare manier te werk gegaan. De betrekkelijk vredige dood, gevolgd door een brute verminking. Nee, wat het ook mocht zijn, het had niets te maken met dwang of wraak of een andere duidelijke boodschap voor de ouders.

Terwijl zijn gedachten de verschillende mogelijkheden bekeken en ze bijna meteen weer verwierpen, zwierf hij door het huis. Hij ging van de ene kamer naar de andere zonder erbij na te denken, zich er niet eens van bewust dat hij zich enorm op zijn gemak voelde in deze omgeving. Toen zijn gedachten uiteindelijk tot stilstand kwamen, zag hij dat hij in de keuken stond en hij besefte opeens dat hij honger had. Hij maakte een paar kasten open op zoek naar iets eetbaars. Er was niet veel keus, maar Tony had zich nooit als een fijnproever beschouwd. Hij koos een pakje met tarwebiscuitjes en een blik witte bonen in tomatensaus en ging met een bord en lepel aan de ontbijtbar zitten. Verstrooid laadde hij de biscuitjes vol met koude bonen en at het resultaat op met meer genoegen dan het verdiende. Eigenlijk had dit wel iets leuks – hij voelde zich net als Hans en Grietje die stiekem het huisje van de heks doorzoeken. Alleen was er voor hem geen heks.

Toen hij zijn eetlust bevredigd had, ging hij terug naar de leunstoel waar zijn papieren nog lagen en nam ze nog eens langzaam door. Hij keek naar de plaatsen waar de diverse computers stonden die waren gebruikt om boodschappen naar Jennifer Maidment te versturen en herinnerde zich vaag dat Ambrose had gezegd dat ze die plaatsen misschien wel konden gebruiken om door middel van uitsluiting bij de woonplaats van de moordenaar te komen. Tony had niet erg goed opgelet omdat hij zelf geen gebruik maakte van dat soort onderzoek. Hij vertrouwde op zijn eigen waarnemingen en op zijn eigen inlevingsvermogen, zijn eigen ervaring en zijn eigen instincten. Hij voelde zich een beetje ongemakkelijk bij het idee dat je menselijk gedrag kon reduceren tot een aantal algoritmen, ook al wist hij dat er soms verbluffende resultaten mee waren geboekt. Hij voelde zich er gewoon niet prettig bij.

Maar hij kende een vrouw die daar geen last van had.

Het nummer van Fiona Cameron was opgeslagen in zijn telefoon. Ze waren elkaar in de loop der jaren bij verschillende conferenties tegengekomen en zij had, voor een second opinion, zijn hulp ingeroepen bij een zaak waaraan ze had gewerkt in Noord-Ierland. Hij had nergens aanmerkingen op kunnen maken, maar hij had wel een paar nuttige suggesties gehad. Hun samenwerking was prima verlopen. Net als Carol was ze intelligent en werkte ze hard. In tegenstelling tot Carol was zij erin geslaagd om een veeleisende baan te combineren met een langdurige relatie. Tony wierp een blik op zijn horloge. Iets over negen. Ze was waarschijnlijk bezig met iets waar normale mensen zo laat op de avond mee bezig waren. Hij vroeg zich af wat dat precies zou kunnen zijn. Het avondeten afronden? Televisiekijken? De was uitzoeken of gewoon wat zitten kletsen met een glas wijn erbij? Wat het ook was, ze zou waarschijnlijk een telefoontje van hem niet op prijs stellen.

In de wetenschap dat hij zich daar vroeger ook nooit iets van had aangetrokken, besloot hij zijn schroom opzij te zetten. De telefoon ging over. Net toen hij het wilde opgeven nam ze op. Ze klonk een beetje geagiteerd. 'Tony? Ben jij het echt?'

'Hallo Fiona. Komt het slecht uit?'

'Nee, helemaal niet. Ik zit hier op een hotelkamer in Aberdeen.' Dus níét iets wat gewone mensen doen. Ze was net als hij, helemaal alleen en ver van huis. 'Ik heb op mijn kamer gegeten en zette net het dienblad op de gang. Ik had mezelf bijna buitengesloten. Maar hoe gaat het met je?'

'Ik zit in Worcester,' zei hij, alsof dat een antwoord was. 'Ik werk hier aan een zaak en daarbij is iets naar voren gekomen. Nu vraag ik me af of je daar misschien dat programma voor geografisch profielen bij zou kunnen gebruiken.'

Ze grinnikte; het feit dat ze zo ver weg was had geen nadelige invloed op de warmte van haar stem. 'Typisch Tony. Geen beleefdheidspraatjes.'

Ze had gelijk, dacht hij. Maar hij had nooit de moeite genomen om zich anders voor te doen dan hij was bij een vrouw die zo slim was als Fiona. 'Ja, nou ja, je weet toch van die haren en streken van de vos? Wat kan ik zeggen?'

'Het is oké, ik vind het niet erg. De avond die voor me ligt zag er verschrikkelijk saai uit, en als ik daaronderuit kan komen, des te beter. Ik durf mijn kamer niet uit. Ik leid morgen een seminar en beneden zitten een paar collega's aan de bar die ik voor geen goud wil zien. Dus ik vind het prima als ik iets kan doen. Wat is het?'

'Het gaat om de moord en de verminking van een veertienjarig meisje. En om een moordenaar die het weer gaat doen als we hem niet tegenhouden. We zoeken naar een verdachte waar we niets specifieks over weten, die met ons slachtoffer online in contact heeft gestaan. Hij maakt gebruik van computers die vrij toegankelijk zijn en die over zo'n honderdvijftig kilometer verspreid zijn. De meeste zijn één keer gebruikt, maar een paar meer dan één keer. Dus het gaat me nu niet om de misdrijven als zodanig. Alleen om de locaties waarvan we weten dat hij ze heeft gebruikt. Zou je daar iets mee kunnen doen?'

'Dan zou ik het eerst moeten zien. Kun je het naar me toesturen?'

'Dan zal ik het uit moeten typen. Ik heb het alleen op papier.' *En Patterson krijgt een zenuwinstorting als ik hem om een elektronische kopie vraag, zodat ik het aan iemand kan sturen die buiten zijn groepje valt.*

'Arme jij. Ik hoop niet dat het een erg lange lijst is.'

'Ik zorg dat je het over een uurtje hebt.'

'Ik kijk ernaar uit. Wees voorzichtig. Leuk je te spreken.'

Hij haalde zijn laptop tevoorschijn en startte op. Hij zag tot zijn genoegen dat de draadloze breedband van Blythe nog aangesloten was. Het deed er eigenlijk niet toe of Fiona Cameron kon helpen. Hij deed iets positiefs en hij wist uit ervaring dat hij dan altijd dat deel van zijn hersens activeerde dat de briljante verbanden legde die hem tot zo'n indrukwekkende profielschetser maakten.

Er was een reden waarom Jennifer Maidment was gestorven zoals ze was gestorven. En Tony voelde dat hij er steeds dichter bij in de buurt kwam.

20

Paula wist dat zij de beste ondervrager van het team was. Maar toch voelde ze zich niet op haar gemak als ze tegenover tienermeisjes zat. Haar eigen puberteit was zo atypisch geweest dat ze altijd het idee had dat ze niet uit kon gaan van iets gemeenschappelijks. Het was wel ironisch, dacht ze. Ze wist altijd een opening te vinden in gesprekken met gewelddadige seksuele delinquenten, met pedofielen, met keiharde mensensmokkelaars. Maar met een tienermeisje in de stoel tegenover haar zat ze regelmatig met de mond vol tanden.

Helaas had ze geen keus. Carol Jordan was net op tijd in het Bradfield Cross-ziekenhuis geweest om een dodelijk vermoeide medewerkster van de Eerste Hulp tegen Mike Morrison te horen vertellen dat zijn vrouw het niet had gehaald. De arme kerel zag eruit als een verloren ziel, wat niet verwonderlijk was. Zijn vrouw en zijn zoon waren volkomen onverwacht uit zijn leven gerukt, alles wat solide leek was opgelost in nevel. Goddank had de chef haar verantwoordelijkheid genomen, had Paula weggestuurd op de ondankbare missie om te proberen informatie te ontlokken aan het vriendinnetje van Seth Viner.

Toch moest ze niet bij de pakken gaan neerzitten. Ze had koffiegedronken met Elinor Blessing en ze hadden elkaar beloofd dat ze gauw samen ergens een hapje gingen eten. De belangstelling van Paula was dus blijkbaar niet helemaal eenrichtingsverkeer. Maar het was wel afgezaagd. Politiemensen en artsen en verpleegsters. Ze legden het altijd met elkaar aan. Dat kwam gedeeltelijk omdat de enige persoon die kon begrijpen welke waanzinnige eisen er door het werk aan je werden gesteld iemand was die in zijn of haar beroepsleven met dezelfde idiote eisen werd geconfronteerd. En het kwam gedeeltelijk omdat zij de enige mensen waren die je ooit ontmoette die geen schurken, slachtoffers of patiënten waren. En misschien had het ook wel wat te maken met het feit dat veel mensen bij de politie of in de gezondheidszorg gingen werken omdat ze oprecht mensen wilden helpen. Er waren dus op het oog wel punten van overeenkomst.

Wat de reden ook mocht zijn, Paula hoopte dat voor haar en Elinor die affiniteit ook echt op iets gebaseerd was. Het was al een tijd geleden dat ze een relatie had gehad, maar pas sinds kort had ze het gevoel dat ze haar verleden een zodanige plaats had gegeven dat ze weer voorzichtig durfde te hopen op een relatie.

'Het paard achter de wagen,' mompelde ze in zichzelf toen ze het korte pad opliep van het trottoir naar het huis van Lucie Jacobson. Een bakstenen rijtjeshuis, ietsje beter dan het gewone soort zonder voortuin. Deze hadden een dakrand met een doorlopend boogje waardoor ze eruitzagen als twee-onder-een-kapwoningen. Het huis van de familie Jacobson had een klein portaal dat aan de voorkant was bijgebouwd en dat niet veel groter was dan een kast. De ene kant zat volgepropt met wat er in het halfduister uitzag als platgedrukte lichamen. Toen Paula aanbelde en het licht aansprong, bleek het gewoon te gaan om jassen en regenjacks, baseballpetjes en fietshelmen. Paula hield haar identiteitskaart omhoog en de vrouw die in de deuropening kwam staan knikte en deed de deur verder open.

'Ik wist wel dat er een van jullie zou komen,' zei ze met een gelaten opgewektheid die Paula maar zelden tegenkwam. 'U wilt zeker iets vragen over Seth. Kom binnen.' Ze bracht Paula naar een overvolle woonkamer waar alles wat je maar nodig kon hebben zijn plaats had. Het was zo georganiseerd als een scheepskajuit, met planken en kastjes stampvol met boeken, video's, cd's, langspeelplaten en archiefdozen, waarop allemaal keurige etiketjes prijkten, zoals 'gas en licht', 'bankzaken' en 'belastingen'. Twee niet bij elkaar passende sofa's en een paar stoelen namen de overgebleven ruimte in beslag, en ertegenover stond een groot tv-toestel dat met navelstrengen vastzat aan de gebruikelijke apparatuur. 'Ga zitten,' zei ze. 'Ik haal Lucie wel even. Haar broertjes zijn met hun vader aan het basketballen, dus we kunnen ongestoord praten. Het is een tweeling. Van zestien. Ze nemen een onevenredig groot deel van de ruimte in beslag.' Ze schudde haar hoofd en liep naar de deur. 'Lucie,' riep ze. 'Er is hier iemand om over Seth te praten.'

Leunend tegen de deurpost draaide ze zich om naar Paula. 'Ik ben overigens Sarah Jacobson. Ik heb Kathy en Julia al gesproken. Ze zijn helemaal overstuur.' Ze zuchtte en streek met haar hand door haar korte, donkere krullen. 'Wie zou dat niet zijn? God, het is al moeilijk genoeg als ze gewoon in de puberteit zijn zonder deze nachtmerrie erbij.' Er klonk het geluid van voetstappen die de trap af denderden en ze ging wat achteruit om haar dochter door te laten. Lucie Jacobson had dezelfde krullenkop, hoewel de krullen bij haar in een stralenkrans om haar hoofd hingen en in een wonderbaarlijke waterval van kurkentrekkers over haar schouders vielen. Uit al dat haar kwam haar gezicht tevoorschijn, smal en met scherpe trekken, diepblauwe ogen die nog werden geaccentueerd door de brede streep eyeliner langs de oogleden. Ze was aantrekkelijk, niet knap, maar Paula vermoedde dat ze later wel eens heel mooi zou kunnen worden. Zwarte jeans en een zwart T-shirt completeerden de nette middenklasseversie van wat een jonge goth zoal droeg.

'Is er nieuws?' vroeg ze indringend, met een woedende blik op Paula, alsof ze die persoonlijk verantwoordelijk achtte voor het verdwijnen van Seth.

'Het spijt me. Er is nog geen spoor van Seth.' Paula stond op. 'Ik ben Paula McIntyre, politieagent. Ik ben lid van het team dat opdracht heeft hem te zoeken.'

Lucie kwam de kamer in, liet zich tegenover Paula op een sofa vallen en vroeg: 'Alleen maar een agent? Ben je wel belangrijk genoeg om dit te doen? Want het is echt belangrijk dat ik Seth vind.'

'Lucie, in vredesnaam,' zei haar moeder. 'Stel je niet zo aan.' Ze keek naar Paula. 'Thee? Koffie?'

'Nee, dank u.'

Sarah Jacobson knikte. 'Ik ben in de keuken voor het geval u me nodig hebt.' Ze keek haar dochter doordringend aan. 'Ik laat je alleen met mevrouw McIntyre, dan kun je zeggen wat je moet zeggen zonder dat je bang hoeft te zijn voor wat ik ervan vind. Oké?' En ze liet hen aan hun lot over.

'Alsof ik me zorgen maak over wat zij ergens van vindt.'

'Natuurlijk doe je dat niet. Je bent een tiener,' zei Paula droog. Ze nam op dat moment het besluit om dit meisje niet met fluwelen handschoenen aan te pakken. 'En hoor eens. Het interesseert me nu even geen moer wat jij allemaal doet, ik wil Seth vinden. Dus al die geheime dingetjes die jij en Seth in je schild voerden en waarvan jij denkt dat je erdoor in de problemen kunt komen, interesseren me geen zier. Je moet me nu dingen vertellen. Als jij ons helpt bij het vinden van Seth denkt niemand meer aan wat jullie allemaal voor onbenulligs uithaalden. Drugs of drank of neuken, het maakt me allemaal niks uit, oké? Ik wil alleen weten of jij iets weet waarmee we Seth kunnen vinden.' Ze keek in Lucies uitdagende ogen, totdat het meisje de hare neersloeg. 'Wat jullie ook in jullie schild hebben gevoerd, ik wil wedden dat ik erover heb gehoord, het heb gezien of het zelf al eerder heb gedaan.'

Lucie zuchtte en sloeg haar ogen ten hemel. 'Dat slaat toch nergens op. Wat wij doen heeft niets te maken met dat Seth er niet is, oké? Hij en ik, wij zijn cool. Maar weet je, Seth heeft inderdaad een geheim, ja.'

Paula probeerde niet te laten merken hoe interessant ze die mededeling van Lucie vond. 'En jij weet wel wat het is?'

'Tuurlijk. Hij is van mij en ik ben van hem.'

'En wat is dat geheim dan wel?'

Lucie bekeek haar van top tot teen alsof ze een besluit moest nemen. 'Ben je soms ook lesbisch? Zoals de moeders van Seth?'

'Om jouzelf te citeren: dat slaat toch nergens op,' pareerde Paula.

'Dus wel.' Lucie glimlachte alsof ze een punt had gescoord. 'Dat is cool. Mensen die zich helemaal aanpassen aan het systeem vertrouwen we niet,' zei ze. 'Ik zou je niet vertrouwen als je niet lesbisch was. Je moet iets hebben om dat hele politiegedoe te compenseren.'

Paula had graag 'val maar dood' gezegd, alsof ze zelf ook een puber was, maar ze hield zich in. 'Je moet me het geheim van Seth vertellen.'

Lucie probeerde weg te kruipen in de zachte kussens. 'Het is niets. Echt niet.'

'Vertel het dan.'

'Hij heeft songs geschreven. Meestal songteksten, maar van sommige ook de muziek erbij.'

Het leek een vreemd ding om je voor te schamen. 'En dat was het geheim?'

'Nou, ja. Ik bedoel, het is nog net niet zo erg als gedichten schrijven. En dat zou echt ziek zijn.'

'Oké. Heeft hij zijn songs aan iemand voorgespeeld? Of iemand zijn teksten laten zien?'

'Ja, duh! Natuurlijk heeft hij ze aan mij laten zien. Maar zie je, daar draait dit misschien wel om. Want, net als bij Rig... Jij kent Rig toch, hè?'

'RigMarole? Ja, ik weet wat Rig is.'

'Nou, op Rig was er die vent en die zei tegen Seth iets van ik ken jouw vunzige geheimpje, en Seth vond dat echt eng. Dus toen gingen ze naar een aparte chatruimte en Seth zei iets van "hoe wist je dat van mijn songs?" en toen zei die vent: "Je moet voorzichtig zijn met wat je laat slingeren." Dus Seth had er kennelijk eentje laten vallen of zoiets en die vent had het opgeraapt en hij doet toevallig iets met muziek.'

Paula voelde hoe de moed haar steeds meer in de schoenen zonk. Ze zag voor zich hoe het zich had afgespeeld. Seth was verleid om zijn eigen geheim te verklappen en de moordenaar had daar weer misbruik van gemaakt en hem toen een droombeeld voor ogen getoverd waar Seth in zou trappen. 'En zei hij dat hij wel iets voor Seth kon regelen?'

Lucie liet een afkeurend geluid horen. 'Zo stom is toch niemand om daarin te tuinen?' zei ze. 'Hij zei dat hij Seth bij een paar bands kon introduceren die op weg naar de top waren, bands die al wat op YouTube hadden staan, maar die nog geen contract hadden met een platenmaatschappij, bands die misschien wel met hem wilden werken. Hij zei dat hij een afspraak voor Seth zou regelen.'

'En met die persoon had Seth gisteren een afspraak?'

Ze keek de andere kant uit. 'Misschien wel. Hij had het me moeten vertellen, maar dat heeft hij niet gedaan. Hij zei alleen dat hij bij Wil ging logeren, maar dat ik niet moest bellen, want het kon best zijn dat ze net met iets belangrijks bezig waren.'

Paula liet dat even bezinken en zei toen: 'Wat kun je me over die vent vertellen?'

'Hij heeft een nickname bij Rig, namelijk JJ. Hij weet echt waar hij over praat. Hij weet echt alles over de hele grungescene, en daar is Seth ook helemaal gek van. Hij zei dat JJ dingen wist die alleen een echte insider kon weten.'

Maar hoe moeten jullie in godsnaam weten wat dat is. Hij kon het wel allemaal hebben verzonnen en jullie, lieve onbenullen als jullie zijn, zijn er met open ogen in getrapt. 'Is er nog iets anders wat je over hem weet? Waar hij woont? Waar hij werkt?'

Voor het eerst keek Lucie bang. 'Nee, ik weet alleen wat zijn *nickname* is. Hij praatte nooit over zichzelf. Hij was op Rig om over muziek te praten, niet over iets persoonlijks.'

'Heb jij ooit naar zijn pagina op Rig gekeken?'

Lucie fronste haar wenkbrauwen. 'Ik niet nee, maar Seth wel. Hij zei dat er allemaal fantastische dingen over muziek op stonden.' Haar gezicht klaarde op. 'Natuurlijk. Zo kun je hem vinden. JJ, in letters, niet zoals je het uitspreekt.'

'Sorry, ik moet even iets doen,' zei Paula, en ze stak een vinger op. Ze haalde haar mobieltje tevoorschijn en belde Stacey. 'Met Paula,' zei ze.

'Dat weet ik,' zei Stacey. 'Daarvoor hebben we nummerherkenning.'

God bewaar me voor de humor van computernerds. 'Seth Viner stond in contact met iemand op RigMarole over muziek. De man gebruikte de naam JJ, in letters. Het is mogelijk dat deze JJ hem heeft overgehaald een afspraak te maken. Kun je ernaar kijken?'

'Daar ben ik al mee bezig...' Het was even stil. 'Hier staat niets. Laat het maar aan mij over. Ik zal gebruik moeten maken van een achterdeurtje.'

'Wil ik weten wat dat betekent?'

'Nee.'

De verbinding werd verbroken. 'Bedankt, Lucie,' zei Paula. 'Ik denk dat we hier wel eens veel aan kunnen hebben.' *En ik wou dat je dit meteen tegen iemand had verteld toen je hoorde dat hij vermist werd.* 'Is er nog iets wat ik volgens jou zou moeten weten?'

Lucie schudde haar hoofd. 'Seth deugt hartstikke. Jullie moeten hem vinden en zorgen dat we hem terugkrijgen. Ik voel me hier echt niet goed bij. Ik ben bang dat er iets ergs met hem gebeurt.'

'Dat begrijp ik. En het geeft niet als je laat zien dat je bang bent. Je moeder lijkt me iemand die jou altijd zal steunen, weet je.'

Lucie snoof minachtend. 'Ze werkt voor de BBC. Voor de radio, bedoel ik. Familieprogramma's. Ik schaam me kapot. Stommer kan toch niet?'

Paula stond op en zei: 'Geef haar een kans. Ik weet dat je me niet gelooft, maar ze is net zo geweest als jij.'

Lucie knikte. Haar ogen waren vochtig. Ze zag eruit alsof ze in janken uit zou barsten als ze haar mond opendeed. Paula wist precies hoe ze zich voelde. Nog niet zo lang geleden had zij een van haar beste vrienden verloren. Ze had vaak het gevoel gehad dat verdriet en angst haar boven het hoofd dreigden te groeien. Ze haalde een visitekaartje tevoorschijn, 'Bel me maar als je nog iets bedenkt. Of als je gewoon over Seth wilt praten. Oké?'

Een paar minuten later zat ze in haar auto op de terugweg naar het bureau, want ze had samen met Stacey nachtdienst. Ze had het afschuwelijke vermoeden dat, wat er ook verder voor Lucie in het vat zat, een vreugdevol weerzien met haar vriendje daar niet bij hoorde.

21

Er zongen vogels. Ze zongen dat het een lieve lust was. De een klonk als een piepend wiel, een ander alsof er iets vastzat in zijn keel. Tony kwam langzaam naar de oppervlakte van onder een dikke deken van slaap. Hij kon zich niet herinneren wanneer hij voor het laatst aan één stuk door had geslapen, niet gestoord door dromen, niet beroerd door angsten. Hij had al jaren slaapproblemen. Al sinds hij was begonnen met het onderzoeken van de inhoud van echt gestoorde hoofden, als hij eerlijk was.

Eerst genoot hij van het onbekende gevoel van uitgerust zijn. Daarna had hij een moment van verbijstering toen hij zijn ogen opendeed en geen idee had waar hij was. Hij was niet thuis, niet in een hotel, niet in de kamer voor het nachtpersoneel van Bradfield Moor. Toen herinnerde hij het zich weer. Hij lag in het bed van Edmund Arthur Blythe, de man die verantwoordelijk was voor de helft van zijn DNA, in de grote slaapkamer van een grote vroegtwintigste-eeuwse villa bij een park in Worcester. Het leek wel op het sprookje van Goudlokje, dacht hij.

Tony wierp een blik op zijn horloge en schudde toen ongelovig aan zijn pols. Bijna negen uur? Hij kon het niet geloven. Hij had tien uur geslapen. Hij had niet meer zo lang achter elkaar geslapen sinds zijn studententijd, toen hij de hele nacht was opgebleven om een werkstuk af te maken. Andere mensen gingen naar feestjes, Tony studeerde. Hij ging half overeind zitten, steunend op een elleboog, en schudde zijn hoofd. Dit was krankzinnig. Alvin Ambrose zou hem over iets meer dan een halfuur bij het hotel ophalen. Hij kon hem maar beter bellen en vragen of hij op een ander punt kon worden opgehaald. Hij had nog drieëndertig minuten om een verhaal te verzinnen dat hem niet deed lijken op een van de gekken die het gesticht hebben overgenomen.

Hij wilde de telefoon pakken, toen hij zich een ongeluk schrok omdat die net begon te rinkelen. Tony kon hem met veel moeite van het nachtkastje pakken en bracht hem naar zijn oor. 'Ja? Hallo? Hallo?' brabbelde hij.

'Heb ik je wakker gemaakt?'

Na een korte aarzeling was hij weer bij de les. 'Fiona,' zei hij. 'Nee, ik ben klaarwakker. Ik wilde net de telefoon pakken om iemand anders te bellen. Je maakte me aan het schrikken, dat is alles.'

'Sorry. Maar ik vond dat ik je even moest laten weten dat ik die locaties die je me hebt opgestuurd door mijn programma's gehaald heb.'

'Fantastisch. Dat heb je gauw gedaan.'

Fiona moest lachen. 'We hebben wel enige vooruitgang geboekt sinds het tijdperk van het telraam, Tony. Tegenwoordig gaan die berekeningen allemaal vrij snel. Zelfs op een laptop in een hotelkamer.'

'Ik weet het, ja. Je moet het me maar niet kwalijk nemen. Ik vind het nog steeds een soort tovenarij.'

'Nou, ik voel me bepaald geen tovenaar. Ik denk niet dat dit de definitieve resultaten zijn, omdat we te maken hebben met een ander keuzemechanisme dan bij een misdadiger die een simpele overtreding begaat. De locaties van echte misdrijven zijn afhankelijk van de beschikbaarheid van slachtoffers. Zoals we allebei weten, hebben sommige misdadigers erg beperkte criteria voor hun misdaden. Een verkrachter houdt alleen van een bepaald type vrouw. Een inbreker breekt alleen maar in bij huizen op de begane grond...'

'Dat begrijp ik nog wel,' zei Tony. Hij wist dat het niet haar bedoeling was hem iets te leren wat hij allang wist, maar hij wou dat ze ter zake kwam. Hij had geen cursus nodig, maar een resultaat.

'Dus zijn keuze aan locaties is veel beperkter dan bij iemand die gewoon op zoek is naar een computer die voor iedereen toegankelijk is. Want die vind je overal. Ik neem aan dat zelfs jou dat is opgevallen.'

'Ik heb er zelfs gebruik van gemaakt, Fiona.'

'Jeetje, we krijgen je nog wel de twintigste eeuw in, Tony. Dus met het voorbehoud dat deze resultaten niet onderbouwd worden door het soort solide onderzoek dat het criminele geografische profielschetsen moet dragen, ben ik bereid te zeggen dat ik denk dat de persoon die gebruikmaakt van deze computers in South Manchester woont, vlak bij de M60. Ik heb een kaart met een rode zone die ik zo dadelijk naar je zal e-mailen. Dat is blijkbaar waar Didsbury, Withington en Chorlton aan elkaar grenzen. Wat dat demografisch ook mag betekenen.'

'Ze lezen er de *Guardian* en luisteren naar Radio 4. Ze doen hun boodschappen in de buurt en krijgen heimwee als ze aan het warenhuis van John Lewis denken.'

Fiona lachte spontaan. 'Dus niet bepaald een plek waar je een lustmoord verwacht, hè.'

'Nee, maar volgens mij heeft dit ook niets met seks te maken. Ik denk wel dat er nog meer mensen vermoord zullen worden, maar er is hier iets anders aan de hand waar ik mijn vinger niet op kan leggen. Ken je dat gevoel?'

'O, jazeker. Geen fijn gevoel. Hoe het ook zij, als ik nog iets voor je kan doen, bel je me maar.'

'Bedankt, Fiona. De volgende keer dat we elkaar zien, trakteer ik je op een lekker drankje. Ga jij naar die bijeenkomst van Europol volgende maand?'

Hij kwam er niet meer achter wat Fiona wilde gaan zeggen. Volkomen onverwacht ging de deur tegenover het bed met een zwaai open en de makelaar die hem de vorige dag had rondgeleid, wandelde naar binnen. Ze praatte over haar schouder met iemand achter haar. 'En ik denk dat u de grote slaapkamer ook prachtig zult vinden.' Toen draaide ze zich om en keek met open mond naar Tony, die krampachtig het dekbed tegen zijn borst klemde.

'Ik moet gaan, Fiona,' zei hij in de telefoon. Toen zette hij zijn beste glimlach op en zei: 'Ik weet dat dit een rare indruk maakt, maar ik kan het uitleggen.'

Toen pas begon de makelaar te gillen.

Bethany had het lef niet om Carol de toegang te weigeren, maar ze had duidelijk geen zin om Vanessa van haar komst op de hoogte te stellen. 'Ze heeft het erg druk,' zei de receptioniste. 'Ik betwijfel of ze u vandaag zonder afspraak zal kunnen inpassen. U bofte echt dat ze tijd voor u kon vrijmaken toen u hier laatst was,' kakelde ze.

Carol nam niet de moeite voor een charmeoffensief. Als deze vrouw al enige tijd voor Vanessa had gewerkt, zou angst wellicht een betere prikkel zijn dan een verlangen om het iedereen naar de zin te maken. 'Dit is een politiezaak,' zei ze. 'Zeg tegen mevrouw Hill dat ik hier ben in mijn hoedanigheid van commandant van het team dat cold cases weer onder de loep neemt.' Ze wendde zich af, waardoor Bethany geen andere keus had dan de telefoon te pakken.

'Het spijt me, Vanessa,' hoorde Carol haar op klagende toon zeggen. 'Die mevrouw van de politie is er weer. Ze zegt dat ze met u moet praten over een politiezaak. Iets over een cold case.' Het bleef lang stil. Toen was er het geluid van de telefoon die werd neergelegd. 'Ze is zo gauw mogelijk bij u,' zei Bethany op de sombere toon van een vrouw die weet dat ze geen kant op kan.

De minuten gingen voorbij. Carol keek op haar horloge en checkte haar telefoon en haar e-mail. Ze was op weg hierheen bij de teamkamer van de afdeling Noord langs geweest om instructies achter te laten voor de taken van die dag, en ze had de leden van haar team laten weten dat de ochtendvergadering om tien in plaats van om negen uur zou plaatsvinden. Maar ze stond nog steeds versteld van zichzelf dat ze zich hierin vast bleef bijten, terwijl ze midden in twee grote zaken zat, om nog maar te zwijgen over het onderzoek in het Wastwater.

Als Blake erachter kwam wat ze met haar tijd deed, terwijl ze eigenlijk alle touwtjes van het lopende onderzoek in handen moest hebben, zou hij meer dan genoeg munitie hebben om haar operatie te stoppen. Maar zelfs die wetenschap kon haar niet ontmoedigen. Het was net alsof ze de kracht miste om de rol te blijven spelen van de smeris die zijn baan boven alles stelde. Jarenlang had ze gedaan wat van haar werd gevraagd, en meer. Ze had haar leven in de waagschaal gesteld, ze had het risico gelopen te worden gedegradeerd of beschadigd en had op eigen kracht haar plaats in de frontlinie heroverd. Het was heel moeilijk geweest om terug te keren op het werk, maar toen ze eenmaal terug was, had ze niet geaarzeld om alle kansen te grijpen die op haar weg kwamen. Maar nu was ze helemaal van die koers af geraakt door de eisen die haar gevoelens voor Tony aan haar stelden. Omdat ze meer om hem gaf dan om de baan die haar leven zoveel betekenis had gegeven? Of omdat ze de kont tegen de krib wilde gooien, omdat ze het recht opeiste haar werk te doen op de manier die ze zelf wilde ondanks een baas die haar als een speelgoedmuis wilde controleren?

Wat het antwoord ook was, het zou moeten wachten tot een andere dag, want eindelijk was daar Vanessa Hill, die zichtbaar moeite had haar woede te bedwingen. De teen van haar hooggehakte schoen tikte een roffel op het tapijt. 'Ik dacht dat we klaar waren met elkaar,' zei ze; haar stem klonk laag en toch scherp.

Carol schudde haar hoofd. 'Ik ben pas klaar als ik de waarheid ken,' zei ze. 'En tot dusver kan ik niet zeggen dat u daar het patent op hebt.' Ze keek even naar Bethany. 'Ik neem aan dat u dit gesprek niet wilt voeren op een plaats waar het waarschijnlijk uiteindelijk als geroddel terechtkomt op het toilet.'

Vanessa nam haar ditmaal niet mee naar haar eigen kantoor, maar in plaats daarvan ging ze haar voor naar een kamertje dat uitkwam in de hal. Twee luxueus gestoffeerde leren sofa's stonden tegenover elkaar, met in het midden een granieten salontafel. Aan de muren hingen reproducties van de weelderige schilderijen van Gustav Klimt. Een kamer die was ingericht om indruk te maken, dacht Carol. Nou, daar trapte zij niet in.

Vanessa liet zich op een van de sofa's vallen. 'Ik dacht dat ik duidelijk had gezegd dat die bizarre speurtocht van jou me de keel uithangt,' zei ze op verveelde toon.

Carol vertikte het om zich te laten afleiden. 'Een onderdeel van mijn werk als commandant van het Team Zware Misdrijven is het onderzoeken van cold cases. Ik heb me over een oude zaak gebogen, namelijk een overval in Savile Park. Gaat u al een lichtje op?'

Vanessa verloor geen moment haar kalmte. 'Wat wil je?' zei ze.

'U was daar samen met uw verloofde, Edmund Arthur Blythe. Jullie hebben tegen de politie verteld dat jullie zijn aangesproken door een man die geld van Eddie eiste. Het is uit de hand gelopen en Eddie is neergestoken. Hij heeft bijna het loodje gelegd. En meteen daarop is Eddie weggegaan uit de stad.'

'Waarom kom je daar weer mee aanzetten?' De stem van Vanessa had iets dreigends. Carol herinnerde zich de regel uit de song van Bob Dylan over de vrouw die nooit struikelt omdat ze geen plek heeft om te vallen. Hoewel het bij Vanessa meer een kwestie was van nooit struikelen omdat ze weigerde toe te geven dat vallen tot de mogelijkheden behoorde.

'Omdat u er nooit iets over hebt gezegd. Tony verdient het te weten waarom zijn vader jullie beiden in de steek heeft gelaten. Als u me niet wilt vertellen wat er toen echt is gebeurd, ga ik deze zaak met frisse moed heropenen. Uw verklaring komt op mij weinig overtuigend over. Ik kan u verzekeren dat ik uw leven ondersteboven zal keren en ik zal een verklaring afgeven die erop neerkomt dat u zoveel jaren later heeft geprobeerd uw zoon een erfenis door de neus te boren. Dat is voldoende om een onderzoek te starten. Geloof me, Vanessa, ik kan net als jij keihard zijn en ik zal je met het grootste plezier blijven dwarszitten totdat ik een paar antwoorden heb gekregen.'

'Dit is pure pesterij. Ik zal zorgen dat je wordt ontslagen als je dat probeert.' Vanessa kon niet voorkomen dat ze woedend keek. Carol wist dat ze had gewonnen.

Carol haalde nonchalant haar schouders op. 'En hoe lang houdt die beschuldiging stand? Ik kan jou het leven heel lang zuur maken. Ik denk niet dat je dat wilt. Ik denk niet dat je wilt dat je naam door het slijk wordt gehaald. Of de naam van je bedrijf. Niet in een tijd dat de economie in het slop zit en de mensen elke cent omdraaien voordat ze erover denken die te besteden aan het werven en opleiden van nieuwe mensen.'

'Zie je wel. Hij had je meteen aan de haak moeten slaan,' zei Vanessa. 'Dat miezerige mannetje. Precies zijn vader.' Zij sloeg haar benen en haar armen over elkaar en keek Carol woedend aan. 'Wat wil je dan weten?'

'Ik wil weten wat er die avond is gebeurd, waardoor Eddie ervandoor is gegaan. En ik wil weten waarom je hier nooit met Tony over hebt gepraat.'

Vanessa wierp Carol een harde, berekenende blik toe. 'Hoe zou jij het vinden als de man met wie je zou gaan trouwen een lafaard zonder ruggengraat bleek te zijn? Meteen toen dat joch met zijn mes op de proppen kwam, deed Eddie het bijna in zijn broek. Hij bood hem zijn portemonnee aan en smeekte hem om ons alsjeblieft niets te doen. Hij stond erbij te janken. Ongelooflijk, toch? De tranen stroomden hem over zijn wangen en het snot liep hem uit de neus als bij een kleine jongen. Hij was gewoon zielig. En die klootzak vond het prachtig. Hij lachte Eddie uit.' Ze zweeg even. Haar linkervoet wipte op en neer op een inwendig persoonlijk ritme en het glimmende leer ving het licht op. 'Hij wilde mijn sieraden hebben. Mijn verlovingsring, een gouden armband die Eddie me had gegeven. Dus heb ik hem tegen zijn schenen geschopt. Toen is hij Eddie te lijf gegaan. Hij heeft hem neergestoken en heeft toen de benen genomen.'

'Heeft u zichzelf verwijten gemaakt over wat er is gebeurd?' vroeg Carol, die het antwoord eigenlijk al wel wist.

'Mezelf iets verwijten? Ík was niet degene die heeft gebeden en gesmeekt om ons niets te doen. Ik heb me verzet en Eddie had dat ook moeten doen. Hij was laf en die overvaller wist dat. Hij had het niet op mij gemunt, omdat hij wist dat ik dat niet zou pikken. Het enige wat ik mezelf kwalijk neem is dat ik niet in de gaten had wat voor verdomde slapjanus Eddie was.' De minachting droop van haar woorden als bloed van het mes van de slager.

'Waarom heeft Eddie zijn bedrijf verkocht en is hij ergens anders heen gegaan?'

'Hij schaamde zich dood. Dankzij de krant wist iedereen dat hij tegenover zichzelf was afgegaan. En tegenover mij. Hij was een mikpunt van spot. De succesvolle zakenman die het onderspit moest delven tegenover een straatrover laat op de avond. Hij kon de schande niet aan. En ik had het ondertussen al uitgemaakt, dus er was niets meer wat hem aan deze plek bond.'

'Hebt u het uitgemaakt? Toen hij in het ziekenhuis lag?'

Vanessa keek alsof het haar niet aan ging. 'Waarom zou ik moeten wachten? Hij was niet de man die ik dacht dat hij was. Zo zat dat.'

Haar meedogenloze egoïsme was adembenemend, dacht Carol. Ze kon zich niet voorstellen dat de eigendunk van Vanessa een deuk kon oplopen. Het was een wonder dat Tony het zo goed had overleefd. 'Er is nooit iemand voor gearresteerd,' zei Carol.

'Nee, dat zootje van jullie was toen al even waardeloos als nu. Om je de waarheid te zeggen dacht ik niet dat het ze echt interesseerde. Als hij had geprobeerd mij te verkrachten, hadden ze misschien nog wat belangstelling kunnen opbrengen. Maar in hun ogen was Eddie gewoon een zielige rijke klootzak die niet voor zichzelf kon opkomen en die zijn verdiende loon kreeg.'

Carol kon dit nauwelijks geloven. Destijds, in de minder gewelddadige jaren zestig, zou de politie een dergelijke overval serieus hebben genomen, zelfs als je rekening hield met een zogenaamde kloof tussen de klassen. En dat strookte weer niet met het verhaal van Alan Miles over Eddie, de gewone jongen uit de buurt die het gemaakt had. Maar de versie van Vanessa gaf Carol een stok om haar mee te slaan, en ze kon de verleiding dan ook niet weerstaan. 'U hebt hun ook geen signalement gegeven waar ze iets mee konden doen.'

Vanessa trok haar wenkbrauwen op. 'Het was donker. En hij bleef niet rondhangen. Hij had een accent uit de buurt. Jij zou toch bij uitstek moeten weten hoe weinig getuigen zien als ze worden aangevallen.'

Daar had ze gelijk in. Slimme types als Vanessa hadden meestal gelijk. 'Dus waarom heb je Tony nooit de waarheid verteld? Waarom heb je hem in de waan gelaten dat Eddies vertrek iets met hem te maken had?'

'Ik heb niet in de hand wat mijn zoon wenst te geloven,' zei Vanessa smalend.

'Je had hem het volledige verhaal kunnen vertellen.'

Een kille, kwaadaardige glimlach tilde haar mondhoeken op. 'Ik beschermde hem tegen de waarheid. Ik wilde niet dat hij wist wat voor zielenpoot zijn vader was. In de eerste plaats omdat hij niet tegen een jochie op kon dat waarschijnlijk net zo bang was als hij. En in de tweede plaats omdat hij zich zoveel aantrok van wat de mensen over hem dachten dat hij liever wegliep dan dat hij de feiten onder ogen zag. Denk je dat Tony er iets mee was opgeschoten als hij wist dat zijn vader een enorme lafbek was? Dat hij in de steek was gelaten door een man waarbij vergeleken de leeuw in *The Wizard of Oz* een enorme held was?'

'Ik denk dat het beter was geweest dan opgroeien met de gedachte dat zijn vader was weggelopen omdat hij niets met zijn kind te maken wilde hebben. Heeft Eddie nooit belangstelling getoond voor het feit dat hij een zoon had?'

Vanessa ademde zwaar door haar neus. 'Ik wist niet dat hij het wist. Hij had het zeker niet van mij. Ik heb geen idee hoe hij erachter is gekomen.'

Carol kon een blik van verbazing niet inhouden. 'Heb je het hem nooit verteld? Wist hij niet dat je zwanger was?'

'Op het moment van de overval was ik nog maar drie maanden heen. Je kon nog niets zien. In die tijd riep je nog niet van de daken dat je een kind verwachtte. En dat was maar goed ook, bleek achteraf. Hij zou me naar het altaar hebben gesleept en dan had ik opgescheept gezeten hebben met dat miezerige stuk vreten. Dan had ik dit allemaal nooit gehad,' voegde ze er met absolute overtuiging aan toe, terwijl ze met haar arm trots naar de omringende kantoorruimtes wees. 'Eddie heeft ons een dienst bewezen toen hij ervandoor ging.'

Hier, dacht Carol, had ze te maken met eigendunk die overhelde naar zelfbedrog. 'Vind je niet dat hij er recht op had om zijn zoon te kennen?'

'Je krijgt wat je neemt in deze wereld. Recht hebben op heeft daar geen ene reet mee te maken.' Met die grove uitlating stond Vanessa op. 'Ditmaal zijn we echt uitgepraat. Ik heb je niets meer te zeggen. Je kunt het aan Tony vertellen of niet. Mij interesseert het niet.' Ze trok de deur met een zwaai open. 'Jij kunt wel iets beters krijgen, weet je dat?'

Carol keek haar recht aan en glimlachte. 'Ik heb bijna medelijden met je. Je hebt geen idee wat je mist.'

22

Vrijdag was de beste dag van de week voor Pippa Thomas. Sinds ze haar werkweek in de tandartspraktijk had teruggebracht tot vier dagen had ze wat ruimte in haar leven gecreëerd voor zichzelf. Een hele dag dat ze niet hoefde te pulken, priemen, boren en vullen om de glimlach van andere mensen te verfraaien. Een hele dag dat Huw op zijn werk zat en de kinderen naar school waren en zij vrij had. Ze vond het heerlijk.

Maar het meest van alles hield ze van de Vrijdagmorgenclub. Ze waren met z'n vijven. Monica die 's middags en 's avonds op het bureau Burgerzaken werkte; Pam die voor haar demente moeder zorgde en die haar beperkte hoeveelheid vrije tijd besteedde aan een vrije vrijdagmorgen; Denise die elke dag ergens ging lunchen behalve op vrijdag; Aoife die achter de kassa zat van het Bradfield Royal Theatre. Weer of geen weer, ze ontmoetten elkaar op de parkeerplaats van de herberg Shining Hour, hoog op de met heide bedekte heuvels tussen Bradfield en Rochdale. En dan renden ze, weer of geen weer, een kilometer of vijftien hard over een stuk grond dat tot de ruigste streken van het noorden van Engeland behoorde. Ze hadden elkaar ontmoet op een zondag in Grattan Park, tijdens de 'Pleziersponsorloop voor Borstkanker'. 'Over tegenstrijdig gesproken,' had Denise gemompeld, toen ze met z'n vijven tevergeefs hadden gezocht naar een wc die niet op slot zat. 'Plezier en kanker. Kan niet beter.' Uiteindelijk hadden ze beurtelings voor elkaar op de uitkijk gestaan toen ze in de rododendrons hurkten om hun middelbare blazen te legen voordat ze konden gaan hardlopen. Aan het eind van de middag was de Vrijdagmorgenclub geboren.

Deze vrijdag was een helderblauwe dag met een noordoostenwind die snijdend koud over de vlakten van de Pennines blies. Pippa had haar armen om zich heen geslagen onder haar dunne topje. Zo dadelijk zou ze dat uitzinnige geluksgevoel hebben als haar lijf zich vrij kon bewegen door dit verbluffend mooie landschap. Zodra ze op weg waren, nam Pippa altijd meteen de leiding. Denise liep schuin achter haar en ze wisselden een paar zinnen om bij te praten. Maar algauw hadden ze al hun adem nodig om hun spieren te voorzien van zuurstof voor de lange langzame klim naar de top van de Bickerslow.

Met haar blik op de grond voelde Pippa haar beenspieren rekken en opzwellen, terwijl haar benen haar naar boven droegen. Geen tijd voor het uitzicht nu. Ze was helemaal geconcentreerd op het bereiken van de steenhoop waar ze altijd naar het westen afsloegen en waar ze werden afgeschermd door de flank van de heuvel op het stuk van het pad dat verhard was en dat een korte onderbreking vormde in het ruwe terrein. Ze waren nog maar net op de smalle weg die bijna onzichtbaar over de top van de heuvel voerde, toen Pippa plotseling bleef staan. Denise botste tegen haar op waardoor ze allebei hun evenwicht verloren en vielen. 'Wat doe jij nou?' wilde Denise weten.

Pippa zei niets. Ze wees alleen maar naar de doorweekte bundel die in de greppel naast de weg lag. Ondanks de zak die over de ene kant van de smerige doek was heen getrokken, ging het onmiskenbaar om menselijke resten.

Vrijdag zou nooit meer hetzelfde zijn.

Paula schonk zichzelf een beker in van de koffie die iemand al had gezet en installeerde zich achter haar bureau. Hoewel het pas halftien was en de chef de ochtendbijeenkomst verplaatst had naar tien uur, was het team al aanwezig. Tenminste, ze dacht dat Stacey er was. De enorme batterij schermen was zo effectief dat ze praktisch onzichtbaar was. Maar het zwakke getik en geklik van de muis en de toetsen verrieden haar aanwezigheid. Zoals gewoonlijk. Paula vroeg zich wel eens af of Stacey ooit naar huis ging. En of ze überhaupt wel een huis had om naartoe te gaan. Paula had nog nooit met iemand gewerkt die zo terughoudend was als Stacey. Op de een of andere manier was ze al eens bij iedereen in het team thuis geweest, behalve bij haar. Het was niet dat ze onvriendelijk was. Ze kwam gewoon van een andere planeet. Hoewel, dacht Paula, ze de laatste tijd tekenen had gezien dat Stacey een beetje ontdooide als het Sam betrof. Niks opvallends. Gewoon dat ze af en toe een kop thee zette en zonder te vragen kwam aanzetten met informatie waar hij was en wat hij deed. En dat deed ze nooit bij iemand anders.

Paula bedacht dat er die morgen belangrijker dingen waren om over na te denken dan het privéleven van haar collega's. Elk politiebureau waar ze had gewerkt was een roddelcircuit geweest. Het was net alsof ze de onaangename aspecten van het merendeel van hun werk moesten compenseren met een obsessieve nieuwsgierigheid naar de mogelijke geheimen van alle anderen op het werk. Oververhitte fantasieën kregen vrij spel, misschien wel omdat ze zich in hun beroepsleven zo rigide aan de feiten moesten houden.

Ze schakelde haar computer in, maar voordat ze kon kijken of ze die nacht nog een stukje verder waren gekomen, kwam Sam Evans, die net terug was uit het Lake District, bij haar op het puntje van haar bureau zitten. Hij zat net iets te dichtbij, zo dichtbij dat ze het als onprettig had kunnen ervaren. Het was iets wat mannen onbewust deden om vrouwen te kleineren, dacht ze. Om ons op het verkeerde been te zetten.

Maar als Sam het deed, trok ze zich er niets van aan. Hij was een van de weinige mannen die zich volledig op hun gemak voelden in de aanwezigheid van lesbiennes. Er ging geen enkele dreiging uit van zijn nabijheid. Als Paula eerlijk was, mocht ze Sam wel. Ze wist dat hij ongegeneerd eerzuchtig was, altijd uit op persoonlijk gewin. Wat ze wel amusant vond was dat hij dacht dat niemand behalve de chef hem doorhad. En als je iemands zwakheden kende, kon je die ook gemakkelijk ontwijken. Ze hield van Sams snelle intelligentie. En vreemd genoeg hield ze er ook van hoe hij rook. Zijn eau de toilette was kruidig, met een tikje limoen, maar de mannelijkheid van zijn eigen lichaamsgeur werd er niet helemaal door geneutraliseerd. Meestal werd Paula aangenaam verrast door de geur van bepaalde vrouwen, maar Sam vormde een zeldzame uitzondering en ze wist dat ze daardoor gevoeliger was voor zijn charme.

'Zo,' zei hij. 'Bijeenkomst om tien uur terwijl we midden in een moordzaak met veel media-aandacht zitten. Wat is er aan de hand met de chef?'

Paula trok een vragend gezicht. 'Geen idee. Ik ging ervan uit dat ze de mensen in de teamkamer van de afdeling Noord bij moest praten over Daniel Morrison en dat ze op het hoofdbureau was voor de zoektocht naar Seth Viner.'

Sam schudde zijn hoofd. 'Ze was om halfnegen bij Noord. Heeft daar de taken van vandaag doorgenomen en was om tien voor negen alweer verdwenen. Mijn spionnen vertellen me dat ze nog niet op het hoofdbureau is op komen dagen.'

Kevin luisterde ongegeneerd mee. 'En gistermorgen was ze ook al spoorloos. Toen jij van de plaats delict hierheen belde, was ze er niet.' Hij vulde zijn kop koffie nog eens bij en kwam toen bij Paula en Sam staan.

'Waar was ze dan?' vroeg Paula.

'Weet ik niet. Maar ze heeft er flink lang over gedaan. Dus ze was niet ergens hier in de buurt.'

'En was ze er gisteravond ook niet?' vroeg Sam.

'Jawel,' zei Paula. 'Toen ik haar een sms'je stuurde over de hartaanval van Jessica Morrison was ze daar bijna meteen.'

'Daarvóór, bedoel ik. Ik ben teruggekomen hiernaartoe in de veronderstelling dat ze er zou zijn. Ik heb nieuws en ik wilde met haar praten, maar ze was er niet. Stacey zei dat ze er even is geweest, maar dat ze meteen weer weg was. Waarheen heeft ze niet gezegd.' Sam sloeg zijn armen over elkaar alsof hij iets vertrouwelijks te vertellen had en zei: 'Denk je dat het om de lie-iefde gaat? Denk je dat zij en Tony eindelijk in de gaten hebben wat alle anderen al jaren weten?'

Paula snoof minachtend. 'Doe niet zo raar. Met die twee wordt het nooit iets. Hij zou het helemaal dood analyseren. Hij zou zijn hele smartboard vol met grafieken kladderen.'

'Ik weet het niet,' zei Kevin. 'Ze kan heel intimiderend zijn. Heel dominant. Als iemand Tony de mond kan snoeren over al zijn afwijkingen en kan laten opletten, dan is het de chef wel.'

'Misschien is dat de echte reden waarom hij niet aan deze zaak werkt,' zei Sam. 'Misschien heeft het niets met budgetten te maken. Je weet hoe ze is. Ze zou niet willen hebben dat hij met ons samenwerkte als ze het in hun vrije tijd met elkaar deden. Dat zou volgens haar niet samengaan. En ze zou het de kop indrukken. Ze stelt haar eigen wetten als het aankomt op het leiden van een zaak, maar als het om de discipline binnen ons team gaat, wil ze dat we allemaal netjes in de pas lopen.'

'Je hoeft mij niets te vertellen,' mompelde Kevin. Jaren geleden had Carol er mede voor gezorgd dat hij uit de gratie raakte en werd gedegradeerd. Dat ze ook achter zijn rehabilitatie had gezeten, gaf hem het gevoel dat hij altijd bij haar in het krijt zou blijven staan. Hij had erg zijn best gedaan om haar aardig te vinden, maar dat was hem nooit echt goed gelukt. 'Als het daarom gaat, had ze er geen slechter tijdstip voor kunnen uitkiezen. Nu Blake het op ons gemunt heeft, hebben we alle hulp nodig die we kunnen krijgen. Ik weet dat ik vroeger wel eens dacht dat Tony een grote mafkees was en dat hij niet in ons team thuishoorde. Maar nu denk ik er anders over. En ik denk dat we hem nu nodig hebben.'

Tijdens zijn woorden ging Sam rechtovereind zitten, schraapte zijn keel en zei op luide toon: 'Morgen, mevrouw.'

Carol stormde naar binnen; haar jas wapperde achter haar aan terwijl ze met grote passen naar de vergadertafel liep. Hoeveel had ze gehoord? vroeg Paula zich af. 'Ik ben het volkomen met je eens, Kevin,' zei Carol. Ze liet haar tassen en jas op de vloer naast haar stoel vallen. 'Maar meneer Blake zegt dat we moeten bezuinigen. Dus als we een deskundige nodig hebben, moet dat voor een prikkie. Blijkbaar zitten er op de politieacademie een paar babyprofielschetsers die ze wat praktijkervaring willen laten opdoen. Halleluja, zullen we maar zeggen.' Ze keek hen allemaal om beurten aan en grijnsde samenzweerderig. 'Is er soms ook koffie in dit godverlaten oord?'

Vijf minuten later zaten ze allemaal op hun gebruikelijke plaatsen. Paula vroeg zich onwillekeurig af of Sam gelijk had. Of misschien half gelijk. Misschien was er wel een man in Carols leven. Alleen niet Tony. Eentje die blijkbaar haar strijdlust aanwakkerde, als je tenminste uit moest gaan van haar energie die morgen. Ze luisterde naar alle verslagen, haalde de belangrijkste elementen eruit en stelde nieuwe manieren voor om de zaak aan te pakken. Maar toen ze klaar waren met hun verhalen was het duidelijk dat er van enige vooruitgang in de moordzaak van Daniel geen sprake was, en bij de verdwijning van Seth Viner was het niet veel beter.

Kevin was ingegaan op het verhaal van Asif Khan over de comedy-producer die op zoek was naar jong talent. Hij had gesproken met redactiemedewerkers bij de BBC in Manchester, Glasgow, Londen en Cardiff, maar niemand had ooit iets gehoord dat ook maar in de verste verte leek op een dergelijke vacature. En er stond ook niets op stapel dat enigszins overeenkwam met het verhaal dat

Daniel aan zijn vriend had verteld. 'Dus dat loopt dood.' Hij duwde zijn aantekenboekje van zich af. 'Eerlijk gezegd had ik er ook niet veel fiducie in, maar je moet alles checken.'

'Dat is ook zo,' beaamde Carol. 'En wij zijn daar heel grondig in.'

Paula stak haar hand een paar centimeter omhoog. 'Even voor de duidelijkheid, chef. Gaan we er nu van uit dat deze twee zaken met elkaar in verband staan? Daniel en Seth?'

Carol knikte. 'Een goede vraag, Paula. Ik denk inderdaad dat we zeer waarschijnlijk te maken hebben met één dader. Maar we moeten in dit stadium voorzichtig zijn. Want toeval bestaat echt. En na-apers ook.'

'Maar volgens dat vriendinnetje van Seth met wie ik heb gepraat, zit die JJ al tijden online achter Seth aan. Dan is er toch geen sprake van een na-aper?' zei Paula.

'Dat zijn een heleboel veronderstellingen,' zei Sam, die verbazend goed op de hoogte was voor een man die dagenlang bijna tweehonderd kilometer verderop had gezeten. Wat is die fanatiek, dacht Paula een tikkeltje afgunstig. 'Nu veronderstel je dat Seth is ontvoerd, niet dat hij is ondergedoken om een reden die niemand kent of waar niemand uitlatingen over doet. En je veronderstelt ook dat als hij is ontvoerd, dat is gebeurd door de persoon met wie hij online contact heeft gehad, namelijk die JJ. Die gewoon een hele brave persoon kan zijn.' Hij stak zijn hand op om hun luidkeelse protesten in de kiem te smoren. 'Dat zou kunnen. Het is mogelijk. Ik ben het gewoon eens met de chef. We moeten proberen objectief te blijven. En het zou ook nog een opportunistische na-aper kunnen zijn.'

'Nee, dat kan niet,' zei Kevin. 'Seth werd al vermist voordat we het lichaam van Daniel vonden.'

'We hadden de media al op de hoogte gebracht van het feit dat Daniel vermist werd,' bracht Stacey naar voren. 'Het is mogelijk.'

Paula zag hoe Carol haar ogen met haar hand bedekte en wou dat ze haar mond had gehouden. 'Daar zit wat in,' zei ze vlug.

Carol keek op en lachte even naar haar. 'Jullie zitten er vanmorgen wel erg bovenop,' zei ze.

'Dat komt door jou, chef,' zei Kevin. 'Maar hoe gaan we nu verder?'

'Laten we eerst eens horen wat Stacey te zeggen heeft,' zei Carol.

Stacey vergastte hen allemaal op een keurig nette glimlach. 'Ik heb niet veel succes gehad met software die gespecialiseerd is in het herkennen van gezichten en de bewakingscamera's in de stad. Ze hebben een te lage resolutie en ze staan bereslecht opgesteld, eerlijk gezegd.'

'Ik vraag me wel eens af waarom we ons druk maken over al die bewaking,' zei Carol. 'Telkens als we het nodig hebben, negen van de tien keer, hebben we er net zoveel aan als aan een theepot van chocola.'

'Als Stacey het voor het zeggen had, zouden we geen van allen meer een geheim hebben,' zei Sam.

Stacey keek verbaasd en blij over wat zij beschouwde als een compliment. 'De camera's zouden het dan veel beter doen, dat kan ik jullie wel vertellen,' zei ze. 'Wat die andere dingen betreft, Rig-Marole leek een goede plek om te beginnen. Ik heb toegang tot de computer van Seth en er staan een heleboel gesprekken met die JJ op. Zo op het oog is het allemaal vrij onschuldig en lijkt het erg op bakkenvol met ander geklets op internet. Maar hij probeert Seth wel degelijk naar zich toe te lokken. En het interessante is dat zijn persoonlijke pagina's op Rig zijn verdwenen. Ze zijn afgesloten op de middag dat Seth verdwenen is. Wat de veronderstelling van Paula een stuk aannemelijker maakt, vrees ik.'

'Ben je nog wat meer te weten gekomen over die JJ?' vroeg Carol.

'Ik heb gisteren contact met RigMarole gehad. Ze zeggen dat ze geen zeggenschap hebben over de gegevens die individuen op hun persoonlijke pagina's zetten. Ze zeggen dat ze er ook niet bij kunnen komen. Ze zeggen dat we een zoekbevel moeten hebben en dat is dan nog geen garantie dat we toegang hebben tot wat dan ook op hun server.'

'Klootzakken,' zei Kevin.

'Dus ben ik toch naar binnen gegaan.'

Carol sloeg haar ogen ten hemel. 'Ik wou dat je me dit soort dingen niet vertelde, Stacey.'

'Ik moet het je vertellen, anders kun je geen onderscheid maken tussen wat als bewijs kan gelden en wat dingen zijn die we niet geacht worden te weten.' Staceys logica klonk niet onzinnig, dacht Paula. Jammer dat Carol keek alsof ze er niet goed van werd.

'Wat heb je ontdekt dat ik eigenlijk niet mag weten?' vroeg Carol. Ze zag er met de minuut minder energiek uit.

'Alle persoonlijke gegevens die JJ heeft gebruikt om een account te openen slaan nergens op. Niets klopt. En hij heeft gebruikgemaakt van een popmailaccount, waarvoor je geen identificatie nodig hebt als je er eentje wilt openen. Dus in wezen hebben we te maken met een stroman.'

'Dit loopt dus ook dood,' zei Paula. 'Dat is een slimme klojo, die kerel.'

'Mogelijk slimmer dan goed voor hem is,' zei Stacey. 'Maar er is wel iets vreemds. Jullie weten toch allemaal wie Alan Turing is, hè? Die vent die de Enigma-code heeft gekraakt en die eigenlijk de moderne computer heeft uitgevonden?'

'En die zichzelf van kant heeft gemaakt omdat hij de schande niet aankon vervolgd te worden vanwege het feit dat hij homo was,' zei Paula. 'Voor het geval jullie dat vergeten waren.'

Kevin kreunde. 'Zelfs de chef werkte toen nog niet bij de politie, Paula. Wat is er met Alan Turing, Stacey?'

'Er is een beroemde foto van hem als jongeman, een student nog denk ik, als hij meedoet aan een atletiekwedstrijd. Hoe dan ook, JJ heeft zijn hoofd uit de foto geknipt, heeft die een beetje bijgewerkt en hem toen gebruikt als zijn foto op zijn persoonlijke pagina. Ik weet niet precies wat dat ons vertelt, maar hij heeft dat niet zomaar gedaan, hè?'

Nu hebben we Tony nodig, dacht Paula. Ze waren wel in staat om te raden en om hypotheses te opperen, maar ze konden die niet tegen elkaar afwegen. 'Moeten we daaruit dus concluderen dat JJ homo is?' vroeg ze.

'Of een computerfreak,' zei Sam. 'Wat jij, Stacey?'

'Nou, Turing is wel een soort held voor computerfreaks,' zei ze. 'Maar het zou ook best een afleidingsmanoeuvre kunnen zijn. Als hij zo slim is.'

'Zijn we nog wat opgeschoten met Daniel?' vroeg Carol. 'Ik weet dat we zijn netbook niet hebben, maar ik vroeg me af of je toegang tot zijn e-mailaccount hebt kunnen krijgen?'

Stacey keek een beetje beschaamd. 'Tja, toen ik wat zat te rommelen achter de schermen bij Rig, dacht ik dat ik wel een kijkje kon nemen in het account van Daniel.'

Carol deed heel even haar ogen dicht. 'Natuurlijk heb je dat gedaan. En wat heb je gevonden?'

'De persoon die in een privéchatruimte met hem heeft zitten praten over het comedycircuit noemt zichzelf KK.'

'O shit,' klonk het zachtjes.

'En de pagina's van KK zijn weggehaald op de middag dat Daniel is verdwenen. Hij heeft gebruikgemaakt van een andere foto van Turing met een gefotoshopt kapsel, zodat hij er niet zo jaren veertig uitziet. Sorry dat ik je ballon door moet prikken, Sam, maar ik denk niet dat er enige ruimte voor twijfel is. In beide zaken zoeken we dezelfde persoon.'

Ze zagen er allemaal even wanhopig uit. 'Het is niet erg waarschijnlijk dat Seth nog leeft, hè?' Het was Paula die verwoordde wat ze allemaal dachten.

'We moeten nog steeds alles doen, alsof hij nog wél leeft,' zei Carol gedecideerd. 'Maar als er één ding is dat we weten uit ervaringen in het verleden is het wel dat een dergelijke moordenaar niet ophoudt bij twee. Sam, mag ik uit het feit dat je terug bent concluderen dat er in het Wastwater niet veel beweging in de zaak zit?'

Sam keek tevreden nu de aandacht weer op hem was gericht. 'Hm, nee. Eigenlijk het tegenovergestelde. Maar ik dacht dat je liever rechtstreeks van mij zou willen horen wat er is gebeurd. Bovendien kan ik datgene wat ik moet doen veel beter van hieruit doen.'

Carol keek hem doordringend aan. Hij staat op het punt om haar gezag te ondermijnen en ik weet niet zeker of hij zich daarvan bewust is, dacht Paula. Ze ging achteruitzitten en wachtte af of Sam zich eruit zou redden of niet. 'Wat is er gebeurd?' vroeg Carol op een toon waaruit alle warmte verdwenen was.

'Het soort resultaat waar je niet omheen kunt,' zei hij. 'Gisteren in de namiddag hebben duikers een in plastic verpakte bundel uit het Wastwater gehaald, precies op een van de plaatsen die door Stacey zijn aangewezen.' Hij zweeg en keek stralend om zich heen.

'Betekent dat dat we een slachtoffer hebben?' vroeg Carol weinig aanmoedigend, waarmee ze maar wilde zeggen dat de vondst van een slachtoffer nooit reden tot feestvieren kon zijn.

Het besef dat hij helemaal de foute toon had aangeslagen, begon blijkbaar bij Sam te dagen. Hij bracht zijn gezicht in de plooi en schraapte zijn keel. 'Meer dan één slachtoffer, vrees ik.'

‘Moeder en dochter zeker?’ vroeg Carol.
‘Ja. Ze hebben inderdaad de stoffelijke resten gevonden van een heel jong kind. Maar...’ Hij kon er niets aan doen. Hij moest gewoon even pauzeren voor een dramatisch effect.
‘Maar?’ Carol begon nu pas echt boos te worden.
‘Maar dat is nog niet alles. Er was nog een derde stoffelijk overschot. Als het gaat om Danuta Barnes en haar dochter, dan is er nog een persoon daar bij hen op de bodem. En dat is waarschijnlijk een man.’

23

Tony staarde naar zijn schoenen, met opgetrokken schouders alsof hij een pak slaag wilde afweren. 'Bedankt, Alvin,' mompelde hij als de eerste de beste dorpsidioot die nog net in een hoekje mag zitten. 'Aardig dat je hierheen bent gekomen om te zeggen wie ik ben.'

Ambrose had een blik op zijn gezicht die boze walging uitstraalde. 'Ik heb mijn nek uitgestoken om de inspecteur zover te krijgen dat hij je hulp inriep. En nu dit? Dit gaat de geschiedenisboeken in. En niet op een positieve manier. Nu kom ik over als een enorme idioot dat ik jou heb voorgesteld. Dit zal als een lopend vuurtje door het hele korps gaan. "Alvin Ambrose, de onbenul die een profielschetser inhuurde die werd gearresteerd omdat hij heeft ingebroken in zijn eigen huis." Bedankt, doc.'

'Ik meen het, het spijt me echt.'

'Waarom heb je me niet gewoon over je vader verteld?'

Tony zuchtte. 'Hij was mijn vader niet. Dat is eigenlijk het probleem.' Het ergste was nog dat hij aan Ambrose moest uitleggen hoe het zat. Hij had zijn hele leven al muren opgeworpen tegen de wereld, hij had de dingen waarvan hij niet wilde dat anderen er weet van hadden voor zichzelf gehouden. En het enige wat nodig was om de muren te laten instorten was één krankzinnige actie. Zo voelden zijn patiënten zich vast ook.

Je had over de situatie wel een komische act kunnen schrijven, hoewel het eigenlijk helemaal niet grappig was geweest. Het gegil van de makelaar had Tony tot actie aangespoord en hij was in zijn boxershort uit bed gesprongen om zijn kleren te pakken. Helaas had het ook de mensen die het huis kwamen bekijken tot actie doen overgaan. Zij hadden de tegenwoordigheid van geest gehad om de politie te bellen met het bericht dat er een indringer was.

De politie was verbluffend snel ter plaatse geweest. Tony was nog maar nauwelijks aangekleed en de makelaar was nog steeds helemaal van slag. De kijkers stonden bij haar aan de andere kant van de deur en weigerden hem eruit te laten. Tevergeefs had hij geprobeerd uit te leggen dat hij alle recht van de wereld had om in het huis te zijn. Het feit dat hij in het bezit was van sleutels maakte geen enkele indruk op de agenten. Wat ze wél belangrijk vonden was het verhaal van de makelaar dat hij de dag ervoor als potentiële koper het huis had bezichtigd en dat hij nu beweerde dat hij er woonde. Hij moest toegeven dat hij haar ook zou geloven. Hij zou ook hebben gedacht dat die idioot in de slaapkamer absoluut moest worden meegenomen naar het bureau, zodat hij kon worden opgesloten of zijn verhaal kon worden gestaafd. Of niet, zoals ze eigenlijk verwachtten.

Toen ze eenmaal op het politiebureau waren, was het allemaal heel snel opgehelderd. Een telefoontje naar zijn advocaat en een ander telefoontje naar brigadier Ambrose hadden de hele zaak rechtgezet. Hij werd vrijgelaten met een niet mis te verstane waarschuwing dat als hij nog eens in een huis dat te koop stond wilde overnachten, hij dat van tevoren bij de makelaar moest melden. Toen hij naar buiten kwam, boetvaardig en beschaamd, had Ambrose op hem staan wachten, met een gezicht dat beduidend minder vriendelijk stond dan het tot dan toe had gestaan.

'Wat bedoel je, hij was je vader niet?' vroeg Ambrose verontwaardigd toen ze wegreden.

'Ik heb hem nooit gekend. Ik wist niet eens hoe hij heette totdat hij doodging en mij zijn huis naliet.'

Ambrose liet een langgerekte fluittoon horen. 'Daar word je inderdaad wel een beetje gestoord van.'

Vooral als je van tevoren ook al aardig gestoord was. 'Dat kun je wel zeggen, ja.'

'Dus toen je deze klus kreeg aangeboden, dacht je vast dat je van de andere kant van het graf een boodschap kreeg om te komen kijken waar hij woonde, hè?'

'Zo zou ik het niet willen stellen. Meer dat het een kans was die ik niet kon negeren. Het spijt me. Ik had het je moeten vertellen. Ik had gewoon niet verwacht dat het huis me zo bij de strot zou grijpen. *Meer dat het me wezensvreemd zou zijn en afstandelijk, onaantastbaar.* In plaats daarvan was het net een soort van thuiskomen geweest en daardoor had hij zich zo merkwaardig gevoeld dat hij nu even afstand wilde nemen van dat gevoel.

'Maar de inspecteur zal niet staan te juichen als hij hierover hoort. Hij denkt toch al dat je niet helemaal normaal bent.'

'Een verstandige man, jouw inspecteur Patterson. Maar misschien wordt hij weer wat blijer als je hem vertelt dat ik wel een paar ideeën heb over jullie moordenaar.'

Ambrose keek even naar opzij voor een snelle taxerende blik. 'Geweldig. Hoe pak je dit gewoonlijk aan?'

Tony glimlachte opgelucht. Het feit dat Ambrose erin geïnteresseerd was hoe een profielschetser te werk ging, gaf aan dat hij had besloten hem te vergeven. En daar Tony geen boeiender onderwerp kende dan wat hij beroepsmatig deed en hoe hij dat deed, was er ruimschoots gelegenheid om de nieuwsgierigheid van Ambrose te bevredigen. Hij was nu niet meer te houden. 'Ik denk dat het uit twee aspecten bestaat. Het eerste is een soort omgekeerde logica – in plaats van te redeneren van oorzaak naar gevolg doe ik het andersom. Ik begin bij de slachtoffers. Ik probeer me een beeld van hen te vormen. Wie ze zijn en wat er in hun leven is dat hen aantrekkelijk zou kunnen maken voor iemand die op zoek is naar een prooi. Dan kijk ik naar wat er van het slachtoffer is weggenomen. Uiteraard hun leven. Maar ook andere aspecten. Hun persoonlijkheid. Hun sekse. Hun kracht. Dergelijke dingen. En ten slotte kijk ik naar wat hun is aangedaan. Wat de moordenaar daadwerkelijk gedaan heeft en de volgorde waarin. En wanneer ik dat allemaal tot me heb laten doordringen, begin ik achteruit te redeneren. Ik stel mezelf vragen. Stel dat ik de moordenaar ben, wat levert me dit dan op? Wat betekenen deze daden voor me? Waar ligt mijn winst? Waarom is het belangrijk voor me dat ik deze dingen doe in deze speciale volgorde? Dan ga ik verder terug. Wat is er in het verleden met me gebeurd waardoor dit zoveel betekenis voor me heeft? En als ik eenmaal zover ben, dan ben ik hopelijk al een flink eind op weg om uit te vissen wat er omgaat in het hoofd van de moordenaar.' Met zijn handen tekende hij krullen in de lucht, een fysieke afspiegeling van alle kronkels en bochten van zijn denkpatronen.

'En dan komt er wat waarschijnlijkheidsberekening om de hoek kijken. Wat voor soort leven is er mogelijk voor een persoon met dit soort verleden? Wat voor impact heeft hun beschadiging gehad op hun leven? Wat voor soort relaties zijn er voor hen mogelijk?' Hij spreidde zijn handen en haalde zijn schouders op. 'Het is uiteraard geen exacte wetenschap. En elke zaak roept weer andere vragen op.'

Ambrose zuchtte. 'Fascinerend. Maar dat bedoelde ik eigenlijk niet. Wat ik vroeg was hoe je het profiel presenteert. Op papier of persoonlijk?'

'O.' Tony wist dat de reactie van Ambrose hem de wind uit de zeilen had moeten nemen, maar hij was niet van zijn stuk gebracht. Een ding waar hij de normale wereld niet in benijdde was wat hij zag als een deprimerend gebrek aan nieuwsgierigheid. Hij stond gewoon op het standpunt dat Ambrose blij had moeten zijn dat hij zijn prachtige uitleg had mogen aanhoren. Maar als hij alleen maar geïnteresseerd was in het alledaagse, dan kon Tony daar ook wel voor zorgen. 'Meestal schrijf ik het uit op de laptop en dan e-mail ik het naar de onderzoeksleider. Als ze verduidelijkingen willen, neem ik datgene wat ze niet begrijpen met ze door. Maar ik ben nog niet helemaal klaar voor een profiel. Ik heb nog niet helemaal het idee dat ik Jennifer echt ken. Ik wil echt met die beste vriendin praten, die Claire Dinges.'

'Darsie. Claire Darsie.'

'Ja natuurlijk, sorry.'

'Daar zijn we nu naar op weg,' zei Ambrose. 'Ik heb toestemming aan de school gevraagd en ze mag uit de les worden gehaald om met je te praten. Jullie kunnen een wandelingetje maken op het terrein van de school of jullie kunnen in een rustig hoekje gaan zitten.'

'Prima. Bedankt.'

'Maar wat kun je me nu vertellen? Over waar je aan denkt?'

'Niet veel. Omdat ik in dit stadium nog niet aan iets heel concreets denk.' Maar er was wel iets wat hij moest proberen over te brengen, en dat druiste zo tegen elk instinct in dat Tony wist dat hij het vast in de week moest zetten. 'Ik bedoel, ik denk dat dit niet zo rechttoe rechtaan is als we eerst dachten, en ik vraag me af of dat opzettelijk is of toevallig.'

'Wat bedoel je?'

Tony trok een grimas. 'Ik ben er niet van overtuigd dat deze moord een seksueel motief heeft.'

'Geen seksueel motief?' Ambrose klonk stomverbaasd. 'Maar in feite heeft hij haar met dat mes verkracht. Dat heeft toch alles met seks te maken?'

'Kijk, ik bedoel dit. Ik ben nog niet klaar voor een volledig profiel, dus heb ik nog niet alles op een rijtje staan. Maar probeer even net te doen alsof ik gelijk heb. Stel nu eens dat het hier niet gaat om seksuele bevrediging.' Hij keek Ambrose, die opnieuw zuchtte, verwachtingsvol aan.

'Oké. Het gaat niet om seksuele bevrediging. Laten we dat maar stellen.'

'Maar hij heeft in haar vagina gesneden, heeft dat mes echt diep in haar gestoken. Zoals je al zei, hij deed het inderdaad voorkomen alsof ze was verkracht met het mes. Waar ik moet zien achter te komen is of hij dat met opzet deed om ons te laten denken dat het seksueel was. Of dat hij het om een andere reden deed en dat het gewoon mooi meegenomen was dat het op een seksueel motief lijkt te wijzen.'

'Dat is krankzinnig,' zei Ambrose.

Hij was niet de eerste politieman die zo gereageerd had op een paar van Tony's wildere ideeën. Hij had er niet bij allemaal naast gezeten, maar bij het overgrote deel wel. 'Misschien,' zei Tony. 'Maar zoals ik al zei, ik weet nog niet genoeg voor een volledig profiel, en theorieën die gebaseerd zijn op de helft van de informatie zijn naar alle waarschijnlijkheid halfbakken. Maar als je dat onwetenschappelijke gedoe waar ik me in specialiseer even laat voor wat het is, en je toevlucht neemt tot harde wetenschappelijke opties, kun je veel verder komen als je niet veel hebt om van uit te gaan.'

'Wat bedoel je?'

'Algoritmen. Ik heb een collega gesproken die veel meer weet over geografisch profileren dan ik. Zij is van mening dat jullie moordenaar waarschijnlijk in South Manchester woont.'

'Manchester? Meen je dat?'

'Mijn collega wel. En ze weet meer van dit soort dingen dan wie dan ook. Misschien herinner je je dat toen we op de plaats waren waar het lichaam was gedumpt, ik zei dat ik dacht dat die locatie het beste leek te passen bij een moordenaar die niet in de buurt woonde? Nou, het lijkt erop dat ik op dat punt in ieder geval gelijk had. Oké, als we Fiona geloven dan.'

'Maar Manchester? Kan ze dat zo precies zeggen?'

'Ze lijkt zeker van haar zaak, hoewel ze wel een paar slagen om de arm houdt. Ze stuurt me een kaart met het desbetreffende gebied in rood gemarkeerd. Het is het gedeelte van de stad waarvan de bewoners denken dat ze hip zijn. Studenten, groene politieke partijen, een kruidenierszaak voor veganisten, een bakkerij waarin ze zelf nog bakken, mensen die in de media werken en advocaten. Heel cool. Niet een plek waar een moordenaar die zijn slachtoffers stalkt zich thuis voelt, zou ik hebben gezegd. Maar de algoritmen liegen niet. Maar omdat voor een spoor van computergebruik verschillende criteria gelden voor een bepaald type misdaad, is het verhaal dat ze vertellen misschien wat minder accuraat dan gewoonlijk.'

'Ik wist niet dat seriemoordenaars een speciale woonplek hadden,' zei Ambrose.

Tony dacht even na. 'Ze wonen meestal in een huurhuis. Meestal omdat ze niet zo lang eenzelfde baan kunnen houden. Dus als ze een hypotheek moeten aanvragen, hebben ze niet zoveel aan het opsturen van een cv. Dus ja, als je alles tegen elkaar afweegt woont hij waarschijnlijk ergens in een huurhuis.'

'Dat klinkt wel logisch.'

Het was tijd om terug te keren naar dat ene ding waarvan hij wist dat het belangrijk was. 'Maar hetzelfde kun je zeggen over waar ik het eerder over had, Alvin. Ik weet het, je zei dat het krankzinnig was, maar hoe langer ik erover nadenk, hoe meer ik ervan overtuigd ben dat je op dit punt goed naar me moet luisteren. En niet alleen als we uitgaan van een hypothetisch geval. Deze moord heeft niets met seks te maken.'

Opnieuw haalde Ambrose zijn ogen van de weg om Tony aan te kijken. Ditmaal week de auto iets naar rechts voordat hij het stuur weer rechttrok. 'Ik vind het nog steeds een krankzinnig idee.' Hij klonk uiterst kritisch. 'Hoe zou het nu níét kunnen gaan om een seksuele moord. Heb je de foto's van de plaats delict niet bekeken? Heb je niet gezien wat hij haar heeft aangedaan?'

'Natuurlijk wel. Maar hij heeft bijna geen tijd met haar doorgebracht. Hij heeft er weken over gedaan om contact met haar te krijgen, om haar het onterechte gevoel te geven dat ze veilig bij hem was. Als dit om de seks was gegaan, had hij haar dagen bij zich gehouden. Dood of levend, afhankelijk van zijn smaak. Dan zou hij haar niet kwijt hebben gewild binnen het tijdsbestek waar we hier over praten.'

Ambrose keek Tony aan met een blik die hij gewoonlijk reserveerde voor gekken en mafkezen. 'Misschien is hij in paniek geraakt. Misschien was de werkelijkheid wel veel extremer dan zijn fantasieën. Misschien wilde hij gewoon van het lijk af.'

Het was een mogelijkheid waar Tony ook aan had gedacht, pal voordat hij in slaap viel. En hij had haar bijna meteen verworpen. 'Als dat het geval was geweest, had hij niet de tijd en de moeite genomen om die verminking uit te voeren. Dan had hij haar gewoon vermoord en gedumpt. Geloof me, Alvin. Deze moord heeft niets met seks te maken.'

'Waar dan wel mee?' De kaak van Ambrose zag er koppig uit, zijn spieren waren aangespannen, zijn onderlip stak naar voren.

Tony zuchtte. 'Dat zei ik al. Dat weet ik nog niet. Ik ben nog niet zover dat ik er inzicht in heb.'

'Dus je weet wel wat het niet is, maar wat het wel is kun je ons niet vertellen? Nu heb ik toch echt je hulp nodig, doc. Wat hebben we hieraan?' Ambrose klonk weer boos. Tony begreep wel waarom. Ze hadden gehoopt dat hij maar met zijn toverstokje hoefde te zwaaien en dat alles dan was opgelost, maar tot dusver had hij alleen maar voor nog meer problemen gezorgd.

'In ieder geval hoeven jullie nu geen tijd meer te verkwisten door op de verkeerde plaatsen te zoeken. Zoals bij de seksuele delinquenten hier uit de buurt. Daar hoeven jullie het niet bij te zoeken.'

'Maar wanneer heb je dan een profiel klaarliggen waarmee we er misschien achter kunnen komen wie we wél zoeken?'

'Gauw. Ik hoop later vandaag. Ik hoop dat ik met behulp van Claire Jennifer wat beter ga begrijpen. Misschien wordt het me dan wat meer duidelijk wat iemand kan hebben bewogen haar te vermoorden. De sleutel ligt altijd bij het slachtoffer, Alvin. Hoe je het ook wendt of keert.'

Rechercheur Sam Evans was blij dat hij weer terug was in wat hij beschouwde als een normale, beschaafde omgeving. Een plaats waar je koffie kon krijgen en broodjes met bacon, waar het nooit helemaal donker werd, waar je altijd wel ergens kon schuilen voor de regen. Het deed hem geen kwaad dat hij het zeldzame genoegen had gehad dat hij na de ochtendbijeenkomst iedereen met open mond van verbazing had achtergelaten.

Het enige probleem was dat hij na de volslagen verrassing van het extra lichaam in het meer weer met iets nieuws moest komen. Hij bevond zich in een precaire situatie. Terwijl hij in afwachting was van de resultaten van het onderzoek van de technische recherche, moest hij wel de indruk proberen te wekken dat hij druk bezig was. Als Carol dacht dat hij maar wat duimen zat te draaien, zou ze hem opzadelen met een of andere rotklus bij de lopende zaken. En als hij niet op het bureau was als het bewijsmateriaal van de technische recherche binnenkwam, zou iemand anders de zaak onder zijn neus wegkapen en met de eer gaan strijken. En dat was een onverdraaglijke gedachte.

Sam haalde zijn aantekenboekje tevoorschijn en bladerde een paar bladzijden terug, op zoek naar het telefoonnummer van de inspecteur in het Lake District met wie hij verondersteld werd contact te onderhouden. Hij wilde net gaan bellen toen zijn mobieltje ging. 'Hallo?' zei hij. Hij was er nooit happig op om gratis informatie vrij te geven.

'Spreek ik met rechercheur Evans?' Het was een vrouw. Ze klonk energiek, nog redelijk jong en zelfverzekerd.

'Daar spreekt u mee.'

'Bent u de politieman die me een aantal gebitsgegevens heeft gemaild?'

'Dat klopt.' De recherche had een stel gegevens te pakken gekregen van de tandarts van Danuta Barnes toen ze nog maar pas vermist werd, en op voorstel van een van de agenten uit het Lake District had Sam die naar de universiteit van Carlisle gestuurd, in Noord-Engeland.

'Goed. Ik ben dr. Wilde, forensisch antropoloog bij de Universiteit van Carlisle. Ik heb gekeken naar de stoffelijke resten uit het Wastwater. Ik ben nog niet klaar, maar ik dacht dat u het misschien wel prettig zou vinden als ik u even bijpraatte.'

'Ik ben met alles blij,' zei Sam. *Bedankt, God.*

'Nou, je kunt er uiteraard ook anders naar kijken, maar het goede nieuws is dat de gebitsgegevens overeenkomen met het skelet van de kleinere volwassene en ik weet vrij zeker dat het van een vrouw is tussen de vijfentwintig en de veertig.'

'Ze was eenendertig,' zei Sam. 'Haar naam was Danuta Barnes.'

'Dank u. Ik heb mijn studenten opdracht gegeven om het DNA vast te stellen voor alle drie de stoffelijke resten. Ze zouden moeten kunnen vaststellen of het hier gaat om de moeder van het kind. Dat tussen de vier en de zes maanden was, schat ik,' vervolgde dr. Wilde.

'Lynette. Vijf maanden,' zei Sam. Het had hem aangegrepen toen hij het zielige bundeltje tussen de twee grotere had zien liggen. Hij werd niet gauw sentimenteel, maar zelfs het ongevoeligste hart zou zijn geraakt door een zo vroegtijdige en onnodige dood.

Dr. Wilde zuchtte. 'Ze heeft nauwelijks geleefd. Geen indrukwekkend grafschrift, hè? "Vijf maanden geleefd: was heel nuttig als lesmateriaal." Maar oké, zodra ik kan bevestigen dat ze verwant zijn, zal ik het laten weten.'

'Dat zou mooi zijn. Kunt u me al iets vertellen over het andere lichaam?' Niet dat hij veel verwachtte van een zak met botten en wat smurrie die uit dingen bestond waar hij niet te lang bij stil wilde staan.

Dr. Wilde grinnikte. 'Dat zou u nog verbazen. Ik kan u bijvoorbeeld vertellen dat hij Harry Sim heette en dat hij in ieder geval na juni 1993 is gestorven.'

Sam stond even met de mond vol tanden. Toen begon hij te lachen. 'Wat was het? Een creditcard of zijn rijbewijs?'

Ze klonk teleurgesteld. 'Slimmer dan de gemiddelde rechercheur,' zei ze met een grappig Amerikaans accent.

'Dat mag ik hopen. Welk van de twee was het?'

'Een creditcard. Een Mastercard met een looptijd van juni 1993 tot mei 1997 op naam van Harry Sim. Dan kunt u in ieder geval vast aan de slag. Ik hoop dat u er blij mee bent.'

'U hebt geen idee,' zei Sam met grote nadruk. 'Gaat u zijn DNA ook nog met dat van het kindje vergelijken?'

'O ja,' zei dr. Wilde. 'Shakespeare zei het al, hè? Het is een wijs kind dat zijn eigen vader kent.'

'Weet u nog iets over de doodsoorzaak?'

'Ze zijn niet gauw tevreden, hè, daarginds in Bradfield,' zei ze, en ze klonk nu iets minder geamuseerd. 'Dat kunnen we in dit stadium onmogelijk zeggen. Zo op het oog zijn de botten intact, dus waarschijnlijk niet doodgeschoten, gewurgd of doodgeslagen. Vergiftiging en verstikking zijn allebei mogelijk. Het zou ook om een natuurlijke doodsoorzaak kunnen gaan, maar dat betwijfel ik. Ik vermoed dat we nooit een dood zullen kunnen vaststellen. Als u daar uw hoop op hebt gevestigd om iemand van moord te kunnen beschuldigen, kunt u misschien beter naar indirecte bewijzen gaan zoeken.'

Dat was nooit goed nieuws. Maar hij had geen reden om zich daarover te beklagen, want dr. Wilde had hem al heel veel gegeven. Wie weet wat hij zou vinden als hij de laagjes om het leven van Harry Sim en zijn geheimzinnige dood een voor een afpelde. Hij bedankte dr. Wilde en hing op. Hij wist al waar de reis verder heen zou gaan.

24

De enige gelegenheid waarbij Carol het jammer vond dat ze niet zelf reed, was als ze op weg was naar een plaats delict waar nog een lichaam aanwezig was. Zelfs bij de meest vaardige chauffeurs – en Kevin was er daar ontegenzeggelijk een van – leek het altijd alsof er geen einde aan de tocht kwam. In gedachten was ze allang ter plekke, bezig met een inschatting van wat er allemaal gedaan moest worden. Het deed er niet toe dat het slachtoffer geen enkel benul meer had van tijd: Carol was vastbesloten hen niet te laten wachten.

Kevin sloeg af op een smal weggetje door de heuvels; de onverwachte bochten dwongen hem vaart te minderen. Carol keek om zich heen. Vóór haar bezoek eerder op de dag aan Vanessa, was ze hier vlak in de buurt geweest. Hoewel dit landschap in het verleden al als begraafplaats was gebruikt, bijvoorbeeld door de beruchte kindermoordenaars Ian Brady en Myra Hindley, had ze er op dat moment geen seconde bij stilgestaan dat ze vlak bij de plek reed die de moordenaar van Seth Viner als dumpplaats had uitgekozen.

'Hij houdt wel van afgelegen plekken, deze moordenaar,' zei ze, terwijl ze zich vastgreep aan de handgreep toen Kevin de zoveelste bocht door scheurde.

'Denk je dat hij uit de buurt komt?'

'Hangt ervan af wat je onder "buurt" verstaat,' zei Carol. 'Een kwart van de hele bevolking van Groot-Brittannië is met de auto binnen een uur in het Nationaal Park van het Peak District. Wij zitten zelf ook niet veel noordelijker. Het ziet er hier leeg uit, maar het is een enorm recreatiegebied. Wandelaars, joggers – zoals de vrouwen die het lichaam gevonden hebben – mensen die buiten picknicken, oriëntatielopers, die stomme motorcrossers, mensen die op zondag een ritje maken... Er zijn een heleboel legale redenen waarom je de heuvels hier goed zou kennen.'

‘Het moet achter de volgende heuvel zijn,’ zei Kevin met een blik op zijn navigatiesysteem.

‘Laten we hopen dat onze collega’s van West-Yorkshire niet alles voor zichzelf willen houden,’ zei Carol. Hoewel Seth uit Bradfield kwam en daar als vermist was opgegeven, was zijn lichaam ongeveer zes kilometer over de grens van het district van het naburige korps gevonden. Ze had nooit rechtstreeks voor West-Yorkshire gewerkt, maar het was haar wel gelukt de meesten van hun oudere rechercheurs een paar jaar daarvoor tegen de schenen te schoppen toen ze samen met Tony, buiten de officiële kanalen om, op zoek was geweest naar een seriemoordenaar, een speurtocht die toen door niemand anders serieus werd genomen. ‘Ze zijn daar niet zo gek op me,’ voegde ze eraan toe.

Kevin, die het hele verhaal kende, gromde: ‘Dat kun je ze niet kwalijk nemen. Dankzij jou kwamen ze uit de bus als een stelletje enorme eikels.’

‘Ik mag hopen dat ze daar onderhand overheen zijn. Het is al zo lang geleden.’

‘Dit is Yorkshire. Ze voelen zich nog steeds gekwetst over de Rozenoorlogen uit de vijftiende eeuw,’ hield Kevin haar voor toen ze een helling op reden. Ongeveer anderhalve kilometer verderop zagen ze hun bestemming. De rijen voertuigen, de lichtgroene tent, de knalgele hesjes en de witte overalls waren onmiskenbaar. ‘Als je boft zijn de lui die je echt tegen de haren hebt ingestreken onderhand met pensioen.’

‘Ze zeggen wel eens dat rijk zijn en geluk hebben niet bij elkaar horen. Dan zou ik moeten boffen – rijk ben ik in ieder geval niet.’ Ze stopten in de berm achter een ambulance. Achter de open portieren zagen ze een groep vrouwen in elkaar gedoken zitten onder thermische dekens, de handen om dampende kartonnen bekers heen. Carol haalde diep adem en liep toen naar de agent in uniform die de ingang naar de plaats delict bewaakte. ‘Hoofdinspecteur Jordan. Team Zware Misdrijven, Bradfield,’ zei ze. ‘En dit is brigadier Matthews. Er zijn nog meer mensen van mijn team onderweg.’

Hij controleerde hun identiteitskaarten. ‘Wilt u hier uw handtekening zetten, inspecteur?’ Hij gaf haar zijn klembord en een pen en maakte toen een gebaar dat ze door konden lopen. ‘Hoofdinspecteur Franklin is de onderzoeksleider. Hij is in de tent.'

De tent die door de technische recherche was opgezet om de plaats delict te beschermen stond pal naast de weg. 'Als je dit ziet krijg je nooit zin om te gaan kamperen, hè?' mompelde Carol toen ze in de buurt kwamen. Toen ze de flap wegtrok, ontvouwde zich het bekende tafereel. In het wit geklede forensische techneuten, rechercheurs in leren jacks van verschillend ontwerp maar wel van een absolute voorspelbaarheid. Sommige dingen bleven altijd hetzelfde bij het korps van West-Yorkshire.

Hoofden werden omgedraaid toen ze binnenkwamen en een lange bleke man maakte zich los uit de groep rechercheurs en kwam naar hen toe lopen. 'Ik ben hoofdinspecteur Franklin. Ik weet niet wie jullie zijn, maar deze plaats delict is van mij.'

De gebruikelijke vriendelijke begroeting, dacht Carol. 'Ik ben hoofdinspecteur Carol Jordan,' zei ze opnieuw. 'Het mag dan wel uw plaats delict zijn, maar ik denk dat het mijn lijk is.' Ze haalde een vel papier uit haar tas, vouwde het open en liet hem de foto zien die Kathy Antwon van haar zoon had gemaakt. 'Seth Viner. Toen hij verdween had hij een zwarte spijkerbroek aan, een witte polo, een trui van de Kenton Vale-school en een donkerblauw jack van het merk Berghaus.'

Franklin knikte. 'Dat klopt wel ongeveer. Kom maar even kijken. Aan die foto hebt u niet zoveel meer. Zo ziet hij er niet meer uit.'

Charme en diplomatie. Daar staan de mannen uit Yorkshire om bekend, nietwaar? Carol liep achter Franklin aan langs het kluitje rechercheurs, met Kevin op haar hielen. Dicht langs de kant van de weg was een ondiepe goot van ongeveer een meter breed. Het was niet echt een sloot, meer een sleuf in de grond van ongeveer drie meter lang. Hij was net diep genoeg om een lichaam aan het zicht van passerende automobilisten te onttrekken. Maar de joggers hadden minder geluk gehad.

Het was een erbarmelijk gezicht. Zijn benen en zijn lijf zaten onder de modder en het bloed. Om zijn hoofd zat een plastic zak die met tape strak om zijn nek was gesnoerd. Het was net een replica van het lichaam van Daniel Morrison. Alleen de kleren waren anders. Maar zelfs door de viezigheid en het bederf heen kon je de kleren van Seth Viner herkennen. Zijn jasje was er niet bij, maar door het donkergroene sweatshirt en de zwarte spijkerbroek wist Carol eigenlijk wel zeker dat ze naar het lichaam van de zoon van Julia en Kathy keek. 'Arm jong,' zei ze, haar stem klonk zacht en droevig.

'Dus u wilt een gezamenlijke aanpak,' zei Franklin. Hij straalde geen greintje medelijden uit. Dat betekende nog niet dat hij niets voelde, alleen dat hij het per se niet wilde laten zien in de aanwezigheid van vrouwen en ondergeschikten.

'Eigenlijk wil ik het opeisen,' zei Carol. 'De modus operandi is dezelfde als bij een moord die eerder deze week bij ons is gepleegd. U zult er wel over hebben gehoord – Daniel Morrison.'

Franklin vertrok zijn gezicht in een frons. 'Dit is ons terrein. Dus is het onze zaak.'

'Wat het terrein betreft heeft u gelijk. Maar dit is alleen maar een plek waar het lichaam is gedumpt. Hij is ontvoerd uit Bradfield. Ik zit in Bradfield met een identieke moord nog maar een paar dagen geleden. Hij is niet zinvol om alles dubbel te doen.' Carol moest haar best doen om niet woedend te worden. 'We hebben allemaal te maken met budgetten. We weten allemaal wat een moordonderzoek kost. Ik zou gedacht hebben dat jullie er maar wat graag van af zouden willen.'

'Wij zijn niet zoals jullie. Wij proberen onze zaken niet bij de eerste de beste gelegenheid af te schuiven op anderen. We hebben allemaal gehoord over jou en over jouw team in Bradfield. Jullie zijn alleen maar uit op roem, dat is wat wij horen. Opboksen tegen de terroristenbestrijders, meteen op alle voorpagina's over die bomaanslag in Bradfield. Nou, als er hierbij eer te behalen is, dan zullen we die delen. Als je geluk hebt.' Franklin draaide zich met een ruk om en liep terug naar zijn eigen mannen. Koppen werden bij elkaar gestoken en een brommerig, onbestemd gemompel kwam naar hen toe drijven.

'Dat ging goed,' zei Carol grimmig. 'Help me eraan herinneren dat ik mijn diplomatieke talenten nog eens onder de loep moet nemen.'

'Hoe wil je het gaan aanpakken?'

'Jij blijft hier. De anderen zijn er zo. Hou je ogen open, probeer een paar bruggen te bouwen. Zorg dat we van alles op de hoogte blijven. Ik ga terug om met de hoofdcommissaris te praten. Hij moet hier de boel maar gladstrijken, zodat we de hele volgende week niet alleen maar zitten te bekvechten over wie z'n moord het is.' Ze draaide zich nog eens om om naar Seth te kijken en voelde wanhoop. 'Die arme vrouwen,' zei ze. 'Zorg dat jij of Paula meegaat om de ouders in te lichten. Als de media hier lucht van krijgen, worden ze belegerd. Ze hebben alle hulp nodig die we hun kunnen geven.'

'Ik zal ervoor zorgen.'

Carol staarde in de verte over de heuvels. 'We moeten dit een halt toeroepen. We moeten de kinderen waarschuwen en we moeten die klootzak te pakken krijgen voordat hij het nog eens doet.' En ze dacht het onuitgesprokene, het onzegbare. *Ik wou dat Tony hier was.*

Het was bewolkt, er hing regen in de lucht, maar desondanks wilde Claire Darsie buiten zijn. Ambrose had Tony aan haar voorgesteld en had hen toen alleen gelaten. Tony was onder de indruk van het invoelingsvermogen van de politieman. Hoe meer hij van Ambrose zag, hoe aardiger hij hem vond. Hij was bang dat het gevoel niet wederzijds was. Niet na het fiasco van die morgen.

Claire ging hem voor, het schoolgebouw uit. 'We kunnen een rondje maken om de sportvelden heen,' zei ze. 'Er is een soort tuinhuisje waar we overdekt kunnen zitten, als u wilt.' Ze wilde duidelijk overkomen als iemand die zich nergens zorgen over maakte, maar het was allemaal zo broos dat je voelde dat haar onverschilligheid niet lang zou standhouden.

Zij gaf het tempo aan en liep met kwieke tred over het grindpad. In de zomer zou het in de diepe schaduw liggen van de volwassen bomen die langs het hek aan de rand van het terrein stonden. Maar die dag was er meer dan genoeg licht, waardoor de spanning op het gezicht van Claire goed te zien was. Tony zorgde ervoor dat hij afstand tussen hen liet. Ze moest zich veilig voelen en dan moest hij om te beginnen haar niet te na komen.

'Zijn jij en Jennifer al lang vriendinnen?' Blijf de tegenwoordige tijd gebruiken, niet beklemtonen dat alles voorgoed anders is.

'Sinds de basisschool,' zei Claire. 'Ik struikelde op de eerste dag op de speelplaats en had een snee in mijn knie. Jen had een zakdoek en die gaf ze aan me.' Ze haalde haar schouder een beetje halfslachtig op. 'Maar ook al was dat niet gebeurd, dan had ik nog met haar bevriend willen zijn.'

'Waarom?'

'Omdat ze aardig was. Ik weet dat de mensen zeggen dat je over de doden geen kwaad mag spreken, maar zo is het niet met Jen. Mensen zeiden dat altijd over haar. Ze was aardig, weet u? Ze had geen gemeen botje in haar lichaam. Zelfs als ze wel eens kwaad was op mensen, dan was het eind van het liedje dat ze begreep waarom ze iets deden en dan was ze niet meer kwaad op ze.' Claire maakte een geluid dat afkeuring zou kunnen uitdrukken. 'Ik ben heel anders. Als mensen mij kwaad maken dan zet ik het ze betaald. Ik weet niet waarom Jen met mij wil optrekken, weet u?' Haar stem bibberde en ze verstopte haar kin in haar hals. Ze schroefde het tempo nog wat op en nam een voorsprong. Hij liet haar gaan en haalde haar weer in op de trap van het kleine houten hutje aan het eind van het hockeyveld.

Binnen gingen ze tegenover elkaar zitten. Claire rolde zich op en drukte haar knieën tegen haar borst, maar Tony strekte zijn benen uit en sloeg de enkels over elkaar. Hij liet zijn handen in zijn schoot vallen in een open houding die een niet-bedreigende indruk maakte. Nu kon hij goed zien dat ze schaduwen onder haar ogen had en dat ze de huid rondom haar vingernagels helemaal kapot had gebeten. 'Ik weet hoeveel je om Jen geeft,' zei hij. 'Ik besef dat je haar de hele tijd mist. We kunnen haar niet meer terugbrengen, maar misschien kunnen we alles wel een beetje beter maken voor haar vader en moeder als we degene vinden die dit heeft gedaan.'

Claire slikte. 'Ik weet het. Daar denk ik de hele tijd aan. Wat zij gedaan zou hebben als het andersom was geweest. Ze zou mijn vader en moeder hebben willen helpen. Maar ik kan niets bedenken. Dat is het probleem.' Ze keek gekweld. 'Er is niets te vertellen.'

'Dat geeft niet,' zei hij vriendelijk. 'Jij hebt hier geen schuld aan, Claire. En niemand zal het jou kwalijk nemen als we de man die Jen heeft meegenomen niet vinden. Ik wil gewoon even met je praten. Kijken of je me kunt helpen Jen wat beter te leren kennen.'

'Wat hebt u daaraan?' Een natuurlijke nieuwsgierigheid overwon haar angst.

'Ik ben een profielschetser. De meeste mensen snappen niet echt wat ik doe. Ze denken dat het net zoiets is als op de tv. Maar het komt erop neer dat het mijn taak is om uit te vinden hoe Jen met die persoon in contact is gekomen en hoe ze kan hebben gereageerd. Dan moet ik proberen te begrijpen wat dat mij vertelt over hem.'

'En dan helpt u de politie om hem te pakken?'

Hij knikte; een scheef glimlachje vloog over zijn gezicht. 'Daar komt het op neer, ja. Dus waar was Jen in geïnteresseerd?'

Hij ging achteroverzitten en luisterde naar een opsomming van jongerenmuziek, modetrends, tv-shows en het wel en wee van beroemdheden. Hij hoorde dat Jennifer meestal deed wat ze moest doen. Dat ze haar huiswerk op tijd inleverde en op tijd thuis was als ze 's avonds uitging. Grotendeels omdat het eigenlijk nooit bij Claire en Jennifer was opgekomen dat het ook anders kon. Ze leefden een beschermd leventje op hun exclusieve meisjesschool, hun ouders brachten hen overal naartoe, ze bewogen zich in een wereld waarin ze nooit in contact kwamen met de verkeerde meisjes. Het werd later, en door Tony's ontspannen manier van doen ging Claire zich uiteindelijk wat meer ontspannen. Nu kon hij wat dieper graven.

'Het beeld dat je schildert is wel wat al te mooi,' zei hij. 'Ging ze niet af en toe een klein beetje over de schreef? Dronk ze te veel? Experimenteerde ze met drugs? Wilde ze een tatoeage? Heeft ze een navelpiercing laten doen? Rommelde ze wat met jongens?'

Claire giechelde en sloeg toen haar hand voor haar mond, omdat ze zich schaamde voor haar luchthartigheid. 'U vindt ons vast ontzettend saai,' zei ze. 'We hebben gaatjes in onze oren laten maken in de zomer dat we twaalf werden. Onze moeders waren woedend, maar we mochten ze wel houden.'

'Niet stiekem wegglippen na bedtijd naar een popconcert? Niet stiekem een sigaretje roken achter het fietsenhok? Had Jen überhaupt een vriendje?'

Claire keek hem met een schuin oog aan, maar ze zei niets.

'Ik weet wel dat iedereen zegt dat ze met niemand uitging. Maar ik kan dat nauwelijks geloven. Een aardige meid, leuk om mee om te gaan. En knap. En dan moet ik geloven dat ze geen vriendje had?' Hij spreidde zijn handen met de handpalm naar boven. 'Nu moet je me helpen, Claire.'

'Ik heb het haar moeten beloven,' zei Claire.

'Dat weet ik. Maar ze zal je niet aan je belofte houden. Je hebt zelf gezegd dat je zou willen dat ze ons hielp als het andersom was geweest.'

'Het was geen echt vriendje. Niet met afspraakjes en zo. Maar er was die man op Rig. Zetzet, noemde hij zichzelf. Maar dan alleen de letters. Dus twee keer een z.'

'We weten dat ze met zz op Rig praatte, maar dat leek gewoon vriendschappelijk. Niet iets van vriendje en vriendinnetje.'

'Dat moest iedereen ook denken. Jen was panisch dat haar ouders over hem zouden horen, want hij is vier jaar ouder dan wij. Dus ging ze altijd naar het internetcafé vlak bij school om online met hem te praten. Op die manier kon haar moeder haar niet controleren. Volgens Jen konden ze erg goed met elkaar opschieten. Ze zei dat ze wilde dat ze elkaar echt konden ontmoeten.'

'Heeft ze het met je over eventuele plannen gehad?'

Claire schudde haar hoofd. 'Ze had het er de laatste tijd niet veel meer over. Telkens als ik probeerde haar uit te horen, begon ze over iets anders. Maar ik denk dat ze misschien wel wat hadden afgesproken.'

'Waarom denk je dat?' Tony hield zijn stem zo luchtig mogelijk, alsof het gewoon een terloopse vraag was.

'Omdat zz het op Rig had over geheimen en hoe we allemaal wel een geheim hebben dat niemand mag weten. En toen zijn hij en Jen privé gaan chatten. En ik dacht dat ze hem verwijten had gemaakt omdat hij had gesuggereerd dat er iets gaande was tussen hen.'

Maar dat had ze niet gedaan. Hij had haar op een slimme manier gepaaid, zodat ze hem wilde ontmoeten; iets waar ze het volgens Claire al de hele tijd over hadden gehad. Het maakte het begrijpelijk waarom een keurig meisje als Jennifer zich zo roekeloos gedroeg. Dit was zelfs nog zorgvuldiger voorbereid dan ze hadden vermoed. Dit was een moordenaar die geen enkel risico nam. De laatste keer dat hij een moordenaar was tegengekomen die zo zorgvuldig plande en die daar zo lang over deed, was bij de eerste zaak waarin hij met Carol had samengewerkt, en het had een verschrikkelijke tol geëist. Hij wilde liever niet nog een keer in die duisternis terechtkomen. Maar hij zou het zonder aarzelen accepteren als dat nodig was om de moordenaar van Jennifer Maidment voor het gerecht te brengen voordat hij weer kon toeslaan.

25

Het caravanpark zou nooit de schoonheidsprijs winnen. De caravans stonden als pastelkleurige dozen op betonnen stukjes grond, omringd door verlept gras en geteerde paden. Sommige bewoners hadden het nog met bloembakken en bloembedden geprobeerd, maar vanwege de straffe wind vanaf de baai hadden ze het moeten opgeven. Maar toen Sam uit zijn auto stapte, moest hij toegeven dat het uitzicht veel goedmaakte. In het waterige zonnetje zag de lange zandvlakte die bijna tot de horizon reikte en waar de zee twinkelde aan de randen van Morecambe Bay er aantrekkelijker uit. Hij wist dat deze schoonheid bedrieglijk was. Tientallen mensen waren in de loop der jaren omgekomen omdat ze niet begrepen hoe snel en verraderlijk de getijden waren. Maar vanwaar hij stond, zag het er allemaal heel onschuldig uit.

Sam liep naar het kantoortje; een wat detonerende blokhut die beter gepast zou hebben in het middenwesten van Amerika. Volgens Stacey had Harry Sims zijn Mastercard tien dagen voordat Danuta Barnes als vermist was opgegeven voor het laatst gebruikt. Hij had er voor tien pond benzine mee getankt bij de garage drie kilometer voorbij het Bayview Caravan Park. De rekening was vereffend door middel van een contante betaling drie weken later bij een bank in het centrum van Bradfield. Stacey had er nog bij gezegd dat dit iets uitzonderlijks was, omdat Harry Sim gewoonlijk zijn rekening betaalde door een cheque te sturen naar het creditcardbedrijf. Hoe ze dit soort dingen wist uit te vissen was bijna wonderbaarlijk, dacht hij. En mogelijk ging het niet helemaal volgens het boekje.

Het adres waar de afrekening voor de creditcard heen gestuurd moest worden, was op dit caravanpark geweest. En dat was het laatste spoor dat zowel Stacey als Sam van Harry Sim had kunnen vinden. Naspeuringen op de computer, telefoontjes naar de belastingen, banken en creditcardbedrijven hadden geen van alle iets opgeleverd. Een dikke vette nul. Wat niet helemaal verwonderlijk was, daar Harry kennelijk al veertien jaar op de bodem van het Wastwater had gelegen.

Sam klopte op de deur van het kantoor en liep naar binnen met zijn identiteitskaart goed zichtbaar midden op zijn borst. De man achter het bureau was een of ander woordspelletje op de computer aan het spelen. Hij keek even om naar Sam, drukte op de pauzeknop en kwam moeizaam overeind. Hij zag eruit als een man van midden vijftig, een forse man van wie de spiermassa allang was vervet. Zijn haar was zand- en zilverkleurig en was te droog om zich gemakkelijk te onderwerpen aan borstel of kam. Zijn huid zag er papierachtig uit na jaren van blootstelling aan zilte lucht en harde wind. Hij was netjes gekleed in een flanellen overhemd, een knalrode fleecetrui en een donkergrijze corduroy broek. 'Agent,' zei hij en hij knikte ter begroeting.

Sam stelde zich voor en de man keek verbaasd. 'Bradfield?' vroeg hij. 'Dan hebt u een flink stukje moeten rijden. Ik ben Brian Carson.' Hij maakte een vaag gebaar naar het raam. 'Dit is mijn park. Ik ben de eigenaar.'

'Bent u hier al lang?' vroeg Sam.

'Vanaf 1987. Daarvoor werkte ik bij een drukkerij in Manchester. Toen we allemaal op straat kwamen te staan, heb ik al mijn geld hierin gestopt. Ik heb er nooit spijt van gehad. Het is een fantastisch leven.' Hij klonk oprecht, iets waar Sam absoluut niets van begreep. Hij kon zich nauwelijks een saaiere baan voorstellen.

'Dat is mooi,' zei hij. 'Want de persoon over wie ik wat moet weten, woonde hier een jaar of vijftien geleden.'

Carson veerde op. 'Godsamme, dat is een tijd terug. Dat zal ik op moeten zoeken.' Hij draaide zich om en wees naar een deur achter hem. 'Ik bewaar alle mappen achterin. Niet dat ik die nodig heb. Ik durf rustig te zeggen dat ik al mijn huurders ken. Niet zozeer de vakantiegangers, maar degenen die hier hun caravan laten staan. Die ken ik allemaal. Wat is er gebeurd waarom u nu op zoek bent naar iemand van zo lang geleden?'

Sams glimlach was loom en een beetje zielig. Een glimlach waarmee hij doorgaans de mensen aan zijn kant kreeg. 'Het spijt me, ik mag hier verder niets over zeggen. U weet hoe dat is.'

'O.' Carson keek teleurgesteld. 'Nou ja, dan niet. Oké, wat is de naam van de persoon over wie u iets wilt weten?'

'Harry Sim.'

Het gezicht van Carson klaarde op. 'O, ik herinner me Harry Sim nog wel. Die viel hier volledig uit de toon. De meeste van onze langetermijnhuurders zijn ouder. Met pensioen. Of anders hebben ze nog een paar jonge kinderen. Maar Harry was anders. Hij was een ongetrouwde kerel van midden dertig, vermoed ik. Hij hield zich afzijdig, bemoeide zich met niemand, hij deed nooit mee met de barbecueavonden of met karaoke of dergelijke dingen. En zijn caravan stond helemaal achterin. Zijn uitzicht stelde niet veel voor, maar het was er wel rustig. De caravans daarginds zijn altijd het moeilijkst te verhuren, omdat je er geen uitzicht op de baai hebt.' Hij grijnsde wat besmuikt. 'Met een naam als de onze verwachten de mensen dat, hè? Een uitzicht op de baai, bedoel ik.'

'Dat snap ik,' zei Sam. 'U zei dat hij alleen woonde. U kunt zich waarschijnlijk niet meer herinneren of hij veel bezoek kreeg?'

Carson keek opeens wat beteuterd. 'Het is niet dat ik het me niet herinner,' zei hij. 'Het is gewoon dat ik geen idee heb. Hij stond daar helemaal aan de rand – ik kon met geen mogelijkheid zien of er bezoek kwam of niet. Ik weet dat het moeilijk voorstelbaar is als je het vandaag ziet, maar 's zomers is het hier snoeidruk. Ik zou niet weten hoe ik dan moest bijhouden wie er bij wie op bezoek komt, tenzij het meteen hiernaast is, waar ik ze door het raam kan zien.'

'Dat begrijp ik. Hebt u vaak contact met hem gehad?'

Carson begon steeds somberder te kijken. 'Nee. We hebben uiteraard met elkaar gepraat toen zijn huurtermijn inging, gewoon om alles te regelen. Maar dat was het wel zo ongeveer. Hij kwam nooit langs voor een praatje, je zag hem alleen als er een probleem was, en aangezien we er ons op voor laten staan dat er geen problemen zijn, hebben we hem nauwelijks gezien.'

Sam had bijna medelijden met de man omdat hij zo graag wilde helpen, maar zo weinig in de aanbieding had. Maar daardoor moest hij zo dadelijk onverrichter zake vertrekken. 'Hoe lang heeft hij hier gewoond?'

Carson vrolijkte weer wat op. 'Dat is iets wat ik u wel kan vertellen. Maar ik zal mijn boeken moeten raadplegen om het exact te kunnen zeggen.' Hij was al halverwege de deur naar het kantoortje achterin. Sam zag een rij dossierkasten en daarna hoorde hij hoe een lade werd open- en daarna dichtgedaan. Even later kwam Carson weer tevoorschijn met een dunne hangmap. Hij legde hem op de balie en zei: 'Hier hebben we het.' Op de map zat een etiket geplakt waar '127/sim' op stond.

'Dat systeem van u mag er zijn,' zei Sam.

'Ik ga er prat op dat mijn administratie op orde is. Je weet nooit wanneer er iemand informatie nodig heeft. Zoals u nu.' Carson maakte de map open. 'Hier heb ik het. Harry Sim heeft in april 1995 een huurcontract voor een jaar afgesloten.' Hij bestudeerde het vel papier. 'Hij heeft het contract niet verlengd. Hij heeft er dus maar een jaar gewoond.'

'Heeft hij iets achtergelaten? Papieren? Kleren?' *De overblijfselen van een leven waarvan het kaarsje door iemand anders was uitgeblazen.*

'Daar staat hier niets over. En dat zou wel zo zijn geweest als hij dingen had laten liggen, gelooft u me maar.'

Dat deed Sam. 'En u hebt geen idee wanneer hij precies is vertrokken?'

Carson trok een spijtig gezicht en schudde zijn hoofd. 'Nee. De sleutels lagen op tafel, staat hier. Maar er staat niets over hoe lang ze daar al lagen.'

Dit zag er wel erg uitzichtloos uit. Harry Sim was vertrokken, maar niemand wist wanneer of waarheen of waarom. Sam wist waar hij uiteindelijk was terechtgekomen, maar niet waar hij was begonnen. Hij had nog één vraag achter de hand. 'Toen hij het huurcontract aanging, heeft u toen naar referenties gevraagd?'

Carson knikte trots. 'Natuurlijk.' Hij trok de twee onderste vellen papier uit de map. 'Twee referenties. Een van de bank en een van zijn vroegere baas, ene mevrouw Danuta Barnes.'

Tot opluchting van Carol was Blake bijna meteen beschikbaar. Ze zag tot haar verbazing dat hij in groot tenue achter zijn bureau zat. Ze was eraan gewend geraakt dat John Brandon alleen maar in vol ornaat verscheen als het absoluut noodzakelijk was, omdat hij veel liever een gemakkelijk zittend pak aanhad. Blake vond het kennelijk belangrijk dat niemand in de kamer vergat hoe belangrijk hij precies was.

Hij verwees haar naar een stoel, zette zijn vingers tegen elkaar en liet er zijn kin op rusten. 'Wat brengt u hierheen, hoofdinspecteur?'

Carol weerstond de kinderachtige neiging om te antwoorden met 'mijn eigen voeten'. In plaats daarvan zei ze: 'Ik zou graag willen dat u namens ons bemiddelt bij West-Yorkshire.' Ze zette de situatie duidelijk en beknopt uiteen. 'Dit is een moordonderzoek, hoofdcommissaris. Ik heb geen tijd voor kinderachtig gehakketak met de hoofdinspecteur daar. We mogen niet nog meer tijd verkwisten.'

'Juist. Ze zouden eigenlijk blij moeten zijn dat ze er ons mee kunnen opschepen. Het bespaart hun geld, en als wij succesvol zijn eisen zij ongetwijfeld minstens de helft van de eer op. Laat het maar aan mij over, hoofdinspecteur. Ik regel het wel.'

Carol was positief verrast dat Blake absoluut niet moeilijk deed. En dat hij zonder mopperen haar zijde koos. Maar misschien was er voor de hogere pieten wel veel meer eer aan te behalen, wat voor een man die volgens zeggen zo eerzuchtig was uiteraard niet te versmaden was. 'Dank u wel,' zei ze, en ze maakte aanstalten om op te staan.

Blake gaf met een handgebaar te kennen dat ze weer moest gaan zitten. 'Niet zo snel,' zei hij. 'U weet dus zeker dat deze twee moorden met elkaar in verband staan, hè?'

Ze begon nattigheid te voelen. Waar wilde hij heen? 'Ik denk niet dat er enige ruimte voor twijfel is. Een identieke modus operandi, soortgelijke slachtoffers, en de lichamen zijn op eenzelfde manier gedumpt. Het lijkt vrij duidelijk dat Seth Viner online gestalkt is en we hebben begrepen dat er bij Daniel Morrison iets dergelijks speelde. We hebben ons best gedaan geen details naar buiten te brengen over wat er met Daniel is gebeurd, dus een na-aper kan worden uitgesloten. Ik zie niet in hoe het iets anders kan zijn dan dezelfde moordenaar.'

Hij glimlachte haar toe met een pruimenmondje waardoor zijn wangen opbolden als wilde appeltjes. 'Ik vertrouw op uw oordeel,' zei hij. 'En daarom is het nu zaak om er een profielschetser bij te roepen.'

Carol kon zich met moeite inhouden. 'U zei dat we ons dat niet konden veroorloven,' zei ze op afgemeten toon.

'Ik zei dat dr. Hill te duur was,' zei Blake, die erin slaagde de naam van Tony een minachtende klank te geven. 'Wat wel binnen ons budget ligt zijn de profielschetsers van de politieacademie. Als ik klaar ben met de mensen van West-Yorkshire zal ik dat wel regelen.'

'Dat doe ik wel, hoofdcommissaris,' zei Carol. Ze wilde zo snel mogelijk het heft weer in handen krijgen. 'U hoeft uw kostbare tijd niet te verknoeien met dergelijke administratieve zaken.'

Ditmaal vertoonde de glimlach van Blake een wreed trekje. 'Ik wil graag helpen,' zei hij. 'U zit al met twee moorden op uw bordje. Ik weet hoe gemakkelijk je iets over het hoofd ziet als er zoveel te doen is.'

De klootzak suggereerde dat ze met opzet een opdracht negeerde. Onder haar beleefde uiterlijk borrelde woede op. 'Dank u, hoofdcommissaris.' Een glimlachje kon er niet meer af.

'U zult er versteld over staan hoe goed u het zonder dr. Hill kunt stellen.'

Carol stond op en knikte. 'Per slot van rekening zijn we geen van allen onmisbaar, hoofdcommissaris.'

Ambrose had Tony bij het huis afgezet, zodat hij zijn auto kon ophalen. 'Je bent toch niet van plan om daar vanavond weer heen te gaan?' vroeg Ambrose toen hij Tony's weekendtas uit de achterbak haalde. 'Zo ja, dan moet je tegen de makelaar zeggen dat ze je belt voordat ze weer kijkers meebrengt.'

'Ik zal er niet zijn. Ik beloof je dat je me niet nog eens uit de penarie hoeft te helpen.'

'Dat is goed nieuws.' Ambrose stopte een stuk kauwgum in zijn mond en keek hem hoofdschuddend aan. 'Want dan begint de dag niet goed, hè? Wat ga je nu doen?'

'Ik ga een rustige pub opzoeken waar ik met mijn laptop in een hoekje kan gaan zitten en dan ga ik aan het profiel werken. Je kunt het tegen het eind van de middag verwachten. Dan ga ik een hapje eten, dus hopelijk mis ik dan het spitsuur bij Birmingham op de terugweg naar Bradfield. Als jij daar geen bezwaar tegen hebt, tenminste. Als er problemen zijn met het profiel waar je mijn hulp bij nodig hebt, blijf ik uiteraard hier. Als er één ding is waar ik bij deze moordenaar vrij zeker van ben dan is het wel dat hij het weer gaat doen. Ik zal mijn uiterste best doen om jullie te helpen dat te voorkomen.'

'Denk je dat echt?'

Tony zuchtte. 'Als dit soort kerels eenmaal de smaak te pakken heeft, kunnen ze niet meer zonder die prikkel.'

'Maar toen we het erover hadden dat hij het lichaam heel snel had gedumpt, zeiden we toen ook niet dat hij waarschijnlijk in paniek was geraakt? Dat hij was geschrokken omdat hij het echt had gedaan?' Ambrose leunde tegen de auto aan, zijn armen gevouwen voor zijn borst, een lichamelijke uiting van zijn onwil te accepteren dat ze nog maar aan het begin stonden.

'Dat was jouw suggestie, Alvin. En het was niet gek bedacht, omdat het bewijsmateriaal dan ook klopte. Maar uit ervaring weet ik dat het niet zo gaat. Ook al is hij in paniek geraakt, hij zal het toch nog eens willen proberen. Alleen wil hij het ditmaal nog beter doen. Dus we moeten opereren alsof het een race tegen de klok is.'

De blik van Ambrose drukte walging uit. 'Ik zal je wat vertellen. Ik ben blij dat ik in mijn eigen hoofd zit, niet in dat van jou. Ik zou niet willen dat mijn hoofd vol zit met al die ellende.'

Tony haalde zijn schouders op. 'Je weet wat ze zeggen. Schoenmaker blijf bij je leest.'

Ambrose zette zich af tegen de auto, ging rechtop staan en stak zijn hand uit. 'Het was een interessante ervaring om met je te werken. Ik kan niet zeggen dat ik alles even leuk vond, maar ik vond wat je over de moordenaar te zeggen had zeer interessant. Ik ben benieuwd hoe het is om te werken met een profiel.'

Tony glimlachte. 'Ik hoop niet dat het op een teleurstelling uitdraait. Je hebt me weliswaar niet op mijn best in gezelschap gezien. Maar als ik eerlijk ben, moet ik toegeven dat het leven om mij heen vaak bizarre trekjes vertoont.' Hij wees naar zijn been. 'Misschien is het je opgevallen dat ik een beetje mank loop. Dat was de klassieke "gek met de bijl". Het ene moment zat ik in mijn kantoor een verhaal door te lezen voor de commissie voor voorwaardelijke vrijlating, het volgende moment sta ik oog in oog met een man met een brandbijl die denkt dat hij zieltjes moet winnen voor God.' Hij keek enigszins gekweld. 'Mijn collega's maken dit soort extreme situaties bijna nooit mee. Ik wel, om de een of andere reden.'

Ambrose keek wat ongemakkelijk en liep toen naar zijn auto toe. 'We houden contact,' zei hij.

Tony zwaaide en gooide zijn weekendtas in zijn auto. Hij was niet helemaal eerlijk geweest tegen Ambrose. Hij ging ergens heen waar ongetwijfeld ook wel een pub was, maar dat was niet zijn primaire bestemming. Hij had bij de advocaat van Blythe meer dan één sleutelbos opgehaald. Hij wist absoluut niets van boten af, maar blijkbaar was hij nu de eigenaar van een stalen aak van zeven meter die *Steeler* heette, en die een eigen ligplaats had in de Diglisjachthaven. 'Daar was vroeger het havendok van het Digliskanaal,' had de advocaat met tegenzin gezegd. 'Compleet met pakhuizen en de porseleinfabriek van Royal Worcester. Nu zijn er appartementen aan de waterkant en bedrijfsgebouwen voor kleine ondernemers. De tijden veranderen, hè? Het enige wat er nog over is van vroeger is het sluiswachtershuisje en de Anchor Inn. Daar zal het u wel bevallen, denk ik. Het is een echte ouderwetse kroeg. Arthur was er vaste klant. Ze hebben nog een originele houten kegelbaan en hij speelde daar competitie met een team. Ga er maar eens langs en zeg wie u bent. Dat zullen ze erg leuk vinden.'

De pub moest nog maar even wachten, dacht hij toen hij op de kaart keek en uitpuzzelde hoe hij in de jachthaven moest komen. Vandaag wilde hij zich in een hoekje van de boot van Blythe installeren en zijn profiel opschrijven. Misschien wat op de boot rondhangen, kijken of hij nog wat meer over Arthur te weten kon komen.

Hij parkeerde zo dicht mogelijk in de buurt van de ligplaatsen en de tien minuten erna liep hij doelloos rond op zoek naar de boot. Ten slotte vond hij hem in een hoekje helemaal aan het eind van een rij met soortgelijke boten. De *Steeler* was traditioneel helgroen en knalrood geverfd, de naam was goed zichtbaar in vloeiend geschreven gouden en zwarte letters. Vier zonnepanelen waren op het dak bevestigd, een blijk van de vindingrijkheid van Blythe. Dus elektriciteit zou geen probleem zijn, als hij tenminste kon uitvissen hoe hij dat rotding aan de praat moest krijgen.

Tony klauterde aan boord; zijn voeten maakten een kletterend geluid op het stalen dek. Het luik was vastgemaakt met een paar stevige hangsloten, waarvan de sleutels hem waren overhandigd door de advocaat. 'Wilt u alstublieft wel goed voor de boot zorgen?' had hij opgewekt gezegd. 'Hij is prachtig in zijn soort. Arthur was een trouwe bezoeker van alle regatta's in de Midlands. Hij vond het heerlijk om wat op het water te pielen.' Dat was kennelijk niet iets wat via de genen was doorgegeven. Tony had geen enkele affiniteit met water of met boten. Hij verwachtte niet dat hij lang eigenaar van de *Steeler* zou zijn, maar nu hij hier toch was, wilde hij aan den lijve ondervinden wat Arthur van zijn andere leefomgeving had gemaakt.

Het luikdeksel gleed moeiteloos open en hetzelfde gold voor de dubbele deuren die naar het vooronder leidden. Tony klom voorzichtig de hoge trap af en kwam terecht in een kleine, efficiënt ingerichte kombuis, compleet met magnetron, waterkoker en fornuis. Een klein stukje verder bevond zich de salon. Tegen de ene scheidingswand stond een leren gecapitonneerde muurbank met een tafel ervoor. Een grote lederen draaistoel stond aan de andere kant en was zo opgesteld dat je ofwel naar de tafel keek of naar de tv en de dvd-speler. In een hoek stond een lage houtkachel. Er waren overal handige kastjes en planken, die elke centimeter ruimte optimaal benutten. Een deur aan de andere kant leidde naar een hut met een tweepersoonsbed en een klerenkast. De laatste deur aan het eind bracht hem in een kleine badkamer met een wc, een wasbak en een douchecabine, allemaal met glimmend witte tegels en chroom. Tot zijn verbazing rook het er fris en schoon.

Hij liep langzaam terug naar de salon. Hij wist niet precies wat hij had verwacht, maar niet deze stijve efficiëntie. Er was hier geen persoonlijkheid voelbaar. Alles was perfect georganiseerd, en keurig netjes. Het effect dat het huis op hem had gehad was hier volledig afwezig. Op een bepaalde manier was dat wel een opluchting. Er zou niets zijn wat hem afleidde van het profiel dat hij moest schrijven. En er was geen enkele reden waarom hij het schip na verloop van tijd niet zou verkopen.

Hoewel hij door de bank genomen ontzettend onhandig was, wist Tony zonder veel moeite de elektriciteit te laten functioneren. Binnen de kortste keren brandden de lampen en was zijn laptop ingeschakeld. Dit was zonder enige twijfel een fantastisch kantoortje. Het enige wat er ontbrak was een draadloze verbinding. Heel even vatte hij het stoutmoedige plan op om via allerlei kanalen naar Bradfield te varen en de boot voortaan als kantoor te gebruiken. Toen dacht hij aan al zijn boeken en besefte hij dat het niet mogelijk was. Bovendien zouden mensen als Ambrose dan helemaal gaan denken dat hij knettergek was geworden. En als hij dacht aan alles wat er mis kon gaan op de tocht van Worcester naar Bradfield kreeg hij het doodsbenauwd. Een middagje werken, daar moest het bij blijven, en dan zou hij de makelaar inseinen. Waren er ook scheepsmakelaars? Of bestond er een informeel netwerk waar zaken werden afgehandeld tijdens een partijtje kegelen?

'Kom op, zeg,' zei Tony hardop, terwijl hij de laptop opstartte. Hij laadde zijn standaard-beginalinea's:

> Het nu volgende profiel van een overtreder is alleen bedoeld als advies en mag niet worden beschouwd als een compositietekening. De misdadiger zal waarschijnlijk niet in elk detail overeenkomen met het profiel, hoewel ik een hoge mate van congruentie verwacht tussen de kenmerken die hieronder beschreven staan en de werkelijkheid. Alles wat in het profiel beschreven staat drukt een waarschijnlijkheid en een mogelijkheid uit; het bevat geen harde feiten.
>
> De seriemoordenaar produceert signalen en aanwijzingen bij het uitvoeren van zijn misdrijven. Alles wat hij doet is bedoeld, al of niet bewust, als deel van een patroon. Het ontdekken van het onderliggende patroon openbaart de logica van de moordenaar. Misschien komt het op ons niet als logisch over, maar voor hem is deze logica van het grootste belang. Omdat zijn logica zo persoonlijk is, zal een rechttoe-rechtaan-valstrik niet efficiënt zijn. Omdat hij uniek is, moeten de middelen om hem te pakken dat ook zijn, en hetzelfde geldt voor de verhoren en de reconstructie van zijn daden.

Hij las het door en verwijderde toen de tweede alinea. Voor zover ze wisten ging het hier nog niet om een seriemoordenaar. Als Tony Ambrose en Patterson kon helpen bij hun taak, kwam de moordenaar misschien helemaal niet toe aan de cruciale 'drie plus' waardoor hij officieel kon worden aangemerkt als seriemoordenaar. In Tony's wereld noemde je zoiets een happy end.

Daar stond tegenover dat er zeker meer zouden volgen als ze faalden. Het was allemaal een kwestie van tijd. Van tijd en talent. Ze waren er vlug bij geweest, maar dat betekende nog niet dat dit geen seriemoordenaar was. Met een zucht voegde hij de alinea er weer bij en ging toen verder.

Zijn vingers vlogen over de toetsen terwijl hij gedetailleerd de conclusies uit de doeken deed die hij al had doorgenomen met Ambrose bij de vindplaats van het lichaam en daarvoor in de auto. Hij stopte even om na te denken, stond toen op en doorzocht de kombuis. Hij vond potten met instantkoffie en melkpoeder, en toen hij de kraan opendraaide kwam er water uit. Voorzichtig nam hij een slokje en kwam tot de conclusie dat het te drinken was. Terwijl hij wachtte tot het water kookte, zocht hij naar een beker en een lepeltje. In de tweede la die hij openmaakte zat bestek. Toen hij een theelepeltje wilde pakken, bleef zijn duim aan iets hangen. Hij keek wat beter en vond een dikke witte envelop, zo groot als een ansichtkaart. Toen hij hem omdraaide zag hij tot zijn schrik dat zijn naam er in nette blokletters op geschreven stond. Arthur had DR. TONY HILL op een envelop geschreven en had die in de besteklade van zijn boot gestopt. Hij snapte het niet. Waarom zou iemand dat doen? Als hij wilde dat Tony iets in handen kreeg, waarom zou hij het dan hier laten liggen, waar het gemakkelijk over het hoofd kon worden gezien? Waarom niet bij de notaris? En wilde Tony wel weten wat er in de envelop zat?

Hij voelde aan de envelop. Er zat nog iets meer dan papier in. Iets wat niet zwaar was, maar wel stevig, misschien tien bij vier centimeter, en ongeveer zo dik als een cd-doosje. Hij legde het neer terwijl hij koffie zette, zich constant ervan bewust dat het zich ergens aan de rand van zijn gezichtsveld bevond. Hij nam de koffie en de envelop mee terug naar de tafel waar hij aan had zitten werken en legde hem neer. Hij staarde naar de envelop en vroeg zich af wat erin zat. Wat had Arthur willen achterlaten waarvan hij niet eens zeker wist of Tony het in handen zou krijgen? En zou Tony er iets mee opschieten als hij wist wat het was? Hij wist zeker dat er dingen waren die hij niet wilde weten over Arthur, maar het was hem nog niet helemaal duidelijk welke kennis hij wel wilde bezitten.

Uiteindelijk won zijn nieuwsgierigheid het van zijn twijfel. Hij scheurde de envelop open en schudde de inhoud op tafel. Er zat een A4'tje in van hetzelfde zware papier als de envelop. En een piepkleine digitale voicerecorder van het type dat Tony tegenwoordig ook gebruikte als hij aantekeningen over patiënten aan zijn secretaresse dicteerde. Hij duwde er met zijn vinger tegenaan alsof hij bang was dat het vlam zou vatten. Met een frons op zijn gezicht vouwde hij het papier open. Bovenaan stond de naam van Arthur Blythe gegraveerd in een koperplaatschrift. Hij haalde diep adem en begon het keurige handschrift te lezen waarmee de pagina was bedekt.

Het begon met:

Beste Tony,

Het feit dat je dit nu leest, betekent dat je ervoor hebt gekozen je erfenis niet af te wijzen. Daar ben ik blij om. Ik ben tegenover jou tekortgeschoten toen ik nog leefde. Dat kan ik niet meer goedmaken, maar ik hoop dat je datgene wat ik je heb nagelaten, kunt gebruiken om jezelf wat plezier te gunnen. Ik wil je uitleggen waarom het zo is gelopen, maar ik begrijp dat je me niets verschuldigd bent, en misschien wil je mijn zelfrechtvaardiging wel helemaal niet horen. Lange tijd was ik me niet bewust van jouw bestaan. Geloof dat alsjeblieft. Het is nooit mijn bedoeling geweest je in de steek te laten. Maar sinds ik van je bestaan op de hoogte ben, heb ik je carrière gevolgd met een trots waarvan ik weet dat ik er geen recht op heb. Je bent een intelligente man, dat weet ik. Dus ik laat het aan jou over of je wilt horen wat ik te zeggen heb.

Welke beslissing je ook neemt, wees er alsjeblieft van verzekerd dat het me oprecht spijt dat je bent opgegroeid zonder een vader in je leven die je kon helpen en steunen. Ik wens je alle soorten van geluk in de toekomst.

Met vriendelijke groet,
(Edmund) Arthur Blythe

Ondanks zijn vaste voornemen om zich nergens iets van aan te trekken, kneep de emotie zijn keel dicht. Tony slikte moeizaam, geroerd door de simpele eerlijkheid van Arthurs brief. Dit was veel meer dan hij had verwacht en misschien ook wel meer dan hij aankon. Voorlopig tenminste. Hij las de brief nog eens, regel voor regel, liet de gevoelswaarde van de woorden tot zich doordringen en stelde zich voor hoe Arthur ermee bezig was geweest. Hoeveel kladjes waren nodig geweest voordat hij tevreden was? Hij zag in gedachten de precieze ingenieurshand waarmee hij de eerste, de tweede, de derde poging doorstreepte in een poging om de juiste toon te treffen, hoe hij ervoor zorg droeg dat hij zei wat hij meende, hoe hij geen ruimte openliet voor misverstanden. Hij zag hem zitten in zijn huis, aan het bureau in zijn studeerkamer met de lamp die zijn schrijvende hand overspoelde met een plas licht. Hij besefte opeens dat hij geen duidelijk beeld had van hoe Arthur eruit had gezien. Er hadden geen foto's in het huis gestaan, niets waaruit zou kunnen blijken of vader en zoon op elkaar leken. Die zouden er toch moeten zijn; hij nam zich voor om er de volgende keer dat hij in het huis was naar op zoek te gaan.

De volgende keer. Zodra hij daaraan dacht, begreep Tony het belang ervan. Er zou een volgende keer zijn. In de afgelopen vierentwintig uur was er iets in zijn binnenste verschoven. Eerst had hij de afstand tussen hem en Arthur beslist in stand willen houden, maar nu zocht hij naar iets wat hen verbond. Hij wist nog niet welke vorm dit ging aannemen. Maar als hij het had gevonden, zou hij het weten.

Wat hij wel wist, was dat hij nog niet klaar was voor Arthurs boodschap. Misschien zou hij dat wel nooit zijn. Maar nu was er werk aan de winkel. Werk dat belangrijker was dan zijn eigen gemoedstoestand. Hij trok de laptop naar zich toe en begon weer te typen.

'De moordenaar is waarschijnlijk blank,' schreef hij. Bijna zonder uitzondering bleef dit type moordenaar binnen zijn eigen etnische groep. 'Hij is tussen de vijfentwintig en de veertig.' Vijfentwintig omdat er een niveau van volwassenheid nodig was voor een dergelijke gedegen planning en om door te zetten als het moorden eenmaal was begonnen. En veertig omdat ze ofwel niet meer leefden, ofwel al waren gepakt of uitgeraasd als ze eenmaal die leeftijd hadden bereikt.

Hij is geen vrachtwagenchauffeur – verscheidene van de locaties waar hij gebruik heeft gemaakt van vrij toegankelijke computers lenen zich niet voor het parkeren van vrachtwagens, bijvoorbeeld het vliegveld van Manchester en het winkelcentrum in Telford. Maar hij is wel in het bezit van een eigen voertuig – hij zou het niet riskeren sporen achter te laten in een voertuig van een derde partij. Waarschijnlijk gaat het om een redelijk grote vijfdeursauto. Ik denk niet dat hij in een auto van de zaak rijdt, ook al is dat een hypothese waar wel iets voor te zeggen valt. Het zou zeker verklaren waarom hij zo uitgebreid gebruik heeft gemaakt van het netwerk van snelwegen. Maar uitgaande van het strakke schema van chauffeurs van bedrijfsauto's, betwijfel ik of dit hem de mate van flexibiliteit en van vrije tijd zou geven om Jennifer in de val te lokken en haar daarna te ontvoeren.

Waarschijnlijk heeft hij een universitaire of hogeschoolopleiding gehad. Zijn kennis van computertechnologie en zijn bekendheid met de mogelijkheden ervan duiden op een hoge mate van deskundigheid op dit gebied. Ik denk dat hij werkzaam is in de ICT, en waarschijnlijk is hij zijn eigen baas. In de elektronica-industrie werken consultants die geen hechte gemeenschap vormen en die flexibele werktijden hebben, en diezelfde flexibiliteit geldt voor de locaties van de bedrijven waar ze voor werken.

Wat zijn persoonlijkheid betreft kunnen we zeggen dat we te maken hebben met een psychopaat die op hoog niveau functioneert. Hij kan menselijke interactie simuleren, maar het ontbreekt hem aan empathisch vermogen. Hij woont waarschijnlijk alleen en heeft geen hechte emotionele banden. Dit maakt hem in zijn werkomgeving niet tot een grote uitzondering, daar veel mensen die werkzaam zijn in de ICT dezelfde indruk maken, hoewel ze in feite zeer goed in staat zijn tot emotionele interactie. Ze hebben gewoon liever te maken met hun computers, omdat hun dat minder moeite kost.

Hij zou heel goed verslaafd kunnen zijn aan computergames, vooral aan gewelddadige online-multi-usergames. Deze zullen hem voorzien van een uitlaatklep voor de nihilistische gevoelens die hij koestert ten opzichte van andere mensen.

Tony las nog eens door wat hij had opgeschreven. Hij voelde geen enkele tevredenheid. Behalve dat hij had beklemtoond dat de moord niet seksueel gemotiveerd was, vreesde hij dat je met een paar studieboeken en met je gezonde verstand even ver zou zijn gekomen. Er waren veel meer conclusies te trekken over deze moordenaar, daar was hij zeker van. Maar eerst moest boven water komen wat het verband was tussen de moordenaar en zijn slachtofferkeuze. Tot die tijd tastten ze met z'n allen in het duister.

26

Na het drama van de dood van Jessica Morrison was Paula er bepaald niet op gebrand om opnieuw met een stel diepbedroefde ouders te moeten gaan praten. Wat het nog erger maakte was dat ze het alleen moest doen. Ze wist niet wat er op het hoogste niveau was gebeurd, maar West-Yorkshire had zich schielijk teruggetrokken, en ze wilden dus ook niets meer te maken hebben met het brengen van de doodstijding. En Kevin was druk bezig met het opstellen van een protocol voor het verzamelen van alle informatie waar het korps van West-Yorkshire over beschikt had. Dus hier stond ze dan, bezig met wat ze het minst prettig vond. Maar als ze één ding had geleerd van haar eigen ervaringen met verdriet was het wel dat je nooit dingen uit de weg moest gaan. Wat ze zeiden over meteen weer op het paard gaan zitten, was waar. Maar dat maakte het allemaal niet gemakkelijker.

De vrouw die de deur opendeed zag eruit alsof ze ruzie had met de hele wereld. Haar donkere ogen stonden kwaad, de kleur van haar huid was vervaagd tot een vaal geel, haar mond was een strakke streep. 'Wij hebben niets te zeggen,' snauwde ze.

'Ik ben geen journalist,' zei Paula. Ze probeerde zich niets aan te trekken van haar beledigende houding. 'Ik ben rechercheur Paula McIntyre van de politie van Bradfield.'

De handen van de vrouw klauwden in haar wangen. 'O god. Nee, zeg alsjeblieft dat dit gewoon een routinebezoek is.' Ze struikelde naar achteren, en werd opgevangen door een tweede vrouw die achter haar was verschenen. Ze omknelden elkaar, de tweede, iets grotere vrouw keek Paula aan met een blik vol naakte angst.

'Misschien kan ik even binnenkomen?' vroeg Paula, die wel eens wilde weten waar verdorie die familierechercheur uithing.

De vrouwen weken iets achteruit en Paula glipte naar binnen. 'Zijn jullie alleen?' vroeg ze.

'We hebben die contactmevrouw weggestuurd. We konden met haar in huis niet tot rust komen. Ik ben Julia Viner,' zei de tweede vrouw. Met het laagje fineer van sociale conventies probeerde ze het moment waarvan ze wist dat het onontkoombaar was nog wat uit te stellen. 'En dit is Kathy. Kathy Antwon.'

Kathy keek Paula aan; de tranen stroomden over haar gezicht. 'U hebt slecht nieuws, hè?'

'Het spijt me,' zei Paula. 'Eerder vandaag is er een lichaam gevonden. Te oordelen naar de beschrijving van de kleding geloven we dat het Seth is.' Haar mond ging open, maar ze kon niets meer vinden om te zeggen, dus deed ze hem maar weer dicht.

Julia sloot haar ogen. 'Ik heb hierop gewacht,' zuchtte ze. 'Vanaf het moment dat we merkten dat hij vermist werd. Ik wist dat hij dood was.'

Ze klampten zich zwijgend aan elkaar vast; er leek geen einde aan de omhelzing te komen. Paula stond ernaast, stom als een rots en ongeveer even zinvol. Toen het duidelijk werd dat ze de eerste tijd niets zouden zeggen, glipte ze langs hen heen en zocht de keuken op waar ze water opzette. Vroeg of laat zou er behoefte zijn aan thee. Dat was altijd zo.

Er stond een theepot op het aanrecht naast de waterkoker. Nu moest ze alleen nog maar de thee zien te vinden. Ze maakte het kastje boven de waterkoker open en zag een aardewerken pot waar 'thee' op stond. Ze pakte de pot en maakte hem open. In plaats van thee zag ze dat er twee biljetten van vijf pond in zaten, plus een paar munten van een pond en een vodje papier. Nieuwsgierig haalde ze dat eruit. In een nauwelijks leesbaar handschrift stond er Jullie krijgen 10 pond van me. Met JJ naar b and, heb geld voor treinnodig, x Seth.

Dit was nieuw, dat wist ze zeker. Ze moest dit aan Julia en Kathy laten zien; het was alleen de vraag wanneer ze hen daarmee lastig kon vallen. Ze liep naar het verste gedeelte van de keuken en belde naar Stacey op het bureau. 'Ik ben bij Seth Viner thuis,' zei ze. 'Ik heb iets gevonden. De persoon met wie Seth op Rig chatte noemde zich toch JJ, hè?'

'Ja. De initialen, niet zoals je het zegt.'

'Ik denk dat Seth met hem bij het station had afgesproken.'

'Het hoofdstation in Bradfield?'

'Dat staat er niet bij. Maar daar zouden we moeten beginnen. Kun jij nog eens naar de bewakingscamera's kijken?'

'Tuurlijk. Als ik weet naar welk tijdstip en naar welke plaats ik moet kijken, kan ik proberen het er met de juiste software uit te lichten en dan kijken wat er gebeurt. Bedankt Paula, daar kom ik een eind verder mee.'

Paula klapte haar mobieltje dicht en rechtte haar schouders. Nu hoefde ze alleen nog maar de echte theebus te vinden.

Sam stond al bij het portier van de Lexus voordat de vrouw de motor had afgezet. Hij had drie uur op Angela Forsythe staan wachten, omdat hij haar wilde verrassen en geen zin had om allerlei secretaresses en assistentes onnodig te alarmeren. Hij was niet van plan deze enorme kans te verpesten, omdat zijn getuige was gewaarschuwd.

Een van de merkwaardige aspecten van het dossier van de zaak-Barnes was dat de aangifte van de vermissing van Danuta Barnes niet van Nigel afkomstig was geweest maar van Angela Forsythe. Ze was destijds rechtskundig adviseur van de privébank waar Nigel Barnes, zijn vrouw Danuta en Harry Sim allemaal hadden gewerkt, voordat Danuta het moederschap had verkozen boven het beklimmen van de maatschappelijke ladder. Als iemand het fijne wist over de relatie tussen Harry Sim en Danuta was het Angela wel. En het goede van advocaten was dat je ze, zelfs als ze van baan veranderden, altijd via de Orde van Advocaten kon opsporen. Zodra Sam had ontdekt wat de link was tussen de twee volwassen lichamen in het meer had hij bij Stacey aangeklopt met de vraag of ze Angela kon vinden. Ze was er meteen achteraan gegaan. Om de een of andere reden treuzelde ze nooit als hij haar iets vroeg. Hij vermoedde dat het kwam omdat zij had onderkend dat van alle leden van het team hij de man met ambities was, degene die hogerop wilde. En ze wilde er gewoon voor zorgen dat haar carrière gelijke tred hield met de zijne.

En het was aan Stacey te danken dat hij had staan posten bij een privéparkeerplaats naast de verbouwde sigarettenfabriek uit 1920, die zich recent had ontwikkeld tot een van de meest gewilde adressen in Bradfield. Het lag midden in een privépark op een loopafstand van een paar minuten vanuit het centrum van de zakenwijk van de stad. Je keek uit over het kanaal naar de gerestaureerde victoriaanse handelswijk waar wol- en stoffenverkopers hun zaken hadden afgewikkeld en hun vertier hadden gezocht.

Angela Forsythe keek verschrikt op bij het zien van een goedgebouwde man van gemengd ras die pal naast haar auto stond. Haar eerste reactie werd wat getemperd toen ze zijn pak zag, zijn glimlach, maar vooral zijn identiteitskaart. Met de motor nog aan liet ze het raampje een paar centimeter zakken. Een flauwe lucht van iets bloemigs en kruidigs zweefde naar Sam toe. 'Is er iets, rechercheur?'

'Ik mag hopen van niet, mevrouw,' zei hij. Hij koos voor een overdreven respectvolle houding waarvan hij vermoedde dat die wel eens zou kunnen aanslaan bij deze chic geklede vrouw met de vermoeide wallen onder de ogen. Hij vond het donkergroene mantelpak en de roomkleurige blouse een verstandige keus, omdat ze er eenvoudig maar stijlvol in uitzag. 'Zou ik misschien met u over Danuta Barnes kunnen praten?'

Bij een vrouw met wat minder levenservaring zou de adem zijn gestokt, dacht hij. Maar deze vrouw was erin getraind om niets te laten merken. 'Hebben jullie haar dan gevonden?'

Het was een vraag die hij eigenlijk liever niet wilde beantwoorden. Hij wilde dat er nog een verrassingselement over was als hij oog in oog stond met Nigel Barnes. Uit jarenlange ervaring wist hij dat getuigen nooit te vertrouwen waren, ook al hadden ze geen goed woord over voor de verdachte. 'We zijn bezig met een nieuwe onderzoekslijn.' Hij glimlachte.

Ze trapte er niet in. 'Wees maar niet bang, ik zal niets tegen Nigel zeggen,' zei ze. Ze draaide haar raampje weer omhoog en zette de motor af. Ze deed het portier open en gleed naar buiten. Met haar korte maar welgevormde benen zwiepte ze Sam bijna aan de kant. 'U kunt maar beter meekomen.'

Het appartement bevond zich op de tweede verdieping. Voor de oorspronkelijke met staal omrande art-decoramen zat nog een extra glazen paneel om elk geluid van buitenaf te dempen. De woonkamer was als Angela Forsythe zelf – warm, interessant en sophisticated. Hij vermoedde dat ze zorgvuldig nadacht over het effect dat ze wilde bereiken. Ze gaf met een handgebaar te kennen dat hij op een comfortabele, goed gestoffeerde sofa moest gaan zitten en zakte zelf neer in een oorfauteuil ertegenover. Het was duidelijk dat er geen sprake zou zijn van gastvrijheid en beleefdheidspraatjes. 'Danuta was mijn beste vriendin,' zei ze. 'Ik neem aan dat er in uw dossier staat dat ik haar als vermist heb opgegeven?'

'Inderdaad, ja.'

Ze knikte, en toen ze haar benen over elkaar sloeg veroorzaakte de wrijving een zacht gefluister. 'Nigel zei dat hij de politie niet had gebeld omdat hij dacht dat ze hem had verlaten. Er was zogenaamd een briefje geweest, maar hij was zo overstuur dat hij het had verbrand.'

Dat wist Sam allemaal al. 'Daar wilde ik u niet over vragen.'

Haar wenkbrauwen gingen omhoog. Ze duwde haar korte donkere haren achter één oor en hield haar hoofd een beetje scheef. 'O nee? Dat is interessant.'

'Ik wilde u vragen of u Harry Sim kende.'

Van haar professionele behoedzaamheid was opeens niets meer over. 'Harry Sim? Wat heeft Harry Sim in godsnaam met Danuta Barnes te maken?'

Sam stak zijn handen in de lucht met de handpalmen naar haar toe. 'Mevrouw Forsythe, ik ben met een nieuwe onderzoekslijn bezig. Ik wil in dit stadium echt geen details prijsgeven. Niet omdat ik denk dat u en Nigel Barnes misschien onder één hoedje spelen, maar omdat ik de reacties van mensen op geen enkele manier wil beïnvloeden. Dus ik zou het zeer op prijs stellen als u me ter wille kunt zijn door mijn vragen te beantwoorden, ook al komen ze op u over als vreemd en zinloos.' Hij kon zich niet herinneren wanneer hij voor het laatst zo beleefd was geweest. Carol Jordan zou hem ervoor hebben geprezen.

Haar glimlach was wrang. 'U bent hier best goed in,' zei ze. 'Met een klein beetje moeite zou u advocaat kunnen worden. Oké, meneer Evans. Stel uw vragen maar. Ik zal mijn best doen om u zo objectief mogelijk antwoord te geven.'

'Waar kent u Harry Sim van?'

'Hij werkte bij Corton's. Ik was er al toen hij bij ons kwam werken, dus dat moet zo in '91 of '92 zijn geweest. Danuta en Nigel waren accountmanager en Harry zat bij investeringen. Hij werkte voor hen beiden; hij deed iets met hun deposito's.'

'Wat was hij voor iemand?'

Ze kauwde even nadenkend op haar onderlip. 'Harry was geen

echte teamspeler. Beperkte sociale vaardigheden. Dat deed er niet zoveel toe omdat hij niet rechtstreeks met de klanten in contact stond, en hij was goed in zijn werk. Danuta had een hele hoge dunk van hem.'

'Waren ze bevriend?'

Angela hield haar adem in en zuchtte toen diep. 'Bevriend zou ik niet zeggen, nee. Niet echt. Toen hij zijn inzinking had, was Danuta ongelooflijk aardig voor hem. Maar meer zoals je bij een ver familielid zou zijn dan bij een vriend. Eerder uit een soort plichtsgevoel dan omdat ze echt om hem gaf, als u begrijpt wat ik bedoel.'

Sams voelsprieten stonden rechtovereind. 'Zijn inzinking?'

'Eens kijken... Dat moet aan het eind van '94 zijn geweest. Hij had onder zware druk gestaan, omdat hij ons moest helpen om beter te presteren dan onze concurrenten en hij had een paar grote beoordelingsfouten gemaakt. Harry trok zich alles altijd heel persoonlijk aan en hij stortte volledig in. Een van de vennoten trof hem aan toen hij snikkend in elkaar gekruld onder een bureau zat. En dat was het einde voor die arme Harry.'

'Hebben ze hem gewoon gedumpt?'

Angela moest even hartelijk lachen. 'Goede god, nee. Bij Corton's waren ze altijd verschrikkelijk paternalistisch. Ze zorgden ervoor dat hij de best mogelijke zorg kreeg in de een of andere discrete kliniek. Maar bij de bank konden ze hem uiteraard niet meer gebruiken. Je kunt geen risico's lopen met het geld van de klanten.' Ditmaal klonk haar lach verbitterd. 'Daar hoef je in de financiële wereld van vandaag niet meer mee aan te komen, hè. Maar zo dachten ze toen bij Corton's.'

'Wat is er met Harry gebeurd?'

Ze haalde haar schouders op. 'Ik zou het niet weten. Ik heb de papieren opgesteld waarin het arbeidscontract werd verbroken, dus ik weet wel dat hij met een jaarsalaris is vertrokken. En daarbij had hij waarschijnlijk ook zijn eigen aandelenportefeuille. Dus geld zal geen probleem zijn geweest. In ieder geval de eerste tijd niet. Danuta is nog bij hem op bezoek geweest in de kliniek.' Angela fronste haar voorhoofd en wreef over de brug van haar neus. 'Ik kan me vaag herinneren dat ze het erover had dat hij zijn huis zou verkopen en ergens anders ging wonen,' zei ze langzaam. 'Ik maakte me eerlijk gezegd niet zo druk om Harry.'

'Het klinkt alsof Danuta dat wel deed.'

Ze schudde haar hoofd. 'Niet echt. Ze had medelijden met hem, meer niet. Ze was altijd veel aardiger dan ik.' Ze klonk zakelijk, niet als iemand die per se haar vriendin wil beschermen.

'Zou het mogelijk kunnen zijn geweest dat ze een relatie hadden?'

Er was niets gekunstelds aan Angela's reactie. Ze gooide haar hoofd achterover en proestte het uit van het lachen. 'Jezus,' sputterde ze. 'Nog afgezien van het feit dat Harry de emotionele intelligentie had van een zeester, heeft u kennelijk geen foto van hem gezien. Geloof me maar, Danuta speelde in een heel andere klasse dan hij. Nee, meneer Evans. Niemand die Danuta kende zou dat ook maar een fractie van een seconde kunnen denken.' Ze slikte en kalmeerde weer wat. 'Ik weet niet wie u op dit spoor heeft gezet, maar u zit helemaal verkeerd.' Toen was ze opeens weer nuchter en ernstig. 'Ik had zo gehoopt dat u nieuws voor me had. Geloof me maar, zelfs slecht nieuws zou nog beter zijn dan deze onzekerheid. Ik denk nog steeds aan haar.' Ze zuchtte. 'Ik hoopte zo dat iemand eindelijk die klootzak van een Nigel Barnes te pakken zou krijgen.' Ze wierp Sam een felle blik toe. 'Hij heeft haar vermoord, weet u. Ik heb daar nooit een seconde aan getwijfeld.'

'Waarom bent u daar zo zeker van?'

'Hij is altijd keihard geweest. Wat zaken betreft zou hij nog eerder je de keel afsnijden dan dat hij jou iets zou gunnen. Met Danuta kon hij voor de dag komen. Slim, mooi en net iets minder succesvol dan hij. Maar na de geboorte van de baby veranderde dat allemaal. Ze besloot dat ze niet meer wilde werken. Ze wilde een voltijdmoeder zijn. Geen echtgenote en moeder, alleen moeder. Ze was volledig gefocust op haar kind.' Ze keek wat beschaamd. 'Om u de waarheid te zeggen vond ik het allemaal nogal vervelend. Ik hoopte dat het nieuwtje ervan af zou gaan en dat de oude Danuta weer buiten zou komen spelen. Ik heb altijd gedacht dat Nigel er niet tegen kon dat hij concurrentie had. Dus moest hij van ze af.'

'Hij had toch gewoon kunnen scheiden?'

'Geld en goede naam,' zei Angela. 'Nigel zou geen van deze beide zaken hebben willen missen.'

'Hij zou veel meer kwijt zijn geraakt als hij ze had vermoord en als hij ervoor was gepakt.'

Angela Forsythe bleef hem een tijdlang strak aankijken. 'Maar dat is hij niet, hè?'

27

Tim Parker was nog nooit in Bradfield geweest. Hij wist alleen dat ze er een voetbalteam hadden dat in de Premier League speelde en dat gewoonlijk ergens in de middenmoot stond. Uit de geschiedenisles op school herinnerde hij zich vaag dat de stad in de negentiende eeuw rijk was geworden door de textielindustrie, hoewel hij niet meer wist of het nu om katoen of om wol ging. Of om iets heel anders. Was er in de negentiende eeuw nog iets anders geweest? Linnen, vermoedde hij. Nou ja, het deed er niet toe.

Hoewel hij eigenlijk de rang van brigadier had, vond Tim het prettiger om zichzelf te zien als iemand die de enge grenzen van de rangen ver achter zich had gelaten. Hij was summa cum laude afgestudeerd in de filosofie, politicologie en economie aan het Jesus College in Oxford en had vliegensvlug het versnelde traject voor afgestudeerden bij de Metropolitan Police in Londen doorlopen. Het was nooit zijn bedoeling geweest gewoon straatagent te zijn. Hij wist dat hij daar te slim voor was. Hij had altijd gedacht dat hij bestemd was voor het interessante deel van het werk, bijvoorbeeld iets bij de inlichtingendienst. Het maakte hem niet veel uit of het nu bij NCIS of SOCA of Europol was. Zolang het maar om uitdagend werk ging en hij erdoor het gevoel kreeg dat hij bij het handjevol mensen behoorde dat echt het verschil maakte. Hij was als een soort zij-instromer bij de opleiding tot profielschetser op de politieacademie terechtgekomen en had ontdekt dat hij daar wel aanleg voor had. Hij had de cursus met groot gemak doorlopen en had grote indruk gemaakt op de meeste van zijn instructeurs. Nou ja, in ieder geval op degenen die op de universiteit werkten. De klinische psychologen die echt in gesloten psychiatrische inrichtingen werkten waren wat minder enthousiast geweest. Vooral dat verknipte mannetje, die professor in de vagologie, die het had over wanordelijke hoofden en doorgaan voor menselijk. Alsof dat wetenschappelijk hout sneed.

Nu was hij meer dan klaar voor het echte werk. Het was alleen jammer dat het op een zaterdag begon. Zijn vriendin en hij hadden kaartjes voor de thuiswedstrijd van Chelsea tegen Aston Villa. Ze zouden met een stel vrienden voor de wedstrijd een hapje gaan eten en achteraf zouden ze met z'n allen gaan stappen. Maar in plaats daarvan was hij nu op weg naar Bradfield. Susanne was teleurgesteld geweest, maar ze was er alweer overheen. Tegen de tijd dat hij vertrok, had ze al met haar vriendin Melissa afgesproken dat die zijn plaats zou innemen.

De trein reed nu door vrij droefgeestig uitziende voorsteden. Grijze gemeenteflats, rijtjeshuizen van rode baksteen die heuvel op heuvel af waren gebouwd, zoals je altijd zag in de tv-series die zich in het noorden afspeelden. Hij was een keer in Leeds geweest voor een vrijgezellenavond en herinnerde zich vaag dat het er daar ook zo had uitgezien. Ze reden een kanaal over en toen kwam plotseling, om de bocht van de rails, de grote boog van gietijzer en glas in beeld van het hoofdstation van Bradfield. Het zag er imposant uit, dat moest hij toegeven. Hij hoopte dat het team waarmee hij moest gaan werken even indrukwekkend was.

Tim had over de hoofdinspecteur gehoord. Carol Jordan had, als het ging om het openbreken van zaken, een reputatie die haar als ze bij de politie in Londen was geweest, een legendarische status zou hebben gegeven. Maar de combinatie van Bradfield en sekse hadden tegen haar gewerkt, zodat ze nu gewoon iemand was voor wie je respect moet hebben, meer niet. Maar hij was niet onder de indruk geweest van het dossier dat de afgelopen nacht nog naar hem toe was gemaild. Als je het ontdeed van alle achtergrondruis van verklaringen van vrienden en familie bood het eigenlijk niet veel houvast. Geen wonder dat ze zijn hulp nodig hadden.

Hij stapte uit de eersteklaswagon die hij per se had willen hebben, zodat hij in alle rust het dossier door kon nemen, en keek zoekend rond naar zijn chauffeur. Een verveeld uitziende agent in uniform was diep in gesprek met iemand van het spoorwegpersoneel en sloeg geen acht op Tim noch op de andere passagiers. Tim deed zijn rugzak om, liep met ferme passen het perron af en tikte de agent op zijn schouder. 'Ik ben Tim Parker,' zei hij.

De agent keek hem uitdrukkingsloos aan, maar zijn stem klonk lichtelijk sarcastisch. 'Dat is heel fijn voor u, meneer. Ik ben agent Mitchell. Kan ik u ergens mee helpen?'

'Ben jij mijn chauffeur niet?'

De agent en de spoorwegman wisselden een geamuseerde blik. 'Ik ben van de spoorwegpolitie,' zei hij. Nu zag Tim pas het insigne van de man en hij voelde dat hij ontzettend afging. 'Behalve mijn vrouw rijd ik niemand rond,' vervolgde de agent. 'Als u iemand verwacht die u op komt halen, kunt u beter daarheen gaan.' Hij wees naar een groot hangbord waarop ONTMOETINGSPUNT stond. Een vrouwelijke agent in uniform stond eronder met een bordje. Zelfs van grote afstand kon je Tims naam erop zien staan. Maar niet zijn rang.

Boos en gegeneerd mompelde hij iets en liep weg. Gelukkig wist hij het hoofdbureau zonder verdere kleerscheuren te bereiken. De chauffeur wist niets van de zaak of van het Team Zware Misdrijven af. Ze wist niet eens waar hun teamkamer was. Haar werk zat erop toen ze hem bij de balie had afgeleverd. Hij moest nog tien minuten vruchteloos zitten wachten voordat iemand hem kwam halen. Hij had verwacht dat Jordan hem zelf zou komen begroeten, maar ze had de een of andere rechercheur gestuurd, met een snel pak en een hoge dunk van zichzelf. Hij hoopte dat rechercheur Evans niet door Jordan was gestuurd om hem te imponeren.

De teamkamer van het TZM was een aangename verrassing. Schoner, netter en beter ingericht dan alle andere recherchebureaus die hij kende. Waarschijnlijk kwam dat omdat er een vrouw aan het roer stond. Dat was geen politiek correcte gedachte, dat wist hij, en hij zou het ook nooit hardop hebben gezegd, maar hij dacht dat er wel wat in zat. Eén hoek van de kamer werd volledig in beslag genomen door computers. Hij hoorde het geluid van toetsen waarop snel werd getikt, maar het enige wat hij kon zien was de achterkant van zes beeldschermen die opgesteld stonden als een soort barricade. Hij had nooit zoiets gespecialiseerds gezien bij een doorsnee-operatie. Er stonden nog zes andere bureaus, kennelijk lukraak verspreid in de kamer. Geen ervan was bemand. Aan een muur hingen twee whiteboards die vol hingen met foto's van de plaats delict en met volgekrabbelde briefjes. Een voor Daniel Morrison en een voor Seth Viner.

'De chef zit in haar kantoor,' zei Sam kortaf, en hij ging hem voor naar het andere eind van de kamer. In de met glazen wanden afgescheiden ruimte waren de jaloezieën neergelaten. 'Alle anderen zijn op pad.' Hij deed de deur open en liep achter Tim aan naar binnen.

Zijn eerste indruk van Carol Jordan was dat ze eruitzag als de meeste onderzoeksleiders die midden in een dubbele moordzaak zaten – te weinig slaap, gedeprimeerd en ten einde raad. Haar blonde haren zagen er warrig uit, je kon de wallen onder haar ogen zien ondanks het laagje make-up en er stonden twee halflege koffiekopjes op het bureau. Maar toen hij beter keek zag hij dat het haar er met opzet zo slordig uitzag en dat haar ogen een energieke schittering vertoonden. Haar op maat gemaakte blouse was fris en schoon en de make-up was niet uitgelopen. Tim constateerde tevreden dat hij zich niet had laten misleiden door zijn eerste indruk. Hij stak zijn hand uit. 'Brigadier Parker,' zei hij. 'Noem me maar Tim.'

Carol keek licht geamuseerd en schudde zijn hand. 'Hoofdinspecteur Jordan. Noem mij maar mevrouw. Of chef. Of baas als je wilt.'

Dus zo ging het er hier aan toe. Een nieuweling wordt op zijn plaats gezet en dan doet het er niet toe dat hij hier is om je uit de shit te halen en je een goede indruk te laten maken. Zonder een uitnodiging af te wachten ging hij zitten. 'Ik heb alvast even gekeken naar het materiaal dat u me heeft gemaild. Op de eerste plaats zou ik graag de plaatsen delict zien.'

'Dat zal moeilijk gaan,' zei Carol. 'Want we weten niet waar de misdrijven zijn gepleegd. We kunnen je wel naar de plekken brengen waar de lichamen zijn gedumpt als je wilt,' voegde ze er behulpzaam aan toe.

'Dat bedoelde ik ook,' zei Tim, die nu toch echt boos begon te worden. 'Ik zou ook graag met de families praten.'

'Dat gaat ook niet zo gemakkelijk als we zouden willen. De moeder van Daniel Morrison is gisteren bij de identificatie in elkaar gezakt en gestorven. Zijn vader is ook ingestort en zit zwaar onder de medicijnen,' zei Carol. 'Maar ik denk dat we wel een gesprek met de moeders van Seth voor je kunnen regelen. Ik regel wel een agent die jou kan rondrijden.'

'Het zou gemakkelijker zijn als ik met een lid van uw team mee zou kunnen rijden,' zei hij. 'Dan kan ik als ik vragen heb ze meteen stellen.'

'Dat zal best gemakkelijker voor je zijn, maar we zitten tot onze nek in het werk. Mijn team is erg klein en heel gespecialiseerd. Ik kan geen rechercheur missen die jou overal heen rijdt. Rechercheur Evans is je contactpersoon. Hem kun je bellen met eventuele vragen.'

'Doe me een plezier en spaar ze op, dan kun je ze tegelijk stellen,' zei Sam. 'Ik ben al met twee zaken tegelijk bezig.'

Tim had het onderhand helemaal gehad met allebei. 'Ik begreep dat ik rechtstreeks met u te maken zou hebben, mevrouw.'

'Daar kan ik niets aan doen,' zei Carol liefjes. 'Je kunt me te spreken krijgen als het moet, maar Sam is van alles op de hoogte. En als hij het niet weet, dan weet hij wie het wel weet.'

'Mogen we hopen,' voegde Sam eraan toe.

'Ik ben niet gewend aan...'

'Wat ik heb begrepen is dat je aan niets gewend bent,' zei Carol. 'Ik weet zeker dat je dingen over ons hebt opgezocht voordat je hierheen kwam, Tim. Want ik heb hetzelfde gedaan. En ik weet dat dit je eerste echte zaak is.'

'Dat betekent nog niet...'

'Nee, het betekent niet dat je ons geen waardevolle inzichten kunt bieden. Maar je bent hier op onze voorwaarden, niet op de jouwe. Ik heb hier de leiding, jij niet. Is dat duidelijk?'

Hij voelde zich als een machteloos jongetje van tien dat een standje krijgt van zijn moeder. Wat echt niet eerlijk was, want deze vrouw was absoluut niet oud genoeg om zijn moeder te kunnen zijn. 'Ja mevrouw,' zei hij. Zelfs in zijn eigen oren klonk het huichelachtig.

'Wanneer heb je iets voor me?'

'Omdat ik al veel van het onderzoeksmateriaal heb kunnen verwerken, zou ik later vandaag een voorlopig rapport klaar moeten hebben.' Nu hij op bekend terrein was, voelde hij dat zijn zelfvertrouwen het weer won van zijn boosheid.

'Laten we zeggen om vijf uur hier in mijn kantoor, tenzij je iets anders hoort. Sam, regel jij een chauffeur voor Tim. Waar wil je werken? We hebben een hotelkamer voor je geboekt. Je kunt daar werken of we kunnen ergens in het gebouw een werkplek voor je vinden. Jij mag het zeggen.'

Hij had er nog geen moment bij stilgestaan. Hij was ervan uitgegaan dat zijn plaats hier zou zijn, in het zenuwcentrum van de operatie. 'Zou hier ook kunnen?'

Carol keek verbaasd. 'Natuurlijk. Ik zou niet weten waarom niet. Ik dacht alleen dat je liever zou... Er zijn nog een paar bureaus over. Ik zie je straks wel.'

Ze zat alweer naar haar computerscherm te staren voordat hij en Sam goed en wel de kamer uit waren. 'Ze leek verbaasd dat ik hier wilde werken,' zei Tim, terwijl hij achter Sam aan liep naar een bureau in het verste hoekje van de teamkamer.

'De profielschetser met wie we meestal werken, schrijft zijn profiel altijd in zijn eigen kantoor,' zei Sam laconiek. 'Hij kan hier niet denken, zegt hij altijd. Te chaotisch.'

'Met wie werken jullie meestal?' vroeg Tim.

'Dr. Hill. Tony Hill.'

Dat gestoorde mannetje dat vond dat Tim meer empathie moest hebben. 'Die ken ik wel,' zei hij.

'Fantastische vent,' zei Sam. 'Hij is heel waardevol voor het team geweest.'

Als hij zo fantastisch was, waarom hadden ze dan nu liever een nieuweling willen hebben? Kennelijk had dr. Hill ergens iets verknald en was hij uiteindelijk de laan uit gestuurd. 'Ik hoop dat ik in zijn voetsporen kan treden,' zei hij.

Sam begon enorm te grijnzen waardoor er diepe lijnen rondom zijn mond ontstonden. 'Om te beginnen ben jij ongeveer een halve meter langer dan Tony. Dan moet je dus kleine stappen nemen. Leg hier je spullen maar neer. Ik ga even een oppas voor je regelen.' Hij liep naar een van de andere bureaus en pakte een telefoon.

Tim haalde de blocnote tevoorschijn waarop hij al een paar aantekeningen had staan voor zijn profiel. Tot dusver was alles nog heel anders gelopen dan hij had verwacht. Nu moest hij zijn gezag laten gelden bij dat deel van het onderzoek waarop hij van invloed kon zijn. Carol Jordan had duidelijk laten merken dat ze geen erg hoge dunk van hem had. Als iemand hen kon helpen bij het oplossen van deze zaak, dan was het Tim Parker wel. Het was tijd dat hij aan 'mevrouw Jordan' kon laten zien dat hij iemand was om rekening mee te houden.

Tony ging naar beneden en liep al geeuwend de keuken in. Het huis in Worcester had kennelijk alleen een bepaalde uitwerking op hem als hij er was. Het was al één uur in de nacht toen hij in Bradfield aankwam, maar de rit noch het late uur was voldoende geweest hem zo diep en gelijkmatig te laten slapen als de nacht ervoor. Hij zette het koffieapparaat aan en ging op een keukenstoel zitten. Boven op de gebruikelijke rotzooi op de tafel stond het dunne recordertje van chroom dat hij mee had genomen van de boot. Hij had het al zeker een keer of vijftig opgepakt en weer teruggelegd. Hij had gekeken wat erin zat – een audiobestand – maar hij had nog geen poging gedaan ernaar te luisteren. De andere nieuwe toevoeging voor de stapel was een grote bruine envelop. De inhoud was het resultaat van het doorzoeken van het bureau van Arthur Blythe. Tony liet zijn vingertoppen rusten op de envelop en keek er nadenkend naar. 'Eerst koffie,' zei hij hardop. Terwijl hij druk bezig was met de melk vroeg hij zich af waar Carol was. Het was niet vreemd dat het bij zijn thuiskomst donker was geweest in haar appartement. Hij had gehoopt dat ze vanmorgen samen koffie hadden kunnen drinken, maar hij had ongeveer een halfuur geleden de motor van haar auto horen starten op de oprit. Het had of te maken met iets op haar werk, of ze was op weg naar de Yorkshire Dales om de dag door te brengen met haar broer Michael en zijn partner. Ze had het er laatst over gehad dat ze er hoognodig op bezoek moest. Het was jammer dat ze er niet was. Hij was er zeker van dat ze de inhoud van de envelop ongelooflijk spannend zou hebben gevonden.

Hij ging weer zitten met een kop koffie bij de hand en liet de inhoud van de envelop op tafel glijden. De drang om de gelaatstrekken van Arthur met die van zichzelf te vergelijken had hem naar het huis teruggestuurd nadat hij het profiel had afgemaakt en Pattersons vragen had beantwoord. Ondanks het feit dat hijzelf niet tevreden was met het werk dat hij had geleverd, leek de rechercheur van West Mercia er best blij mee. Maar misschien had hij gehoord wat er de morgen ervoor was gebeurd en wilde hij Tony gewoon kwijt.

Een snelle wandeling door het huis had bevestigd wat Tony al had gedacht: er stonden nergens foto's uitgestald. Arthur was er de man niet naar zijn ontmoetingen met beroemdheden overal rond te bazuinen of te bewijzen dat hij persoonlijk voor alle zeven wereldwonderen had gestaan. Maar er moest toch iets zijn, al was het maar een paspoort of een rijbewijs.

De meest voor de hand liggende plek om te beginnen met zoeken was de studeerkamer. En dan moest hij uiteraard beginnen met het bureau. Dat natuurlijk op slot had gezeten. Tony had de sleutelbos bestudeerd die hij bij de notaris had gekregen, maar geen van de sleutels zag eruit alsof hij zou passen op de kleine koperen sloten in de laden van het gebutste en gehavende bureau. Hij liet zich op de oude houten draaistoel vallen en begon woedend in het rond te draaien. 'Waar zou jij je bureausleutels nou toch bewaren?' riep hij. 'Waar zou je ze neerleggen, Arthur?'

Toen hij voor de derde keer ronddraaide zag hij ze. Ze lagen op een plank, boven op de boeken. Als je stond waren ze aan je oog onttrokken, maar als je in de stoel zat waren ze prima zichtbaar. Verborgen in het volle zicht, zoals in alle goede detectiveromans. Welke, zag Tony, goed waren vertegenwoordigd op de planken in de studeerkamer. Reginald Hill, Ken Follett en Thomas Harris, zoals je mocht verwachten. Maar ook, tot zijn verbazing, Charles Willeford, Ken Bruen en James Sallis. Geen vrouwen, alleen Patricia Highsmith. Hij reikte naar de sleutels en begon met de lade rechtsboven.

De tweede lade rechts was de eerste waarin iets anders zat dan briefpapier, enveloppen of bankafschriften. Een oude chocoladedoos stond boven op een stapel papieren mapjes van bedrijven die foto's afdrukten en waartussen het soort formele mappen lagen die je altijd kreeg bij trouwpartijen en officiële prijsuitreikingen. Tony maakte de chocoladedoos open en vond een schat aan persoonlijke informatie. Hier lag het geboortebewijs van Arthur; verlopen paspoorten; een diploma van de hogeschool in Huddersfield; een diploma waarop stond dat hij zijn zilveren medaille had gehaald voor reddend zwemmen bij het gemeentezwembad van Sowerby Bridge; en andere juweeltjes waarmee hij een heel leven kon samenstellen. Hij had niet verwacht dat het zo ontroerend zou zijn.

Tony deed de doos dicht en zette hem op het bureau. Hij was de enige voor wie dit van betekenis was. Hij haalde de stapel foto's eruit en draaide ze om in de veronderstelling dat dan de oudste bovenop zou komen te liggen. In het eerste mapje zaten twaalf afdrukken met scheprandjes, die bijna te klein waren om ze goed te kunnen bekijken. Verscheidene volwassenen hielden een baby in de armen, stuk voor stuk met een ontzettend trotse uitdrukking op hun gezicht. Tony draaide ze om: *moeder met Edmund, twaalf weken oud; vader met Edmund; oma met Edmund; oom Arthur met Edmund.* Hij stopte de foto's terug en ging verder. Hij was niet zo geïnteresseerd in de babyfoto's. Er stond niet op waar hij naar op zoek was.

Hij bekeek een stel schoolfoto's en een paar kiekjes van gezinsvakanties, die het verloop van Arthurs jeugd in kaart brachten. Er bestonden niet veel foto's van Tony als kind, maar hij meende toch enige gelijkenis te ontdekken. Iets aan de vorm van het hoofd, de stand van de ogen en de kaaklijn.

Hij had de indruk dat de gelijkenis sterker werd tijdens de puberteit, maar op Arthurs eindexamenfoto was de overeenkomst frappant. Zoals hij daar zat, met de perkamentrol in zijn hand, zag hij eruit als een meer ontspannen broer van Tony. De gelijkenis was opvallend. Maar daarna gingen ze met de jaren steeds minder op elkaar lijken. Het was alsof hij naar een demonstratie keek van kwantumfysica of van dat gedicht van Robert Frost over de dingen die je misloopt in dit leven. Het gezicht van zijn vader ontvouwde zich als een landkaart die zestig jaren in kaart bracht met een verhaal van wat Tony zelf had kunnen zijn als hij andere ervaringen had gehad.

Hij was lang bezig geweest met de foto's, had ze gewoon tot zich laten doordringen. Had daarbij aan niets gedacht en had ook niet veel gevoeld. Had ze gewoon in zijn bewustzijn toegelaten. Uiteindelijk koos hij er een stuk of tien uit, variërend van de plechtige aanbieding van de een of andere golftrofee tot een informeel kiekje van drie mannen die rondom een tafel in een pub zitten en die hun glas heffen om te toosten. Iets concreets om bij zich te dragen. En misschien om aan Carol te laten zien.

En nu was ze niet hier en kon hij ze niet met haar delen. Nou ja, dat kon later ook nog wel als hij er dan nog steeds zin in had.

Tony stond op om nog eens koffie in te schenken. In het voorbijgaan zette hij de radio aan.

De irritante herkenningstune van Bradfield Sound vulde de kamer ter aankondiging van het nieuws. De stem van de omroeper overlapte de laatste tonen van het deuntje. 'En nu op het hele uur, alles wat je moet weten. Bradfield Sound, voor het nieuws bij u in de buurt. De politie heeft bevestigd dat in de heuvels bij Bickerslow het lichaam is gevonden van de vermiste tiener Seth Viner. Seth werd voor het laatst gezien op woensdag na school. Hij zou bij een vriend blijven slapen, maar is daar nooit aangekomen. Seth is de tweede tiener uit Bradfield die in de afgelopen week dood is aangetroffen op een afgelegen plek. Hoofdinspecteur Carol Jordan, de leider van het Team Zware Misdrijven uit de stad, zegt over deze verschrikkelijke moorden...'

En daarna klonk de stem die hij even goed kende als de zijne. 'We geloven dat Seth Viner en Daniel Morrison vermoord zijn door dezelfde persoon,' zei ze. Haar stem klonk zorgvuldig gemoduleerd, omdat ze respect voor de doden wilde uitdrukken, maar tegelijk moest aangeven dat ze dringend hulp nodig had bij haar onderzoek. 'Onze innige deelneming gaat uit naar hun familie en vrienden. We vragen iedereen in Bradfield om heel goed na te denken over de afgelopen paar dagen. Misschien kan iemand zich herinneren dat hij of zij Seth of Daniel heeft gezien op de dagen dat ze zijn verdwenen. Wij hebben uw hulp nodig.'

Daar was de omroeper weer, die ongepast vrolijk klonk gezien het onderwerp. 'De hoofdinspecteur heeft ook een waarschuwing voor alle jonge mensen en hun ouders.'

Carol weer. 'We geloven dat de moordenaar met zowel Seth als Daniel in contact kan zijn gekomen via een vriendennetwerk op internet. We dringen er bij jonge mensen en bij hun ouders op aan om waakzaam te zijn. Vergewis u ervan dat de mensen met wie u in contact staat ook zijn wie ze zeggen dat ze zijn. En als u ook maar enige twijfel heeft, blokkeer dan hun contact met u en neem contact op met de politie in Bradfield.' Ze noemde vlug het nummer van de contactlijn.

Dat verklaarde waarom ze al bij het krieken van de dag was vertrokken. Een dubbel moordonderzoek liet niet veel tijd over voor slaap. Of voor wat anders. Zij had nu ook te maken met een tikkende tijdbom, net als Patterson en Ambrose. Maar toch verbaasde het hem dat ze hem niet had gebeld. Oké, Blake was niet bereid om hem te betalen voor zijn hulp. Maar ze was zijn vriendin. Ze zou toch moeten weten dat ze op hem kon rekenen.

Dus vanwaar deze stilte?

Hij had geen gelegenheid om het zich lang af te vragen. De deurbel maakte een ruw einde aan zijn getob. Tot zijn verbazing zag hij Sam Evans op de stoep staan, half afgewend van de deur alsof het hem om het even was of er werd opengedaan of niet. Tony voelde zich onwillekeurig wat opgewekter. Eindelijk had hij een mogelijkheid om toegang te krijgen tot waar Carol mee bezig was. 'Leuk je te zien, Sam,' zei hij, en hij deed een pas achteruit om hem binnen te laten.

Zoals gewoonlijk draaide Sam niet om de hete brij heen. Hij was nog niet in de woonkamer of hij begon al te praten. 'Ik heb je hulp nodig,' zei hij.

Tony haalde zijn schouders op. 'Ik dacht dat jullie mij te duur vonden.'

Sam snoof eens. 'Ik zie het zo. We kunnen ons niet veroorloven je te duur te vinden. Maar nu hebben ze ons de een of andere zakkenwasser van de politieacademie op ons dak gestuurd. Ene Tim Parker.'

Tony kon niet verhinderen dat hij een verschrikt gezicht trok. Sam gromde. 'Ik zie al dat je hem kent. Dus dan weet je dat hij niets voorstelt. En ik ga niet met mensen als hij in zee in deze zaak. Je weet waar we nu het meest behoefte aan hebben, hè?'

Een ander zou zich misschien hebben laten intimideren door de heftigheid van Sam, maar Tony kende hem goed genoeg om te weten dat het de grote mond van een man was die ziet hoe zijn droom wordt bedreigd. 'Je hebt resultaten nodig,' zei hij kalm, terwijl hij ging zitten en een ontspannen houding aannam. Sam hoefde niet te weten dat de behoefte van twee kanten kwam. 'Je moet aan James Blake laten zien dat jullie aanpak de beste is.'

'Precies. En daarom ben ik hier. Ik heb je hulp nodig. Ik moet weten hoe ik een verhoor moet aanpakken.'

'Ik neem aan dat Carol niet weet dat je hier bent.'

Sams blik sprak boekdelen. 'Hoofdinspecteur Jordan hoeft er niets over te weten. Maar dit weet ik wel, doc. Behalve dit team heeft hoofdinspecteur Jordan niet veel anders in haar leven. Zonder het team zou ze het heel moeilijk hebben.' Zijn mond vertrok zich in een sinistere grijns. 'En zonder hoofdinspecteur Jordan heb jij het moeilijk.' Hij ging op het randje van een stoelleuning zitten, als een grote vogel die bij de eerste de beste dreiging op kan vliegen.

Tony moest toegeven dat wat Sam zei klopte en hij voelde zich er wat ongemakkelijk bij. 'Dus je doet een beroep op mijn eigenbelang?'

Sam haalde zijn schouders op. 'Ik heb eigenbelang altijd een goed uitgangspunt gevonden.'

'Carol zal het niet kunnen waarderen dat je mij over een lopende zaak vertelt.'

Sam fronste zijn wenkbrauwen. 'Wie zei dat het over een lopende zaak ging? Ik wil je iets over een oude zaak vragen.'

Tony probeerde zijn teleurstelling te verbergen. 'Zit jij niet op die zaak van de vermoorde jongens?'

'Ja, toch wel. Dat spreekt vanzelf. Maar ik heb een cold case die steeds warmer wordt, dus ik probeer twee dingen tegelijk te doen, weet je. En het is moeilijk om twee ballen tegelijk in de lucht te houden. Je kent dat wel.'

Tony kon zich niet herinneren dat Sam ooit had erkend dat hij hulp nodig had. Als je uitging van zijn ambitie en zijn eerzucht, dacht Tony, was hij hier vandaag alleen maar omdat het clandestien was en omdat hij het prima kon ontkennen. Maar als hij nu iets voor Sam deed, kon hij daar later nog wel eens plezier van hebben. 'Waarom vertel je me er niet over?' vroeg hij.

Het nam niet veel tijd in beslag. Sam was altijd goed geweest in het scheiden van hoofd- en bijzaken en in het logisch ordenen ervan. 'Dus je snapt wat mijn probleem is,' zei hij. 'Ik heb geen fysiek bewijs van moord. En behalve de computer heb ik niets waardoor ik Nigel Barnes in verband kan brengen met de dood van zijn vrouw, zijn dochter en Harry Sim. En daar komt nog bij dat ik geen flauw idee heb hoe Harry Sim in het plaatje past.' Hij sloeg zich in opperste frustratie op zijn dijbenen.

'Harry Sim is niet zo moeilijk,' zei Tony, die Sams geërgerde frons wel leuk vond. 'Hij is Nigels verlaat-de-gevangenis-zonder-betalenkaart.'

'Waar heb je het over?'

Tony nestelde zich wat dieper in zijn stoel. Hij voelde zich lekker op zijn gemak, zoals altijd wanneer hij zich een weg zocht in de geest van een ander. 'Als we één ding weten over Nigel Barnes dan is het wel dat hij alles plant. Hij heeft het allemaal van tevoren uitgedokterd. Een pietje-precies zorgt er altijd voor dat er een ontsnappingsroute klaarligt. En dat is nou precies de rol van Harry Sim.'

Sam slaakte een kreet van ergernis. 'Ik begrijp het niet. Hoe kan Harry Sim nu die verlaat-de-gevangenis-zonder-betalenkaart zijn?'

'Als je Nigel Barnes confronteert met de ontdekking van de lichamen in het meer, gebeurt er het volgende. Hij heeft een of ander verhaal over zijn vrouw die bij hem wegging en dat hij er toen achteraan ging en dat hij ze met z'n drieën aantrof in een bizar zelfmoordpact. En dat hij toen in paniek raakte, omdat hij dacht dat hij de schuld zou krijgen en dat hij dus die lichamen kwijt moest. En toevallig kwam het zo uit dat de manier die hij koos om zich te ontdoen van die lichamen alle forensische sporen tenietdeed. Er bleef nog wel genoeg over voor ons waarmee we de lichamen konden identificeren. Wat een enorme bof dat Harry toevallig zijn creditcard bij zich droeg. Ik wed dat uit het dossier blijkt dat het Nigel Barnes was die met die gebitsgegevens kwam aanzetten.' Tijdens zijn verhaal zat Sam zich in toenemende mate te ergeren.

'Shit,' barstte hij uit. 'Hoe moet ik hem dan godverdomme te pakken krijgen?'

'Die computer, daar weet hij zich wel uit te draaien. Hij zal zeggen dat hij ontdekte dat ze een relatie had en dat hij toen zijn fantasie de vrije loop liet over zijn strafmaatregelen,' zei Tony met overtuiging. 'Dus het enige wat je overhoudt is zijn woord tegenover een stel indirecte bewijzen.'

'Dat besef ik. Hoe kan ik hem toch laten doorslaan, Tony? Jij bent de man die onder hun huid kruipt. Hoe kan Nigel Barnes toch onderuitgehaald worden?'

Tony leunde naar voren; zijn jachtinstinct deed zijn bloed suizen. 'Je hebt één kans, en meer niet...'

28

Inspecteur Stuart Patterson las het profiel nog een keer door. Hij was niet erg enthousiast over wat erin stond, maar hij moest toegeven dat het allemaal wel klopte met de informatie die ze verzameld hadden. Er werden nieuwe onderzoekslijnen in voorgesteld. Het enige probleem was dat hij dan een heleboel uit handen moest geven. De wereld van de ICT bestond, voor zover hij kon zien, voornamelijk uit lieden als Gary Harcup, mensen die niet bekendstonden om hun sociale vaardigheden. Dr. Hill had het zelf ook naar voren gebracht, de kenmerken die de psychopathische seriemoordenaar tentoonspreidt doen hem niet bepaald opvallen tussen de nerds en de freaks.

En dan had je nog dat verband met Manchester. Patterson kon de redenering volgens welke zijn moordenaar niet hier uit de buurt kwam, niet betwisten. Er waren meer dan genoeg plekken rondom Worcester waar je veel minder risico liep als je een lichaam dumpte dan op die parkeerplaats. Oké, er waren geen camera's aanwezig op de toegangsweg, maar het bleef een drukke locatie.

Maar hoewel camera's misschien niet van veel nut waren geweest als het aankwam op het betrappen van de moordenaar met zijn slachtoffer, hoopte Patterson dat ze hem wel met iets anders op weg konden helpen. Op de drukste verkeersslagader van de snelweg naar de stad, de logische benadering vanuit het noorden, stonden er aan weerszijden van de weg camera's die nummerborden herkenden. Het was de bedoeling dat elk voertuig dat over die weg naar Worcester reed werd geregistreerd. Stel nou dat die link met Manchester klopte. Voor de zekerheid had hij Ambrose opdracht gegeven om de lijst te pakken te krijgen die begon op de dag dat Jennifer Maidment verdween. Daarna moest hij een praatje gaan maken met de Rijksdienst voor het Wegverkeer in Swansea, met de vraag of ze de lijst wilden checken op alle auto's en busjes die geregistreerd stonden op adressen in Manchester. Niet dat ze dan meteen beet zouden hebben – deze moordenaar had laten zien dat hij slim genoeg was om zijn sporen achter zich uit te wissen, en misschien had hij een zodanige vooruitziende blik gehad dat hij zijn voertuig op een ander adres had laten registreren. En mensen waren soms ook gewoon laks. Voertuigen veranderden van eigenaar, en op de een of andere manier kreeg de RDW dan nooit de papieren in handen. Maar ze moesten toch ergens beginnen. En daar hij nu de hulp in moest roepen van Manchester, kon het geen kwaad om van zijn kant zijn goede wil te tonen.

Patterson keek naar de telefoon alsof het zijn vijand was. Hij had zijn chef gevraagd of die de zaken met Manchester wilde regelen. Maar zijn chef was een lui stuk vreten die zo veel mogelijk de verantwoordelijkheid afschoof volgens het zogenaamde principe dat je je mannen moest leren zelfstandig op te treden. Het enige wat hij voor Patterson had gedaan was goed te vinden dat hij het andere korps benaderde. Nu moest hij op een zaterdagmorgen over de telefoon ra-ra-wie-heeft-de-bal spelen met het controlepunt van het korps aldaar om uit te vinden met wie hij eigenlijk zou moeten praten. Een prima tijdsbesteding.

Het kostte Patterson bijna een uur voordat hij eindelijk werd doorverbonden met iemand die bereid was enige verantwoordelijkheid op zich te nemen en die met hem samen wilde werken aan de zaak-Jennifer Maidment. Hoofdinspecteur Andy Millwood, de dienstdoende onderzoeksleider van de afdeling Zware Misdrijven, was compleet anders dan de andere politiemensen met wie Patterson had gesproken. 'Ik wil graag helpen,' had hij gezegd. 'Dit soort zaken zijn echt klote. Iedereen wil resultaten zien en het liefst gisteren. Je wordt er knettergek van.'

Dat hoef je mij niet te vertellen. Telkens als Patterson naar zijn dochter keek, werd hij overspoeld door een golf van schuldgevoel en hulpeloosheid. Telkens als hij in een etalage een poster zag hangen van Jennifer, die in het plaatselijke krantje had gestaan, leek het op een beschuldiging. Hij wist dat als hij deze zaak niet oploste, het er eentje zou worden die aan je bleef vreten, die knaagde aan het geloof in jezelf en die je steeds meer in de richting duwde van de broederschap van ex-smerissen die liever met behulp van een fles sterkedrank met de wereld communiceerden. Hij deelde ook dr.

Hills overtuiging dat deze moordenaar het weer zou doen als ze hem niet tegenhielden. En hij wilde niet opgezadeld worden met nog meer schuld. 'Dat waardeer ik,' zei hij.

'Je zegt dat je reden hebt te geloven dat die moordenaar van jou ergens bij ons uit de buurt komt.'

'Dat klopt. Hij heeft Jennifer online gestalkt en we hebben bijna twintig vrij toegankelijke computers opgespoord die hij daarvoor heeft gebruikt. Toen de computerexperts die gegevens door hun geografische-profileringssoftware hebben gehaald, bleek South Manchester de waarschijnlijkste thuisbasis te zijn. Ik kan je de kaart mailen waarop de desbetreffende plek staat aangegeven.'

'Dat is al heel wat,' zei Millwood. 'Heb je ook nog iets anders? Een beschrijving van getuigen? Iets dergelijks?'

Patterson legde uit wat hij van plan was met de nummerbordherkenning. 'En we hebben ook nog met een profielschetser gewerkt. Hij denkt dat de moordenaar in de ICT zit. Hij denkt aan een freelance-consultant of zoiets. Dus misschien zou je ons kunnen helpen met het uitdunnen van de lijst als we de resultaten binnen hebben van dat voertuigenonderzoek. Ik wil met alle plezier een paar van mijn jongens naar je toe sturen om te helpen.'

'Dat zou inderdaad niet zo gek zijn,' zei Millwood. 'Het is allemaal wel wat mager, hè? Ik zal met de inlichtingendienst gaan praten of ze nog een paar kinderlokkers in hun bestand hebben zitten die iets met ICT te maken hebben.'

'Ahum...' onderbrak Patterson hem. 'Die profielschetser, hè? Die zegt dat het niet om een kinderlokker gaat. Hij zegt dat het niet seksueel is. Ook al heeft hij haar vagina met een mes bewerkt.'

'Niet seksueel? Hoe komt hij daarbij?'

'Het heeft er iets mee te maken dat de moordenaar niet genoeg tijd met haar heeft doorgebracht. En dat hij eigenlijk niet echt... Nou ja, dat hij eigenlijk niet haar clitoris heeft afgesneden.' Het was gênant om zo'n gesprek te voeren. Niet omdat hij zich geneerde om over geslachtsdelen van een slachtoffer te praten, maar omdat hij wist hoe stom het klonk. Hij wist dat het stom klonk omdat hij dat zelf ook had gedacht toen Tony Hill voor het eerst zijn theorie geventileerd had. Maar toen hij naar de uitleg had geluisterd, zat er toch wel wat in.

Millwood maakte een geluid alsof hij ontplofte. Patterson hoorde iets wat klonk als 'tjee'. En toen: 'En daar ga jij in mee?' Zijn sceptische toon sprak boekdelen.

'Nou, hij legde het zo goed uit dat ik begreep waar hij naartoe wilde. Het probleem is dat we geen enkel ander bruikbaar motief hebben. Ze was er niet het meisje naar met allerlei wilde types om te gaan.'

'Dus je wilt niet dat ik achter die kinderlokkers aan ga?'

'Niet tenzij ze opduiken in ons nummerbordonderzoek.'

Millwood gromde. 'Dan hoeven we ons daar al niet meer om te bekommeren. Oké dan. Als de RDW jou een lijst heeft gegeven, geef ze dan maar aan de jongens mee die hiernaartoe komen. We helpen ze wel een handje.'

Het was niet helemaal wat Patterson in gedachten had gehad. Hij had gedacht dat zijn mensen de jongens van Millwood een handje zouden helpen, niet andersom. Maar in ieder geval had hij wel het gevoel dat hij een klein stapje in de goede richting had gezet.

Tony was stomverbaasd dat Carol had ingestemd met zijn voorstel om samen ergens een late lunch te gebruiken. Meestal gunde ze zich tijdens een moordonderzoek nauwelijks de tijd voor een sandwich achter haar bureau. Maar nadat Sam was vertrokken zonder hem iets over de lopende zaak verteld te hebben, had hij gebeld met het voorstel. Ze had zuchtend 'waarom ook niet?' gezegd. En toen: 'Bij de Thai in Fig's Lane is het op zaterdag meestal niet zo druk, want het stikt er van de kantoren daar in de buurt.'

Ze was uiteraard te laat. Hij vond het niet erg. Hij begreep dat ze onder druk stond en wist dat ze zo gauw ze kon zou komen. Hij ging zitten bij een raam op de bovenverdieping van het restaurant, keek naar de stille straat beneden en nam kleine slokjes van zijn Singha-biertje. Er waren slechtere manieren om een zaterdagmiddag door te brengen. En het voetballen begon pas om vier uur, dus dat zou hij ook niet hoeven te missen, tenzij ze afschuwelijk laat was. Terwijl die gedachte hem door het hoofd schoot, zag hij Carol met grote passen aan komen lopen. Ze liep zo snel dat haar jas als de cape van een superheld achter haar aan wapperde. Zijn hart sprong op toen hij haar zag. Ze wierp een snelle blik over haar schouder en verdween toen onder de luifel van het restaurant.

Ze kwam uit het trapgat tevoorschijn vergezeld door een golf koude lucht en boog zich naar voren om met haar lippen langs zijn wang te strijken. Haar huid voelde koud aan, maar ze had een blos vanwege de plotselinge hitte in het restaurant. 'Leuk je weer te zien,' zei ze, terwijl ze haar jas over de stoel gooide en ging zitten. 'Hoe was het in Worcester?'

'Ik ben bijna gearresteerd,' zei hij.

Carol lachte. 'Jij natuurlijk weer!' zei ze. 'Hoe heb je dat geflikt?'

'Lang verhaal. Later. De klus was...' hij stak zijn vlakke hand uit en wiebelde daarmee heen en weer '... best aardig. Niet gemakkelijk in termen van profielschetsen. Ze krijgen er nog heel wat moeite mee. En hij gaat door met moorden als ze hem niet te pakken krijgen.'

'Dat is teleurstellend. Ik weet dat je het prettig vindt als je het gevoel hebt dat je een verschil hebt gemaakt.'

Hij haalde zijn schouders op. 'Soms heb ik dat niet in de hand. Maar hoe zit het met jou? Ik heb je vanmorgen op de radio gehoord. Klinkt alsof je heel wat op je bordje hebt liggen.'

'Je meent het.' Carol pakte de menukaart. 'Ik weet niet waarom ik nog kijk. Ik weet toch al dat ik loempia en pad thai gai neem.'

'Ik ook.' Hij riep de serveerster en ze gaven hun bestelling op. Carol bestelde er ook een groot glas wijn bij. 'Hoe staat het ervoor?' vroeg hij.

'Het is net als bij jouw mannen in Worcester: we krijgen hier nog heel wat moeite mee. We hebben nog helemaal niets. We hopen gewoon dat de forensische mensen met iets op de proppen komen.'

'Ik weet dat Blake zegt dat ik taboe ben. Maar we kunnen toch wel onofficieel praten? Ik zal je zo veel mogelijk helpen,' zei Tony.

Ze keek neer op de tafel en zat wat met haar eetstokjes te friemelen.

'Dat is aardig van je.' Het was even stil, toen keek ze hem met een ondoorgrondelijke blik aan. 'Maar ik kan het niet aannemen.'

'Waarom niet?'

'Omdat het fout is. Als we je niet betalen, hebben we ook geen recht op je deskundigheid. En ik wil geen misbruik van onze vriendschap maken.'

'Daarom is er nu juist geen sprake van misbruik. Omdat we

vrienden zijn. Vrienden helpen elkaar. Vrienden zijn er voor elkaar.'

'Dat weet ik. En ik hoop ook dat je er voor mij persoonlijk zult zijn. Ik wil je steun, ik wil bij je kunnen blijven komen om aan het eind van de dag een glas wijn te drinken en dingen te zeggen die ik alleen maar kan zeggen tegen iemand die om me geeft. Maar de dingen die jou interesseren als profielschetser kan ik je niet vertellen.' Haar wijn werd gebracht en ze nam een grote slok.

Hij kon niet ontkennen dat hij het prettig vond dat ze hem zag als iemand op wie ze kon steunen. Maar hij had moeite met de logica van haar beroepsethiek. 'Dat is stom. Als ik dacht dat het mijn profiel voor West Mercia beter zou maken, zou ik het jou voorleggen. Omdat jij de beste rechercheur bent met wie ik ooit heb samengewerkt. Het kan me niet schelen waar ik mijn hulp vandaan haal. Ik heb voor deze zaak Fiona Cameron al in de arm genomen, en zij krijgt er niet voor betaald,' protesteerde hij.

'Dat is een zaak tussen jou en Fiona. Tony, als Blake denkt dat hij door jou van de salarislijst af te halen, toch kan blijven profiteren van jouw briljante geest vanwege onze vriendschap, dan moet hij merken dat hij daarin fout zit. Totdat hij dat doorheeft, praat ik niet met jou over deze zaken. Je moet er net als iedereen maar de kranten op naslaan.' Ze legde haar hand over de zijne en haar stem werd zachter. 'Het spijt me.'

'Ik begrijp het niet,' zei hij. 'Ik bedoel, ik zie wel in waarom je geen misbruik wilt maken van onze relatie. Dat je niet wilt dat Blake iets voor niets krijgt. Maar we hebben het hier wel over mensenlevens, Carol. Dit is een moordenaar die niet ophoudt tenzij je hem een halt toeroept. We moeten toch zeker alles doen om hem tegen te houden? Is dat niet belangrijker dan een punt te scoren?'

Heel even dacht hij dat zijn beroep op haar betere ik haar had overtuigd. Ze beet op haar lip en friemelde nog wat met haar eetstokjes. Toen schudde ze haar hoofd. 'Dit is geen kwestie van goedkoop punten scoren. Het gaat om dingen die veel belangrijker zijn. Het gaat erom dat ik wil dat mijn team goed gefinancierd wordt. Het gaat niet alleen om deze zaak. Als we nu geen paal en perk stellen aan deze onzin, gaan er nog veel meer mensen dood aan wie geen recht zal worden gedaan. Ik kan niet blijven werken met één hand vastgebonden achter op mijn rug, en Blake moet met zijn neus op de feiten worden gedrukt. Je hebt gelijk, er staan levens op het spel. En daarom moet ik nu mijn poot stijf houden.'

Hij herinnerde zich dat hij niet verondersteld werd te weten dat Tim Parker er was. Hij dacht er even aan hoe hij zou hebben gereageerd als hij echt in onwetendheid was gelaten. 'Dus je doet dit zonder hulp vanbuiten? Je hebt misschien wel met een seriemoordenaar te maken en je gaat terug naar de oude manier van denken dat alleen een smeris weet hoe een boef denkt?' Hij probeerde ongelovig en een beetje boos over te komen en was bang dat zijn acteerprestaties niet erg overtuigend waren.

Carol keek weg. 'Nee, we hebben iemand van de politieacademie die een profiel maakt.'

Tony kreunde. 'Ik heb het aan mezelf te wijten dat ik mijn baan kwijt ben, hè? Vertel, om wie gaat het? Een van de beteren, hoop ik.'

'Tim Parker.'

Hij legde zijn hoofd in zijn handen. Zijn stem klonk vervormd. 'En wat is jouw indruk van Tim?'

De serveerster kwam naar hen toe wiegen in haar strakke satijnen kimono met een schaal met loempia's die ze tussen hen in zette. Carol pakte er een en beet erin. 'Ah,' hijgde ze. 'Heet!' Ze kauwde met open mond, slikte en dronk nog wat wijn. 'We hadden daar een uitdrukking voor toen ik een puber was: AVM.'

'AVM?' Tony knabbelde ietsje voorzichtiger.

'Aardige vent, maar...'

'En wat hield dat precies in?'

'Best aardig. Maar hij mist iets. Charisma, uiterlijk, intelligentie, persoonlijkheid, gevoel voor humor. Een of meer van deze eigenschappen. Het komt erop neer dat zo iemand als potentieel vriendje onoverkomelijke tekortkomingen heeft.' Toen ze zag dat hij op het punt stond te reageren met nog een vraag, verklaarde ze zich nog wat nader. 'Niet dat ik aan Tim dacht in termen van een potentieel vriendje. Wat ik bedoelde was dat hij er helemaal niet gek uitziet, duidelijk niet dom is en dat hij een opdracht op een keurige manier accepteert. Maar het is duidelijk dat er toch iets ontbreekt.'

'En bij mij niet?'

Carol lachte. 'Blijkbaar niet.'

Tony lachte hoofdschuddend met haar mee. 'Dat is dus behoorlijk zorgwekkend.'

'Dus jij kent die Tim? Zie ik het verkeerd? Heeft hij wél voldoende in huis?'

Tony overwoog wat hij zou zeggen. Moest hij haar de waarheid vertellen, namelijk dat Tim ongeveer een even groot empathisch vermogen had als een journalist van een boulevardkrant? Tim vond hij niet belangrijk, maar wat hij wel belangrijk vond was dat hij Carol en haar team niet wilde ondermijnen. Dus koos hij voor een onwennige diplomatieke houding. 'Hij kan wel wat,' zei hij. Dat was genoeg, verder wilde hij niet gaan.

Ze aten in stilte. Toen zei Carol: 'Als hij niets voorstelt, kom ik daar wel achter.'

'Dat weet ik. De vraag is alleen wat je er dan aan gaat doen.'

Ze glimlachte wrang. 'Dan vertel ik het hem. En dan ga ik een enorme stampij maken bij Blake. En hopelijk vindt hij het dan goed dat ik jou weer uit de ijskast haal.'

Hij had haar optimisme altijd geweldig gevonden. Het had in de loop der jaren wel een paar butsen opgelopen, maar ze hield zich nog steeds vast aan de overtuiging dat het allemaal wel goed zou komen. Hij wist dat hij haar daar dankbaar voor moest zijn. Waarom zou ze anders al die tijd in hem zijn blijven geloven? 'Ik zal zorgen dat ik mijn dikke wollen ondergoed aanheb,' zei hij. 'Want dit kan wel een tijdje gaan duren.'

'We zien wel.' Carol at de laatste loempia op en veegde haar lippen af met een servet. 'En hoe zat het nou? Ben je bijna gearresteerd?'

Tony deed zijn verhaal en overdreef alles een beetje om haar wat op te vrolijken. 'Het is een wonder dat ze toch nog wel aandacht hebben besteed aan mijn profiel,' rondde hij af.

'Ik wou dat ik de blik op het gezicht van die makelaar had gezien,' zei Carol.

'Ze gilde als een stoomfluit,' zei hij. 'Het was geen positieve ervaring.'

'En je bezoek aan dat huis dan? Was dat wel een positieve ervaring?'

Tony tilde zijn hoofd naar achteren alsof hij inspiratie zocht in het plafond. 'Ja,' zei hij na enig nadenken. 'Dat was het.'

'Hoe zag het eruit?'

'Als een thuis,' zei hij. 'Een plek waar iemand comfortabel heeft gewoond. Geen uiterlijk vertoon; alles was omdat het was wat hij wilde, wat hij nodig had.' Hij zuchtte. 'Ik denk dat ik hem misschien wel had gemogen.'

Carols ogen waren zacht van medeleven. 'Het spijt me.'

'Niets aan te doen.' Hij laadde zijn vork vol noedels en stopte die in zijn mond. Het was een prima manier om niets te hoeven zeggen.

Carol keek bezorgd. Ze at niet meer en gaf de serveerster een teken dat ze nog een glas wijn wilde. 'Ik heb een paar dingen ontdekt toen je weg was,' zei ze. Hij trok vragend zijn wenkbrauwen op. 'Dingen over Arthur. Waarom hij is weggegaan.'

Tony hield op met kauwen. Zijn eten leek te zijn opgezwollen tot een onmogelijk grote bal. Hij dwong zich om te slikken. 'Hoe ben je daarachter gekomen?' *En waarom heb je dat gedaan?* Omdat ze niet anders kon. Omdat ze de beste rechercheur was die hij kende.

'Ik ben begonnen met oude telefoonboeken. Ik heb zijn fabriek gevonden. Hij was briljant, Tony. Hij heeft een nieuwe methode ontwikkeld voor het galvaniseren van chirurgische instrumenten. Hij had er het patent op en heeft het bedrijf toen verkocht aan een grote firma uit Sheffield. Hij was echt heel goed.'

Hij bestudeerde zijn bord. 'Hij heeft in Worcester ook goed geboerd. Hij had daar een fabriek. Hij bleef allerlei nieuwe spullen uitvinden. En dan ging hij er weer vandoor.' Hij was zich er goed van bewust dat zijn laatste zin twee dingen kon betekenen. Het paste bij zijn eigen tweeslachtige houding ten opzichte van Blythe.

'Ik ben er ook achter gekomen waarom hij is weggegaan,' zei ze. Ze rommelde wat in haar tas en haalde de uitdraai van het verhaal uit de krant tevoorschijn. Ze reikte het hem zwijgend aan en wachtte tot hij het had gelezen.

'Ik begrijp het niet,' zei Tony. 'Waarom is hij de stad uit gegaan? Hij was hier het slachtoffer. Wil je nu zeggen dat er meer achter zat? Werd hij bedreigd of zoiets?'

'Nee, zo was het niet. Volgens Vanessa...'

'Heb je hier met Vanessa over gepraat? Carol, je weet dat ik niets meer met Vanessa te maken wil hebben.' Zijn stemverheffing trok de aandacht van het handjevol andere gasten op de bovenverdieping.

'Ik weet het. Maar we kunnen het aan niemand anders vragen,

Tony.' Ze reikte over de tafel om zijn hand te pakken. 'Ik denk dat je antwoorden nodig hebt. Als je in Arthurs bed slaapt en in zijn woonkamer werkt, kom je nog niet te weten wat je echt moet weten. Je kunt je onmogelijk met jezelf en met hem verzoenen totdat je weet waarom hij is weggelopen.'

Tony was zo kwaad dat hij zijn mond niet open durfde te doen. Hoe was het mogelijk dat ze zo weinig van hem begreep? Had hij zichzelf al die jaren voor de gek gehouden? Had hij haar eigenschappen toegedicht die ze niet had omdat hij wilde dat ze die had? Hij wilde tegen haar schreeuwen om haar te laten inzien hoever ze over de schreef was gegaan. Hij wist dat hij haar kapot kon maken en haar met een paar goed gekozen zinnen van hem weg kon jagen. En dat was precies wat een deel van hem ook wilde. Een deel van hem wilde haar en haar vrijmoedige optreden uit zijn leven bannen. Hij zou verder en sneller en met minder bagage reizen zonder haar. Toen worstelde zich een afschuwelijke gedachte door zijn woede heen. *Tony, nu lijk je net op Vanessa.*

'Wat is er?' vroeg Carol dringend. Op haar gezicht zag hij de afspiegeling van zijn eigen gevoelens. Angst en afgrijzen, half-om-half, vermoedde hij.

Hij ademde diep. 'Ik weet niet of ik in woorden kan uitdrukken hoe ik me voel,' zei hij. 'Het maakt me soms bang hoeveel er van Vanessa in me zit.'

Carol zag eruit alsof ze in tranen zou uitbarsten. 'Ben je helemaal gek geworden? Je lijkt absoluut niet op je moeder. Jullie zijn elkaars tegenpolen. Zij geeft alleen maar om zichzelf. Jij geeft om iedereen behalve om jezelf.'

Hij schudde zijn hoofd. 'Ik ben haar zoon. Soms beangstigt me dat.'

'Jij bent wat je er zelf van gemaakt hebt,' zei Carol. 'Wat ik van jou geleerd heb is dat de mensen worden gevormd door wat er met ze gebeurt en hoe ze daarop reageren. Daarmee verontschuldig je de moordenaars over wie je een profiel schrijft, maar wil je het jezelf ontzeggen. Ik accepteer niet dat je jezelf in hetzelfde doosje stopt als Vanessa.' Haar felheid was heel oprecht. Het feit dat hij die felheid in haar had opgewekt, moest er wel op duiden dat er iets in hem was dat het verdedigen waard was. Hij kon niet weigeren dat te accepteren.

Hij zuchtte. 'Wat is volgens Vanessa dan het verhaal achter het verhaal?'

Carol deed een beroep op haar meest opmerkelijke talent: een fotografisch geheugen als het om het gesproken woord ging. Ze kon zich gesprekken, verhoren en ondervragingen altijd woordelijk herinneren. Het was een talent dat haar naar enkele van de gevaarlijkste plaatsen had gebracht waar een politiebeambte naartoe kan worden gestuurd, en tegenwoordig wist ze niet meer of ze er blij mee moest zijn of niet. Nu sloot ze haar ogen en nam Tony mee terug naar het hele gesprek. Het was een deprimerend relaas, dacht hij, dat des te geloofwaardiger overkwam door de bevestiging in Arthurs brief dat Vanessa hem niet had verteld dat ze zwanger was. Als ze daar de waarheid over vertelde – die haar niet bepaald voordelig liet uitkomen – vertelde ze waarschijnlijk ook de waarheid over de rest. Carol had gelijk. Hij was niets te weten gekomen over de echte Edmund Arthur Blythe door op zijn stoel te zitten en in zijn bed te slapen.

'Bedankt,' zei hij toen ze klaar was. Hij bedacht dat Carol één vraag had beantwoord waarvan zij het bestaan niet wist. Nee, hij hoefde niet te luisteren naar een verhaal van Arthur dat hij ongetwijfeld in elkaar had gewrocht om zelf beter uit de bus te komen. Hij wist nu wat er gebeurd was. Het was geen mooi verhaal, maar aan de andere kant: het leven wás voor het grootste deel niet mooi. Hij had zichzelf een dag en een nacht wijsgemaakt dat hij afstamde van een fatsoenlijke, aardige en slimme man. *Nee, wees eerlijk. Je hebt jezelf daarover al jaren voor de gek gehouden. Je hebt altijd fantasievaders gehad die al die eigenschappen hadden, en meer.* Hij wist ergens een glimlach vandaan te toveren. 'Heb je nog tijd voor koffie?'

Carol glimlachte. 'Natuurlijk.' Toen haalde ze alles wat hijzelf net had bedacht weer onderuit. 'En Tony – denk eraan. Vanessa denkt altijd op de eerste plaats aan zichzelf. Misschien leek het wel of ze de waarheid sprak, maar vergeet niet hoe goed ze kan liegen. De waarheid kan heel anders zijn dan zij vertelt.'

29

Niall sjokte zo nonchalant mogelijk dwars door de woonwijk naar de bushalte. Hij hield zijn schouders breed en zijn benen enigszins uit elkaar, waardoor hij zich als doelwit zo groot en zo onaantrekkelijk mogelijk maakte. Je kon hier in de buurt nooit weten vanuit welke hoek je opeens iemand op je nek kreeg. Al die idioten met al die drugs achter de kiezen, je wist nooit wat ze gingen doen. De jongen met wie je wekenlang een knikje van wederzijds respect had uitgewisseld kon zich opeens tegen je keren, en voor je het wist was je dan de lul.

Er hingen al een stuk of wat Aziatische gozers rond in het bushokje. Een ervan had hij wel eens tijdens de pauze in de buurt van school gezien. Hij wierp een schielijke blik Nialls richting uit, te kort om echt oogcontact te maken. 'Waar moet jij heen?' vroeg de jongen.

Niall wist dat hij het wel kon schudden als hij zou zeggen: 'Ik ga naar iemand toe die me Russische les gaat geven. Spannend hè?' Hij haalde zijn schouders op en zei: 'Naar de stad, hè? Wat hangen met m'n vrienden.'

De bovenlip van de Aziatische jongen krulde minachtend. 'Ik heb je nog nooit met vrienden gezien. Jij hebt helemaal geen vrienden, je bent een echte loser.'

'Wat weet jij daarvan?' vroeg Niall. Hij deed zijn best om te klinken alsof het hem geen lor interesseerde. Wat ook inderdaad zo was. Hij had veel interessantere dingen in het vooruitzicht.

Voordat ze verder konden praten, stopte er een auto bij de bushalte. Alle drie deden ze net alsof het niets met hen te maken had. Het raampje zoefde naar beneden en de man achter het stuur leunde naar buiten. 'Jij bent Niall, hè?'

Hij keek bedenkelijk. Oké, deze man kende hij niet. Maar hij wist wel hoe hij heette. 'Wat gaat jou dat aan?' vroeg hij.

'Ik ben blij dat ik je nog tref. DD heeft me gevraagd of ik jou wilde afhalen. Hij is gisteren van de trap gevallen en heeft zijn enkel gebroken – ongelooflijk, hè? We hebben drie uur zitten wachten bij de Spoedeisende Hulp in het Bradfield Cross-ziekenhuis. Hoe dan ook. Het is duidelijk dat hij je niet in de stad kon ontmoeten. Maar hij wilde de afspraak niet afzeggen, dus heeft hij mij gevraagd om je hier op te pikken.'

Het klonk wel logisch, maar Niall was toch nog niet helemaal overtuigd. 'Hoe wist je dat ik hier zou staan?'

'DD wist waar je uit zou stappen, dus ben ik gewoon begonnen aan het eind van die route en ben toen alle haltes af gegaan. Hij heeft jouw pagina op Rig met je foto voor me uitgeprint. Kijk maar.' De man zwaaide met een uitdraai waarop je Niall met een chagrijnige blik in een hoekje zag staan. 'Spring er maar in. DD wil wel eens iemand zien die interessanter is dan ik.' Een innemende glimlach, moeilijk te weerstaan.

Niall deed het portier open en stapte in. Met 'tot kijk, losers' had hij het laatste woord. De Aziatische jongens deden zo hun best om onverschilligheid te veinzen dat de politie bijna niets aan ze had toen hun gevraagd werd hoe de auto en de chauffeur er hadden uitgezien. Maar dat was later. Veel later.

Carol wreef in haar ogen. Ze voelden zo zanderig en moe aan dat ze zich afvroeg of ze niet even een bezoekje aan een opticien moest brengen. De laatste keer dat ze bij de dokter was geweest, met rugklachten, had die haar opgewekt verteld dat ze langzamerhand de leeftijd had waarop alles in elkaar begon te storten. Ze vond het oneerlijk. Ze had met haar lichaam nog niet de helft van de dingen gedaan die ze had willen doen en ze was echt nog niet toe aan een afscheid van al die wilde ambities en vage verlangens. Ze herinnerde zich nog dat toen Tony veertig werd, hij quasi zielig had zitten te klagen dat hij nooit als aanvoerder van het team van Bradfield Victoria het veld op was gelopen voor een bekerfinale. Ze vermoedde dat er soortgelijke onmogelijke dromen waren waar zij nu afscheid van moest nemen. De rolgordijnen van haar kantoor waren nu open en ze keek door de glazen wand naar haar team. Ze kon een dun reepje van de haren en de arm van Stacey zien. Om de zoveel tijd duwde ze haar haren achter haar oor. Het was een gewoontebaar, een gedachtepauze, een moment waarin ze op een ander beeld wachtte. Carol wist niet waar Stacey op dat moment precies aan werkte, maar ze wist wel dat welke geheimzinnige weg ze ook bewandelde, ze zeer waarschijnlijk met iets nuttigs op de proppen zou komen.

Kevin was aan het bellen. Hij zat met zijn pen te spelen, terwijl hij achteroverleunde en ronddraaide op zijn draaistoel. Hij was goed in het contact onderhouden met de diverse afdelingen en voelde zich op zijn gemak in de ouwe-jongens-krentenbroodsfeer waar Carol uiteraard niet bij hoorde. Hij wist het juiste evenwicht te bewaren tussen optrekken met de jongens en altijd in het oog te houden dat hij lid van haar team was. Ze was constant bang dat ze hem bij een promotie kwijt zou raken, maar volgens haar was hij opgehouden met solliciteren. Zou dat komen omdat hij zijn vroegere eerzucht kwijt was of gewoon omdat hij zijn huidige werk leuk vond? Hij had de afgelopen paar jaren zijn genegenheid voor zijn vrouw en kinderen herontdekt; misschien had dat er iets mee te maken. Hij was de enige in het team die kinderen had. Zijn eigen zoon was niet veel jonger dan Seth en Daniel. Carol nam zich meteen voor om even met hem bij te praten om te kijken of deze sterfgevallen voor hem niet te dichtbij kwamen.

Paula was weer op bezoek bij Kathy en Julia. Met haar bezoek wilde ze enerzijds laten zien dat ze beseften hoe bedroefd ze waren, anderzijds wilde ze proberen erachter te komen of ze zich misschien nog iets herinnerden waar zij wat aan hadden. Carol betwijfelde of de missies succesvol zouden zijn.

Sam was ook ergens buiten het bureau bezig. Nadat hij ervoor had gezorgd dat Tim Parker onder de pannen was, had ze hem naar het hoofdkantoor van RigMarole in Worksop gestuurd. De eigenaren hadden niet zitten te springen om op een zaterdag naar de zaak te moeten komen, maar Sam had een huiszoekingsbevel. Ze zouden de sleutels moeten overhandigen van het koninkrijk – de codes waarmee Stacey officieel toegang zou krijgen tot de uithoeken van hun systeem om te zien of er ook maar het geringste op hun server aanwezig was dat zou kunnen wijzen op de identiteit van de moordenaar. Sam zou ook in hun echte dossiers duiken om te zien of er misschien ergens nog iets op papier stond. Het was niet gemakkelijk geweest het huiszoekingsbevel in handen te krijgen – databescherming was zo'n heet hangijzer tegenwoordig. Vandaag de dag was het bijna gemakkelijker om bij een Zwitserse bankrekening binnen te komen dan bij sommige databronnen.

Ze hoopte dat een van hen op een aanwijzing zou stuiten waarmee ze verder konden bij deze moorden, en wel gauw. Dit zou het tijdperk van de overal aanwezige bewaking moeten zijn. Maar deze moordenaar leek in staat om de altijd waakzame ogen in de lucht te ontwijken. Hij zorgde voor rugdekking. En voor dekking van zijn computerhandelingen. Ze was vreselijk bang dat hij al druk aan het plannen was hoe hij nog een slachtoffer aan zijn palmares kon toevoegen.

Carol keek weer op haar eigen scherm en haalde de verslagen van de lijkschouwingen tevoorschijn. Misschien had Grisha wat resultaten voor hen. Ze was zo verdiept in een verslag dat ze niet merkte dat Tim Parker eraan kwam totdat hij al bij haar in de deuropening stond. 'Hoi,' zei hij ongepast vrolijk en opgewekt. 'Ik dacht dat ik u zelf maar een computeruitdraai van mijn profiel moest komen brengen. Ik heb hem ook al naar u gemaild, voor alle zekerheid.'

'Dat heb je vlug gedaan.' *Waarschijnlijk te vlug.*

Hij legde het op haar bureau. 'Zo, nu ga ik maar een kop koffie drinken in de kantine. Misschien kunt u me bellen als u klaar bent om het door te praten?'

'Dat is prima,' zei Carol. Zo te zien waren het maar een paar bladzijden. Nauwelijks tijd voor een kopje koffie, dacht ze. Hij keek verwachtingsvol naar zijn werk en toen naar haar. Ze glimlachte. 'Ga dan maar.'

Carol wachtte tot hij de teamkamer verlaten had voordat ze zijn profiel oppakte. Ze las het langzaam en zorgvuldig door, omdat ze niet het verwijt wilde krijgen dat ze hem op oneerlijke gronden had ontslagen. Maar hoe erg ze ook haar best deed om eerlijk te zijn, ze kon de opkomende woede niet onderdrukken. Er stond niets in wat haar eigen team ook niet had kunnen produceren. Ze hadden allemaal van al die jaren dat ze met Tony hadden gewerkt voldoende van de grondprincipes opgepikt. Ze hadden haar al die voor de hand liggende prietpraat die Tim Parker nog wat met bloemrijke zinnen had opgeleukt, ook wel kunnen vertellen. Georganiseerde moordenaar. Blanke man. Tussen de vijfentwintig en de veertig. Moeite met zijn homoseksualiteit. Niet in staat tot relaties. Op zijn strafblad zou brandstichting kunnen staan, wreedheid tegen dieren. Kleinere seksuele overtredingen zoals exhibitionisme. Een cv waarin hiaten voorkomen.

Het kwam allemaal rechtstreeks uit het leerboek. Er stond niets in waar ze ook maar een cent mee opschoten. 'Jezus christus,' zei Carol. Ze pakte de twee velletjes papier op en liep met een grimmig gezicht naar de deur. Ze ving Kevins blik toen ze langs hem heen struinde en schudde haar hoofd.

'Ons wonderkind kan maar beter zijn kogelvrije vest tevoorschijn halen, geloof ik,' riep Kevin haar achterna.

'Ik doe het in de kantine, dan kan ik niet in de verleiding komen,' zei Carol zonder stil te blijven staan.

Ze trof Tim aan op de sofa in de verste hoek van de kantine. Met een kop cappuccino in de hand zat hij de *Guardian* te lezen. Hij keek op toen hij haar aan zag komen. Zijn glimlach verdween toen hij haar gezicht zag. Carol liet het profiel voor hem op tafel vallen. 'Is dit alles? Is dit het resultaat van je dure opleiding aan de academie?'

Hij keek zo geschokt alsof ze hem een klap had gegeven. 'Wat bedoelt u?'

'Ik bedoel dat dit te gemakkelijk is. Het is oppervlakkig. Net of je het hebt overgeschreven uit een leerboek van de FBI over lustmoorden. Ik krijg er absoluut geen enkel beeld bij van deze moordenaar. Ik weet niet wat hij uit deze moorden voor voldoening haalt...'

'Nou, seksuele bevrediging, dat is nogal duidelijk,' zei Tim. Hij klonk geïrriteerd. Ze dacht eerst dat hij rood was van schaamte, maar besefte nu dat het uit ergernis was. 'Daar gaat het toch om bij lustmoorden?'

'Denk je dat ik dat niet weet? Ik moet iets specifieks hebben. Waarom deze methode en niet iets anders? Wat betekent het voor hem? Waarom de vredige dood en daarna de afschuwelijke verminking? Waar gaat het hier over?' Ze torende met haar handen op haar heupen hoog boven hem uit; ze wist dat ze eruitzag als een kenau, maar daar maalde ze niet om. Hij was schuldig aan een van de grootste overtredingen in haar boekje – het verkwisten van tijd en middelen in een moordonderzoek.

'Met zo weinig gegevens kun je onmogelijk theoretiseren,' zei hij gewichtig. 'Technisch gezien is hij nog geen seriemoordenaar. Dat is drie plus een, volgens de definitie van Ressler.'

'Denk je dat ik dat niet weet? Jij zat nog op school toen ik bij moordzaken begon te werken. Ik heb jaren gewerkt met een van de beste profielschetsers die er zijn. Ik heb de basisprincipes geleerd. Ik had dit kunnen schrijven. Dit is het slordigste stuk werk dat ik in tijden heb gezien.'

Tim kwam overeind. 'Niemand had meer kunnen doen met de beperkte informatie die u mij hebt gegeven. Als uw rechercheurs wat meer bewijsmateriaal hadden weten te vergaren zou het gemakkelijker zijn geweest om een zinvol profiel te schrijven.'

'Hoe durf je mijn team de schuld te geven? Laat me je wel vertellen dat er voor jou geen plaats in dit team zou zijn, als ik me hierop moest baseren. Waar is het inzicht? Er staat niets in wat we al niet weten. Waarom deze slachtoffers? Je hebt het er niet eens over of de slachtoffers *high* of *low risk* zijn. Hoe hij aan zijn slachtoffers komt. Waar hij ze vermoordt. Niets van dat alles.'

'U wilt dus dat ik zonder gegevens ga speculeren? Dat heeft niets met mijn baan te maken.'

'Nee, ik vraag van je om iets te maken van de gegevens die je ter hand zijn gesteld. Als je niet beter kunt dan dit heb je het recht niet om jezelf een profielschetser te noemen. En ik heb niets aan je.'

Zijn gezicht kreeg een koppig trekje. 'U hebt het bij het verkeerde eind,' zei hij. 'Ik heb op de cursus de hoogste punten gehaald. Ik weet waar ik mee bezig ben.'

'Nee, brigadier. Jij weet níét waar je mee bezig bent. Het klaslokaal is niet hetzelfde als een crisiscentrum. Nou, neem dit maar weer mee en ga aan het werk. Een dergelijke oppervlakkige benadering van de moordenaar kan ik missen als kiespijn. Denk na. Leef je in. Probeer in zijn huid te kruipen. En vertel me dan iets zinnigs. Je hebt tijd tot morgenochtend voordat ik mijn baas moet vertellen dat je een grote verspilling van tijd en geld bent.' Ze wachtte zijn reactie niet af. Hij had het recht te antwoorden verspeeld.

Ze besefte dat ze Tony nog nooit zo had gemist als op dat moment.

Het team bij RigMarole had Sams middag volledig verpest. Hij had uiteindelijk kwaad moeten worden om ze tot de orde te roepen. Hij begreep niet hoe iemand zijn bedrijf belangrijker kon vinden dan de levens van onschuldige tieners en ook maar een seconde kon aarzelen om de bestanden te openen. Toen hij hun eenmaal onder de neus had gewreven hoe sterk het verband was tussen de slachtoffers en hun voornaamste bron van inkomsten, en hoe snel die stroom van inkomsten kon opdrogen als de media eenmaal lucht hadden gekregen van de onwil van RigMarole, hadden ze ten slotte het licht gezien en ermee ingestemd om de toegangscodes aan Stacey te overhandigen en om hun dossiers met computeruitdraaien te openen. De inhoud van die dossiers bleek niets voor te stellen, het doorlezen was zonde van zijn tijd geweest. Het was om razend van te worden. Net nu hij er praktisch klaar voor was om de confrontatie met Nigel Barnes aan te gaan.

De saaie rit terug van Worksop bood Sam meer dan genoeg tijd om zijn tactiek te bepalen, zowel ten opzichte van Carol als van Barnes. Hij moest de hoofdinspecteur achter zich zien te krijgen. Dit was het soort doorbraak dat ervoor kon zorgen dat ze in de opperste regionen van het politiekorps van Bradfield niet meer om hem heen konden. Maar het was ook in het belang van Carol zelf en van het Team Zware Misdrijven. Dat maakte de kans dat hij Barnes op verdenking van moord zou mogen arresteren iets meer dan fiftyfifty.

Het was jammer dat hij Tony er niet bij kon halen om zijn argumenten te ondersteunen. Maar hij wist dat hij beter niet aan Carol kon laten merken dat hij iets achter haar rug om had gedaan. De laatste keer dat een lid van het team met Tony onder één hoedje had gespeeld was ze bijna gek van woede geworden. En toen ging het nota bene om Paula, haar lievelingetje. Hij zou haar er gewoon van moeten overtuigen dat ze genoeg hadden om het de moeite waard te maken.

Hij keek op het klokje op zijn dashboard toen hij van de M1 af reed. Met een beetje geluk was hij om acht uur weer in Bradfield. Dan zat Carol vast nog achter haar bureau. Wat zou ze tenslotte anders moeten doen op een zaterdagavond midden in een dubbel moordonderzoek? Haar leven bestond uit haar werk.

30

De digitale recorder op de keukentafel was het eerste wat Tony zag toen hij beneden kwam om te ontbijten. 'Nog niet,' zei hij hardop toen hij koffie in het koffiezetapparaat deed. Hij had tijd nodig te bedenken wat de implicaties waren van wat Carol hem de dag tevoren had verteld. Hij moest de betekenis van het verhaal van Vanessa zien te begrijpen voordat hij naar Arthur kon luisteren en zijn versie kon afwegen tegen de hare. Als er tenminste een duidelijk verschil tussen de twee versies was.

Maar Carol, die meestal wel een goede intuïtie had voor dit soort dingen, had hem eraan herinnerd dat Vanessa niet te vertrouwen was. Een vrouw die haar enige kind een erfenis had proberen af te troggelen, zou weinig scrupules hebben als het ging om het herschrijven van de geschiedenis.

Maar toch...

Om zichzelf niet in de verleiding te brengen, pakte hij zijn laptop en ging naar de website van de *Bradfield Evening Sentinel Telegraph*. Het was weliswaar de *Guardian* niet, maar de BEST was een van de betere provinciale kranten. En uiteraard zou er veel aandacht zijn voor Carols moorden.

Het was het hoofdartikel op de homepage van de krant. Tony klikte op de link en las hun verslag. Er was een heleboel bladvulling, maar de kern van het verhaal stelde niet veel voor. Twee veertienjarige jongens die op geen enkele manier met elkaar in verband konden worden gebracht, werden opeens vermist. Ze leken wel in rook te zijn opgegaan. Hun vermoorde en verminkte lichamen waren gevonden op afgelegen locaties buiten de stad. De politie geloofde dat ze misschien tot een ontmoeting met hun moordenaar waren verleid via viendennetwerken.

Zijn gedachten gingen onwillekeurig naar Jennifer Maidment. Honderdvijftig kilometer verderop en een andere sekse. Maar een heleboel overeenkomsten. Hij schudde heftig zijn hoofd. 'Je bent spijkers op laag water aan het zoeken,' zei hij. 'Je wilt een verband vinden, zodat je weer een voet tussen de deur hebt bij de onderzoeken van Carol. Doe even normaal, man.'

Hij klikte op de kleine portretjes van de twee jongens. Eerst Daniel, daarna Seth. Hij ging van de een naar de ander en toen nog eens, en vroeg zich toen af of hij spoken zag. Hij pakte zijn laptop en liep ermee naar zijn studeerkamer. Hij sloot zijn printer erop aan en printte de twee foto's uit in zwart-wit om de vergelijking gemakkelijker te maken. Op het laatste moment bedacht hij zich, en ondanks de kritische stem die in zijn oor zat te snateren, printte hij ook een foto van Jennifer uit.

Tony nam de drie foto's mee terug naar de keuken en legde ze verspreid op de tafel. Hij schonk een kop koffie in en staarde ernaar. Hij zat dit niet te verzinnen. Er was een duidelijke gelijkenis tussen de drie tieners. Een verontrustende gedachte die zich niet liet negeren wurmde zich naar voren in zijn hoofd. Het was een bewezen feit dat seriemoordenaars vaak op hetzelfde type vielen. Als sekse niet belangrijk was voor deze moordenaar maar het fysieke type wel, dan zat Tony er misschien toch niet zover naast als hij Jennifer in verband bracht met de twee jongens.

Hij had meer informatie nodig. En van Carol zou hij die in geen geval krijgen. Niet na haar gepreek dat ze geen misbruik van hem wilde maken.

Maar er was iemand die het misschien wel wilde doen. Tony pakte zijn telefoon en toetste een nummer in. Na de derde keer overgaan zei een voorzichtige stem: 'Tony? Ben jij dat?'

'Inderdaad, Paula.' Omdat hij zich opeens herinnerde hoe het eraan toeging tussen mensen die elkaar aardig vonden, vroeg hij: 'Hoe gaat het met je?'

'We zitten met twee moorden opgeschept, Tony. Hoe denk je dat het met me gaat?'

'Ik snap het. Hoor eens, Paula, ik heb je iets te vragen.'

'Als het met de zaak te maken heeft, is het antwoord nee. De laatste keer dat je me om hulp vroeg, heeft de chef me enorm op mijn donder gegeven, omdat ik iets buiten haar om had gedaan.'

'Maar we hadden gelijk,' zei hij. 'Wie weet hoeveel meer mensen er nog waren doodgegaan als je niet had gedaan wat ik je vroeg. En ik heb het alleen maar gevraagd omdat ik het zelf niet kon.' *En je bent me nog steeds iets verschuldigd omdat ik je uit de ellende hebt gehaald.*

'Ja nou, je bent nu weer beter. Je been zit niet meer in een spalk. Je kunt nu weer zelf overal heen.'

'Je bent een harde, Paula,' zei hij. Zijn bewondering was oprecht.

'Dat moet ik wel zijn met types als jij in de buurt.'

'Luister, ik vraag je niet om iets voor me te doen, niet als zodanig. Ik heb alleen maar een antwoord op een vraag nodig, meer niet. Een simpele vraag. Dat kun je toch wel voor me doen? Na alles wat we samen hebben doorgemaakt?'

Er klonk een geproest dat zowel op lachen als op walging zou kunnen duiden. 'Jezus Tony, jij geeft ook nooit op, hè?'

'Nee, dat doe ik niet. En jij ook niet. Dus jij zou het moeten begrijpen.'

Een lange stilte. Een zucht. 'Zeg maar wat de vraag is. Maar ik beloof niets.'

'Jullie twee slachtoffers. In de krant staat dat hun lichamen verminkt waren. Waren ze allebei volledig gecastreerd? De penis en de testikels?'

Weer een zucht. 'Ik mag ervan uitgaan dat je het tegen niemand vertelt, hè?'

'Inderdaad.'

'Ja, volledig. Ik ga je hangen, Tony. Dit gesprek heeft nooit plaatsgevonden.'

Maar hij luisterde niet. Zijn hersens waren alweer volop bezig om een antwoord te vinden op de vraag hoe hij aan Carol moest uitleggen dat haar twee tieners niet de eerste slachtoffers van deze moordenaar waren.

Kevin keek over zijn bureau heen naar Paula. 'Tony? Was dat misschien onze eigen Tony?' Hij praatte zachtjes en daar was ze hem dankbaar voor.

'De enige echte,' zei ze. 'De chef heeft hem kennelijk helemaal niets verteld.'

'En dat vindt hij niet leuk. Heb ik gelijk?'

Paula keek met een schuin oog naar Carol, die zat te bellen in haar kantoor. 'Dat kun je wel zeggen. Niet vertellen dat ik met hem heb gepraat, oké?'

Kevin grinnikte. 'Ik ben Sam niet. Ik zeg niets.' Voordat een van beiden nog iets konden zeggen ging zijn telefoon. 'TZM, rechercheur Matthews,' zei hij.

'Met rechercheur Jed Turner van de Zuid-Schotse recherche.' Een zwaar Schots accent, een naam die hij niet kende.

'Waar kan ik je mee helpen, Jed?'

'Zitten jullie met die dode tieners? Morrison en Viner?' Zijn toon was laconiek en onverschillig. Dat beviel Kevin niets.

'Dat zijn wij, ja,' zei hij.

'En die hebben eerst op de lijst van vermiste personen gestaan, hè?'

'Dat klopt. Heb je iets voor ons?'

'Ik kan je wel vertellen dat jullie het met alle plezier mogen hebben.' Een geblaf dat iets van lachen weg had.

'Dat bedoelde ik niet helemaal.'

'Dat snap ik, man. Ik heb daar geen illusies over. Wij hebben hier iets wat zou kunnen wijzen op een nieuw lid van jullie vrolijke clubje.'

'Hebben jullie een lichaam?'

'Nog niet. We hebben een vermiste veertienjarige. Niall Kwantick. Zijn mammie heeft ons al de hele dag aan de kop zitten zeuren. Die stomkoppen aan de balie hadden nogal wat tijd nodig om te snappen dat we hier ook te maken hebben met een MO zoals bij die zaken van jullie. Ze hebben het pas een halfuur geleden aan ons laten zien. Nou, is dat interessant of niet?'

Kevin ging overeind zitten en pakte zijn pen. 'Laat maar eens horen.'

'Het joch is een echte slimmerik. Woont met zijn moeder in een flat in Brucehill. Zij zegt dat hij gistermiddag naar de stad is gegaan. Hij heeft niet gezegd waar hij heen ging of met wie hij had afgesproken. Hij is niet meer thuisgekomen. Ze heeft geprobeerd hem op zijn mobiel te bellen, maar die stond niet aan. Het schoolvoorbeeld van een waardeloze moeder, weet niet met wie hij omgaat of wat hij buitenshuis allemaal uitvreet. Dus daar zitten we dan midden op een zondagmorgen en van het joch geen spoor. Willen jullie het hebben?'

Doe maar. Dan zijn jullie het lekker kwijt. 'Eens kijken wat jullie hebben. Het zou wel eens iets voor ons kunnen zijn, ja. Maar ik moet het even zien, en dan moet de chef het er ook nog mee eens zijn. Je weet hoe dat gaat.'

'En of, man. Oké, ik stuur het nu meteen naar jullie toe. Het verslag van de aangifte van de vermissing en een foto. Laat me weten wat jullie willen, hè?'

Kevin legde de telefoon met een somber gezicht neer. Paula ving zijn blik en trok haar wenkbrauwen op. Kevin gaf met zijn naar beneden wijzende duim te kennen dat het geen goed nieuws was. 'We hebben waarschijnlijk weer een vermiste jongen,' zei hij met een zwaar gemoed, want hij dacht aan zijn eigen zoon en hij wilde naar huis om hem in zijn kamer op te sluiten tot dit allemaal voorbij was.

'O nee,' kreunde Paula. 'Die arme ouders.'

Kevin probeerde daar niet aan te denken. 'Ik moet met de chef gaan praten.'

Een déjà vu was nooit plezierig als je bij een moordbrigade werkte. Carol werd met haar neus op haar falen gedrukt. Ze hadden de moordenaar niet te pakken, haar briljante team met hun uitzonderlijke talenten. Hij liep nog steeds vrij rond, had weer een slachtoffer te grazen en wie weet hoeveel er nog zouden volgen. Ze waren niet op volle sterkte, ze stonden onder druk en ze wisten wat er op het spel stond. Het TZM had nog nooit voor een grotere opgave gestaan.

Carol keek de leden van haar team een voor een aan. In haar hart wist ze dat ze al te laat waren voor Niall Kwantick. Als Grisha gelijk had met de tijdstippen van overlijden – en er was geen reden om daaraan te twijfelen – hield deze moordenaar zijn slachtoffers niet lang in leven. Hij nam het risico niet om ze gevangen te houden terwijl hij zijn lusten botvierde. Wat op zich al niet normaal was, dacht ze. Meestal wilden ze zo veel mogelijk bevrediging uit de ervaring halen. Dat was bijvoorbeeld een aspect waar Tim Parker zich op had moeten concentreren. Hij had zojuist zijn tweede poging ingeleverd en die was niet beter dan de eerste. Er was geen sprake van een beduidend inzicht en er stond niets in waar ze iets mee opschoten. Ze had nog geen gelegenheid gehad er met hem over te praten en hij hing wat rond achter in de teamkamer, als een klein kind in afwachting van ouderlijke loftuitingen. Van haar zou hij die niet krijgen, daar kon hij donder op zeggen.

'Juist,' zei ze. Ze probeerde niet te laten zien hoe moe ze was. 'Jullie zullen onderhand allemaal wel weten dat er weer een jongen vermist wordt. Het zou een overdreven reactie van de moeder kunnen zijn. Blijkbaar zijn er gisteravond nog een stuk of wat van dergelijke berichten binnengekomen die vals alarm bleken te zijn. Maar dit zouden we wel eens heel serieus moeten nemen, dus voorlopig gaan we ervan uit dat het hier gaat om de derde in de rij.' Er klonk een algemeen instemmend gemompel.

'Bij Schotland Zuid zijn ze bezig met getuigenverhoren, en ze zijn ook nog aan het zoeken. Kevin, ik wil dat jij als contactpersoon optreedt. Paula, jij gaat met Kevin mee. Als er een positieve aanwijzing is wil ik dat jullie meteen ter plekke zijn om de getuigen opnieuw te horen. Ik wil niet dat we iets missen omdat de politieman die met een cruciale persoon praat niet over jullie vaardigheden beschikt. Sam, we zullen Nigel Barnes voorlopig even moeten laten sudderen. Jij neemt de moeder. Alles wat ze te vertellen heeft komt meteen naar ons terug, maar let er wel op dat Schotland Zuid ook alles te horen krijgt. En Stacey – ik vind het heel vervelend, ik weet dat de bestanden je langzamerhand de neus uit komen, maar jij zult met Sam mee moeten om te zien wat er op Nialls computer staat.'

'Geen probleem,' zei Stacey. 'Het meeste van wat ik heb lopen staat op de autopiloot. Als er ergens iets opduikt blijft het wel netjes wachten tot ik er weer bij kan.'

'Jammer dat je vrouwen niet zo kunt programmeren,' zei Sam.

'Niet leuk,' zei Paula.

'Wie zei dat het leuk bedoeld was?' zei Kevin. 'Oké, ik ga.' Hij trok zijn jasje aan en pakte zijn sleutels.

'Hij is al dood, hè?' zei Paula, die nog even naar haar bureau liep om hetzelfde te doen.

Vanuit de deuropening mengde zich een nieuwe stem in het gesprek. 'Bijna zeker,' zei Tony. 'Maar je moet je nog wel gedragen alsof je naar een levende jongen zoekt.'

Carol sloeg haar ogen ten hemel. 'Dr. Hill,' kreunde ze. 'Precies op tijd, zoals gewoonlijk.'

Hij kwam verder de kamer in. Ze kon zich niet herinneren dat ze hem ooit zo goed verzorgd en chic gekleed had gezien. Het was alsof hij indruk wilde maken, iets waar hij zich normaal gesproken nooit mee bezighield. 'Toevallig hebben jullie groot gelijk,' zei hij. Hij liep langs Tim Parker en knikte. 'Dag Tim. Het is wel wat anders als het voor het echie is, hè?'

Kevin gaf hem een klap op zijn schouder toen hij langskwam. De rest van het team volgde zijn voorbeeld: ze raakten Tony aan alsof hij een talisman was. Zelfs Stacey liet haar vinger even langs zijn mouw glijden. 'Welkom terug, dr. Hill,' zei ze, formeel als altijd.

'Niet op de zaken vooruitlopen, Stacey,' zei Tony. Hij liep door tot in Carols kantoor, haar de keus latend om hem te volgen of haar kantoor aan hem over te laten. En ze wist maar al te goed dat hij geen enkel respect zou opbrengen voor haar professionele privacy. De zaak zou aan zijn genade zijn overgeleverd als ze hem liet begaan. Dus liep ze achter hem aan en sloeg met een klap de deur achter zich dicht.

'Wat doe je hier?' vroeg ze, met haar armen voor haar borst gevouwen en haar rug tegen de deur, zodat Tim Parker haar gezicht niet kon zien.

'Ik ben gekomen om te helpen,' zei Tony. 'En laat me voordat je het hele verhaal van gisteren weer gaat afdraaien alsjeblieft even uitspreken.'

Carol haalde een hand door haar haren en zette een stap naar voren. Ze deed de jaloezieën naar beneden en liep toen naar haar bureau. 'Je zult een goed verhaal moeten hebben, Tony. Ik weet niet hoeveel je hebt gehoord, maar er wordt weer ergens een jongen vermist en mijn prioriteit is nu dat ik hem samen met mijn team weer terug moet vinden.'

Tony zuchtte. 'Dat is heel prijzenswaardig, Carol. Maar we weten allebei dat er geen haast bij is. Die jongen is al dood.'

Carol voelde haar strijdlust wegebben. Soms was het om gek van te worden om bij Tony in de buurt te zijn. Hij had het vermogen duidelijk uit te spreken wat je al wist, en dat op een zodanige manier dat je je eigenlijk opgelucht voelde. En ze wilde zich helemaal niet opgelucht voelen. Ze wilde boos op hem zijn, omdat hij niet had geluisterd naar wat ze gisteren had gezegd. 'Wat doe je hier?'

'Nou, op een indirecte manier heb ik een soort bevoegdheid. Op grond van het feit dat ik al werk voor het korps dat als eerste te maken had met een slachtoffer van deze moordenaar.'

'Wat?' Carol wist absoluut niet waar hij op doelde.

'Daniel Morrison is niet het eerste slachtoffer.'

Onderzoeksleiders dragen altijd een angst mee in hun hart. Omdat er geen gezamenlijke aanpak en rapportage bestond tussen de verschillende politiekorpsen in Groot-Brittannië creëerde elke niet door huiselijk geweld veroorzaakte moord de mogelijkheid dat het niet om de eerste actie van de moordenaar ging. Een aantal jaren geleden had een flink aantal korpsen de koppen bij elkaar gestoken over hun onopgeloste moorden, waarbij ze een jaar of tien terug-gingen in het verleden. In samenwerking met Tony en met andere profielschetsers hadden ze die moorden onderzocht om te zien of ze er iets gemeenschappelijks in konden ontdekken. De conclusie die ze toen hadden getrokken was dat er in Groot-Brittannië minstens drie seriemoordenaars actief waren. Drie voorheen onvermoede seriemoordenaars. Het was een resultaat dat iedereen die bij moordzaken werkte koud om het hart was geslagen. Destijds had Tony tegen haar gezegd: 'De eerste moord is in aanzet de informatiefste, omdat hij nog uitprobeert wat hij prettig vindt. Tegen de tijd dat de volgende aan de beurt is, zal hij zijn methode hebben aangepast. Dan is hij er beter in.'

En nu kreeg ze van hem te horen dat ze niet eens dat voordeel had. Ze wilde tegen hem ingaan. En dat deed ze misschien ook nog wel. Maar nu had Carol eerst antwoorden nodig. 'Wie is de eerste? Waar is hij? Wanneer heb je eraan gewerkt?'

'Ik ben er nu mee bezig, Carol. Het gaat om Jennifer Maidment.'

Ze staarde hem in stomme verbijstering aan. 'Ik geloof je niet,' zei ze ten slotte. 'Heb je dit nu echt zo hard nodig? Gaat dit om Tim Parker? Ik heb nooit van jou gedacht dat je constant bevestiging van je professionele kwaliteiten nodig had.'

Tony sloeg zijn handen voor zijn gezicht en wreef in zijn ogen. 'Ik was al bang dat je het zo zou opvatten,' zei hij. Hij duwde zijn handen in de binnenzak van zijn jasje en haalde er een opgevouwen bundel papier uit. 'Dit gaat niet om mij. Als je nog steeds wilt dat ik me er niet mee bemoei, prima. Daar kan ik mee leven, geloof me. Maar het is belangrijk dat je me laat uitpraten. Alsjeblieft?'

Carol voelde zich verscheurd tussen haar respect en genegenheid voor hem en haar ergernis over de manier waarop hij zich indrong in haar onderzoek. Wat hij ook zei, ze wist zeker dat het allemaal te maken had met de aanwezigheid van Tim Parker. God, wat had ze behoefte aan een drankje. 'Prima,' zei ze kortaf. 'Ik luister.'

Hij vouwde de papieren open en legde de drie foto's die hij eerder had uitgeprint voor haar neer. 'Laten we even niet denken aan sekse. Want dat is bij deze zaak feitelijk volledig irrelevant. Ik weet nog niet waarom, maar dat is zo. Kijk alleen eens naar dit drietal. Er is een duidelijke gelijkenis. Hij heeft een type. Zou je het daarmee eens kunnen zijn?'

Ze moest toegeven dat hij een punt had. 'Oké, ze lijken wel wat op elkaar. Maar dat dat ook geldt voor Jennifer is gewoon toeval.'

'Oké. Hoewel je wel in gedachten moet houden dat seriemoordenaars vaak vallen voor een slachtoffer met een specifiek uiterlijk. Herinner je je Jacko Vance nog?'

Carol huiverde. Alsof ze die gauw zou vergeten. 'Hij had het gemunt op meisjes die op zijn ex leken.'

'Precies. Moordenaars die een dergelijke fixatie hebben, kiezen niet zomaar een slachtoffer dat hun toevallig voor de voeten loopt, want die voldoet niet aan hun eisen. En ze nemen er de tijd voor en doen hun uiterste best om degene waar ze echt naartoe worden getrokken voor zich te winnen. Nou, je moet onthouden dat ik niets meer weet over jouw zaken dan ieder ander die de kranten heeft gelezen en naar de radio heeft geluisterd. Ben je het daarmee eens?'

'Tenzij je weer stiekem achter mijn rug contact hebt gehad met mijn team, zoals je toen bij die zaak van Robbie Bishop hebt gedaan met Paula,' zei ze nors.

'Ik heb jouw rechercheurs niet uitgehoord, Carol. Maar ik ga je een paar dingen vertellen over jouw twee moorden die ik alleen weet omdat ze zijn gepleegd door dezelfde persoon die Jennifer Maidment heeft vermoord. Ik weet hoe hij zich gedraagt, Carol. Ik weet wat deze vent doet.' Hij begon op zijn vingers af te tellen. 'Een: ze zijn op onverklaarbare wijze verdwenen in de late namiddag. Ze hebben niemand in vertrouwen genomen – dat geldt voor vrienden, familie en liefjes. Twee: ze hadden al een poos contact met iemand op RigMarole, iemand die niet tot hun vriendenkring behoorde. Iemand die blijkbaar iets in de aanbieding had wat ze nergens anders konden krijgen. Mogelijk iemand die twee initialen gebruikte – BB, CC, DD, of zoiets. Dat laatste is een gok, maar als ik gelijk heb kan het misschien een betekenis hebben waar ik nog niet achter ben. Drie: de doodsoorzaak was verstikking doordat hij een dikke plastic zak om hun hoofd heeft vastgemaakt met plakband. Vier: er waren geen tekenen van verzet, wat erop wijst dat ze waarschijnlijk zijn gedrogeerd. Vermoedelijk GHB, hoewel dat bij jou wat moeilijker vast te stellen zou kunnen zijn omdat er al wat tijd verstreken was voordat de lichamen werden gevonden. Ze waren al een poosje dood, hè? Ze waren niet net vermoord. Omdat, en dat is vijf: ze zijn vermoord heel snel nadat ze gepakt waren. Hoe doe ik het tot dusver?'

Carol hoopte dat haar gezicht niet verraadde dat ze stomverbaasd was. Hoe kon hij dit weten? 'Ga verder,' zei ze kalm.

'Zes: ze zijn ergens buiten de stad gedumpt, in een gebied waar geen bewakingscamera's of verkeerscontroles zijn. Er is geen serieuze poging gedaan om de lichamen te verstoppen. Zeven: hun lichamen zijn na het tijdstip van overlijden verminkt. Acht: ze zijn gecastreerd. Negen: geen sporen van seksueel misbruik of aanranding. O, en tien: niemand schijnt te hebben gezien dat ze zijn ontvoerd, dus waarschijnlijk hebben ze een volkomen vriendelijke onschuldige eerste ontmoeting gehad met hun moordenaar. Zo, Carol – weet ik waar ik over praat of niet? Dit kun je toch geen toeval meer noemen, hè?'

Hij keek haar doordringend aan. 'Hoe wist je dit allemaal?' vroeg ze.

'Ik weet het omdat het overeenkomt met wat Jennifer Maidment is overkomen. Behalve dat in haar geval haar vagina is weggesneden. Let wel: haar vagina. Niet haar clitoris. En dit bedoel ik als ik zeg dat sekse er niet toe doet. Bij deze moorden gaat het niet om seks.'

Carol wist niet meer hoe ze het had. Alles wat ze wist over seriemoordenaars wees erop dat deze moorden een seksuele basis hadden. Hijzelf had haar geleerd dat ze daar meestal van uit kon gaan. Ook al snapte ze niet waar iemand zijn seksuele kick vandaan kreeg, die was er wel. 'Hoe kan je dat nu zeggen? Verminking van de geslachtsorganen – gaat het dan niet altijd over seks?'

Tony krabde op zijn hoofd. 'In negenennegentig van de honderd gevallen zou je gelijk hebben. Maar ik denk dat dit die ene uitzondering is. Bij deze zaak kunnen alle profielschetsers wel op het dak gaan zitten, want hier gaan de wetten der waarschijnlijkheid niet op.' Hij sprong overeind en begon te ijsberen. 'Er zijn drie redenen waarom ik dit zeg, Carol. Hij brengt niet genoeg tijd met ze door...'

'Dat is mij ook opgevallen,' zei ze. 'Daar kon ik ook niets mee. Waarom doe je al die moeite om ze te paaien om ze dan bijna meteen te vermoorden?'

'Precies!' Hij sprong er onmiddellijk bovenop, draaide zich met een ruk om en sloeg met zijn vlakke hand op tafel. 'Wat is daar voor lol aan? En nog iets: er is geen spoor van een seksueel trauma. Geen sperma, geen anale verwondingen. Ik neem aan dat het bij Daniel en Seth ook zo was?'

Carol knikte. 'Niets.' Ze besefte dat ze zich toch weer door zijn argumenten had laten meeslepen, ondanks al haar goede voornemens. Want op een afschuwelijke manier paste alles precies in elkaar. 'Je zei dat er drie redenen waren.'

'Hij wil eigenlijk zeggen: hier houdt het op. Je bent niet alleen dood. Je bent het einde van de lijn. Ze doen hem aan iemand denken, en die persoon wil hij van deze aarde wegvagen.'

Ze kreeg kippenvel bij zijn woorden. 'Dat is wreed,' zei ze. 'Gevoelloos.'

'Ik weet het. Maar het klopt op een manier die je niet van iets anders kunt zeggen.'

Ondanks alles voelde Carol iets van blijdschap in zich opborrelen. Dit waren de momenten die haar baan zo de moeite waard maakten. Die verbijsterende momenten als de tuimelaartjes van het slot precies pasten en de deur naar het inzicht openzwaaide. Hoe kon je nu niet van dat gevoel houden, als het ondoordringbare opeens kieren vertoonde. Ze glimlachte naar hem, dankbaar voor zijn inzicht en voor het geduld dat hij hun bijbracht. 'Het spijt me,' zei ze. 'Ik moet je mijn excuses maken. Ik heb nog nooit meegemaakt dat je kleingeestig was, ik weet niet waarom ik me opeens inbeeldde dat het met de komst van Tim Parker te maken had.'

Tony grijnsde terug. 'Parkers rol is uitgespeeld. Blake kan zeggen wat hij wil, maar dit is nu mijn zaak. Worcester gaat voor.' Hij haalde het kaartje van Stuart Patterson uit de zak van zijn jasje. 'Dit is de man met wie je moet praten.'

Carol nam het kaartje aan. 'Ik moet eerst nog met iemand anders praten.' Haar glimlach kreeg een grimmig trekje. 'En geloof maar dat ik daarvan ga genieten.'

31

Binnen de hechte broederschap van illegale eierverzamelaars had Derek Barton de reputatie dat hij altijd zijn belofte nakwam. Daardoor kon hij de hoogste prijs vragen. Zijn klanten wisten dat ze op de kwaliteit van zijn waren konden vertrouwen. Die zondag verwachtte hij een mooie oogst binnen te halen. Hij had al tijden staan posten bij het nest op het terrein van Staatsbosbeheer, en volgens hem moest hij op deze zondag zijn slag slaan. De eieren van een slechtvalk waren zeer gewild en ze brachten een goede prijs op. Het was altijd een heksentoer om bij de nesten te komen, maar het was de moeite meer dan waard.

Barton pakte zorgvuldig zijn rugzak in. Een paar pinnen om in de stam van een hoge den te slaan zodat hij er gemakkelijk in kon klimmen. Een rubberen hamer om het geluid te dempen. Een helm en een veiligheidsbril om zich te beschermen tegen de vogels zelf. En de met watten gevulde plastic dozen voor zijn buit.

Hij nam er de tijd voor om Manchester uit te rijden en koos een opeenvolging van kleine weggetjes om er zeker van te kunnen zijn dat hij niet werd gevolgd. Sinds hij een paar jaar geleden in de kraag was gevat, was hij voorzichtig geweest als hij op jacht ging. Die keer was hij gevolgd door een boswachter van de Vogelbescherming en was hij op heterdaad betrapt met een tweetal eieren van een rode wouw. De boete was niet misselijk geweest, maar wat hem razend had gemaakt, was dat hij nu een strafblad had. En dat alleen maar omdat hij iets had gedaan wat de mensen al honderden jaren deden. Waar kwamen anders al die vogeleieren in musea vandaan? Dat waren echt geen plastic namaakgevallen. Dat waren echte eieren, verzameld door liefhebbers zoals hij.

Toen hij zeker wist dat hij niet werd gevolgd, draaide hij de weg op die zich rondom het stuwmeer van Stonegait slingerde. Zoals gewoonlijk was er geen ander voertuig te bekennen. Nu de nieuwe weg door het dal was aangelegd, had men geen reden meer om deze weg te kiezen, tenzij je van plan was om op een van de bospaden te gaan wandelen. En daar er in de omgeving ontzettend veel prachtige paden waren, dacht bijna niemand er meer aan om door dikke dennenbossen te gaan wandelen waar je nergens uitzicht had en waar op het gebied van flora en fauna ook niet veel interessants te beleven viel. Barton wist vrij zeker dat hij niemand anders zou tegenkomen.

Het was er een fantastische dag voor, met de zon die als een spiegelbal over het water danste. Er was nauwelijks een zuchtje wind, wat een duidelijk voordeel was als je van plan was om in zo'n verdomd hoge den te klimmen. Barton minderde vaart toen hij de laatste bocht om kwam en keek of er inderdaad niemand was. In de overtuiging dat de kust veilig was, ging hij een paar honderd meter vanaf het begin van de bosweg aan de kant staan. Hij reed een stukje achteruit zodat de begroeiing in de berm zijn nummerbord onzichtbaar maakte. Het zou iemand die echt wilde weten wat hij daar deed, niet misleiden, maar toevallige voorbijgangers zouden hem niet zien. Toen pakte hij zijn rugzak en begon in een straf tempo aan zijn wandeling.

Toen Barton het bospad opliep, keek hij nog eens over zijn schouder om te kijken of hij wel alleen was. Dat hij even niet oplette waar hij liep, bleek een grote fout. Hij struikelde ergens over en kwam half op zijn hurken terecht. Hij hervond zijn evenwicht en keek naar het ding waarachter zijn voet was blijven haken.

Derek Barton ging er prat op dat hij geen mietje was. Maar dit kon zelfs hij niet afdoen als onbelangrijk. Hij slaakte een kreet en wankelde achteruit. Het afschuwelijke beeld leek zich in zijn hoofd te branden; hij bleef het zien, zelfs nadat hij zijn ogen bedekt had met zijn handen.

Hij draaide zich om op de ballen van zijn voeten en sprintte terug naar zijn veilige auto. Zijn banden piepten toen hij zijn auto een hele draai liet maken. Hij had al een kilometer of tien afgelegd toen het hem te binnen schoot dat hij wat hij zojuist had gezien niet zomaar kon negeren. Hij stopte bij de eerste de beste parkeerhaven en bleef zitten met zijn hoofd op het stuur. Hij was nog steeds buiten adem en zijn handen trilden. Hij durfde zijn mobiele telefoon niet te gebruiken, want hij wist zeker dat de politie die op kon sporen. Dan zou hij verdacht worden van... dat. Hij huiverde. Hij zag opeens het beeld weer voor zijn ogen. Hij was net op tijd de auto uit, want toen keerde zijn maag zich om in een hete lange stroom die over zijn broek en schoenen spetterde.

'Doe godverdomme normaal,' zei hij met onvaste stem tegen zichzelf. Hij moest een telefooncel zien te vinden. Een telefooncel die zo ver mogelijk uit de buurt stond vanwaar hij woonde. Barton veegde zijn mond af en liet zich weer op zijn stoel in de auto vallen. Een telefooncel en dan een flinke borrel.

Voor deze ene keer vond Derek het helemaal niet erg dat hij een klant teleur zou moeten stellen.

Het was niet gemakkelijk geweest, maar Tony had Carol zover gekregen dat ze Tim Parker aan hem overliet. Tony liep haar kantoor uit en toen dwars door de teamkamer naar de plek waar Tim zat met een gezicht dat er even ontoegankelijk uitzag als een klemmende deur. Zodra Tony dicht genoeg in de buurt was, begon Tim fel maar zachtjes te praten. 'Je hebt het recht niet om hier binnen te komen vallen. Dit is mijn zaak. Je hebt hier geen recht van spreken. Je bent niet bij de politie, je hebt geen officiële aanstelling als adviseur. Je zou hier niet eens mogen zijn.'

'Ben je klaar?' vroeg Tony op een toon die half minachting, half medelijden uitdrukte. Hij trok een stoel bij en legde Tims profiel opzichtig midden tussen hen in op het bureau.

Tim graaide het profiel weg. 'Hoe durf... Dat is vertrouwelijk. Het is een schending van het officiële protocol als je dat laat zien aan iemand die niet een officieel erkend lid is van het onderzoeksteam. En dat ben je niet. Als ik hier werk van maak komen jij en hoofdinspecteur Jordan diep in de stront te zitten.'

Tony's glimlach was medelijdend, zijn hoofdschudden bedroefd. 'Timmetje, Timmetje,' zei hij vriendelijk. 'Je snapt het niet, hè? De enige hier die diep in de stront komt te zitten, ben jij.' Hij boog zich naar voren en gaf Tim een klopje op de arm. 'Ik begrijp hoe angstaanjagend je eerste echte zaak is. Je beseft dat er meer mensen dood zullen gaan als jij en je team het niet goed doen. Dus speel je op safe. Je zoekt houvast bij wat je denkt te weten en je neemt geen risico. Dat snap ik.'

'Ik sta achter mijn profiel,' zei hij, met zijn kaak strijdlustig naar voren, maar met angst in zijn ogen.

'Dat zou heel onverstandig zijn,' zei Tony. 'Gezien het feit dat je er in bijna alle opzichten naast zit, behalve waar het gaat over de leeftijdsklasse.'

'Dat kun je niet weten, tenzij je vertrouwelijke informatie van Carol Jordan hebt gekregen,' zei Tim. 'Zij is hier niet de allerhoogste, weet je. Er zijn mensen tegenover wie ze verantwoording moet afleggen, en ik zal ervoor zorgen dat die weten hoe ze geprobeerd heeft mij te ondermijnen.'

Hij had niet kunnen weten dat hij zijn hoofd in de bek van de leeuw had gelegd toen hij Carol rechtstreeks bedreigde. De stemming van Tony sloeg om van een geamuseerde bereidwilligheid om te helpen naar kille woede. 'Doe niet zo potsierlijk. De reden waarom ik weet dat je fout zit, is niet omdat hoofdinspecteur Jordan informatie aan mij door heeft gegeven. De reden waarom ik het weet is omdat Daniel Morrison niet het eerste slachtoffer is.' Hij vond het niet aardig van zichzelf, maar hij genoot toch van de schok op Tims gezicht.

'Wat bedoel je?' Nu keek hij bang. Vermoedelijk omdat hij zich afvroeg wat hij over het hoofd had gezien en hoe dat was gebeurd.

Tony graaide wat in de plastic zak die hij mee had gebracht. Hij haalde een kopie van zijn profiel over Jennifer Maidment tevoorschijn. 'Ik probeer je hier niet te verneuken, Tim. Tenzij je het nog steeds verstandig vindt om Carol Jordan erbij te lappen.' Hij keek hem lang en doordringend aan. 'Als je dat flikt, zal ik ervoor zorgen dat je daar gedurende je hele verdere carrière spijt van hebt.' Hij zweeg abrupt, fronste zijn wenkbrauwen en schudde zijn hoofd. 'Nee, dan zou je nog niet voldoende zijn gestraft...' Hij legde de papieren voor Tim neer. 'Dit is mijn profiel van een zaak waar ik in Worcester aan heb gewerkt. Als je naar de laatste pagina kijkt, zul je tien kernpunten zien staan. Vergelijk ze met waar je hier mee te maken hebt, herzie je profiel door er een paar in te verwerken. Lever het in bij hoofdinspecteur Jordan en ga als de donder terug naar de academie voordat iemand moeilijke vragen gaat stellen.'

Tim keek achterdochtig. 'Waarom doe je dit?'

'Waarom neem ik je niet zoals het hoort te grazen, bedoel je?'

Het was lang stil. 'Zoiets ja.'

'Omdat jij de toekomst bent. Ik kan James Blake en zijn trawanten niet tegenhouden als ze voor een dubbeltje op de eerste rang willen zitten. Ga dus maar terug naar de academie, denk na over deze zaak en steek er wat van op.' Tony stond op. 'Je hebt nog een lange weg te gaan, Tim, maar je bent niet helemaal waardeloos. Ga weg en leer ervan, want de volgende keer zit het er dik in dat ik er niet bij ben om je handje vast te houden. En je wilt niet met de wetenschap leven dat er mensen zijn doodgegaan omdat jij het verdomd hebt om te leren je werk goed te doen.' Tony kneep zijn ogen dicht toen hij zich die pijn herinnerde. 'Geloof me, dat wil je echt niet meemaken.'

Volgens Kevin, die altijd prima op de hoogte was van de laatste nieuwtjes, had Blake zijn gezin nog niet over laten komen vanuit Devon naar het noorden. Zijn beide tienerdochters stonden op het punt om belangrijke examens te doen en zijn vrouw had categorisch geweigerd hen van school te laten veranderen vóór het einde van het schooljaar. 'We betalen zijn huur totdat ze hier in de zomer heen komen,' had Kevin gezegd toen Carol hem belde.

'Ik wil wedden dat hij niet in een zit-slaapkamer in Temple Fields woont,' zei Carol droog.

'Hij woont in een van die verbouwde pakhuizen die uitkijken op het kanaal.'

Carol werd even door heimwee overvallen. Ze had samen met haar broer op een van die bovenetages gewoond toen ze in Bradfield was komen wonen. Het leek net iets uit een ander leven. Ze vroeg zich af hoe het zou zijn om weer op een dergelijke plek te wonen. Ze had haar appartement in de Barbican in Londen onderverhuurd, maar die termijn liep binnenkort af. Ze kon dat met een nette winst verkopen, zelfs nu het er op de huizenmarkt wat minder rooskleurig voor stond. Dan zou ze meer dan genoeg geld hebben om zich een appartement in een pakhuis te kunnen veroorloven. 'Een adres heb je zeker niet, hè?'

Kevin had haar na zeven minuten teruggebeld met het adres van Blake. Hoewel Carol zijn mobiele nummer had, wilde ze dit gesprek beslist onder vier ogen voeren. Ze pakte haar tas en toen ze naar de deur liep zag ze dat Tony weg was en dat Tim Parker er nog zat, met een nerveuze blos op zijn gezicht. Wat zou er zich tussen die twee hebben afgespeeld? 'Mevrouw,' riep hij klaaglijk. 'We moeten het over mijn profiel hebben.'

Zijn zelfvertrouwen had helemaal geen deuk opgelopen, dacht ze. Hij had Tony zien binnenkomen, had gezien dat ze samen in haar kantoor hadden zitten praten en had moeten luisteren naar wat Tony hem onder zijn neus had willen wrijven. Op geen enkel moment hadden ze hem om zijn mening gevraagd. En hij had het nog steeds niet door. 'Nee, dat moeten we niet,' zei Carol toen ze de deur openmaakte. 'Ze hebben in de kantine het voetballen op staan.'

Het appartement van Blake was niet ver. Als ze te voet ging, was ze er eerder, besloot Carol, en ze genoot van de middagzon die de bakstenen verwarmde van de hoge fabrieken en pakhuizen die langs het oude Duke of Waterfordkanaal stonden. Hij kaatste terug van de hoge ramen waardoor die eruitzagen als zwarte panelen tegen een achtergrond van verweerde rode bakstenen die de kleur hadden van ossenbloed. Ze liep het gebouw binnen en rende de versleten stenen trap op die uitkwam in een barokke victoriaanse hal. Je zou denken dat dit een koopmansbank was geweest of een stadhuis en niet een pakhuis voor wollen stoffen, dacht ze, terwijl ze bewonderend naar het marmeren tegelwerk keek. In tegenstelling tot de meeste van dit soort verbouwde pakhuizen had dit gebouw nog echt een portier in een onopvallend zwart pak in plaats van een intercom. 'Kan ik u misschien helpen?' vroeg hij toen ze vlak bij hem was.

'Ik kom voor James Blake.'

'Weet hij dat u komt?' Hij liet zijn vinger langs een lijst gaan die open voor hem lag.

'Nee, maar ik denk dat hij blij zal zijn me te zien.' Carol keek hem uitdagend aan. Ze had met die blik al heel wat mannen op de knieën gekregen.

'Ik zal hem bellen,' zei hij. 'Wie kan ik zeggen dat er is?'

'Carol Jordan. Hoofdinspecteur Carol Jordan.' Nu kon ze zich wel een charmant glimlachje permitteren.

'Meneer Blake. Carol Jordan is hier om u te spreken... Ja... Goed, ik zal haar naar boven sturen.' Hij legde de telefoon neer en liep met haar mee naar de liften. Toen de deur openging, reikte hij langs haar heen en drukte op het knopje voor de bovenste verdieping. Voordat ze in de lift kon stappen ging haar telefoon.

Ze stak een vinger op. 'Sorry. Ik moet dit even aannemen.' Ze ging wat van hem af staan en beantwoordde de telefoon. 'Kevin,' zei ze. 'Wat is er?'

'Het ziet ernaar uit dat we Niall hebben gevonden.' Zijn stem klonk zo somber dat ze meteen wist dat de jongen niet met zijn meest onschuldige glimlach voor de deur van de flat van zijn moeder had gestaan.

'Waar?'

'Tussen Bradfield en Manchester, op een bosweg in de buurt van het grote Stonegait-stuwmeer.'

'Wie heeft hem gevonden?'

'Dat weten we niet. Er is een anonieme tip binnengekomen op het algemene alarmnummer. Vanuit een telefooncel in Rochdale. Ik ben er met een team van Schotland Zuid naartoe geweest. Ze hebben hem meteen gevonden. Hij ligt er kennelijk al wel een tijdje. Het ongedierte heeft er al lekker van zitten smikkelen. Het ziet er niet leuk uit.'

'Zelfde werkwijze?'

'Identiek. Dit is nummer drie, daar twijfel ik geen moment aan.'

Carol wreef over haar hoofd. Ze voelde een doffe hoofdpijn opkomen vanuit de onderkant van haar schedel. 'Oké. Blijf erop zitten. Ik wilde net met Blake gaan praten. Tony had wel een paar interessante dingen voor ons. Is Sam nog bij de moeder?'

'Dat denk ik wel, ja. Stacey ook. Niet dat zij de uitgelezen persoon is voor een dergelijke boodschap.'

'Misschien kunnen de mensen van Schotland Zuid er een familierechercheur heen sturen die dan weer contact onderhoudt met Sam. Na mijn gesprek met Blake ga ik rechtstreeks terug naar het bureau. Dit is een nachtmerrie,' zuchtte ze. 'Verdomme. Die arme kinderen.'

'Hij zit in een flow,' zei Kevin. 'Hij neemt geen adempauze meer. Het is gewoon de een na de ander. Hij is ze gewoon aan het afschieten.' Zijn stem brak. 'Hoe doet hij dat toch? Wat is dit voor een beest?'

'Hij kan het zo snel afwerken omdat hij het allemaal heel zorgvuldig heeft voorbereid. Die kinderen zijn er helemaal klaar voor,' zei

Carol. 'En als hij ze eenmaal te pakken heeft, brengt hij geen tijd meer met ze door. We krijgen hem wel, Kevin. We kunnen het.' Ze probeerde een vertrouwen uit te stralen dat ze zelf niet voelde.

'Als jij het zegt.' Zijn stem zakte weg. 'Ik spreek je straks wel.'

Carol klapte haar mobieltje dicht en liet een moment haar voorhoofd tegen een marmeren pilaar leunen, voordat ze zich weer herpakte en terugliep naar de geduldig wachtende portier en de lift.

Blake stond al te wachten toen ze uit de lift stapte. Ze vermoedde dat hij iets aanhad wat in zijn klerenkast doorging voor vrijetijdskleding – een openvallend overhemd met donkere ruiten dat hij in een bruine keper sportpantalon had gestopt en leren pantoffels. Ze vroeg zich af wat de andere huurders vonden van iemand die zo duidelijk niet wist wat je in deze omgeving droeg. 'Hoofdinspecteur Jordan,' zei hij. Zijn stem en gezichtsuitdrukking waren allebei even zuur. *Niet blij dus.*

'Ze hebben net Niall Kwantick gevonden,' zei ze.

Hij reageerde onmiddellijk hoopvol. 'Levend?'

'Nee. Het lijkt op dezelfde moordenaar.'

Blake schudde ernstig zijn hoofd. 'U kunt maar beter even binnenkomen. Mijn vrouw is er overigens ook.' Hij draaide zich om en liep naar een van de vier deuren op de overloop.

Carol bleef even staan. 'Ik ben hier niet om u over Niall te vertellen. Dat heb ik zelf net gehoord. Hoofdcommissaris, we zitten met een ingewikkelde situatie en ik zou graag willen dat u gaat zitten en objectief naar me luistert. Erover praten in het bijzijn van uw vrouw is waarschijnlijk geen goed idee.'

Hij wierp haar over zijn schouder een woedende blik toe. 'Wilt u dat ik naar het bureau kom?'

Voor ze iets kon zeggen ging de deur voor hem open en daar stond een goed verzorgde vrouw in het type kledij dat Carol herkende. Een vrouw met een karamelkleurige kasjmier trui, een enkel snoer parels, een keurige pantalon, schoenen met lage hakjes en onberispelijk gewatergolfd haar. Haar moeder had vriendinnen die er zo uitzagen, die de *Daily Telegraph* lazen en die Tony Blair toen hij begon als premier een leuke frisse jongeman hadden gevonden. 'James?' vroeg ze. 'Is alles goed?'

Blake stelde hen aan elkaar voor; het beleefdheidslaagje liet zich automatisch gelden. Carol was zich bewust van de onderzoekende blik waarmee Moira haar taxeerde toen haar man aan het woord was. 'Ik vrees dat hoofdinspecteur Jordan met een probleem zit dat niet tot morgen kan wachten, lieve.'

Moira neeg haar hoofd. 'Ik denk dat ze liever met jou alleen praat, James.' Ze deed een pas opzij en gaf met een handgebaar te kennen dat Carol binnen moest komen. 'Als u even geduld hebt terwijl ik mijn jas pak, dan zal ik de buurt hier eens gaan verkennen. Ik weet zeker dat er allerlei juweeltjes zijn die mijn man nog niet heeft ontdekt.' Ze verdween achter een Japans scherm dat het slaapgedeelte van het woongedeelte scheidde, Blake en Carol achterlatend met een wat schuldbewuste blik naar elkaar. Moira kwam terug met de onvermijdelijke camel jas over haar arm en ze zoende haar man op de wang. 'Bel me maar als je vrij bent,' zei ze.

Carol zag hoe de ogen van Blake Moira volgden toen ze de kamer uit liep, met een blik vol liefdevolle waardering die hem opeens veel aardiger maakte. Toen de deur achter haar in het slot viel, kuchte hij even en ging haar voor naar twee banken, die haaks op elkaar stonden. De salontafel ertussen lag vol met de zondagskranten. 'We hebben niet vaak een zondag zonder de meisjes,' zei hij met een vaag gebaar in de richting van de enorme stapel krantenpapier. 'Hun grootmoeder past dit weekend op.'

'In deze baan ben je nooit baas over je tijd. Maar ik zou hier niet zijn als het niet belangrijk was.'

Blake knikte. 'Vertel maar eens.'

'Dr. Hill is vandaag bij ons langs geweest,' begon Carol.

'Ik dacht dat ik duidelijk had gezegd hoe ik daarover dacht?' viel Blake haar in de rede. Zijn wangen werden nog roder dan normaal.

'Overduidelijk. Maar ik heb niet gevraagd of hij wilde komen. Ik heb hem met opzet niets over onze zaken verteld wat hij niet in de kranten kon hebben gelezen. Hij kwam langs omdat hij gelooft dat de twee moorden – nu dus drie – waar we aan werken zijn gepleegd door dezelfde moordenaar over wie hij een profiel heeft geschreven in een ander district.'

'O, in godsnaam! Dit is zielig. Zit hij zo te snakken naar werk dat hij zich aan ons op moet dringen met die doorzichtige smoesjes? Wat is zijn probleem? Is hij jaloers op de jonge brigadier Parker?'

Carol wachtte tot hij was gekalmeerd en zei toen: 'Hoofdcommissaris, ik ken Tony Hill al lang en ik heb nauw met hem samengewerkt bij verscheidene belangrijke zaken. Hij heeft gewoon niet een dergelijk ego. Ik geef toe dat ik in het begin sceptisch over zijn analyse was. Maar wat hij te zeggen heeft snijdt hout.' Ze liep de lijst door die Tony haar had voorgelegd en die ze dankzij haar fotografische geheugen letterlijk kon herhalen. 'Ik weet dat het vergezocht klinkt, maar er zijn zoveel gemeenschappelijke kenmerken dat het niet meer simpelweg onder de noemer toeval kan vallen.'

Blakes mond was steeds meer open gaan hangen naarmate ze verder kwam met haar opsomming. 'Weet u zeker dat hij geen toegang had tot de informatie van uw team?'

'Ik geloof hem,' zei ze. 'Hij is veel meer geïnteresseerd in het afrekenen met een moordenaar dan in zijn eigen zelfbeeld.'

'Wat denkt Parker hierover?'

Carol moest moeite doen om niet te gaan gillen. 'Ik heb geen idee. Ik heb het er niet met hem over gehad.'

'Vindt u niet dat u hem eerst had moeten raadplegen voordat u ermee bij mij kwam? Hij is de profielschetser die op deze zaak is gezet.'

Carol knipperde eens met haar ogen. 'Tim Parker is een idioot. Zijn zogenaamde profiel is een lachertje. Elk lid van mijn team had iets zinnigers kunnen produceren dan zijn eerste poging. En de tweede versie was maar een heel klein beetje beter. Ik weet dat u een hoge pet opheeft van de opleiding op de academie, maar brigadier Parker zal niemand van uw gelijk overtuigen. Zijn werk is onvolwassen en oppervlakkig.' Ze haalde haar schouders op. 'Er is geen ander woord voor. Ik kan niet met hem werken. Ik doe het liever zonder profielschetser dan dat ik er een heb met zo weinig inzicht.' Carol zweeg even om adem te halen. Ze kon bijna de brandlucht ruiken van de schepen die ze achter zich verbrandde. Blakes gezicht stond op onweer.

'Nu gaat u over de schreef, hoofdinspecteur.'

'Dat denk ik niet. Het is mijn taak om zware misdadigers voor het gerecht te slepen. Elk lid van mijn team is zorgvuldig uitgekozen vanwege de unieke bijdrage die hij of zij aan dit doel levert. Ik zou eerder hebben gedacht dat u me zou hebben gesteund in mijn streven naar uitmuntendheid. Ik zou hebben gedacht dat u blij zou zijn met mijn bereidheid om openlijk positie te kiezen en te zeg-

gen: "Dit is niet goed genoeg voor het politiekorps van Bradfield."'
Ze schudde haar hoofd. 'Als we in dat streven niet op dezelfde golflengte zitten, weet ik niet of er voor mij een toekomst ligt weggelegd bij dit korps.' De woorden waren al gezegd voordat ze tijd had gehad om te overwegen of ze dit wel hardop wilde zeggen.

'Dit is niet de tijd en de plaats voor dit gesprek, hoofdinspecteur. U moet drie moorden oplossen.' Hij duwde zich overeind. Aan zijn worsteling met de sofa zag je dat hij minder fit was dan hij eruitzag. Hij liep naar de hoge ramen die uitkeken op het kanaal en staarde naar buiten. 'Dr. Hill heeft sterke argumenten voor zijn bewering dat die moord in Worcester onderdeel is van onze serie. Maar hij kan alles wat overdreven hebben, begrijpt u?' Hij draaide zich om en keek haar vragend aan.

'Als u het zegt, hoofdcommissaris.'

'Ik zou graag willen dat u met de onderzoeksleider in Worcester praat en kijkt wat hij te zeggen heeft. Als u dat heeft gedaan zult u moeten bepalen of dr. Hill gelijk heeft. En als het er na ampele overweging toch op lijkt dat hij gelijk heeft, zult u het korps van West Mercia bij onze zaak moeten betrekken. Zij hebben misschien de eerste van de serie, maar wij hebben meer slachtoffers en hij is nog steeds actief in ons district. Ik wil dat u de leiding neemt van de speciale eenheid die zich hiermee bezig gaat houden. Is dat duidelijk? Dit wordt ons onderzoek.'

'Ik begrijp het.' Nu begreep ze wat er aan de hand was. Blake dacht dat Tony's acties met zijn ego te maken hadden omdat hijzelf zich door dat principe liet leiden. 'Houdt dat in dat ik dr. Hill weer volledig bij onze zaken kan gaan betrekken?'

Blake wreef met zijn vingers en zijn duim over zijn kin. 'Ik zie niet in waarom niet. Maar de rekening gaat wel naar West Mercia. Zij hebben hem in huis gehaald en zij mogen hem betalen.' Hij schonk haar de eerste oprechte glimlach die ze de hele middag had gezien. 'Vertel ze maar dat ze anders niet op het feestje mogen komen.'

32

Het team van agenten dat bij alle flats van Brucehill aanbelde, had niet veel tijd nodig om de twee Aziatische jongens op te duikelen die de middag ervoor samen met Niall bij de bushalte hadden staan wachten. Het was vanaf het begin duidelijk dat deze moord niet in verband stond met de dagelijkse criminele activiteiten in de wijk, dus hoefde ditmaal niemand uit de buurt bang te zijn om met de politie te praten. De normale regels over het klikken waren hier niet van toepassing. Weliswaar waren er enkelen die uit principe niet met de politie praatten, maar er waren er ook een heleboel die nog dachten dat de moord op een veertienjarige jongen die geen lid was van een van bendes in de wijk niet ongewroken zou moeten blijven. Er waren genoeg mensen maar al te blij geweest om de getuigen erbij te lappen.

Dus binnen een paar uur na de ontdekking van het lichaam van Niall waren Sadiq Ahmed en Ibrahim Mussawi het hoofdbureau van de afdeling Schotland Zuid binnengebracht voor verhoor. Sam, die Stacey en de familierechercheur had achtergelaten bij de moeder van Niall, had een kort gesprekje met Paula over de aanpak. Geen van beiden wilden ze met een onbekende partner werken, maar het alternatief was dat ze zich richtten op één getuige en dat ze de andere overlieten aan een stel rechercheurs van Schotland Zuid van wie ze niet wisten of ze iets konden. 'Wat denk je?' vroeg Sam.

'Kijk naar hun strafblad. Mussawi is al een paar keer voor kleine dingen gearresteerd; hij heeft de rechtbank al vanbinnen gezien. Hij kent het systeem. Hij zal niet zitten te springen om ons te helpen. Maar Ahmed, die is nog maagd. Nooit gearresteerd, laat staan aangeklaagd. Dat wil hij graag zo houden, denk ik. Wij zouden hem moeten nemen, jij en ik. Laat Mussawi maar over aan de jongens hier. Misschien hebben ze geluk,' zei Paula.

Ze troffen Ahmed in een verhoorkamer. Zijn slungelige ledematen waren gestoken in laaghangende designerjeans en een trui met capuchon, hij had een gouden ketting om zijn nek en zijn voeten staken in te grote designergympen met losse veters. Een jongen van vijftien met kleding ter waarde van een paar honderd pond. Nou, daar sta ik niet echt van te kijken, dacht Paula. Pa werkt in een restaurant in de stad, moe zit thuis met nog vijf kinderen. Ze had niet het idee dat Ahmed zijn zakgeld overhield van een krantenwijk. Ze ging wat achteroverzitten toen Sam hen voorstelde.

'Ik wil een advocaat, weet je.'

Paula schudde haar hoofd, met een gezicht van 'niet kwaad maar bedroefd'. 'Zie je nou, daar ga je al. Je doet net alsof je iets stouts hebt gedaan, nog voordat ik je naam en adres heb kunnen vragen.'

'Ik heb niets gedaan. Ik wil een advocaat. Ik ken mijn rechten. En ik ben minderjarig, je moet zorgen voor een geschikte volwassene.' Zijn smalle gezicht stond agressief, een en al scherpe hoeken en trillende spiertjes om de mond.

'Sadiq, je moet wat chillen, man,' zei Sam. 'Niemand denkt dat je Niall iets hebt aangedaan. Maar we weten dat je samen met hem bij de bushalte hebt staan wachten en we willen graag dat je ons vertelt wat er is gebeurd.'

Sadiq rolde met zijn schouders in zijn capuchonjack en deed erg zijn best om nonchalant over te komen. 'Ik hoef jullie niks te vertellen.'

Paula draaide zich half om naar Sam. 'Hij heeft gelijk. Hij hoeft ons niks te vertellen. Wat denk je, zal zijn leven er hier fijn uitzien als we bekendmaken dat hij ons had kunnen helpen een echte moordenaar te vangen, maar dat hij dat niet wilde?'

Sam grijnsde. 'Net zo fijn als hij verdient.'

'Zo ligt het dus, Sadiq. Dit is waarschijnlijk de enige keer in je leven dat je de kans krijgt jezelf bij ons een dienst te bewijzen zonder dat je er later voor moet boeten.' Hoewel haar woorden op zich vriendelijk waren, gold dat niet voor de toon waarop Paula ze uitsprak. 'We hebben geen tijd om hier onze tijd te gaan zitten verklooien, want deze meneer gaat verder met moorden. En de volgende keer kan jij het zijn, of een van je neven.'

Sadiq Ahmed keek haar aan met een berekenend trekje op zijn

gezicht. 'Als ik dit voor jullie doe, zeikerds, laten jullie me dan gewoon gaan?'

Sam deed een uitval en greep hem bij de voorkant van zijn capuchonjack, waarbij hij hem bijna van zijn stoel af rukte. 'Als je me nog een keer een zeikerd noemt, laten we je wel gewoon gaan, maar dan linea recta naar de Eerste Hulp. Begrepen?'

Sadiq sperde zijn ogen open en hij krabbelde met zijn voeten over de vloer om houvast te zoeken. Sam duwde hem weg en hij sloeg bijna achterover voordat zijn stoel weer op vier poten stond. 'Fu-uck,' klaagde hij.

Paula schudde langzaam haar hoofd. 'Zie je nou, Sadiq? Je had beter naar mij kunnen luisteren. Je moet netjes met ons gaan praten, anders heb je voordat je het weet wél een advocaat nodig omdat rechercheur Evans je gaat aanklagen wegens obstructie van een politieonderzoek. Nou, hoe laat was het toen jij en Ibrahim bij de bushalte stonden?'

Sadiq schoof wat heen en weer op zijn stoel en keek haar toen aan. 'Ongeveer halfvier, tien over half,' zei hij.

'Waar gingen jullie heen?'

'De stad in. Gewoon wat hangen, weet je? Niks bijzonders.'

Een paar diefstalletjes dus. 'En hoe lang stonden jullie er al toen Niall kwam opdagen?'

'We stonden er net, zeg maar.' Hij leunde achterover in zijn stoel en nam weer een brutale houding aan.

'Kende je Niall?' vroeg Sam.

Een schouderophalen. 'Ik wist wie hij was. We deden niks samen of zo.'

'Heb je nog met hem gepraat?' vroeg Paula.

Opnieuw een schouderophalen. 'Kan best.'

'Kan best hebben we niets aan. Heb je met hem gepraat?'

'Ibrahim zegt: "Waar ga je heen, man?" en dan komt hij met dat hij de stad in gaat om wat met zijn maten te hangen. Maar wij weten dat hij helemaal geen maten heeft, dus is het lulkoek, weet je? Dus toen heeft Ibrahim hem een echte loser genoemd.'

'De bescheiden charme van de nette burgerij,' zei Sam wrang.

'De watte?'

'Niets. Wat zei hij toen? Toen jullie hem een loser noemden?'

Sadiq liet een vinger langs de binnenrand van zijn oorschelp glijden en bekeek die toen. 'Hij kon geen kloot meer zeggen, weet je? Want toen kwam die auto.'

'Wat voor auto?'

'Een zilverkleurige.'

Paula wachtte, maar er kwam niets meer. 'En? Je zult toch wel wat meer hebben gezien.'

'Waarom zou ik? Het was zeg maar een hoop rotzooi, weet je. Het was zo'n zilveren vijfdeurs. Niet groot, niet klein. Gewoon een fokking auto van niks. Niks bijzonders.'

Natuurlijk, ja. 'En wat is er toen gebeurd?'

'Het raampje gaat naar beneden en de chauffeur zegt iets van: "Jij ben Niall, hè?"'

'Heeft hij echt Nialls naam genoemd?' Stel dat Ahmed gelijk had, dan wees dat erop dat het om een vooropgezet plan ging.

Hij rolde met zijn ogen op de bekende 'nou duh'-manier. 'Dat zei ik toch?' zei hij op lijzige toon. 'Hij heeft echt de naam Niall genoemd.'

'Wat gebeurde er toen?' Sam deed ook weer mee. Paula wou dat hij zijn mond hield, wou bijna dat ze hier met een rechercheur van Schotland Zuid zat, eentje die ze nog zo kon intimideren dat hij zich koest hield.

'Niall stak zijn hoofd door het raampje, dus kon ik niet horen wat ze tegen elkaar zeiden. Niall zei iets van hoe wist die gozer dat hij daar zou staan. Maar ik kon niet horen wat de chauffeur zei.'

Waarom ging het altijd zo? vroeg Paula zich af. Een stapje naar voren, een stap opzij en dan een stap terug. 'Hoe klonk hij, die chauffeur?'

Sadiq trok een verbaasd gezicht. 'Wat bedoel je, hoe klonk hij?'

'Een accent? Hoge stem, lage stem? Opleiding? Of niet?'

Ze kon zien hoe Sadiq Ahmed moeite deed het zich te herinneren. Wat betekende dat hij waarschijnlijk met een waardeloos antwoord op de proppen zou komen. 'Geen diepe stem, zeg maar. Meer gewoon. Zoals ze hier allemaal praten. Maar meer oude mensen, of mijn ouders, weet je? Niet zoals wij.'

'Heb je hem kunnen zien?'

'Niet echt. Hij had een baseballpetje op. Hij had lang bruin haar, tot op zijn kraag.'

Waarschijnlijk een pruik. 'Hoe zag dat petje eruit? Welke kleur? Stond er iets op?'

'Het was grijs en blauw. Ik heb er niet op gelet, weet je? Waarom zou ik dat willen zien? De een of andere gozer stopt en praat met iemand die ik nauwelijks ken, waarom zou ik daarop moeten letten?' Hij leunde weer achterover en zuchtte. 'Dit is goed klote dat ik hier zit.'

'Wat gebeurde er toen?' vroeg Paula.

'Niall stapt in en ze rijden weg. Dat was het.'

En daarmee eindigde Sadiq Ahmeds nuttige getuigenis. Ze hielden hem nog even vast om met de lui van het andere verhoorteam de bevindingen te kunnen vergelijken, maar die hadden nog minder uit hun gesprekje kunnen halen. Toen was er geen reden meer om Ahmed en Mussawi langer vast te houden, dus lieten ze hen gaan. Paula keek toe hoe ze stoer de straat uit liepen, het kruis van hun jeans op kniehoogte, capuchons over hun hoofd getrokken. 'Soms krijg ik zin de dagen af te tellen tot ik met pensioen kan,' zei ze moe.

'Geen goed idee,' zei Sam. 'Je komt altijd tot de conclusie dat het er nog te veel zijn. Zelfs als je nog maar één dag te gaan hebt.'

De dag bevatte simpelweg te weinig uren voor Tony. Carol had hem onmiddellijk toen ze bij Blake wegging, gebeld. Haar volgende telefoontje zou naar Stacey gaan met de opdracht om de dossiers voor Tony toegankelijk te maken. Ze vertelde hem over de uitsmijter van Blake, maar dat interesseerde hem niet. Waar zijn salaris vandaan kwam had hij nooit belangrijk gevonden. Het enige wat telde was dat hij bij de informatie kon komen die hij nodig had om zijn portret van de moordenaar mee op te bouwen.

Informatie op een dergelijke grote schaal kon een zegen zijn, maar ook een vloek. Stacey had hem de codes gemaild, zodat hij rechtstreeks toegang had tot al hun bestanden. Maar de hoeveelheid onverwerkte gegevens die werd gegenereerd door drie onderzoeken, eerst naar vermiste personen en daarna naar moord, was enorm groot. Alleen al het doorlezen ervan zou dagen vergen. Maar gelukkig bestonden er samenvattingen van de verslagen die waren gemaakt om Carols team een beter overzicht van de zaken te geven. Het nadeel was dat er bij het schiften belangrijke details verloren konden zijn gegaan. Dus telkens als Tony iets tegenkwam wat zijn nieuwsgierigheid prikkelde, moest hij teruggaan naar het oorspronkelijk verslag om te zien wat er in eerste instantie was gezegd of gedaan.

Het ergste was dat hij niet precies wist waar hij naar zocht. Zijn conclusie dat deze moorden niet om seks gingen, betekende dat hij de verklaringen van iedereen die de slachtoffers na had gestaan opnieuw moest bekijken. Omdat hij niet wist wat de slachtoffers gemeen hadden, kon letterlijk alles van betekenis zijn.

Hij kon er niet omheen. Hij moest weer van voren af aan beginnen en hij moest gaan kijken in de duistere hoeken van de levens van de slachtoffers. De sleutel tot het ontmaskeren van een seriemoordenaar lag altijd bij de slachtoffers. Maar in al die jaren dat hij profielen had geschreven van seriecriminelen was Tony nooit een zaak tegengekomen waarin de slachtoffers zo cruciaal waren als hier. Hij ging aan het werk en dacht geen seconde meer aan de digitale recorder die nu begraven lag onder een enorme berg papier.

Tot Carols verbazing was inspecteur Patterson allesbehalve territoriaal als het ging om zijn onderzoek. In haar ervaring bleven onderzoeksleiders altijd als een kloek op hun moorden zitten. Meestal kwam de informatie maar mondjesmaat naar buiten. Maar het werd algauw duidelijk dat hij oprecht geloofde dat twee meer wisten dan één. Het was evenmin moeilijk te raden dat hij er absoluut niet van overtuigd was dat de bijdrage van Tony Hill een zegenrijk iets was.

'Hij is heel anders dan de doorsnee getuige-deskundige,' zei hij behoedzaam toen Carol het had over de briljante manier waarop Tony het verband tussen de zaken had laten zien.

'Hij is uniek,' beaamde ze.

'Dat is misschien maar goed ook. Je weet toch dat hij hier bijna gearresteerd is? Mijn rechercheur moest hem uit de rotzooi halen.'

Carol onderdrukte een giechel. 'Hij heeft het er inderdaad over gehad dat er een paar problemen waren. Ik zou het er maar gewoon op gooien dat je nu eenmaal een prijs moet betalen voor zijn aanwezigheid in je team.'

'Hoe kunnen we nu het beste verder te werk gaan?'

Ze namen hun respectievelijke taken door en probeerden af te spreken hoe ze de twee onderzoeken in praktische termen met elkaar konden verbinden. Staceys naam werd daarbij vaak genoemd, en Carol kon goed horen dat Pattersons stem iets weemoedigs kreeg als hij het had over computerfreaks in eigen huis. 'Wij hebben niet iemand die zo goed is in zijn vak,' zei hij. 'Ik moet dat soort deskundigheid altijd vanbuiten halen. Je bent blij met wat je kunt krijgen, maar het is niet altijd wat je misschien zou mogen verwachten. Om nog maar te zwijgen over de hoeveelheid stroop die je hun om de mond moet smeren om ze binnenboord te houden.'

'Ik vind het prima als je gebruikmaakt van Stacey als je iets hebt waarbij je een wat grondiger analyse nodig hebt.'

'Bedankt, Carol. Ik denk dat we alles wel onder controle hebben, maar ik houd het in gedachten. We werken eigenlijk al samen met de politie van Manchester aan deze zaak.'

'Echt waar? Een van onze lichamen is gedumpt op de grens tussen hen en ons. Wat is het verband?'

'Het kwam van Tony Hill. Wij hadden een serie vrij toegankelijke computers die door de moordenaar zijn gebruikt om contact te onderhouden met Jennifer Maidment. Hij heeft aan een collega gevraagd om ze door een programma te halen dat een geografisch profiel kan maken, en toen kwam er een plek in South Manchester uit de bus. Dus hebben wij de oogst van ons nummerbordherkenningssysteem naar de RDW gestuurd. We hebben om gegevens gevraagd over alle voertuigen die een registratie hadden op een adres in Manchester, en die rond de dag dat Jennifer is ontvoerd de stad zijn in gereden.'

Carol was onder de indruk. Het was het soort van onorthodox denken dat ze ook zocht bij haar eigen team. 'Prima idee. En wat is er uitgekomen?'

'Drieënvijftig mogelijkheden. Ik heb mijn brigadier ernaartoe gestuurd om er samen met de politie van Manchester aan te werken. Ze gaan de adressen langs, controleren alibi's en zoeken naar mensen die werken in de ICT-business. Tony Hill denkt dat onze dader daar werkt.'

'Dat zou best eens voor een doorbraak kunnen zorgen. Ik ben benieuwd hoe het afloopt.'

Patterson zuchtte. 'Ik ook. Want eerlijk gezegd is het de enige aanwijzing die we op dit moment hebben.'

Paula's mobieltje trilde tegen haar heup. Ze haalde het uit haar zak en voelde even een scheut van plezier toen ze zag dat het Elinor Blessing was. Ze verwijderde zich wat van de kluwen tieners uit

Brucehill waar Sam en zij zonder resultaat contact mee zochten en hield het mobieltje tegen haar oor.

'Ik heb het journaal gezien,' zei Elinor. 'Je hebt vast geen gemakkelijke dag gehad.'

'Ik heb ze wel eens gemakkelijker gehad,' gaf Paula toe terwijl ze een sigaret uit haar pakje viste en met moeite een aansteker uit haar zak haalde. 'Het is prettig om een vriendelijke stem te horen.'

'Ik zal je niet ophouden. Ik snap dat je het druk hebt. Maar ik vroeg me af of je misschien tijd had voor een laat etentje?'

Alleen het idee al was zo mooi dat Paula had kunnen huilen. 'Ik zou het heerlijk vinden,' zei ze zuchtend. 'Als je met "laat" iets in de richting van halftien bedoelt, haal ik het waarschijnlijk wel. Tenzij er nog iets bijzonders is waar we laat op de avond achterheen moeten zijn we meestal rond die tijd wel klaar. Nou ja, klaar. Wat ik eigenlijk bedoel is dat we dan meestal niet meer op het bureau zijn.'

'Goed. Ken je Raffaelo's? Het is vlak bij Woolmarket.'

'Ik heb het gezien, ja.'

'Ik zal een tafel bespreken. Halftien, tenzij je nog van me hoort.'

'Tot straks dan maar.' Paula beëindigde het gesprek. Ze voelde zich vijf jaren lichter; het gewicht van haar recente verleden viel van haar af. Een nieuw begin, zo voelde het. Een nieuw begin als een persoon voor wie een relatie tot de mogelijkheden behoorde. Ze draaide zich weer om en genoot van de geschokte blik op het gezicht van Sam Evans toen hij zag hoe zij er opeens niet meer dof uitzag, maar bijna uitgelaten. O, wat zou het een prachtige avond worden.

Ondertussen was er nog wel de kwestie van de jongens van Brucehill met wie ze moesten praten. Zoals ze zich nu voelde, konden die maar beter uitkijken.

Alvin Ambrose had al zijn overredingskracht in de strijd moeten werpen om Patterson zover te krijgen dat hij hem aanwees voor de speurtocht in Manchester. De hoofdinspecteur dacht dat het dom werk was, iets voor het lagere personeel, maar Ambrose wilde ter plekke zijn, mocht er iets aan het licht komen. Stel dat er een aanwijzing was, had hij naar voren gebracht, dan moest hij daar toch werk van maken, en dan kon hij net zo goed meteen al ter plekke zijn. 'Het is niet meer dan honderdvijftig kilometer,' had hij gezegd. 'Als er zich hier iets voordoet ben ik over de snelweg in ruim een uur terug.' Uiteindelijk had Patterson het goedgevonden.

Nu hij er middenin zat, was Ambrose niet meer zo blij met zijn opdracht. Maar dat was niet erg. Hij had geen probleem met het feit dat veel politiewerk alleen maar geestdodend was. Hij was in Manchester aan komen zetten met een lijst van drieënvijftig voertuigen die op adressen in de stad geregistreerd stonden en die op de dag van Jennifer Maidments ontvoering en de moord op haar in Worcester waren gesignaleerd. Hoofdinspecteur Andy Millwood had hem gastvrij ontvangen en had hem een bureau toegewezen op hun afdeling Zware Misdrijven. Hij had Ambrose een hulpje vanuit Recherche toegewezen – een agent in uniform die werkervaring mocht opdoen bij de recherche om te zien of het werk iets voor haar was – die Ambrose rond zou rijden in dit voor hem onbekende gebied en die bij zijn gesprekken aanwezig mocht zijn. Millwood deed het voorkomen alsof hij hem een enorme dienst bewees, maar Ambrose wist dat het groentje de laagste levensvorm was die voor uitleen beschikbaar was. En dat ze niet alleen was om hem te helpen, maar zeker ook om deze man van buiten de stad in de gaten te houden.

'Wij denken dat onze dader iets van doen heeft met computers of ICT,' zei Ambrose. 'Maar dat is meer een suggestie, geen absolute zekerheid, dus op dat punt moeten we voor alles open blijven staan. We moeten een alibi hebben voor de tijd dat ze in Worcester waren. Weten wat ze deden. Waar ze heen gingen. Met wie ze waren.'

'Oké, kapitein,' zei het hulpje. Het was een kleine, gezette vrouw met benen als wicketpaaltjes. Haar gezicht was op zich niet opvallend, maar was toch aantrekkelijk dankzij een weelderige bos blauwzwart haar en stralende donkerblauwe ogen. Ambrose voelde dat ze hem met argwaan bekeek. Hij wist niet of dat kwam omdat hij een buitenstaander was of vanwege zijn huidskleur. 'Het is er nogal dichtbebouwd. Voor het merendeel victoriaanse rijtjeshuizen en grote twee-onder-een-kapwoningen waarvan er een heleboel omgebouwd zijn tot studentenflats.'

'Laten we dan maar eens beginnen.'

Vier uur later hadden ze tien aanwijzingen nagetrokken en een flink aantal middenklasseburgers hadden hun het vuur na aan de schenen gelegd. Ze kenden allemaal hun rechten en ze wilden eens goed hun gal spuwen over hoe de regering een potje maakte van de burgerrechten. Van jong tot oud had iedereen het daarover; van studenten tot medewerkers van bureaus voor rechtshulp. Ambrose, die gewend was aan een kleinere stad waarin de politieke getto's zich tot een paar straten beperkten in plaats van tot hele voorsteden, was met stomheid geslagen over zoveel verbale agressie.

Maar als ze eenmaal hun scherpzinnige meningen hadden gespuid, bleek het meestal te gaan om keurige, oppassende burgers. Acht personen hadden netjes rekenschap afgelegd van hun verblijfplaats en hun afspraken, informatie die gemakkelijk met een telefoontje of een bezoekje van de achtergebleven troepen in Worcester kon worden nagetrokken. Eentje was alleen maar van de snelweg af gegaan om het eten uit te proberen in een pas gerenoveerde pub met gastronomische aspiraties. Hij had een rekening met datum van de pub en nog een afschrift van een benzinestation aan de rand van Taunton, duidelijke bewijzen dat hij Jennifer Maidment niet kon hebben vermoord. Bij de tiende waren de voelsprieten van Ambrose gaan trillen, maar hoe langer ze met hem praatten, hoe duidelijker het werd dat de reden daarvoor niets met moord te maken had. De man, een marktkoopman, had duidelijk iets te verbergen. Maar niet iets waar zij naar op zoek waren. Toen ze wegliepen, – het hulpje op een holletje om hem bij te houden – zei Ambrose: 'Misschien heeft het zin om je collega's hier eens een kijkje te laten nemen in zijn garagebox. Ik wed dat het er tot de nok toe vol ligt met illegale dvd's, namaakparfums en nephorloges.'

Zes andere eigenaren van voertuigen waren niet thuis geweest. Ze waren net in een café wat aan het eten toen Patterson belde met het verbijsterende nieuws dat de moord op Jennifer nu officieel in verband was gebracht met drie andere moorden in Bradfield en dat die goochemerd van een Tony Hill dat had bedacht. En wat nog veel opzienbarender was: de slachtoffers waren allemaal jongens. Nu waren er nog drie tijdstippen bij gekomen, waarvoor potentiële verdachten een alibi moesten hebben. Ambrose maakte een eind aan het gesprek en trok een grimas. 'We hebben net promotie gemaakt.'

'Hoe bedoelt u?' vroeg ze met volle mond, want ze had net een hap van haar rundvleespasteitje genomen.

'Dit is nu officieel een onderzoek naar een seriemoordenaar,' zei

Ambrose. Hij duwde zijn bord met vissticks en frieten van zich af. Na het nieuws van Patterson was zijn eetlust verdwenen. De dood van Jennifer was al erg genoeg geweest – maar voeg daar nog eens drie tieners bij en het gewicht drukte als een lichamelijke last. Tijdens een moordonderzoek had Ambrose aan het eind van de dag altijd het gevoel alsof hij letterlijk een extra last met zich mee had gezeuld. Zijn spieren deden pijn en zijn gewrichten waren stijf alsof zijn lichaam de psychologische last overnam. Hij wist dat hij zich die nacht moeizaam in zijn bed zou laten zakken met een spierpijn alsof hij zes rondjes in de boksring achter de kiezen had. 'We moeten weer aan het werk,' zei hij, met een knikje naar het nog halfvolle bord van het hulpje. 'Vijf minuten. Ik zie je wel bij de auto.'

Ze waren vrij snel klaar met de twee volgende kandidaten. De eerste, een computerverkoper, leek veelbelovend. Maar ze hadden algauw in de gaten dat hij praktisch niets af wist van wat er zich afspeelde in de apparaten die hij verkocht. En hij was drie dagen met zijn vrouw voor een korte vakantie in Praag geweest op het moment dat Daniel Morrison ontvoerd en vermoord was. De volgende was een vrouw die haar tijd in Worcester volledig had doorgebracht met besprekingen met de priesters van de kathedraal over ontwerpen voor nieuwe misgewaden.

En toen kwamen ze bij het adres waarop de Toyota Verso van Warren Davy geregistreerd stond.

33

Het was geen huis en geen kantoor. Het was een garage die was weggestopt achter in een doodlopend straatje, waarin zich ook een warme bakker en een veganistisch café bevonden. Hoewel het zondag was, stond een gedrongen, gespierde man met blonde korte haren en een overall met olievlekken het spatbord van een wat oudere Ford Fiesta over te spuiten. Hij hield pas op met zijn bezigheden toen de rechercheauto een paar meter naast hem tot stilstand kwam. Toen schakelde hij zijn spuitpistool uit en keek hen uitdagend aan. 'Wat is er nu weer? Is er weer iemand na een aanrijding doorgereden?'

'Bent u Warren Davy?' vroeg Ambrose.

De man gooide zijn hoofd in zijn nek en lachte. 'Dat is een goeie. Nee, man. Ik ben Warren niet. Wat moet je van hem?'

'Dat is iets tussen ons en meneer Davy,' zei Ambrose. 'En wie bent u?'

'Ik ben Bill Carr.' Een glimlach deed zijn ruwe gelaatstrekken oplichten. 'Ik heet Carr en ik doe in auto's. Snap je.'

'En wat is uw relatie met Warren Davy?'

'Wie zegt dat er een relatie is?'

'De Rijksdienst voor het Wegverkeer. De Toyota Verso van Warren Davy staat geregistreerd op dit adres.'

Het gezicht van Carr klaarde op. 'Juist. Nu snap ik het. Nou, het spijt me dat ik jullie moet teleurstellen, maar jullie zullen Warren hier niet vinden.'

'U zult ons nog wat meer moeten vertellen,' zei Ambrose. 'We zijn hier voor een ernstige zaak. Het soort zaak waarbij je geen beschuldiging van obstructie van het politieonderzoek aan je broek wilt krijgen, geloof me.'

Carr keek verschrikt. 'Oké, oké.' Hij legde het verfpistool neer en stak zijn handen in zijn zakken. 'Ik heb niets te verbergen. Ik ben zijn neef. Warren gebruikt dit adres als er spullen moeten worden afgeleverd en zo. Dat is alles.'

'Waarom is dat nodig?' Ambrose had geen tijd voor subtiliteiten. Hij wilde antwoorden hebben en hij was niet van plan om zich door deze mallotige plaatwerker voor de gek te laten houden. Bijna zonder erbij na te denken deed hij een stap naar voren en kwam vervaarlijk dicht in de buurt van Carr te staan.

Carr leek zich van deze manoeuvre niets aan te trekken. 'Simpel, man. Hij woont ergens in de bushbush. Het ging hem de keel uithangen dat hij een bezorging miste als hij en Diane in het gebouw zaten waarin ze hun databestanden opslaan, dus toen is hij dit als zijn postadres gaan gebruiken. Ik ben er altijd, zie je. Ik heb zat ruimte om dingen op te slaan. Als er iets wordt afgeleverd, bel ik op en dan komt een van hen beiden naar de stad om het op te halen.'

'Oké.' Ambrose was geneigd hem te geloven. 'Wanneer heb je hem voor het laatst gezien?'

'Warren? Een paar weken geleden. Maar Diane is hier de afgelopen week een keer of wat geweest. Ze zei dat hij op pad was geweest. Daar is niets vreemds aan, zie je. Ze hebben overal hun klanten zitten.'

'Klanten waarvoor?'

'Ze doen iets met internetbeveiliging, opslag van data – wat dat ook mag inhouden. Ik snap er sowieso niets van.'

De haartjes op de arm van Ambrose gingen rechtovereind staan. Dit begon er hoopgevend uit te zien. 'Waar kan ik je neef Warren vinden?' vroeg hij zo terloops mogelijk.

Carr draaide zich om en liep naar een kantoorhokje dat was uitgespaard in een hoekje van de werkplaats. 'Ze wonen helemaal aan de rand van de heuvels,' zei hij over zijn schouder. 'Ik zal jullie het adres geven, maar ik zal jullie ook uitleggen hoe je er moet komen.'

Ambrose liep onmiddellijk met hem mee. 'Als het u niets uitmaakt, meneer Carr, zou ik liever zien dat u met ons meekwam om ons de weg te wijzen.'

Carr keek hem stomverbaasd aan. 'Ik zei toch al dat ik een routebeschrijving zou geven.'

Ambrose schudde zijn hoofd. 'Ziet u, meneer Carr. Dit ligt wat ingewikkeld,' zei hij vriendelijk grijnzend. 'Zoals ik al zei, gaat het hier om een ernstige zaak. Wat ik niet wil is dat u uw neef belt zo gauw wij hier de deur uit lopen. Ik wil niet dat u hem vertelt dat er een paar politiemensen bij hem langskomen om over zijn auto te praten. Want ziet u, meneer Carr, ik wil niet dat uw neef Warren besluit de benen te nemen voordat ik even met hem heb kunnen praten.'

De stem van Ambrose had een scherp randje en je moest wel gek zijn om daar niet naar te luisteren. Carr begon te beseffen dat hij zich er maar het beste bij kon neerleggen. Hij spreidde zijn handen. 'Ik begrijp waarom je dat zou kunnen denken. En ik waardeer het dat je me niet onder druk zet. Weet je wat: waarom kom jij niet bij mij mee in de auto en dan kan dat meidje van je achter ons aan rijden in jouw auto. Dan kan ik er meteen vandoor gaan als we er zijn. En Warren hoeft dan niet te weten dat ik het was die hem heeft verlinkt.'

'Bent u bang voor uw neef, meneer Carr?'

Carr gooide weer lachend zijn hoofd achterover; het leek zijn vaste truc. 'Ben je gek? Ik ben niet bang. Begrijp je het dan niet? Ik mag Warren. Het is een goeie vent. Nee oen, ik wil gewoon niet dat hij denkt dat ik hem heb verraden.' Voor het eerst klonk Carr boos. 'Ik zou het ook niet leuk vinden als iemand mij een stelletje smerissen op mijn dak stuurde.'

Ambrose dacht even na en kwam toen tot de conclusie dat het voorstel geen kwaad kon. Carr maakte de indruk dat hij mee wilde werken en dat hij niets in zijn schild voerde. Afgezien van het feit dat hij er duidelijk niet van gecharmeerd was dat er opeens politie voor de deur stond, maar dat hoefde niet op schuld te duiden. 'Oké dan,' zei hij. 'Laten we dan maar gaan, meneer Carr.'

Het was jaren geleden begonnen als een experiment, maar nu was het deel gaan uitmaken van de middelen die Tony gebruikte om in de doolhof van het hoofd van een moordenaar te kruipen. Hij zette twee stoelen tegenover elkaar, elke stoel verlicht door een enkel lichtpeertje. Hij ging dan als zichzelf in de ene stoel zitten en stelde een vraag. Dan stond hij op, ging in de andere stoel zitten en zocht daar naar een mogelijk antwoord. Nu hij zo veel mogelijk materiaal uit de dossiers had geabsorbeerd, moest hij deze weg weer bewandelen.

Met zijn ellebogen op de knieën en zijn kin op zijn vuisten zat hij strak naar de stoel tegenover hem te kijken. 'Dit heeft niets te maken met seks, hè?'

Toen stond hij op en liep naar de andere stoel, waar hij ging zitten met zijn benen gespreid, zijn armen op de leuning van de stoel. Een lange pauze; toen op een andere toon, veel lager dan zijn eigen lichte tenor, zei hij: 'Nee. Het is een missie.'

Weer terug naar de eerste stoel. 'Een missie met wat voor doel?'

'Het einde van de lijn.'

'Het einde van welke lijn? Het is niet willekeurig, hè?'

'Nee, het is niet willekeurig. Je weet alleen het verband nog niet.'

'Ik niet, maar jij wel. En er is geen ruimte voor twijfel, hè?'

'Nee. Ik neem er de tijd voor. Ik zorg ervoor dat ik de goede te pakken heb.'

Weer terug in zijn eigen stoel vouwde Tony zijn armen over elkaar. 'Waarom is dat zo belangrijk?'

Ditmaal duurde de stilte op wat hij in gedachten de stoel van de moordenaar noemde langer. Hij probeerde zich door het duister naar een plaats te laten trekken waar deze moorden een betekenis hadden. 'Ik wil niet dat ze zich voortplanten.'

'Dus je vermoordt ze voordat ze eraan toe zijn om zelf kinderen te krijgen.'

'Dat is deels waar, ja.'

'Het gaat erom dat ze de laatste in een lijn zijn, hè? Daarom zijn het toch allemaal enige kinderen?'

'Inderdaad.'

Tony liep terug naar zijn eigen stoel, onzeker over zijn volgende stap. Hij voelde dat hij op het punt stond iets te begrijpen, maar dat het hem steeds ontglipte. Hij ging terug naar de slachtoffers, riep hun beeld weer voor ogen en werd opnieuw getroffen door de onderliggende gelijkenis. 'Ze zien er allemaal uit zoals jij ooit,' zei hij zachtjes. 'Daarom heb je ze uitgekozen. Je hebt je slachtoffers naar je eigen beeld en gelijkenis gemaakt.'

Weer in de andere stoel. 'Nou en?'

'Je vermoordt je eigen beeld.' Hij schudde zijn hoofd, omdat hij het nog steeds niet doorhad. 'Maar de meeste seriemoordenaars zijn op zoek naar onsterfelijkheid. Ze willen beroemd worden. Jij doet het tegenovergestelde. Je wilt jezelf wegvagen, maar om de een of andere reden ruim je kinderen uit de weg die eruitzien als jij en dood je jezelf niet.' Het was verwarrend. En toch had hij het gevoel dat hij een soort doorbraak had bereikt. Zo ging het vaak bij deze dialogen. Hij wist niet hoe hij het deed of waarom het functioneerde, maar ergens in zijn onderbewustzijn kwam er begrip vrij.

Tony wist nog niet hoe dit laatste inzicht hen hielp bij het vinden van de moordenaar. Maar hij wist wel dat als ze hem te pakken kregen, het de sleutel zou kunnen zijn waarmee ze hem konden openmaken. En voor Tony was de ontdekking van het waarom minstens even belangrijk als het ontdekken van de identiteit van de dader.

Het was al laat in de middag toen Bill Carr op een afgelegen plek stopte. Ambrose was verrast over de leegheid van het landschap. Het was nog maar tien minuten geleden dat ze de buitenwijken van de stad achter zich hadden gelaten, maar hier aan de rand van de golvende heidevlakten leek het net alsof Manchester niet bestond. Stapelmuurtjes begrensden de smalle weg. Erachter waren hellingen met ruw grasland waarop ongeïnteresseerde schapen graasden. De velden werden onderbroken door dichte bosjes met coniferen, aangeplant door Staatsbosbeheer. Ze waren geen ander voertuig tegengekomen sinds ze waren afgeslagen op de voorlaatste provinciale weg. 'Ik snap het niet,' zei Ambrose. 'Waar is het huis?'

Carr wees in de verte, waar de weg bijna onmiddellijk om een scherpe bocht verdween. 'Het is nog bijna twee kilometer verder. Zodra je de bocht om rijdt word je opgepikt door hun beveiligingscamera's. Er is hier in de verre omtrek geen enkele camera, maar Warren en Diane hebben hun eigen maatregelen getroffen. Ze zijn paranoïde als het om beveiliging gaat. Daar betalen hun klanten hun ook voor, denk ik. Dus ik laat jullie nu verder alleen. Jullie moeten gewoon doorrijden, dan zie je de omheining wel. Naast het hek is er een parkeerhaventje. Je moet gebruikmaken van de intercom.'

Ambrose keek in het zijspiegeltje om te zien of zijn begeleiding achter hem zat en stapte toen uit. Hij stak nog even zijn hoofd in het busje. 'Bedankt voor uw hulp.'

'Zeg er alsjeblieft niets over tegen Warren, oké?' Carr trok een angstig gezicht, maar dat duurde niet lang.

Ambrose vroeg zich af of Carr door zijn neef werd betaald voor zijn postbusdiensten. Zo ja, dan zou dat misschien kunnen verklaren waarom hij zo zenuwachtig was omdat hij hen hierheen had gebracht. 'Ik zal u erbuiten houden,' zei hij. Hij had het portier nauwelijks dichtgegooid of Carr gooide de auto in een scherpe draai en reed weer terug richting Manchester. Ambrose keek hem na en stapte toen in de andere auto.

'Rechtuit,' zei hij. 'Een eind verder is er links een hek.'

Het was precies zoals Carr had beschreven. De weg draaide de hoek om en een bomenrij ging over in een twee meter hoog hek met kettingen achter de muur. Op een hoek van het hek stond een camera, en verderop kon je ook nog andere camera's zien staan. Achter het hek was er meer grof heidegras, helemaal tot aan een groepje traditionele grijze stenen gebouwen. Toen ze dichterbij kwamen kon Ambrose een boerderij onderscheiden en twee grote schuren. Zelfs van de weg af zag hij dat de ene schuur stalen deuren had en dat er luchtzuiveringsinstallaties op het dak stonden. Ze stopten bij het hek met een bord waar alleen maar DPS op stond en ze zeiden door de intercom wie ze waren.

'Houd uw identiteitskaarten buiten het raampje, dan kan de camera ze zien,' zei een krakende stem. Ambrose overhandigde zijn kaart en het hulpje zwaaide ermee naar de lens. De ene kant van het hek zwaaide open en ze reden naar binnen. Er kwam een vrouw naar buiten door de stalen deuren die achter haar weer zoevend dichtgingen. Ze zwaaide dat ze naar de boerderij moesten komen en voegde zich bij hen toen ze uitstapten.

Ambrose bekeek haar eens goed toen hij zei wie ze waren. Ergens rond de veertig, ongeveer een meter zeventig, slank en pezig. Het type geelbruine huid die gemakkelijk bruin werd. Donker haar tot net op haar schouders. Bruine ogen, een kleine neus, een smalle mond, kuiltjes in haar wangen die zich aan het ontwikkelen waren tot diepe lijnen. Een zwarte spijkerbroek, een strak zwart vest met capuchon, zwarte cowboylaarzen. Om haar hals hing een bril aan een dun zilveren kettinkje. Vanaf het allereerste moment maakte ze een uiterst energieke indruk. 'Ik ben Diane Patrick,' zei ze. 'De helft van DPS. Dat staat voor Davy Patrick Security of Data Protection Services, en dat hangt af van hoe ik ons aan u moet verkopen.' Ze glimlachte. 'Wat kan ik voor u doen?'

'U neemt uw beveiliging behoorlijk serieus,' zei Ambrose, die om wat tijd te winnen niet meteen ter zake wilde komen. Soms wist hij intuïtief dat hij iets rustig moest aanpakken, dat hij niet meteen op het doel af moest gaan.

'We zouden geen erg goede voorziening zijn voor het opslaan van gegevens als dat niet zo was,' zei ze. 'Heeft dit iets met een van onze klanten te maken? Want ik waarschuw u, we nemen hier de wet op de bescherming van persoonsgegevens heel serieus.'

'Kunnen we misschien binnen praten?'

Ze haalde haar schouders op. 'Tuurlijk, kom binnen.' Ze maakte de deur open en ging hun voor naar een typische boerderijkeuken. Een Aga-fornuis, een schoongeschuurd grenen aanrecht, werkbladen, een grote tafel middenin met zes bijpassende stoelen. Er was hier niet op een cent gekeken, maar de inrichting dateerde al van een tijdje geleden. Het voelde prettig doorleefd en huiselijk aan, niet als een toonzaal. De tafel lag vol met tijdschriften en kranten. Een netbook lag opengeslagen voor een van de stoelen met een open pakje met chocoladebiscuits ernaast. De hakken van Diane Patricks laarzen tikten luid op de vloer met de ruitvormige tegels toen ze naar de ketel liep die op het fornuis stond. Ze zette water op en draaide zich naar hen om, haar armen over haar kleine borsten gevouwen.

'We zijn op zoek naar Warren Davy,' zei Ambrose, terwijl hij onderzoekend de kamer rondkeek en elk detail in zich opnam.

'Hij is er niet,' zei ze.

'Weet u wanneer hij weer terug is?'

'Nee. Hij zit op Malta en installeert daar een nieuw systeem voor een klant. Hij is daar zolang als het nodig is.'

Ambrose was teleurgesteld. 'Wanneer is hij vertrokken?'

'Vorige week vrijdag is hij met het vliegtuig vertrokken,' zei ze. Tussen haar wenkbrauwen vormden zich een paar rimpels omdat ze niet wist waarover het ging. 'Waarom wilt u hem spreken? Is er een probleem met een van onze klanten? Want dan kan ik misschien ook wel helpen.'

'Het heeft met zijn auto te maken,' zei hij.

'Hoezo, met zijn auto? Is die gestolen? Hij zet hem altijd op de langparkeerplaats op het vliegveld.'

'We moeten hem alleen een paar vragen stellen over waar hij een paar weken geleden was.'

'Waarom? Was hij betrokken bij een ongeluk? Hij heeft niets tegen me gezegd.'

'Als u het niet erg vindt, wacht ik liever tot meneer Davy weer in het land is.' Uit zijn toon bleek duidelijk dat er niet meer over te praten viel.

Ze haalde haar schouders op. 'U bent hier helemaal naartoe komen rijden, dan kan ik op z'n minst wel iets te drinken aanbieden.'

Beide politiemensen kozen voor thee. Terwijl ze de thee liet trekken, nam Ambrose de gelegenheid te baat om haar vragen te stellen over het bedrijf.

'Er zitten twee kanten aan eigenlijk,' zei ze afwezig, alsof ze het verhaal al zo vaak had verteld dat het een soort automatisme werd. 'We installeren beveiligingssystemen ten huize van onze klanten. Soms, zoals Warren nu op Malta doet, installeren we het helemaal, met letterlijk alles erop en eraan. Maar ons werk bestaat er grotendeels uit dat we buitenshuis opslag van gegevens garanderen. Bedrijven kunnen elke dag of elke week hun gegevens uploaden naar onze veilige servers op vaste tijden, afhankelijk van hun behoeftes. Of ze kunnen voor de Rolls Royce-mogelijkheid opteren, wat betekent dat telkens als ze ergens een toets aanslaan het onmiddellijk wordt geback-upt. Op die manier raken ze, bijvoorbeeld als hun gebouw afbrandt, niets kwijt.' Ze schonk kokend water in de pot en deed de deksel er weer op.

'Bevindt zich dat in de schuur?' vroeg Ambrose.

Ze knikte. 'Daar slaan we alles op. De muren zijn tachtig centimeter dik. Geen ramen, stalen deuren. De eigenlijke servers en de *datablades* in hun frame staan in een klimaatgecontroleerde binnenkamer met gepantserd glas. Alleen Warren en ik hebben toegang.'

'U houdt ons toch niet voor de gek, hè?'

'Absoluut niet.' Ze gaf hun beiden een beker thee en nam een slokje uit haar eigen beker.

'Mogen we het zien?'

Diane beet op haar lip. 'We laten meestal geen mensen binnen. Zelfs klanten zien het pas als ze ons hebben ingehuurd.'

Ambrose schonk haar zijn aardigste glimlach. 'We zullen ons netjes gedragen. Per slot van rekening zijn we van de politie. Ik heb gewoon nog nooit zoiets gezien.'

'Ik weet het niet. Warren is daar erg streng in.'

Ambrose stak zijn handen op. 'Maar Warren is er niet. Toe nou, ik ben ontzettend nieuwsgierig. Eigenlijk ben ik net een groot kind.' Hij wist niet zeker waarom hij zo graag een kijkje wilde nemen binnen in de opslagschuur. Maar haar onwil maakte zijn nieuwsgierigheid alleen maar groter.

Ze zuchtte en zette haar beker op de tafel neer. 'Nou, goed dan. Maar jullie moeten je thee hier laten. Geen vloeistoffen in de ruimte waar de bedieningspanelen zich bevinden.' Nu het besluit eenmaal was genomen, aarzelde ze niet meer en liep meteen vanuit huis het erf over.

Ambrose keek gespannen toe hoe Diane haar vinger op een glazen plaatje legde in de beschutting van de deuropening. 'Hoe werkt dat?' vroeg hij. 'Met vingerafdrukken?'

'Nee, het werkt volgens een analyse van de aderpatronen. Blijkbaar is dat even uniek als een vingerafdruk, maar het mooie is dat het alleen maar werkt als het nog verbonden is met de bloedtoevoer. Met andere woorden, je kunt niet gewoon mijn vinger afhakken en die gebruiken om binnen te komen, zoals je met vingerafdrukken wel kunt doen.' De deur gleed open en ze liepen achter haar aan een soort sluis in die nauwelijks groot genoeg was voor drie personen. Ze kwamen uit in een kleine controlekamer, waar op een stuk of zes beeldschermen constant gegevens langs hun ogen scrolden. Overal om hen heen flikkerden en twinkelden er lichtjes.

Achter de beeldschermen scheidde een glazen muur hen van twintig metalen torens. Bij elk van die torens staken er tussen de twaalf en de twintig plastic handvatten uit. 'Elk van die datablades bevat meer dan een terabyte aan gegevens. Wat groter is dan ik zo een-twee-drie aan jullie kan uitleggen,' zei Diane.

Ambrose was overdonderd. 'Het is verbijsterend.'

'Vooral als je eigen ervaring met computers zich beperkt tot je desktop en je laptop,' beaamde Diane op wat vriendelijker toon. 'Het is een beetje als *Dr Who* of als James Bond – een fantasie die tot leven komt.'

Ambrose lachte even. 'Ik weet niet eens welke vragen ik moet stellen.'

'Dat geldt voor de meeste mensen. Kom, we gaan onze thee opdrinken voordat die koud wordt.'

Terug in de keuken vroeg Ambrose of ze iets meer kon vertellen over die klant op Malta.

Voor het eerst sinds ze er waren, keek Diane Patrick wat ongemakkelijk. 'Daar weet ik eigenlijk niets van.'

'Dat lijkt me een beetje vreemd,' zei Ambrose.

'Ik begrijp waarom u dat vindt. Maar over het algemeen hebben we ieder onze eigen klanten. We houden ons alleen maar bezig met bijzonderheden van de klanten van de ander als we daar om de een of andere reden iets mee moeten. Zoals deze afgelopen week. Ik heb een paar keer een van Warrens klanten thuis moeten bezoeken omdat hij niet in het land is en ze echt iemand nodig hadden die langs kon komen. Dus vroeg Warren of ik wilde helpen, en dat zou ik andersom ook doen.'

'Dus u hebt wel contact gehad met Warren?'

Ze keek hem wat bevreemd aan. 'Natuurlijk heb ik dat. Hij is mijn partner. Ik bedoel, behalve mijn zakenpartner is hij ook echt mijn partner. We mailen elkaar een paar keer per dag en we *skypen*.'

Nu was het de beurt aan Ambrose om vragend te kijken.

'Dat is een manier om via internet te telefoneren,' zei ze. 'Het is goedkoper dan je mobieltje als je naar een ander land belt.'

'Verwacht u vandaag nog iets van hem te horen?' vroeg Ambrose.

'Dat denk ik toch wel.' Ze leek wat op te vrolijken bij de gedachte. 'Moet ik hem vragen u te bellen?'

Ambrose haalde een kaartje uit de binnenzak van zijn jasje en gaf dat aan haar. 'Mijn mobiele nummer staat erop.'

'De politie van West Mercia,' zei ze. 'Dat was me nog niet opgevallen. Dat is een flink eind uit de buurt. Het moet wel ernstig zijn als u dat hele eind hiernaartoe bent gekomen.'

Het verbaasde hem niet dat ze zo alert was. Je werd geen eigenaar van een dergelijk bedrijf als je geen oog voor details had. 'Het is gewoon routine,' zei hij. Hij verwachtte geen seconde dat hij haar voor de gek kon houden. 'Wij nemen alle misdrijven serieus.'

'Dat neem ik graag aan,' zei ze droogjes. 'Nou, ik zal uw naam en telefoonnummer aan Warren doorgeven en tegen hem zeggen dat hij contact moet opnemen.'

Kennelijk vond ze dat hun bezoek lang genoeg had geduurd. Ze zetten hun bekers neer en liepen terug naar de auto. 'Wat denkt u?' vroeg zijn chauffeuse toen ze het hek uit reden.

‘Ik vind het heel interessant dat Warren Davy ergens ver weg is. Ver van zijn eigen stekje. Een man die op het gebied van computers alles kan...’ Hij draaide zich om en keek naar de boerderij die in de verte verdween. ‘Eerlijk gezegd vraag ik me af of hij ooit naar Malta is gegaan.’

34

Sam belde aan en deed een pas achteruit om de brede dubbele voorgevel van het huis van Nigel Barnes goed te kunnen zien. 'De recessie heeft blijkbaar nog geen vat gekregen op Nigel.'

'Werkt hij nog steeds bij een bank?' vroeg Carol.

'Nee, hij is vijf jaar geleden overgestapt op verzekeringen. Ik heb geen idee wat dat betekent. Wie weet wat die klootzakken eigenlijk uitvreten?'

Carol gromde wat. Ze wilde hier niet zijn. Toen Sam haar kantoor was binnen komen wandelen en had voorgesteld dat ze nu onmiddellijk met Nigel moesten gaan afrekenen, had ze tegengesputterd: 'Het is negen uur op een zondagavond.'

'Precies. Dan is hij er niet op verdacht. En bovendien zitten we midden in de stilte voor de storm bij het moordonderzoek. We moeten wachten tot de jongens in het veld met iets strafbaars komen. We moeten wachten tot Stacey iets vindt wat ons weer wat vooruithelpt. We zitten ons hier alleen maar op te vreten, omdat we niets kunnen doen waarmee we die klootzak kunnen tegenhouden. Dus kunnen we net zo goed iets nuttigs gaan doen.' Hij had haar van opzij toe gegrijnsd. Als ze ook maar een beetje in Sam geïnteresseerd was geweest, had ze het misschien sexy gevonden. Nu beschouwde ze het alleen maar als een poging om haar zwakke plek te vinden. 'Zou het niet leuk zijn als we het volledig onverwacht netjes ingepakt met een strik eromheen aan Blake kunnen overhandigen?'

Dat laatste was precies in de roos geweest, en dus stonden ze nu hier. In plaats van een keertje wat broodnodige slaap in te halen of de verslagen door te lezen die van de diverse afdelingen binnenkwamen, stond ze nu ergens op een stoep achter Sam vanwege een veertien jaar oude zaak waarin ze weinig tot geen bewijzen in handen hadden. 'Hij is er niet,' mopperde ze.

Precies op dat moment ging er in de hal een lamp aan. Sam grijnsde haar triomfantelijk toe, voordat hij zijn gezicht weer in de plooi trok voor de man die de deur openmaakte.

Te oordelen naar de foto's in het dossier waren de jaren Nigel Barnes goedgezind geweest. Hij was drieënveertig en hij had nog geen spoortje grijs in de zware bos blond haar waarvan de stijl deed denken aan Michael Heseltine in zijn glorietijd als de Tarzan van het Lagerhuis. Een gladde huid, geen wallen onder de lichtblauwe ogen, een kaaklijn die nog krachtig was. Zijn mond en kin waren te zwak, zijn neus was te vlezig, maar hij kon er nog heel goed mee door. Carol vond dat hij eruitzag alsof hij veel te veel tijd doorbracht in een schoonheidsinstituut. Hij keek hen beleefd vragend aan. 'Ja?'

Carol vertelde wie ze waren. 'Ik ben bang dat we slecht nieuws voor u hebben, meneer Barnes. Misschien is het beter als we even binnenkomen.'

Zijn gezicht leek zich te verharden. Zijn lippen bewogen zich nauwelijks toen hij zei: 'Jullie hebben ze gevonden.'

Carol neeg haar hoofd. 'Ja, inderdaad.'

'Waar?' Hij schudde zijn hoofd alsof hij het nog niet kon geloven.

'Waar jij ze hebt neergelegd,' zei Sam op koude, afgemeten toon.

Barnes deed een stap achteruit en probeerde in een reflex de deur tussen hen in te krijgen. 'Ik begrijp het niet,' zei hij. 'Waar hebt u het over?'

Sam stapte naar voren en zette zijn voet tussen de deur. 'We zouden graag willen dat u met ons naar het bureau komt om een paar vragen te beantwoorden.'

Barnes schudde zijn hoofd. 'Ben je helemaal gek geworden? Jullie zeggen dat jullie de lichamen van mijn vrouw en kind hebben gevonden. En dan willen jullie dat ik meekom naar het bureau? Alsof ik onder verdenking sta?'

'Ik heb niets gezegd over lichamen,' wees Carol hem terecht. 'Ik heb alleen maar beaamd dat we ze hebben gevonden.'

Barnes kneep zijn ogen half dicht. 'U zei dat u slecht nieuws had. Dat zeg je toch niet als ze gezond en wel in Brighton wonen.'

'Er is meer dan één soort slecht nieuws. U bent degene die onmiddellijk tot de conclusie kwam dat ik het over uw vrouw en kind had. Haalt u alstublieft uw jas, meneer Barnes. Dit is allemaal veel gemakkelijker op het bureau dan bij u op de stoep.'

'Ik ga nergens met jullie naartoe.' Hij probeerde de deur dicht te doen, maar Sam bleef ertegenaan hangen. Qua spiermassa kon hij zich gemakkelijk meten met Barnes, die wel een sportschool had bezocht, maar die geen echte kracht had.

'U kunt vrijwillig meekomen of ik arresteer u,' zei Carol.

'Mij arresteren?' Hij klonk ongelovig. 'Ik ben hier het slachtoffer, hoor.' Hij stond nog steeds tegen de deur aan te duwen.

Carol rolde met haar ogen. 'Nigel Barnes, ik arresteer u op verdenking van het belemmeren van de rechtsgang. U hoeft niets te zeggen, maar alles wat u zegt kan later tegen u worden gebruikt. Sam, doe meneer Barnes de handboeien om.'

Barnes stapte plotseling weg van de deur, waardoor Sam zijn evenwicht verloor. Alleen een wanhopige graai naar de deurpost voorkwam dat hij op de grond terechtkwam. 'Dat is niet nodig,' zei Barnes op afgemeten toon. 'Ik haal mijn jas wel.'

'Sam, ga met hem mee. U bent bij dezen aangehouden, meneer Barnes,' riep Carol hem achterna.

Het duurde twintig minuten voordat hij op het bureau zat en nog eens een uur voordat zijn advocaat op kwam dagen. Carol was zo moe dat ze wel met haar hoofd op haar bureau een potje wilde gaan huilen, maar gelukkig zou Sam het verhoor leiden. Hij dacht dat ze hem een plezier deed vanwege het werk dat hij voor de zaak had verricht; de waarheid was dat ze vermoedde dat ze gewoon te moe was om Barnes goed te ondervragen. De enige plezierige verrassing tijdens het wachten was de aanwezigheid op haar bureau van Tim Parkers derde versie van zijn profiel. Terwijl ze het las, werd haar glimlach alsmaar breder. Dus dat had Tony besloten met hem te doen. Ze veronderstelde dat het inderdaad een passender optie was om te proberen een betere profielschetser van hem te maken dan zijn arm eraf te rukken en hem er flink van langs te geven met de bloederige stomp, waar ze eerder wel wat voor had gevoeld. Echt iets voor Tony om toch weer met een goede oplossing te komen.

En nu maar hopen dat Sam hetzelfde kunstje kon uithalen.

De ober vroeg of ze nog koffie wilden; beide vrouwen bestelden een espresso. Elinor ving Paula's blik en barstte in lachen uit. 'Dokters en smerissen – dat zijn de enigen die niet bang zijn voor een kop espresso na het eten, omdat ze weten dat ze toch wel zullen slapen.'

Paula glimlachte, een lome glimlach die zich over haar gezicht verspreidde als jam op het gezicht van een peuter. 'Maar meestal heb ik niet zoiets leuks als dit om wakker voor te blijven.'

'Ik ook niet.' Elinor dronk het laatste restje rode wijn op en slaakte een tevreden zucht. Vanavond leek ze haar vermoeidheid van zich te hebben afgegooid. Op de een of andere manier had ze nog de tijd gevonden om haar haren op te steken in een ingewikkelde vlecht en om een aquamarijnblauwe zijden blouse aan te trekken die haar ogen deed schitteren als juwelen. Ze straalde alsof ze van binnenuit werd verlicht. Paula vond dat haar huid zelfs echt glansde. Ze vond dat ze enorm geboft had. 'Bedankt dat je hiervoor tijd hebt vrijgemaakt,' zei Elinor.

'Zoals je al zei, we moeten allebei eten en vanavond kon ik toch niets anders doen, behalve voor de zoveelste keer mijn getuigenverklaringen doorlezen tot ik er scheel van word. Ik ben gewoon blij dat je vrij was.'

'Zelfs meneer Denby moet zijn slaven af en toe vrijaf geven.' De koffie was heet en sterk en ze genoten van dit moment van rust.

Paula kon zich niet herinneren wanneer ze voor het laatst zo'n ontspannen avond had gehad. Ze had ernaar verlangd, maar ze kon nog niet helemaal afstand doen van de aloude politiespreuk: het beste ervan hopen, het slechtste verwachten. Maar ditmaal leek het erop dat ze als winnaar uit de bus was gekomen. Het gesprek was zonder problemen verlopen. Ze hielden van dezelfde muziek, bij de boeken die ze hadden gelezen waren genoeg overlappingen om erover te kunnen praten, en ze hielden van dezelfde films. Ze waren allebei gek op rode wijn en rood vlees. Elinor gaf zelfs toe dat ze af en toe wel eens een sigaretje rookte. 'Een of twee in de week,' zei ze. 'Op het einde van de avond bij een glas whisky.'

'Als ik op die manier kon roken, zou ik dat heel fijn vinden,' gaf Paula toe. 'Bij mij is het alles of niets. Ik wil er weer mee stoppen, maar ik weet dat ik daar langzaam naartoe moet groeien.'

'Ben je eerder gestopt?'

'Ja, het ging echt goed totdat... O, dat is een lang verhaal.' *En ik wil het alleen maar vertellen als dit tussen ons iets wordt.* 'De vijfminutenversie, oké? Een vriend van me – eigenlijk een collega, maar hij was ook mijn vriend – die is ergens bij omgekomen.' *En ik bijna ook, maar daar wil ik het vanavond niet over hebben.*

'Wat erg,' zei Elinor. 'Wat zal dat moeilijk zijn geweest. Het is vreemd hoe vaak de dood van mensen van wie we houden bij ons allemaal iets zelfdestructiefs naar boven brengt.' En daar had ze het bij gelaten, waar Paula dankbaar voor was en wat ze ook erg waardeerde.

En nu ze hun koffie opdronken en de rekening deelden, was er een onmiskenbare tinteling tussen hen voelbaar. Paula wilde Elinors huid aanraken, wilde voelen hoe de elektriciteit van vingertop naar vingertop stroomde. Niet dat ze zich halsoverkop ergens in wilde storten. Daar had ze te veel reserves voor, maar die hadden met haarzelf te maken, niet met Elinor.

Toen ze het restaurant uit kwamen stond er een gemene, gure wind. 'God, het lijkt de Noordpool wel,' riep Elinor uit. 'Wanneer is dat gebeurd? Toen we naar binnen gingen was het nog heel zacht.'

'De tijd vliegt als je plezier hebt. Het is al woensdag, hoor.'

Elinor lachte en stak haar arm door die van Paula. 'Weet je wat ik nu echt leuk zou vinden?'

Paula's borst kromp ineen. Ze voelde vreugde, verlangen en angst tegelijk. 'Ik ben veel te goed opgevoed om ernaar te raden,' zei ze.

Elinor drukte haar arm tegen zich aan. 'Ik vind het prettig dat je zo bescheiden bent. En ik zou het leuk vinden als we elkaar veel beter zouden leren kennen.'

'Ja,' zei Paula voorzichtig. Ze vroeg zich af welke kant dit op ging.

'En ik wil niet dat er nu al een einde komt aan deze avond. Ik weet dat het al laat is, maar wil je nog met mij meekomen? Voor een kop koffie? Nog wat praten?'

Ze bleven even staan onder de luifel van een winkel. 'Dat zou ik leuk vinden,' zei Paula. 'Dat zou ik heel, heel erg leuk vinden. Maar vat wat ik nu ga zeggen alsjeblieft niet verkeerd op. Als jij koffie zegt, moet het daar ook echt bij blijven. Ik moet morgen vroeg op het bureau zijn – gedoucht, alert en met schone kleren aan.'

Elinor grinnikte. 'In dat geval kunnen we beter naar jou gaan, vind je niet?' Voordat Paula kon antwoorden had Elinor haar tegen zich aan getrokken. Het was een opwindend moment voor Paula. Haar lichaam tintelde en haar oren suisden. Ze hoorde een zacht gekreun en besefte dat het diep uit haarzelf was gekomen. Ze wilde dat de kus nooit zou ophouden.

Toen ze elkaar ten slotte loslieten, waren ze allebei helemaal buiten adem. 'O jeetje,' zei Elinor.

'Zullen we gaan?' vroeg Paula met overslaande stem. Ze schraapte haar keel en beklopte haar zakken. 'We kunnen een taxi nemen.' Ze bleef opeens staan. 'Wacht even.' Ze maakte haar tas open en graaide erin. 'Dit is niet te geloven. Ik heb die stomme sleutels op het bureau laten liggen; ik was zo bang dat ik te laat zou komen voor onze afspraak... Ik zie ze voor me. Ze liggen op mijn bureau, vlak voor mijn computer.'

Elinor haalde haar schouders op. 'Geen probleem. Jouw bureau is niet ver. We kunnen erheen lopen om ze op te halen en dan vandaar een taxi nemen.'

'Vind je het niet erg?'

'Nee. Zo krijg ik ook nog te zien waar je werkt.'

Tien minuten later stapten ze uit de lift op de tweede verdieping van het hoofdbureau van politie van Bradfield. De agent die nachtdienst had, had niet met zijn ogen geknipperd toen Paula de naam van Elinor opschreef. Ze vroeg zich af hoeveel van haar collega's het bureau wel eens gebruikten voor afspraakjes in hun eigen tijd. 'Wij zitten hierbeneden,' zei ze. Ze liep voorop maar ondertussen bleef ze wel Elinors hand vasthouden.

Er was nog licht aan in een hoekje van de teamkamer, een bureaulamp die zich voegde bij het geheimzinnige licht van Staceys beeldschermen. 'Stacey? Ben je er nog steeds?' riep Paula verbaasd uit.

'Ik ben bezig met die beelden van de bewakingscamera's van het Centraal Station,' antwoordde Stacey. 'Je moet eigenlijk je vriendin niet in de lift zoenen, het staat op de interne camera's.'

'O shit,' zei Paula. 'Dan weet morgen iedereen het.'

'Nee hoor,' zei Stacey verstrooid. 'Ik heb het al gewist.' Ze stond op, haar hoofd kwam nauwelijks boven de schermen uit. 'Ik ben Stacey,' zei ze. 'Het is fijn om te zien dat Paula weer begint te leven. Dat werd tijd.'

Paula kon zich niet herinneren wanneer ze voor het laatst Stacey zo'n lange speech had horen houden die niet met ICT te maken had. 'Dit is Elinor,' zei ze.

'Ik herinner me je nog van de zaak van Robbie Bishop,' zei Stacey. 'Jij bent degene die in de gaten had dat het om vergif ging. Dat was erg goed.'

Paula was stomverbaasd over dit gesprek. Had Elinor die uitwerking op iedereen?

'Bedankt,' zei Elinor. Ze liep wat in de kamer rond, keek wat er op de whiteboards stond en probeerde de sfeer te proeven. 'Het voelt hier goed. Heel nuchter en zakelijk.'

Paula lachte. 'Dat zou je niet zeggen als je hier om negen uur 's morgens was.'

Stacey was weer achter haar schermen gaan zitten. 'Nu je er toch bent, Paula, kun je misschien hier even naar kijken. Ik ben er al een poosje mee aan het werk en ik denk dat ik iets heb.'

Paula keek naar Elinor om te zien of ze er geen bezwaar tegen had. Elinor glimlachte en gebaarde dat ze moest gaan kijken. 'Toe maar,' zei ze. 'Ik vermaak me wel.'

Stacey zette vier van haar schermen op non-actief en liet er twee aanstaan. 'Dit hier is het vergrote beeld. Kijk naar de tijd hier: drie over halfvijf. Meer dan genoeg tijd voor Seth om hierheen te komen.' Ze klikte met haar muis, en een van de gestalten die het station binnenliepen werd naar voren gehaald. De anderen gingen op in de grijze achtergrond. Weer een klik en alles om het beeld heen werd scherper en duidelijker. 'Ik denk dat dit Seth is.'

'Ik denk dat je gelijk hebt. Kathy heeft me vanmiddag een video van hem laten zien; ik zou zeggen dat hij het zeker is. Waar gaat hij heen?'

Meer klikken met de muis. Stacey had de opnames van diverse camera's bij elkaar gevoegd die allemaal lieten zien hoe Seth door de stationshal liep. Hij kwam langs de zaak van Costa-koffie en verdween toen. 'Waar is hij heen gegaan?'

'Er is een blinde vlek tussen Costa-koffie en Simply Food. Er is daar een gangetje dat naar de parkeerplaats leidt. Ik denk dat hij iemand heeft ontmoet en dat ze samen zijn vertrokken.'

Paula kreunde. 'Dit is wel ongelooflijke pech.'

'Denk je?'

'Nou, wat anders?'

'Iemand die precies weet waar de camera's zijn en wat binnen hun bereik valt.'

Een lange stilte. Toen zei Paula: 'Dat is een heel interessant idee.'

'Ik weet het. En het mooie is dat hij minder slim is dan hij denkt.' Stacey tikte op een paar toetsen en het andere scherm kwam tot leven. Een stukje zwart-witvideo was een paar seconden te zien. Stacey zette het in de pauzestand en klikte met de muis. Een gestalte die Seth zou kunnen zijn werd zichtbaar. 'Ik denk dat dit Seth weer is.'

'Zou kunnen.'

'Het is de juiste plaats en de juiste tijd. Oké, het zou bijna iedereen kunnen zijn. Maar laten we ervan uitgaan dat het Seth is, omdat het om de juiste tijd en plaats gaat. Kijk nu eens hiernaar.' Weer een klik met de muis. Een tweede gestalte werd naar voren gehaald. Hij was voor de helft zichtbaar, omdat de voorgevel van Simply Food in de weg stond. En de opname was van achteren, dus je kon zijn gezicht niet zien. Maar hij had zeker zijn hand op de arm van de persoon die misschien Seth zou kunnen zijn.

'Dat is hem,' zei Paula. Plotseling nam de spanning van de jacht bezit van haar.

'We moeten afwachten of we er iets aan hebben. We kunnen nu waarschijnlijk wel bepalen hoe groot hij is en dat hij donker haar tot op zijn kraag heeft, wat op een pruik zou kunnen wijzen. Maar dat is alles.'

'Heb je op de rest van het materiaal naar hem gezocht?'

Stacey zuchtte. 'Ik weet dat jullie allemaal denken dat ik kan toveren, maar er zijn grenzen aan mijn kunnen. We hebben het hier over de bekende naald in de hooiberg. Ik heb het geprobeerd, maar er zijn gewoon te veel mogelijkheden.'

'Maar we kunnen in ieder geval een oproep uit laten gaan. We hebben nu uitsluitsel over het waar en het wanneer. Dan krijgen we misschien wel iets om mee verder te gaan.' Paula sloeg een arm om Stacey heen en knuffelde haar. 'Je bent echt briljant.' Ze keek naar Elinor, die wat aan het snuffelen was in een paar papieren op het bureau van Kevin. 'Deze vrouw is een genie.'

'Iemand moet dat zijn. Het is altijd goed als ze met jouw team meespelen. Goed werk, Stacey.' Elinor leek met haar gedachten heel ergens anders. Ze keek op, met een smalle frons tussen haar wenkbrauwen. 'Is er een reden waarom jullie niet naar buiten hebben gebracht dat de slachtoffers verwant zijn aan elkaar?'

Een moment wist Paula absoluut niet waar Elinor het over had. 'Nou, we weten dat de zaken met elkaar verwant zijn vanwege de modus operandi. We hebben wel gezegd dat dit volgens ons het werk is van dezelfde moordenaar.'

Elinor schudde ongeduldig haar hoofd. 'Nee, dat bedoel ik niet. Ik bedoel letterlijk verwant. Zoals bij bloedverwanten.'

'Waar heb je het over? Ze zijn geen familie van elkaar. Waarom zeg je dat?'

Elinor hield twee velletjes papier omhoog. 'Zijn dit hun DNA-profielen?'

'Als dat op de verslagen van het lab staat. Het is routine. We laten van alle moordslachtoffers een DNA-profiel maken.' Paula was al halverwege de kamer, met Stacey op haar hielen.

Elinor bleef maar van het ene stuk papier naar het andere kijken. 'Nou, tenzij ze op dat lab enorm hebben zitten blunderen, zijn deze twee mensen naaste familie van elkaar. Ik ben geen deskundige, hou me ten goede. Maar ik zou zeggen dat het om een neef en een nicht gaat, of om een halfbroer en halfzus.'

35

Nigel Barnes zat aan de tafel, met zijn handen voor zich op tafel gevouwen. Hij zag er niet uit alsof hij zich amuseerde. Volgens de arrestantenbewaarder was hij ongelooflijk kwaad dat de strafadvocaat van het advocatenkantoor waar hij klant van was niet bereid was acte de présence te geven om halfelf 's avonds, en dat hij in zijn plaats een pas afgestudeerde mindere god had gestuurd. Deze advocaat had iets van een man die alsmaar probeert met zijn voeten op de grond te komen, maar die daar steeds net niet in slaagt.

Sam en Carol zaten nog niet of de advocaat begon al tegen hen te kwetteren. 'Ik begrijp niet waarom mijn cliënt hier überhaupt is, laat staan dat hij onder arrest staat. Wat ik begrepen heb, is dat u hebt ontdekt waar zijn vrouw en kind zich bevinden die veertien jaar geleden zijn verdwenen. In plaats van mijn cliënt de gelegenheid te geven om te rouwen heeft u hem hiernaartoe gesleept op een uit de lucht gegrepen beschuldiging...'

'We hebben uw cliënt nog nergens van beschuldigd,' zei Sam, die bezig was de voicerecorder op te stellen. Toen er een piepje klonk noemde hij de namen op van de aanwezige personen. 'Eerder deze week...'

'Voor de goede orde wil ik protest aantekenen tegen de behandeling die mijn cliënt ten deel is gevallen. Hij had feitelijk de tijd moeten krijgen om dit verschrikkelijke nieuws te verwerken in plaats van als een misdadiger te worden behandeld.'

'We hebben er nota van genomen,' zei Carol op verveelde toon.

Sam begon opnieuw. 'Eerder deze week zijn er een drietal stoffelijke resten uit het Wastwater in het Lake District gehaald. De resten bleken die van een man, een vrouw en een jong kind te zijn. De lichamen werden ontdekt als gevolg van informatie verkregen van een computer die was verborgen achter een valse muur in een huis dat vroeger van u was, meneer Barnes. Een huis waarin u woonde met uw vrouw Danuta en uw dochtertje Lynette.'

Barnes schudde zijn hoofd. 'Ik heb geen idee waar u het over heeft.'

'Tandartsgegevens bewijzen dat het lichaam van de vrouw dat van uw echtgenote Danuta was. Een DNA-analyse bevestigt dat het bij het kindje gaat om uw dochtertje Lynette. En ander lichamelijk bewijs geeft aan dat het bij het derde lichaam om een man gaat die Harry Sim heette. Een man die ooit gewerkt heeft voor u en uw vrouw bij de Corton's bank.'

Van het gezicht van Barnes was geen emotie af te lezen.

'U lijkt er niet erg van onder de indruk te zijn, meneer Barnes,' zei Carol vriendelijk. 'Dit gaat wél over uw vrouw en uw kindje. Tot dusver is de enige emotie die ik bij heb gezien een brandend verlangen om niet naar het politiebureau te hoeven komen.'

'Het is al lang geleden, inspecteur,' zei Barnes hoffelijk. 'Ik heb met mijn verlies leren leven.'

'U lijkt niet erg nieuwsgierig naar de manier waarop uw vrouw en dochter samen met een andere man op de bodem van het Wastwater zijn beland,' zei Sam.

Barnes keek naar zijn handen. 'Zoals ik destijds al tegen uw collega's heb gezegd, Danuta had me verlaten. Ze schreef me een briefje waarin ze zei dat het voorbij was, dat ze verliefd was op iemand anders. Ik had geen idee wie haar minnaar was of waar ze heen was gegaan. Het blijkt nu dat Harry Sim die man was.' Hij keek Sam even aan. 'Ik was toen heel erg gekrenkt. Echt heel erg gekrenkt. Maar ik moest eroverheen komen. Ik moest verder met mijn leven.'

'U had geen idee dat ze dood waren?'

Barnes vertrok zijn gezicht. Sam vermoedde dat hij een scheut van pijn wilde simuleren. Het was niet overtuigend. 'Nee,' zei hij.

'Angela Forsythe wel.' Sam liet de woorden in de lucht hangen.

Barnes kon niet verhullen dat hij zijn handen nog iets steviger in elkaar kneep. Hij slaakte een diepe zucht. 'Angela is niet een van de meest evenwichtige vrouwen. Ze heeft me nooit gemogen. Ik heb me altijd afgevraagd of ze zelf verliefd op Danuta was.'

'Maar ze bleek wel gelijk te hebben. En misschien had ze ook wel gelijk met het andere deel van haar theorie.'

De advocaat boog zich naar voren alsof hij zich opeens herinnerde dat hij hier niet voor niets zat. 'Is dat een vraag, brigadier?'

Sam glimlachte. 'Daar kom ik zo aan toe, meneer. Angela gelooft niet dat Danuta u heeft verlaten. Zij gelooft dat u haar heeft vermoord. En Lynette ook.'

Barnes maakte een geluid dat wel iets weg had van een lach. 'Dat is krankzinnig. Dat Harry Sim ook in dat meer lag, bewijst dat ze me heeft verlaten.'

'Nee,' zei Carol met een lome stem. 'Het bewijst alleen dat het lichaam van Harry Sim gelijk met dat van Danuta en Lynette door iemand is gedumpt.'

'En dat roept een paar vragen op,' zei Sam. 'En voordat u ons gaat vertellen dat het een bizar zelfmoordpact moet zijn geweest of dat Harry, de gekke stalker, Danuta en Lynette heeft gekidnapt en vermoord voordat hij zichzelf ook van het leven beroofde, moet ik u vertellen dat op één punt het bewijsmateriaal volkomen duidelijk is. Hoe ze ook met z'n drietjes in dat meer zijn terechtgekomen, het was niet op eigen kracht. Iemand heeft hun lichamen helemaal ingepakt, heeft een stapeltje stenen aan het pakket vastgemaakt en heeft ze in het meer laten vallen. En dat was jij, Nigel? Of niet soms?'

'Dit is belachelijk,' protesteerde de advocaat. 'Komt u ook nog met bewijzen? Of hebt u ons hierheen gebracht met een of ander sadistisch oogmerk?'

Sam sloeg de map open die voor hem lag. 'Ik heb het zo-even over een computer gehad. Ondanks alle moeite om de harde schijf te wissen konden onze deskundigen er toch nog een heleboel gegevens van afhalen. Er is hier een heel stuk...' hij wees naar de pagina '... over de mogelijkheden van koolmonoxidevergiftiging. En in een ander bestand staat hoe je bij het Wastwater moet komen en informatie over de afgelegen plek en de diepte. Zoals ik al zei was deze computer verstopt in uw vroegere huis.'

'Die zou er door iedereen kunnen zijn neergezet.' Barnes wist nog net zijn kalmte te bewaren.

'Waarom zouden ze dat doen?' Carol stelde de vraag op vriendelijke toon, alsof ze het echt wilde weten.

Barnes deed zijn handen uit elkaar en liet zijn vingers door zijn dikke haardos glijden. 'Om mij erin te luizen natuurlijk.'

'Wat ik niet begrijp is waarom, als iemand u erin wilde luizen, ze al die moeite doen om de bewijzen achter te laten en er dan verder niemand over te vertellen,' zei Carol. 'Dit lijkt een beetje zinloos.'

'We vinden je DNA er wel op,' zei Sam. 'We kijken in de papieren van het computerbedrijf. Je zult zien dat de computer van jou zal blijken te zijn, Nigel. Je kunt je in allerlei bochten wringen, maar daar kom je niet meer onderuit.'

Het was lang stil. Toen zei Barnes: 'Misschien heeft Danuta het zelf wel gedaan. Na de baby was ze zichzelf niet.' Hij haalde een schouder op. 'Vrouwen en hun hormonen, hè? Ze doen de raarste dingen.'

'Ik zal je eens vertellen wat ik denk dat er is gebeurd,' zei Sam.

De advocaat schudde zijn hoofd. 'Dat dacht ik niet, brigadier. U heeft niets. U gaat gewoon wat zitten vissen. We hebben genoeg gehoord. Ofwel u stelt nu mijn cliënt in staat van beschuldiging, of we lopen de deur uit.'

'Nee,' zei Barnes, en hij legde een hand op de arm van de advocaat. 'Laat die man uitpraten. Ik wil weten wat hij heeft verzonnen. Een gewaarschuwd man telt voor twee, per slot van rekening.'

Sam haalde diep adem en haalde het advies van Tony weer voor de geest. *Je hebt één kans.* En die krijg je nu. 'Ik denk dat je ze alle drie hebt vermoord. Ik gok op slaaptabletten om ze onder zeil te krijgen en daarna koolmonoxidevergiftiging. Daarna heb je de lichamen ergens gedumpt. Harry was jouw verlaat-de-gevangenis-zonder-betalenkaart. Als de lichamen ergens opdoken, lag het bewijs op tafel dat Danuta een minnaar had gehad. Jij was van alle blaam gezuiverd.'

'Als ik dan al zo slim was, zou ik het dan niet op een moord en een zelfmoord hebben laten lijken?' vroeg Barnes uitdagend.

Sam knikte. 'Dat vond ik in het begin ook wat vreemd. Maar toen ik met Angela praatte, besefte ik dat zelfs wij, domme ploeteraars, wel eerst twee keer zouden hebben nagedacht over dat scenario toen we er eenmaal achter waren wat voor een enorme loser Harry was. Danuta zou er nooit met hem vandoor zijn gegaan, in geen miljoen jaar. Zelfs niet onder de invloed van postnatale hormonen. Dus toen ben ik teruggevallen op plan B.'

'Interessant,' zei Barnes. 'En wat mag plan B dan wel inhouden?'

Sam grijnsde. 'Jij gaat bekennen dat je de lichamen hebt gedumpt, hè. Je gaat ons vertellen hoe je vermoedde dat Harry je vrouw en je dochtertje misschien wel had ontvoerd. Dus ben je naar zijn caravan gegaan waar je ontdekte dat ze waren overleden aan koolmonoxidevergiftiging veroorzaakt door een kapotte kachel. Je gaat ons vertellen hoe je toen in tweestrijd stond. Omdat je geen bewijzen had voor de ontvoering. Je had de politie al verteld dat Danuta je had verlaten. Misschien zouden we wel hebben gedacht dat je ze alle drie in een vlaag van jaloezie had vermoord en dat je het daarna deed voorkomen als een vreselijk ongeluk. En dan ga je ons vertellen dat je maar één oplossing zag, namelijk dat je die lichamen kwijt moest.'

Barnes liet een harde, onechte lach horen. 'Dat is het meest absurde verhaal dat ik ooit heb gehoord.'

De advocaat duwde de stoel achteruit. 'Juist. Afgelopen. Dit is schandelijk. We luisteren geen seconde langer naar deze speculaties.'

Carol reikte voor hem langs. 'Verhoor beëindigd om drie voor elf in de avond.' Ze schakelde de band uit.

'Het is geen speculatie,' zei Sam, die opeens helemaal niet joviaal meer deed. 'Het zijn koude, harde feiten. We gaan ernaar op zoek, Nigel. We gaan elke steen omkeren. Jouw leven komt onder een microscoop te liggen. We komen morgen met onze ontdekking naar buiten en Angela gaat ook met de pers praten. Ze is al een aantal vroegere collega's van Corton's aan het ronselen om te vertellen wat voor zielenpiet Harry was. In feite was hij autistisch, heb ik begrepen. Ze zullen het allemaal hebben over hoe afschuwelijk Danuta's leven met jou moet zijn geweest als ze liever wilde hokken bij Harry Sim in zijn caravanpark dan dat ze bij jou bleef. Stel je eens voor. Hoe afschuwelijk moet het wel niet zijn geweest als Harry de enige oplossing was? En dan krijg je al die speculaties – is ze er echt met Harry vandoor gegaan? Wie zou die lichamen in het meer kunnen hebben gedumpt?'

Barnes stond op, zijn handen tot vuisten gebald. Zijn zelfbeheersing gleed van hem af als schmink onder felle toneellampen. 'Dat kun je niet maken.'

'Wij gaan dat ook niet doen. Wat we wél gaan doen is langsgaan bij iedere persoon in je leven met vragen over jou en Danuta. Je vrienden, je collega's, je klanten. Want zo slim ben je nu ook weer niet, Nigel. Je hebt het veel te ingewikkeld gemaakt. Je had ze gewoon in de caravan moeten laten liggen met die kapotte kachel.

Maar nee. Je moest zo nodig het slimste jongetje van de klas zijn.' Sams stem droop van sarcasme.

Barnes deed een uitval naar Sam, maar zijn advocaat stootte hem aan waardoor hij zijn evenwicht verloor. 'Je kunt me niks maken,' schreeuwde hij.

'Dat komt nog wel,' zei Sam. 'Omdat je echt niet zo slim bent. En als domme mensen slim proberen te zijn, maken ze fouten.' Hij wendde zich tot Carol. 'Veertien jaar geleden. Wat voor auto had hij toen? Iets leuks, wed ik. Een BMW? Een Mercedes? Iets dergelijks. Dikke kans dat die nog ergens rondzwerft. Die kwaliteitsauto's gaan lang mee.'

Carol deed net alsof ze nadacht. 'Afschriften van creditcards, Sam. Hij zal ergens hebben moeten tanken. Die kunnen we waarschijnlijk wel opsporen.'

'Of we doen een verklaring naar de pers uitgaan waarin staat dat we haar man hebben gehoord en dat we niet naar iemand anders op zoek zijn in verband met het verdachte overlijden van Danuta Barnes, Lynette Barnes en Harry Sim. Ik bedoel, als we geen veroordeling krijgen, kunnen we onze tijd wel beter gebruiken.'

'Bent u nu dreigementen tegen mijn cliënt aan het uiten?' vroeg de advocaat. Hij klonk veel te timide om Carol en Sam te verontrusten.

'Hoe kan het vertellen van de waarheid nu een dreigement zijn?' Carol zette haar onschuldigste gezicht op. 'Sam heeft gelijk. Zo kunnen we het beste te werk gaan. We hebben de echtgenoot gehoord – dat ben jij, Nigel, voor het geval je het vergeten bent na al die jaren die zijn verstreken – en we hebben geen andere verdachte op het oog.' Ze schudde Sam de hand. 'Opgelost. Soms heb je niet meer nodig dan het gerechtshof van de openbare mening.'

Barnes keek verwilderd naar zijn advocaat. 'Je moet hier paal en perk aan stellen. Het is een schande. Ze maken opgejaagd wild van me.'

Sam wist dat de advocaat niet veel kon doen of zeggen. Carol en hij hadden zorgvuldig in de gaten gehouden dat ze nergens te ver gingen. Hij liet de stilte zwaar hangen terwijl Barnes door zijn haren woelde. Toen zei hij heel zachtjes: 'Je kunt natuurlijk gewoon toegeven dat plan B klopt, dan hoeft dit allemaal niet te gebeuren.'

‘Ik vind dat dit grenst aan het onbetamelijke,’ zei de advocaat zwakjes.

‘Als rechercheur Evans en ik nu eens een kopje koffie gingen drinken? Dan kunnen jullie je opties overwegen,’ zei Carol, terwijl ze al met Sam achter zich aan naar de deur toe liep.

Ze zeiden niets totdat ze buiten gehoorsafstand waren. Toen liet Sam zich met zijn hoofd in zijn handen op zijn hurken zakken. ‘Ik wilde hem zo graag hierop vastpinnen,’ zei hij gesmoord. ‘Als er één gemoord heeft, is hij het wel.’

‘Ik weet het. Maar ik denk dat hij voor het dumpen van de lichamen en voor belemmering van de rechtsgang gaat. Dan weet hij waar hij aan toe is, en dat is altijd beter dan te weten dat je overal waar je komt wordt nagewezen.’ Carol ging naast hem op haar hurken zitten en legde een troostende hand op zijn schouder. ‘Het is wel een resultaat, Sam.’

‘Nee, dat is het niet. Het is ongeveer een kwart van een resultaat.’

‘Ik vind het net zo erg als jij. Heb ik altijd al gevonden. Maar soms moet je met minder tevreden zijn. Het is een afgesloten zaak, Sam.’

Hij legde zijn hoofd in de nek en zuchtte. ‘Jij hebt het er altijd over dat wij de spreekbuis van de doden zijn. Maar soms roepen we gewoon niet hard genoeg.’

36

Carol herkende die morgen het opgewonden gegons in de teamkamer van het TZM. Het was altijd zo als het team op het randje van een doorbraak balanceerde. Het telefoontje dat ze de vorige avond laat van Paula had gekregen had een nieuwe fase van hun onderzoek ingeluid en ze had ze allemaal voor deze bijeenkomst om zeven uur bij elkaar geroepen, omdat ze zaten te trappelen om aan de slag te gaan. Dat Nigel Barnes had besloten om te bekennen dat hij de lichamen in het Wastwater had gedumpt was gewoon een extraatje.

Ze gingen met elkaar om de tafel zitten, ieder met een beker koffie in de hand. Op het allerlaatste moment kwam Tony binnenwandelen. 'Jan Klaassen hoort er ook bij, hoor,' zei hij opgewekt. Hij pakte de eerste de beste stoel en liet zijn papieren voor zich op tafel vallen. Toen keek hij met geveinsde verbazing rond. 'Ik dacht dat het team een nieuwe aanwinst had?'

'Brigadier Parker moest weer terug naar de academie,' zei Carol met een blik van 'hou alsjeblieft je mond'. 'Dus nu zitten we weer met jou opgescheept.'

'Welkom terug, doc,' zei Kevin.

Carol onderbrak de begroetingen die van alle kanten op hem afkwamen. 'Kunnen we misschien ter zake komen?' Ze hielden allemaal hun mond en ze begon. 'Er komt wat beweging in de zaak. Paula, zou jij willen uitleggen wat daar de reden van is?' Carol keek vragend Paula's richting uit. Ze had al duidelijk gemaakt dat ze blij was met de doorbraak, maar dat ze geen waardering had voor het feit dat Paula een buitenstaander bij hun vertrouwelijke onderzoek had betrokken.

Paula klonk alsof ze op haar presentatie had geoefend. 'Ik kwam gisteravond laat met dr. Elinor Blessing naar het bureau...'

Haar mooi voorbereide plannen gingen in rook op toen haar

collega's begonnen te joelen en te fluiten. Carol wist dat ze behoefte hadden om stoom af te blazen, dus liet ze hen maar begaan. Bovendien had Paula erom gevraagd. 'Kon je niet gewoon ergens een kamer nemen?' vroeg Kevin onschuldig.

'Leuk hoor. Jullie zijn allemaal wel verdomd grappig,' zei Paula, die zich niet echt beledigd voelde. Elinors ontdekking had weliswaar een eind gemaakt aan het romantische deel van de avond, maar Paula was nog steeds in een roes van hun ontmoeting. Maar dat kon ook een gevolg zijn van slaapgebrek. 'Enkelen van jullie kennen dr. Blessing misschien nog van de zaak-Robbie Bishop en weten nog dat ze ons toen heeft geholpen.' Meer geschreeuw en elkaar aanstoten. 'Nou, ze is ons weer te hulp gekomen.' Paula gaf een knikje naar Stacey, die een paar toetsen aansloeg op het netbook voor haar. De bekende streepjescode van een DNA-analyse werd zichtbaar op het smartboard. 'Links zien jullie het DNA van Daniel. Rechts dat van Seth. Als we goed kijken kunnen we een sterke gelijkenis waarnemen.' Delen van de DNA-streepjes werden opeens wat beter zichtbaar. 'Volgens dr. Blessing betekent dat dat Daniel en Seth bloedverwanten zijn.'

Stacey tikte weer op een paar toetsen en opnieuw verschenen er twee DNA-profielen. 'Jennifer en Niall,' zei Paula. 'En hier doet zich hetzelfde voor.' Weer werden er stukjes uitgelicht. 'Ik heb dr. Shatalov vanmorgen om twee uur uit zijn bed getrommeld om nog eens te controleren of Elinor gelijk had. En hij is het met haar eens. Hij heeft er iemand van de universiteit bij gehaald die nog deskundiger is op het gebied van DNA-analyse dan dr. Shatalov zelf. Hij denkt dat ze allemaal elkaars halfbroer of halfzus zijn.'

'Wil je nu zeggen dat al deze vrouwen een relatie hebben gehad met dezelfde man van wie ze ook zwanger zijn geworden? In hetzelfde jaar?' Kevin klonk sceptisch. 'Dat is waanzin.'

'Natuurlijk wil ik dat niet zeggen. Het is een duidelijke zaak. Tenminste voor een lesbienne. Donorinseminatie. Dat moet wel. Iets anders kan gewoon niet. En we weten al dat Seth een donorbaby was.'

Heel even zaten ze allemaal met de mond vol tanden. Toen boog Tony zich naar voren. 'Het slechte zaad,' zei hij. 'Het einde van de bloedlijn. Daar is hij mee bezig. Hij vermoordt ze niet omdat ze op hem lijken. Hij vermoordt ze omdat zij hém zijn.'

Voor inspecteur Stuart Patterson was dit een gesprek dat hij niet kon delegeren. De familie Maidment had recht gehad op een hoge politiefunctionaris toen ze te horen hadden gekregen dat hun dochter dood was en nu, uit eenzelfde soort invoelingsvermogen, hadden ze weer recht op deze behandeling voor de intieme vraag die er die morgen moest worden gesteld. Met een beetje geluk waren ze zo vroeg op de dag nog allebei thuis.

Paul Maidment deed open. Hij had een net pak aan en had zich pas geschoren. Hij zag er precies zo uit als elke andere succesvolle zakenman die zich opmaakt voor het begin van de werkweek, behalve dat zijn ogen dood waren. Hij knikte en zuchtte toen hij de politieman zag staan. 'Kom binnen,' zei hij dof.

Patterson liep achter hem aan naar de keuken. Tania Maidment zat in haar ochtendjas aan de keukentafel. Haar haren waren ongekamd, zaten vol klitten en door de slaap was er van de coupe niet veel meer over. Donkere schaduwen omringden haar ogen en ze was een sigaret aan het roken, duidelijk niet haar eerste die dag. 'Hebben jullie hem al gearresteerd?' vroeg ze zodra ze Patterson zag.

Hij bleef bij de deur staan en zei: 'Dat helaas niet.' Niemand vroeg of hij wilde gaan zitten. 'Maar we boeken vooruitgang.'

'Vooruitgang?' barstte Maidment uit. 'Wat wil dat zeggen?'

Patterson wist niet wat hij daarop moest antwoorden. Hij wou dat Ambrose erbij was. Hij had op dat moment diens onverstoorbare zekerheid best kunnen gebruiken. 'Ik moet u een vraag over Jennifer stellen,' zei hij. 'Ik besef dat het gevoelig zal liggen, maar we moeten het antwoord weten.'

Tania snoof. 'Ik dacht niet dat we nog gevoeligheden overhadden waar jullie al niet met olifantspoten overheen zijn gelopen. Hebt u enig idee hoe moeilijk het is om je vast te blijven klampen aan je herinneringen als de politie en de media zich het leven van je dochter zo ruw toe-eigenen?'

'Het spijt me,' zei Patterson. 'Maar hierbij heb ik echt uw hulp nodig.' Zijn kraag voelde strak aan. 'Is Jennifer verwekt via kunstmatige inseminatie?'

Tania duwde haar stoel zo ruw naar achteren dat de poten een schrapend geluid over de plavuizen maakten. Ze sprong overeind; haar gezicht was een woedend masker. 'Wat heeft dát er nu weer mee te maken? Jezus, hebben we dan helemaal geen privacy meer over?'

Maidment liep vlug naar haar toe en legde zijn arm om haar heen. Zij draaide zich naar hem om, greep zich vast aan zijn overhemd en sloeg met haar vuist tegen zijn borstkas. 'Ja,' zei hij, terwijl hij haar met tranen in zijn ogen dicht tegen zich aan hield. 'We wilden heel graag een kind van onszelf. We hebben het geprobeerd.' Hij zuchtte. 'We hebben het heel lang geprobeerd. Toen hebben we ons laten testen. Ik bleek onvruchtbaar te zijn. Dus zijn we naar een vruchtbaarheidskliniek in Birmingham gegaan. Tania raakte de tweede keer dat we geïnsemineerd hebben zwanger.'

Ze keek Patterson aan met een gezicht dat vlekkerig was van de tranen. 'Paul heeft haar altijd behandeld als was het zijn eigen dochter.'

'Ze was mijn eigen dochter ook,' zei hij met nadruk. 'Ik heb er nooit een seconde over nagedacht.'

'Wist Jennifer het?' vroeg Patterson.

Maidment wendde zijn blik af. 'We hebben het haar nooit verteld. Toen ze klein was, namen we ons voor haar op een dag de waarheid te vertellen. Maar...'

'Ik besloot het haar niet te vertellen,' zei Tania. 'Het hoefde niet. We hebben een donor gekozen die wel wat van Paul weg had, en ze leek ook wel een beetje op hem. Niemand buiten ons wist ervan, dus er was niemand in de familie die zijn mond voorbij kon praten.'

Wat al voldoende antwoord was op Pattersons volgende vraag. 'Bedankt dat u zo eerlijk was,' zei hij.

'Waarom vraagt u dit nu?' vroeg Maidment.

'Het zou te maken kunnen hebben met een onderzoekslijn die we natrekken.'

'Jezus. Kan het nog vager?' vroeg Tania. 'Ga alstublieft weg.'

Maidment liep met hem mee naar de hal. 'Sorry,' zei hij.

'Hoeft niet.'

'Het gaat niet zo goed met haar.'

'Dat zie ik. We doen echt ons best, weet u?'

Maidment maakte de deur open. 'Ik weet het. Wat haar dwarszit is dat het misschien niets zal uithalen.'

Patterson knikte. 'Dat zit mij ook dwars. Maar we geven het niet op, meneer Maidment. We boeken echt vooruitgang.' Hij liep terug naar de auto terwijl hij de ogen van de bedroefde vader in zijn rug voelde prikken, en hij wist dat welk resultaat er ook uit de bus zou komen, het voor Tania Maidment nooit goed genoeg zou zijn. Patterson was egoïstisch genoeg om dankbaar te zijn dat hij niet hoefde te leven in deze afschuwelijke situatie.

Paula was net tot de conclusie gekomen dat Mike Morrison niet thuis was toen hij alsnog de deur openmaakte. Hij droeg een T-shirt en een boxershort en hij rook naar alcohol. Hij keek haar met lodderige ogen aan. 'O, jij bent het,' bromde hij. Hij draaide zich om en liep terug het huis in.

Paula vatte het op als een uitnodiging en liep achter hem aan naar de totale chaos van de woonkamer. Langs de rand van een sofa stonden lege whiskyflessen. Op de salontafel stonden zeven flessen maltwhisky op een rij, variërend van bijna vol tot praktisch leeg. Een smerig whiskyglas stond ernaast. Morrison pakte het glas en plofte neer op de sofa. Naast hem lag een dekbed en hij wikkelde dat om zijn benen heen. De kamer was koud, maar desondanks hing er een lucht van verschaalde drank en ongewassen man. Paula probeerde zo onopvallend mogelijk door haar mond te ademen.

Haar oog viel op het tv-scherm. Op het stilgezette beeld waren Daniel en zijn moeder te zien, gekleed in wintersportkledij, die gekke gezichten trokken voor de camera. Op de achtergrond zag ze besneeuwde bergen. Morrison schonk zich nog wat whisky in en zag waar ze naar keek. 'De wonderen van de moderne technologie. Brengt ze weer helemaal tot leven,' zei hij lallend.

'Dit is niet zo'n goed idee, Mike,' zei ze op vriendelijke toon.

Hij liet een raar lachje horen. 'Nee? Wat kan ik anders doen? Ik hield van mijn vrouw. Ik hield van mijn zoon. Ik heb godverdomme niets anders meer om van te houden.'

Daar kon je niet veel tegen inbrengen, dacht Paula. Ze zou straks zijn huisarts bellen. En ook zijn kantoor. Kijken of ze daar wisten wie zijn vrienden waren. Dit was een pijn die ze niet kon negeren. 'Ik moet je een vraag stellen,' zei ze.

'Je doet maar. Je kunt ze toch niet terugbrengen.'

'Nee. Maar we kunnen er wel voor zorgen dat hij dit niet nog een gezin aandoet.'

Morrison lachte weer; het was duidelijk dat hij op het randje van instorten stond. 'Denk je dat ik nog in staat ben om me om andere mensen te bekommeren?'

'Ja Mike, dat denk ik wel. Je bent een fatsoenlijke man. Je wilt niet dat anderen dit ook mee gaan maken.'

Tranen welden op in zijn ogen en hij veegde ze ongeduldig weg met de rug van zijn hand. Hij schonk zich nog eens in en zei: 'Godverdomme agent, stel die vraag dan maar.'

Daar gaat ie dan. Hou je vast, Paula. 'Hebben jij en Jessica een vruchtbaarheidsbehandeling gehad voordat jullie Daniel kregen?'

Met zijn glas halverwege zijn mond bleef hij even doodstil zitten. 'Hoe weten jullie dat nu, godverdomme?'

'Ik wist het niet. Daarom vraag ik het nu.'

Hij wreef over zijn stoppelige kin. 'Jess kreeg de ene miskraam na de andere. Ze snakte naar een kind. Ikzelf vond het niet zo belangrijk. Maar ik kon haar nooit iets weigeren.' Hij staarde naar het scherm. 'Ze hebben ons getest.' Zijn mond krulde zich minachtend. 'Ze was allergisch voor mijn sperma. Dat is toch niet te geloven? We dachten net dat we zo'n goed stel waren en al die tijd was ze allergisch voor mij.' Hij nam nog een slok whisky. 'Ik had het erbij gelaten, maar dat wilde ze niet. Dus zijn we naar de vruchtbaarheidskliniek in het Bradfield Cross gegaan en hebben we het sperma van de een of andere wildvreemde klootzak gekregen.'

'Dat moet erg moeilijk voor u zijn geweest.'

'Je hebt verdomme geen flauw idee hoe moeilijk. Ik had het gevoel dat een andere man daar was geweest. Daarbinnen bij mijn vrouw.' Hij krabde op zijn hoofd. 'Ik wist in mijn hoofd natuurlijk wel dat het niet zo was, maar in mijn hart was het een ander verhaal.'

'Hoe was het na de geboorte van Daniel?'

Een tedere glimlach verlevendigde zijn getekende gezicht. 'Het was liefde op het eerste gezicht. En ik ben het altijd zo blijven voelen. Maar tegelijkertijd wist ik dat hij een vreemde was. Hij was niet mijn vlees en bloed. Ik wist nooit echt wat er in zijn hoofd omging. Ik hield ongelooflijk veel van hem, maar ik heb hem nooit gekend.' Hij gebaarde naar de tv. 'Dat ben ik nog steeds aan het proberen. Maar dat zal nu niet meer gebeuren, hè?'

Er viel niets meer te zeggen. Paula stond op en raakte even zijn schouder aan. 'Je hoort weer van ons.' Ze kon zich niet herinneren wanneer ze voor het laatst iets had gezegd wat zo leeg klonk.

'Dat was het begin van het eind van mijn huwelijk,' zei Lara Kwantick bitter. 'Ik dacht dat een baby ons bij elkaar zou brengen. Maar hij was net zo'n stomme mannetjesgorilla. Hij haatte Niall omdat hij in zijn ogen een kind van een andere man was. Daar kwam nog bij dat hij er constant aan werd herinnerd dat hij geen echte man was. Ik wed dat hij het niet eens erg vindt.'

Sam knikte en deed zijn best om meevoelend te kijken. Hij had gekregen waarvoor hij was gekomen. De bevestiging dat Niall een donorbaby was en dat het sperma afkomstig was van het Bradfield Cross-ziekenhuis. Maar hij had niet het idee dat Lara Kwantick hem nog iets interessants te vertellen had. Nu moest hij zich alleen nog uit de voeten maken voordat hij werd getrakteerd op een complete verhandeling over haar verklote huwelijk. Hij had bijna medelijden met haar ex. Hij durfde te wedden dat Lara hem bij iedere ruzie voor de voeten wierp dat hij geen echte man was. Hij stond op. Hij was een smeris, geen counselor, en terwijl hij hier in dit miezerige flatje van haar zat, waren ze elders met veel interessantere dingen bezig.

'We nemen wel weer contact op,' zei hij. In gedachten was hij alweer heel ergens anders.

Al vanaf het moment dat de antiterroristenmaatregelen door de regering waren geïntroduceerd, had Ambrose er tegenstrijdige gevoelens bij gehad. De politieman was het hartgrondig eens met alles dat hun de mogelijkheden gaf om de straten veiliger te maken. Maar de zwarte man voelde zich onbehaaglijk bij alles wat het gemakkelijker maakte om minderheden te isoleren en eruit te pikken. Dit zootje in de regering was zogenaamd links, maar hun aanpak was soms toch knap repressief. Wie weet hoe de nieuwe regels zouden worden toegepast onder een regime dat geen hoge pet ophad van burgervrijheden. Je hoefde alleen maar te kijken naar de hoeveelheid schade die in de Verenigde Staten was aangericht tijdens de regering van Bush. En daar hadden ze nog veel meer evaluatiemomenten dan in Groot-Brittannië.

Maar hij moest toegeven dat de nieuwe wetgeving bepaalde aspecten had die zijn werk een stuk gemakkelijker maakten. Oké, soms moest je wat overdrijven en moest je net doen alsof iemand veel gevaarlijker was dan hij echt was. Maar je kon tegenwoordig allerlei informatie loskrijgen waar je vroeger veel moeite voor moest doen, en je had ook gemakkelijker toegang tot allerlei bewijsmateriaal. Neem nou lijsten van vliegtuigpassagiers. Vroeger was het een nachtmerrie om bij luchtvaartmaatschappijen de namen te krijgen van mensen die op een bepaalde vlucht hadden gevlogen. Er moesten bevelschriften aan te pas komen van rechters die niet altijd van mening waren dat jouw behoefte om te weten groter was dan het recht van de luchtvaartmaatschappij om de privacy van klanten te waarborgen. En dan moest je nog maar hopen dat de passagierslijst er nog was.

Maar nu was het gemakkelijk. Als je vloog, stond je in het computersysteem van de veiligheidsdiensten. En mensen als Ambrose konden meestal wel een vriendelijke beambte vinden die volledig begreep dat het vangen van moordenaars een stuk belangrijker was dan abstracte ideeën over persoonlijke privacy. Vooral als je het soort politieman was die veel liever vrienden maakte dan vijanden.

Zo kwam het dat Ambrose op die maandagmorgen een sms ontving van een onbekende beller waarin alleen maar stond JOUW VRIEND HEEFT ZIJN VLIEGTUIG GEMIST. ZAT NIET OP ANDERE VLUCHT.

Ambrose prees zichzelf gelukkig met zijn intuïtie. Hij had de dag tevoren veel werk verricht. Toen hij daarmee klaar was, stonden er een paar namen op zijn lijst die er veelbelovend uitzagen. Maar hij had diep in zijn hart geweten dat er iets was met die nerd met zijn bedrijf in computerbeveiliging, vooral toen zijn vriendin hun had laten zien over wat voor apparatuur hij beschikte. In deze zaak draaide het duidelijk om cyberstalken, en als iemand daar weg mee wist was het Warren Davy wel. En zijn vriendin mocht denken wat ze wilde, Warren Davy zat niet op Malta. Nee, die seriemoordenaar liep gewoon ergens rond en was net pas goed op gang gekomen.

Waar hij ook was, Ambrose wist zeker dat hij zijn volgende slachtoffer al had ingepalmd.

Na de frustratie van de afgelopen paar dagen voelde Carol zich bijna uitgelaten over al die informatie die haar nu in de schoot werd geworpen. Verbanden werden steeds duidelijker zichtbaar en ze voelde de spanning van de jager die eindelijk zijn prooi ruikt. De doorbraak met het DNA had alles op zijn kop gezet, en Tony's eerdere conclusie dat deze moorden niets met seks te maken hadden, werd ermee bevestigd

Nu wisten ze zeker dat alle vier slachtoffers geboren waren met behulp van kunstmatige inseminatie. Drie van de moeders waren behandeld in de kliniek voor verminderde vruchtbaarheid van het Bradfield Cross-ziekenhuis, de vierde in een privékliniek in Birmingham. Ze moest nu bij de kliniek hier in Bradfield langsgaan. Ze had geen idee wat ze haar daar konden vertellen. Haar kennis van de wet rond donorsperma was gering, maar ze wist wel dat toen deze baby's waren verwekt de donoren nog anoniem waren geweest.

Ze wilde net naar Paula roepen dat ze haar jas aan moest trekken om met haar mee te gaan, toen de telefoon ging. 'Met Stuart Patterson,' zei hij voordat ze haar eigen naam had kunnen noemen. 'Ik denk dat Alvin een mogelijke verdachte heeft.'

'Dat is toch jouw brigadier? Die nu in Manchester is?'

'Dat klopt. Hij is gisteren huizen langs geweest om te kijken of hij iets kon doen met die nummerborden van auto's. Hij had een paar mogelijke verdachten, maar bij een ervan kreeg hij van de vriendin, tevens zakenpartner, te horen dat hij op Malta zat, maar dat is niet zo. En hij past precies in het plaatje. Ze hebben een bedrijf, DPS, dat zich richt op computerbeveiliging en opslag van gegevens...'

'Kalm aan, Stuart.' Carols hoofd tolde terwijl ze probeerde te begrijpen wat hij allemaal zat te oreren. 'Wat heeft Malta ermee te maken?'

'Sorry, sorry. Ik ben gewoon... dit zou wel eens de eerste echte doorbraak kunnen zijn, weet je? Alles komt samen – het profiel, het ouderwetse politiewerk met langs de deuren gaan en de technologie – en het geeft ons wat we nodig hebben.' Ze hoorde hoe hij diep ademhaalde. 'Oké. Een van de auto's die Worcester zijn binnengereden op de dag waarop Jennifer werd vermoord, was een Toyota Verso die op naam stond van een man die Warren Davy heet. Hij is een partner in een bedrijf, DPS heet het, dat zich bezighoudt met computerbeveiliging. Toen Alvin naar zijn huis ging, bleek hij al een week niet thuis te zijn geweest. Volgens zijn vriendin zat hij op Malta om een beveiligingssysteem te installeren voor een klant. Maar toen Alvin de passagierslijsten controleerde kwam hij tot de ontdekking dat Davy niet op de vlucht zat waar hij een ticket voor had gekocht. En hij heeft ook geen andere vlucht genomen. Davy is spoorloos verdwenen nadat Jennifer is vermoord, maar de drie jongens kwamen daarna. Hij heeft aan zijn vriendin die leugen over Malta verteld en had zo dus alle vrijheid om de andere moorden te plegen.'

'Hoe zit het met die vriendin? Denkt Alvin dat zij weet wat er gaande is?'

'Die heeft geen flauw benul volgens hem. Ze zou aan Davy vragen of hij Alvin wilde bellen als ze weer contact hebben. Maar tot dusver is dat nog niet gebeurd.'

'Denk je dat hij dat nog wel zal doen?'

'Hangt ervan af hoe slim hij denkt te zijn. Misschien denkt hij wel dat hij slim genoeg is om ons op het verkeerde been te zetten.' Patterson klonk nog steeds opgewonden. Ze kende het gevoel, maar zijzelf liet dat nooit zo duidelijk merken. Een schaduw viel over de deuropening en ze zag Stacey staan dralen. Ze stak twee vingers op om aan te geven dat ze bijna klaar was.

'Denk je dat we hiermee naar buiten moeten komen?' vroeg Patterson. 'Dat we zijn foto moeten laten circuleren? Zeggen dat ze hem moeten oppakken? Moeten we een inval doen in de boerderij waar hij met zijn vriendin woont? Kijken wat daar te vinden is?'

Daar wilde ze eerst met Tony over praten. Haar gevoel zei haar dat ze nog wat terughoudend moesten zijn, maar omdat ze geen enkele aanwijzing hadden over het tijdstip waarop hij weer wilde toeslaan, was het een strategie met een hoge risicofactor. 'Mag ik je daarover terugbellen, Stuart? Ik wil niet dat we een overhaaste beslissing nemen. Ik bel je wel weer. Zeg tegen Alvin dat hij prima werk heeft geleverd.'

Carol streek met haar hand door haar haren en vroeg Stacey om binnen te komen. 'Dagenlang niets, en dan gebeurt er opeens van alles door elkaar,' zei ze. 'Je moet al je talenten in stelling brengen voor een man die Warren Davy heet en die een computerbeveiligingsbedrijf heeft dat DPS heet. Ik wil alles hebben. Creditcardgegevens, afschriften van zijn mobiele telefoon, etc. etc.'

Stacey trok haar wenkbrauwen op. 'Ik ken Warren Davy.'

Geschokt vroeg Carol: 'Ken je hem? Hoe dan?'

'Nou ja, als ik zeg kennen, dan bedoel ik cyberkennen. Hij is een deskundige op het gebied van beveiliging. Hij heeft me een paar keer benaderd over softwareapplicaties en we hebben online gechat. Hij is erg goed.' Ze keek bezorgd. 'Is hij onze verdachte?'

'Heb je daar problemen mee?'

Stacey schudde haar hoofd, maar keek nog steeds bezorgd. 'Het is niet een probleem in de zin van een belangenverstrengeling. Hij is geen vriend, hij is niet iemand met wie ik een zakelijke relatie heb... Het is alleen dat het moeilijk zal zijn hem te vinden als hij niet gevonden wil worden.'

'Heel fijn. Dat ontbreekt er nog maar aan,' kreunde Carol.

Het gezicht van Stacey klaarde op. 'Ik zal het als een persoonlijke uitdaging beschouwen. Ik heb één voordeel en dat is dat hij niet weet dat ik bij de politie werk. Hij denkt dat ik ook een computernerd ben. Als hij zou weten dat hij mij als tegenstander had, zou hij alle mogelijke voorzorgsmaatregelen treffen, maar als hij denkt dat ik gewoon een simpele doorsneeploeteraar ben, wordt hij misschien wel wat onvoorzichtig. Ik ga er onmiddellijk mee aan de slag. Maar er is nog iets anders wat ik je even wilde laten zien.'

Je kon beter goed luisteren als Stacey de moeite nam om te praten. 'Ik luister.'

'Ik heb wat zitten prutsen,' zei ze. 'De codes die de mensen van RigMarole zo vriendelijk waren te overhandigen, hebben me door de achterdeur toegang gegeven tot hun systeem. Het zou me absoluut geen moeite kosten om op Rig een wereldwijd C&A te installeren.'

'Kun je dat voor me vertalen?' vroeg Carol. 'Ik dacht dat C&A een warenhuisketen op het continent was.'

'*Capture and analyse*. Je laat de server uitkijken naar een bepaalde combinatie van aanslagen op het toetsenbord en dan criteria installeren ter eliminatie. Ik zou het kunnen installeren om achter de identiteit te komen van iedereen van wie de gebruikersnaam uit twee dezelfde letters bestaat. Tot zover gaat het automatisch, en daarna gaan we kijken naar wat ze zeggen. Op die manier zouden we de volgende doelwitten kunnen identificeren en daar gaan posten. Dan kunnen we de moordenaar op heterdaad betrappen.'

Carol keek sceptisch. 'Zou dat echt kunnen lukken?'

'De computerkant van de zaak is goed te doen. Ik durf alleen niet te voorspellen wat er zal gebeuren als je er in het veld mee aan de gang gaat. Het is hard werken. Maar ik denk dat het de moeite van het proberen waard is.'

Carol dacht even na en nam toen een besluit. 'Oké. Doe het maar. Maar Warren Davy is onze prioriteit. Als je hem via zijn mobieltje zou kunnen lokaliseren, zou dat een enorme opsteker zijn.'

'Ja, ja. Hocus pocus,' zei Stacey toen ze wegliep. Carol had kunnen zweren dat het ironisch was bedoeld.

37

Alvin Ambrose was laat. Paula had opdracht gekregen hem op te vangen en bij te praten, maar hij had net gebeld met de mededeling dat hij een lekke band had en dat het nog minstens drie kwartier zou duren. Ze had zijn boodschap gekregen op de parkeerplaats van Bradfield Cross, toen zij en Carol net terugkwamen van een frustrerend gesprek met de arts die de leiding had van de vruchtbaarheidskliniek. 'Ik ga wel met Blake praten,' zei Carol. 'Hij moet toestemming geven voor de bewaking als Stacey op de proppen komt met een potentieel slachtoffer. Waarom ga je niet even iets eten voor je ontmoeting met rechercheur Ambrose? Het is vandaag zo'n gekkenhuis dat het wel eens je laatste kans zou kunnen zijn.'

Paula wist hoe ze daar nog iets leukers van kon maken. Ze stuurde een sms naar de pieper van Elinor: IN STRBKS. IK TRKTR OP KOFFIE. Ze koesterde geen hoge verwachtingen, maar het zou leuker zijn als ze niet alleen hoefde te eten. Ze haalde twee koppen koffie en een panini en ging bij het raam zitten. Wel met haar rug naar het ziekenhuis. Ze wilde geen zielige indruk maken.

Elf minuten later – niet dat ze de minuten telde! – verscheen Elinor in een wapperende witte jas over een zwarte spijkerbroek. 'Ik heb maar twintig minuten,' zei ze en ze bukte zich om Paula een warme zoen op de wang te geven.

'Ik heb zelf ook niet veel meer tijd.' Ze duwde een van de latte macchiato's naar Elinor toe. 'Ik wist niet of je ook iets wilde eten.'

'Nee, dat hoeft niet. Hoe was het vandaag?'

'Wisselend. Ik ben tot vier uur vanmorgen op het bureau geweest en om zeven uur zat ik er weer. Jouw briljante inval over het DNA heeft ons echt voorzien van een nieuwe invalshoek. Bedankt.' Ze grijnsde. 'Ook al ben ik er genadeloos mee gepest.'

'Wees blij dat Stacey erbij was om ons een alibi te geven,' zei Elinor laconiek.

‘Maar ondanks alle plagerijtjes was ik wel de ster van de ochtendbijeenkomst. Wat wel prettig was, want sindsdien is het alleen maar bergafwaarts gegaan.’ Ze vertelde Elinor over haar ontmoeting met Mike Morrison.

‘Ik kan me gewoon geen voorstelling maken van hoe beroerd hij zich moet voelen,’ zei Elinor. ‘Hoe klim je weer uit het dal als je eerst op die manier je zoon verliest en dan ook nog je vrouw.’

Paula zuchtte. ‘Je zou er versteld van staan waar je weer van kunt herstellen.’

Elinors blik was begripvol. ‘Dat verhaal hoor ik wel een dezer dagen.’

Paula glimlachte. ‘Jammer dat niet alle artsen zo inschikkelijk zijn als jij.’

‘Wat wil je daarmee zeggen?’ Elinor roerde in haar koffie en keek Paula onderzoekend aan.

Paula grinnikte. ‘Zo bedoel ik het niet. We hebben net een ergerniswekkende ontmoeting met jouw mevrouw Levinson achter de rug.’

Elinors gezicht drukte afgrijzen uit. ‘Niet míjn mevrouw Levinson. Gelukkig is het me gelukt om haar team te vermijden. Bij haar vergeleken is meneer Denby de nederigheid zelf. Je weet toch wat ze zeggen over vruchtbaarheidsspecialisten?’ Paula schudde haar hoofd. ‘Alle dokters *denken* graag dat ze God zijn, maar vruchtbaarheidsdokters *weten* dat ze God zijn. De rest van ons heeft alleen macht over de dood. Mevrouw Levinson en haar clubje hebben de macht om leven te schenken. En dat weten ze maar al te goed.’

‘Maar dat verklaart maar voor een deel waarom ze zo weinig behulpzaam was,’ zei Paula. ‘Ik denk inderdaad dat ze in dit geval echt de wet aan haar kant heeft.’

‘Wat wilde je weten?’

‘Nou, we hebben vastgesteld dat onze vier slachtoffers allemaal familie van elkaar waren. Waarschijnlijk halfbroer en halfzus. In drie gevallen zijn de moeders hier in het Bradfield Cross geïnsemineerd. We wilden weten hoe we erachter konden komen wie de donor was.’

Elinor tuitte haar lippen tot een o en ademde snel in. ‘Jullie zijn ook nergens bang voor, hè?’

‘We proberen dat niet te laten merken.’

'En hoorde je van haar dat je dat op geen enkele manier kunt ontdekken?'

'Inderdaad. Jordan dreigde nog met een gerechtelijk bevel en daar lachte ze gewoon om. Echt waar, ik heb nog nooit meegemaakt dat iemand Carol Jordan zo behandelde.'

'Maar ze heeft wel gelijk. Een gerechtelijk bevel haalt niets uit. Want zelfs mevrouw Levinson heeft geen toegang tot die informatie. Destijds, toen alles nog anoniem was, kreeg een donatie een uniek nummer waardoor de identiteit werd vastgesteld. De enige plaats waar het nummer en de identiteit bij elkaar kunnen komen is op de databank van de Human Fertilisation and Embryology Authority, de HFEA. Het wordt bewaard op een autonome computer. Zelfs als Stacey in zou breken in het computersysteem van de HFEA, zou ze er niet bij kunnen komen. Je zou er lijfelijk aanwezig moeten zijn. Je moet echt op die computer zelf inbreken.'

'Hoe weet je dit allemaal?' vroeg Paula. 'Je zei net dat je nooit voor mevrouw Levinson hebt gewerkt.'

'Ik heb voor mijn Bachelors een afstudeerscriptie geschreven over het delen van medische informatie in het digitale tijdperk,' zei Elinor. 'Ik ben een ambitieuze assistent-arts. Ik ben verslaafd aan bevoegdheden.'

'Er moet toch een back-up zijn,' zei Paula. 'Voor zoiets vertrouw je toch niet op één computer?'

'Ik denk zeker dat die er is. Maar ik heb geen idee waar en ik denk niet dat iemand buiten het ICT-team van de HFEA dat weet.' Elinor roerde peinzend in haar koffie.

'Dat had ze ons allemaal kunnen vertellen, maar dat heeft ze niet gedaan,' klaagde Paula. 'Ze heeft ons gewoon met een kluitje in het riet gestuurd. Ze wou ons niet eens vertellen hoe hetzelfde sperma in Birmingham is terechtgekomen.' Paula beet fanatiek in haar panino.

'Dat kan ik je wel vertellen. Dat is geen geheim. Er zijn richtlijnen volgens welke we moeten vermijden dat er meer dan tien kindertjes van dezelfde donor komen. De reden daarvoor is dat je de genenbank niet in diskrediet wilt brengen door honderden kindertjes rond te laten huppelen met dezelfde voortplantingscellen. Maar je wilt ook niet tien kinderen van ongeveer dezelfde leeftijd en met dezelfde vader in dezelfde stad. Omdat psychologen ons vertellen dat we eerder verliefd worden op een onbekend broertje of zusje dan op een vreemde.'

'Echt waar? Dat is raar.'

'Raar maar waar. Dus als je een buitengewoon vruchtbare donatie hebt, is het na een stuk of wat succesvolle zwangerschappen normaal om sperma te ruilen met een kliniek in een andere stad. Dat is hier ook gebeurd, denk ik.'

'Dat kan ik volgen.' Paula keek Elinor recht in de ogen. 'Je bent aardig op weg om jezelf onmisbaar te maken.'

'Daar leef ik voor.' Ze keek nog steeds peinzend. 'Ik weet dat dit misschien een beetje vergezocht klinkt... Maar denken ze bij jullie dat de spermadonor wel eens de moordenaar zou kunnen zijn?'

Paula, die zich afvroeg welke kant ze uit wilde, zei: 'Onze profielschetser denkt inderdaad dat dat mogelijk zou kunnen zijn.'

'Ik weet niet veel over die dingen, maar mij lijkt dat iemand die overal moorden pleegt misschien wel eerder ergens door is opgevallen,' zei Elinor. 'En als dat zo is, zit hij dan niet in de nationale DNA-database?'

'Ik denk het wel,' zei Paula. 'Maar hun DNA is verschillend.'

'Dat weet ik. Maar ik herinner me vaag dat ik over een cold case las waarin ze twintig jaar na dato de moordenaar te pakken kregen omdat zijn neefje ergens voor werd veroordeeld en de database het signaleerde.' Elinor haalde haar iPhone tevoorschijn, zocht contact met internet en draaide het schermpje zo dat ze het beiden konden zien.

'Hoe weet je dit nu weer? Nog zo'n afstudeerscriptie?' zei Paula plagerig toen Elinor naar Google navigeerde en in het schermpje voor zoektermen 'DNA moord familielid "cold case"' intoetste.

'Mijn hoofd is net een vergaarbak. Ik heb een afschuwelijke opeenhoping van onbenullige feitjes in mijn hoofd zitten. Als er een quiz in een pub wordt gehouden, moet je mij in je team hebben.' Ze scrolde door de zoekresultaten. 'Kijk, daar heb je het.'

'"Man veertien jaar na misdrijf veroordeeld door DNA-monster van familielid,"' las Paula. Toen ze doorlas, grijnsde ze. 'Fijn dat je niet helemaal onfeilbaar bent.'

'Oké, dan was het veertien jaar in plaats van twintig.'

'En het was verkrachting, niet moord,' zei Paula. 'Maar ik snap wat je bedoelt.' Ze dronk haar koffie op en stond op. 'Nu moet ik met Stacey gaan praten.' Ze wierp een blik op haar horloge. 'En ik heb een afspraak met een collega uit Worcester.'

Elinor liep met haar mee naar de deur. 'Mijn twintig minuten zitten er ook op. Bedankt.'

'Waarvoor? Omdat ik schaamteloos jouw ideeën heb gestolen?'

'Omdat ik even niet op de zaal hoefde te zijn en erop werd gewezen dat er hierbuiten ook nog een leven is.' Ze kwam dicht bij Paula staan en gaf haar een zoen; warme adem kietelde haar oor. 'Ga je moordenaar maar vangen. Ik ben van alles met je van plan als dit achter de rug is.'

Een verrukkelijke huivering bracht Paula een beetje van haar stuk. 'Ik heb zelden zo'n goede aansporing gehad.'

Toen Carol eindelijk weer haar teamkamer binnenkwam, trof ze Tony zittend aan in de bezoekersstoel in haar kantoor. Hij leunde achterover, zijn vingers gevouwen achter zijn hoofd, zijn voeten op de prullenmand, zijn ogen gesloten. 'Ik ben blij dat er hier nog iemand tijd voor een dutje heeft,' zei ze terwijl ze zich van haar jas ontdeed en haar schoenen uittrapte. Ze deed de rolgordijnen dicht, maakte haar bureaula open en haalde er een miniflesje met wodka uit tevoorschijn.

Tony schoot overeind. 'Ik was aan het nadenken, niet aan het dutten.' Hij keek toe hoe ze het flesje openmaakte, naar hem keek, toen de dop er weer op draaide en het terug in de la gooide. Ze keek hem woedend aan en hij stak zijn handen in de lucht alsof hij zich overgaf. 'Ik heb niets gezegd,' was zijn verweer.

'Dat hoefde je ook niet. Je straalt al iets schijnheiligs uit zonder een wenkbrauw te hoeven optrekken.'

'Hoe ging het bij Blake?'

'Je kunt hier ook niets geheimhouden, hè?' Carol liet zich op haar stoel vallen. 'Deze baan biedt af en toe momenten van puur plezier. Het was schitterend om te zien hoe hij zat te worstelen tussen zijn smeulende wens om geld te besparen en zijn brandende verlangen om zijn detachering hier te beginnen met een briljante coup. Nog schitterender omdat hij de juiste beslissing heeft genomen. Als we het volgende slachtoffer op tijd weten op te sporen, mogen we rekenen op een volledige bewaking.'

'Goed werk. Ik heb ook gehoord dat rechercheur Ambrose een verdachte voor ons heeft gevonden.'

Carol had wat meer tijd gehad om over het telefoontje van Patterson na te denken. 'Nou, hij heeft een mogelijke verdachte gevonden. Het is gebaseerd op een heleboel veronderstellingen. Op de eerste plaats dat het geografische profiel van Fiona Cameron klopt. Op de tweede plaats dat de moordenaar gebruikmaakt van zijn eigen voertuig. En op de derde plaats dat Warren Davy niet gewoon ergens de bloemetjes buitenzet met zijn vriendin.'

'Goede punten, alle drie. Maar ik denk nog steeds dat Davy een sterke kandidaat is. Als Stacey het volgende slachtoffer kan opsporen, geeft dat waarschijnlijk nog meer zekerheid. Weten we al iets meer over Davy?'

Carol zette haar beeldscherm aan en klikte op de rij boodschappen. Er was een overzichtje van Stacey. 'Hij heeft geen strafblad. Hij heeft een creditcard die hij alleen voor zakelijke doeleinden schijnt te gebruiken. Geen kaarten van warenhuizen. Ook geen klantenkaarten. Ze zegt dat het typisch een profiel is van iemand die met computers werkt. Hij weet hoe gemakkelijk het is om bij iemand in te breken, dus beperkt hij zijn digitale aanwezigheid tot een minimum. Zijn mobieltje staat al dagen uit. De laatste keer dat het aanstond was toen Seth verdween in het Centraal Station. En dat is door de dichtstbijzijnde zendmast opgepikt. Waag eens een gokje?'

'Centraal Station,' zei Tony.

'In één keer goed. Dus het is een ongrijpbare figuur.'

'Heeft er iemand met die vriendin over hem gesproken?'

Carol schudde haar hoofd. 'Ik wil haar niet alarmeren, zodat ze hem op tijd kan waarschuwen. Hij is de ideale figuur om een identiteit te vervalsen of te stelen. Stel dat hij er nu vandoor zou willen gaan. Dan moeten we hem maar weer zien te vinden. Hij kan overal onderduiken. Hier of in het buitenland.'

Tony schudde zijn hoofd. 'Hij zal niet verdwijnen. Hij heeft een missie en hij houdt niet op totdat hij daarmee klaar is. Tenzij wij hem tegenhouden, natuurlijk.'

'Wat is die missie dan?'

Tony sprong op uit zijn stoel en begon te ijsberen voor zover de begrenzingen van het kantoor dat toelieten. 'Hij denkt dat hij het slechte zaad is. Er is iets gebeurd en dat heeft hem met angst en zelfhaat vervuld. Iets waarvan hij denkt dat het wordt doorgegeven via de bloedband. Ik denk niet dat het iets simpels is als een ziekte of zoiets, hoewel dat tot de mogelijkheden behoort. Maar hij is vastbesloten om dat slechte zaad uit te roeien. Hij wil het einde van de lijn zijn. Hij gaat al zijn biologische kinderen doodmaken. En daarna pleegt hij zelfmoord.'

Carol keek hem vol afgrijzen aan. 'Hoeveel?'

'Ik weet het niet. Kunnen we daarachter komen?'

'Blijkbaar niet. Volgens die uiterst onbehulpzame arts in het Bradfield Cross is alle informatie over anonieme donoren volledig verboden terrein. Zodanig verboden, godverdomme, dat je je eerlijk gezegd afvraagt waarom ze het überhaupt nog ergens bewaren. Als ze het toch nooit gebruiken, waarom kunnen ze het dan niet gewoon vernietigen? Dan kan er nooit iemand misbruik van maken.' Carol haalde de wodka weer uit haar bureaula. Ze pakte er ook een klein blikje tonic uit. Ze schonk ze allebei in het lege waterglas op haar bureau. 'Wil je iets drinken?' vroeg ze uitdagend.

'O nee, ik niet. Ik ben al high genoeg met wat er op dit moment allemaal in mijn hersens rondsuist. Want dit beeld klopt niet helemaal,' zei hij.

'Maar het is wel een verklaring voor alles wat we weten. Ik kan geen andere theorie bedenken die past bij de feiten.' Ze nipte aan haar drankje en voelde hoe de spanning in haar nek wat afnam.

'Ik ook niet. Maar dat betekent niet dat ik gelijk heb.' Hij draaide zich met een ruk om en bleef naast haar bureau staan. 'Als het zo moeilijk is om bij deze informatie te komen, hoe heeft hij dat dan gedaan? En wat is er gebeurd waardoor hij aan deze kruistocht is begonnen? Hij heeft er heel lang over gedaan om zijn slachtoffers rijp te maken. Hoe heeft hij dat allemaal kunnen combineren?'

'Misschien hoefde dat niet. Misschien heeft zijn vriendin hem wel werk uit handen genomen.' Ze sloeg de rest van haar drankje in één teug achterover en zuchtte verzaligd. 'God, dat is beter.'

'Ik wou dat ik met haar kon praten,' mompelde hij.

'Ik weet het, maar we mogen ons kruit niet verschieten voordat we weten wat Stacey kan doen.'

'Dat snap ik. Maar ik ben nog nooit een seriemisdadiger tegengekomen die een langdurige emotionele relatie met iemand had.

Als we gelijk hebben met Warren Davy, zijn er zoveel vragen waarop zij antwoord zou kunnen geven. Zoveel dingen die we van haar zouden kunnen leren.' Hij zuchtte.

'Je krijgt je kans nog wel.'

Tony grijnsde. 'Dan ben ik net dat jongetje in de snoepwinkel.'

Carol schudde geamuseerd haar hoofd. 'Je bent gek.'

'Ik weet niet hoe je dat kan zeggen, als er mensen als Warren Davy vrij rondlopen. Vergeleken bij hem ben ik zo normaal als wat.'

Ze lachte hardop. 'Daar zou ik maar niet zo zeker van zijn, Tony.'

38

Alvin Ambrose voelde zich vanaf de eerste seconde op zijn gemak in de teamkamer van het TZM. Dit waren stuk voor stuk politiemensen die hij begreep. Paula McIntyre had een bureau voor hem geregeld, een telefoon, een computer en een kop koffie. Iedereen die in de kamer moest zijn was zich netjes komen voorstellen, zelfs het kleine Chinese vrouwtje in de hoek dat aan haar computersysteem leek te zijn vastgekit.

Hij genoot ook van het gevoel dat hij zich midden in het hart van de operatie bevond. Het enige probleem was dat er eigenlijk niet zoveel voor hem te doen was. Iedereen was bezig met stapels papier of met schermen vol met gegevens, maar hij wist best dat ze gewoon wat te doen wilden hebben. Iedereen zat op hete kolen, in afwachting van het moment dat Stacey van achter haar schermenbarricade tevoorschijn zou komen met de mededeling dat ze op een goudader was gestuit.

Omdat hij toch niets anders te doen had, vond hij dat hij best eens naar zijn e-mail kon kijken. Zachtjes neuriënd wachtte hij tot het scherm zich oplaadde. Het geneurie stopte halverwege een noot toen hij in de gaten kreeg waar hij naar keek. Het tweede bericht in zijn inbox luidde: davywar1@gmail.com: hoe kan ik helpen?

Ambrose slikte moeizaam. Hij wist niet goed wat hij moest doen. Hij wilde de e-mail openmaken, maar Stacey en haar kornuiten hadden hem zo grondig gewaarschuwd voor de schade die door een e-mail kon worden aangericht dat hij geen enkel risico wilde nemen. Maar er zat een expert in de buurt. Hij liep naar de hoek waar Stacey zat en wachtte terwijl haar vingers heen en weer vlogen en klikten. Na een poosje keek ze op. 'Is er iets?'

'Ik denk dat ik een mail heb van Warren Davy,' zei hij. 'Op mijn computer.'

Stacey keek hem aan alsof hij niet helemaal goed snik was. 'Op welk adres?'

'Mijn adres bij de politie. Aambrose@westmerciapolice.org.'

'Ga het alsjeblieft op jouw computer afsluiten,' zei ze. 'Kom dan terug en voer hier je wachtwoord in.'

Toen hij terugkwam had ze het openingsscherm op staan. Ze stond op en keek de andere kant uit terwijl hij zijn wachtwoord intypte. Hij vermoedde dat het gewoon voor de show was. Ze had waarschijnlijk een programma waarmee ze iedere toetsaanslag kon checken. Toen hij in het systeem zat, deed hij een pas achteruit en liet haar weer bij het scherm. Ze hield haar hoofd scheef en keek naar de onderwerpregel. 'Laten we het er maar op wagen,' zei ze. 'Maak je geen zorgen. Ik heb alle mogelijke virusbeschermingen die er bestaan en nog een paar onbekende bovendien.' Hij vroeg zich af of ze een grapje maakte, maar hij dacht van niet.

De e-mail ontvouwde zich op het middelste scherm onderaan. Op het scherm erboven kwam er opeens een stroom getallen en letters tot leven, maar Ambrose was alleen geïnteresseerd in het bericht.

Hi, brigadier Ambrose

Mijn partner, Diane Patrick, zei dat ik contact met u moest opnemen. Iets over mijn auto? Sorry dat ik niet bel, ik zit op Malta voor zaken en het kost een fortuin, plus dat ik zo ongeveer dag en nacht werk, dus e-mail is voor mij gemakkelijker. Als u me laat weten waar het over gaat, mail ik zo spoedig mogelijk terug.
Hartelijks
Warren Davy
DPS Systems: www.dps.com

'Interessant,' zei Stacey.

'Lijkt mij allemaal vrij duidelijk,' zei Ambrose.

'Behalve dat het niet uit Malta komt.' Stacey wees naar het bovenste scherm, dat tot stilstand was gekomen met een simpele boodschap. 'Dit is verstuurd vanaf een computer van de afdeling stadsbibliotheken van Bradfield. Hij is hier in de stad, brigadier. En er zijn twee mogelijkheden. Of hij maalt er niet om dat wij dat weten, of het is een arrogante zak die denkt dat wij veel minder slim zijn dan hij.'

'Wat het ook is, hij maakt zich waarschijnlijk op om in actie te komen. Lukt het een beetje met je valstrik?'

Stacey haalde haar schouders op. 'We moeten gewoon afwachten. Dit soort dingen valt moeilijk te voorspellen.' Ze begon weer op de toetsen te tikken; haar ogen flitsten tussen de schermen heen en weer. Terwijl Ambrose stond toe te kijken, bleef ze opeens stokstijf zitten. Seconden tikten voorbij en nog steeds bleef ze roerloos zitten. Hij dacht even dat ze zelfs niet meer ademde.

Toen vlogen haar vingers weer over de toetsen, bijna te snel om te volgen. 'Hebbes! Hebbes! Hebbes!' zei ze. Haar stem werd steeds luider, en escaleerde van gefluister naar een schreeuw. 'We hebben hem!' riep ze.

Bijna nog voordat haar woorden waren weggestorven, stonden ze allemaal in een kluitje om haar heen. Carol Jordan wrong zich naar voren. Ambrose maakte vooraan ruimte voor haar vrij.

'Wat is er, Stacey? Wat heb je?'

'Ik heb er twee. BB en GG. BB is bovenaan rechts, GG bovenaan links. Beiden laat ik zien op het scherm beneden.'

Ze stonden als aan de grond genageld toen er zich voor hun ogen een bericht ontrolde. BB was aan het chatten met iemand die zichzelf DirtAngel noemde. Zo te zien was BB een ontmoeting aan het regelen, zodat ze de dag daarop konden gaan crossen. Hij beloofde hem de kneepjes van het vak te leren. 'Hij komt morgen in actie,' zei Carol.

GG en zijn chatvriendje waren op dat moment niet online, maar Stacey had hun laatste chat tevoorschijn getoverd. 'Hij doet zich voor als meisje. Hij is een make-over aan het regelen voor ene 1dagal. Op donderdag na school. Kijk maar. Nmnd vrtlln. Ik laat je ht grtste ghm zn. Als ik klr bn zie je er fntstsch uit. Weer geheimen.'

'Hij speelt met ze,' zei Tony. 'Hij kent hun grootste geheim, iets waar ze zelf nog niets over weten. Dus hij plaagt ze met het idee van geheimen.'

'Wie zijn deze kinderen, Stacey?'

'Daar ben ik nu mee bezig,' zei ze afwezig. 'Als jullie nou eens allemaal opdonderen en mij met rust laten. Ik zal jullie alles mailen wat ik van de C&A binnenkrijg. Nu moet ik via een achterdeurtje bij deze adressen binnenkomen, en hoe minder jullie weten hoe beter.'

Ze dropen af. 'Ze is ongelooflijk,' zei Ambrose tegen Paula.

'Ze is de allerbeste. Ze werkt hier alleen maar voor de lol, weet je?'

'Valt dit voor haar onder lol?'

Paula grinnikte. 'O ja. Op deze manier kan ze overal een vinger in de pap hebben en ze mag alles ongestraft doen. Maar als ze niet hier is? Dan is ze druk bezig miljoenen te verdienen met haar eigen softwarebedrijf. Over geheimen gesproken. Ze denkt dat niemand iets af weet van haar andere leven, maar ze heeft een keer tegenover Sam de naam van haar bedrijf laten vallen, en dat was de rode lap voor de stier. Hij bleef uiteraard doordrammen tot hij alle finesses wist.' Ze wierp even een speculatieve blik op Sam. 'God sta haar bij als hij ooit in de gaten krijgt dat ze verliefd op hem is.' Ze hield abrupt haar mond met op haar gezicht een uitdrukking die precies evenveel geschoktheid als verwarring uitdrukte. 'Hoe komt het dat ik je dat allemaal vertel?'

Tony, die onopvallend achter hen had gestaan, deed zijn duit in het zakje. 'Omdat hij op jou lijkt, Paula. De mensen praten tegen hem. Net als bij jou.'

De lach van Ambrose klonk als een gerommel in zijn borstkas. 'Het is een griezelig talent.'

'Niet tegen Carol zeggen,' zei Tony. 'Voordat je het weet, heeft ze je ingelijfd.'

Ambrose keek de kamer rond waar hij zich al zo thuis voelde. 'Ik zou het slechter kunnen treffen.'

Tony keek naar Carol, die met Kevin stond te praten, met haar hoofd over haar bureau gebogen. 'Dat zou je zeker. Aan de andere kant zou je kunnen zeggen dat ze iets beters verdient dan wij haar met z'n allen kunnen bieden.' En hij liep weg, zich in het geheel niet bewust van de kleine sensatie die zijn woorden hadden teweeggebracht.

Het was absoluut Staceys dag om te laten zien hoe waardevol ze was voor het TZM. Ze was opgetogen geweest over Paula's voorstel om de nationale DNA-database af te stropen op iemand met familiebanden met de vermoorde tieners. 'We kunnen het met de jongens doen,' zei ze. 'Vraag me niet waarom, maar met vrouwelijke verwanten werkt het niet op dezelfde manier.'

Paula deinsde achteruit, zogenaamd met een blik vol afgrijzen op haar gezicht. 'O alsjeblieft, Stace. Niet de wetenschappelijke uitleg. Ik ben gewoon een simpel stadsmeisje.'

Maar Stacey was alweer een dringend verzoek naar de database aan het sturen met als bijlage de drie DNA's. Tegen haar gewoonte in liet ze haar e-mail volgen door een telefoontje naar een van de analisten met wie ze al eerder had gewerkt. Paula, die nog steeds ergens op de achtergrond hing, hoorde dat er geen tijd was voor het soort koetjes en kalfjes dat normaal gesproken nodig was om het maatschappelijk verkeer soepel te laten verlopen. Als je ICT'ers daartoe zou verplichten zou er in de hele westerse wereld geen enkel systeem meer functioneren, dacht ze.

'Met Stacey Chen, Bry. Ik heb zojuist drie sets met gegevens naar je gestuurd die we onderzocht moeten hebben. Je moet daar voorrang aan verlenen. We hebben hier te maken met een seriemoordenaar die volgens een strak schema werkt, en dit kan net de beslissende doorbraak zijn voordat hij zijn volgende slachtoffer te pakken heeft... Nu? Bedankt! Ik sta bij je in het krijt.' Ze hing haar koptelefoon op en zonder zich om te draaien zei ze tegen Paula: 'Hij gaat er nu mee aan de gang. Je kunt wel een kop koffie gaan drinken.'

Met de staart tussen de benen ging Paula terug naar haar bureau en naar de berg papier die onvermijdelijk bij een moordzaak hoorde. Carol en Kevin zaten in conclaaf met een team dat was samengesteld uit de afdelingen Verkeer en West, om te plannen hoe ze Ewan McAlpine, de *dirtbiker*, onder constante bewaking konden houden. Ze hadden een verhitte discussie gevoerd of ze de jongen moesten waarschuwen en hem van een microfoontje moesten voorzien. Paula was daar een sterke voorstander van geweest. Ze wist dat dit soort constructies ongelooflijk fout konden lopen en ze wilde maximale bescherming voor de jongen, ook al kwamen er dan weer allerlei nieuwe problemen om de hoek kijken. Maar de meerderheid was tegen geweest en haar voorstel was afgewezen. Haar tegenstanders waren met het argument gekomen dat een veertienjarige jongen niet een dergelijk toneelstuk zou kunnen volhouden en dat de moordenaar in de gaten zou hebben dat er een val was gezet. Hij zou ervandoor gaan en dan zaten ze helemaal met lege handen. Ze hadden waarschijnlijk gelijk, moest Paula toegeven. Maar het voordeel van haar aanpak was dat het joch een betere kans had dat hij het er levend van af zou brengen.

Ze haalde de transcriptie van zijn gesprekken met BB op het scherm tevoorschijn en las ze nog eens. Ewan leek een aardige jongen. Hij maakte leuke grapjes en hij zat niet op anderen af te geven. Stacey had hem weten op te sporen via zijn e-mailadres. Hij woonde bij zijn vader en moeder vlak bij het centrum in een kleine enclave van achttiende-eeuwse huizen die op de een of andere manier aan het kritische oog van de naoorlogse projectontwikkelaars waren ontsnapt. Zijn vader was uroloog in het Bradfield Cross, zijn moeder was huisarts in een van de gezondheidscentra in de binnenstad. Dat was iets wat alle gezinnen die als gevolg van een vruchtbaarheidsbehandeling het slachtoffer waren geworden gemeen hadden – ze zaten geen van allen om een cent verlegen. Een stel uit haar kennissenkring had bijna twintigduizend pond aan ivf uitgegeven en ze hadden er nog niets voor teruggekregen afgezien van een serie miskramen. Het nadeel was dat ze te maken hadden met de goedgebekte middenklasse, het soort mensen dat hen aan de hoogste boom zou hangen als er iets misging met de operatie.

Een ander voordeel was dat ze dankzij Staceys infiltratie van RigMarole wisten waar Ewan BB – vermoedelijk Warren Davy – zou ontmoeten. Ewan moest de bus nemen van Manchester naar Barrowden, een klein dorp ongeveer acht kilometer buiten Bradfield. BB had afgesproken dat hij hem van de bushalte zou afhalen. Daarna konden ze naar zijn boerderij gaan, die een paar kilometer verderop lag. ik kom je halen op mijn quad, had hij gezegd. Nog een lokkertje voor een jongen die zat te snakken naar een beetje stoerheid in zijn wel erg beschaafde stadsleven.

'Alvin?' riep Stacey. 'Heb je even?'

Ambrose liep rustig naar de hoek waar Stacey zat, met Paula op zijn hielen. 'Wat is er, Stacey?' vroeg hij.

'Die neef van Warren Davy, die man met de garage? Hoe heette die ook alweer? Om de een of andere reden kan ik jouw verslag niet meer terugvinden.'

Ambrose schraapte zijn keel en keek wat beteuterd. 'Sorry, dat ben ik vergeten. Ik heb het in Manchester op de computer gezet, maar ik heb het niet naar jou toe gestuurd toen ik hier kwam. Hij heet Bill Carr.'

Stacey wees naar een van haar schermen. 'Dat komt van de nationale databank. Er is maar één hit met ons DNA. William James Carr uit Manchester is kennelijk verwant aan alle drie de jongens. Waarschijnlijk kind van broer of zus of van oom of tante, volgens Bry.'

'Zeg je nu dat Carr onze man is?' Ambrose wist echt niet hoe hij het had.

'Nou, het zou misschien wel kunnen,' zei Stacey sceptisch. 'Maar het maakt de zaak tegen Warren Davy sterker. Als zij neven van elkaar zijn, betekent dat dat de drie jongens ook familie zijn van Davy. Dus wat hypothetisch was en indirect stoelt nu meer op bewijs.'

'Maar hij is nog steeds alleen maar een mogelijkheid,' zei Paula. 'En we weten nog steeds niet waar hij is.'

'Wat betekent dat we die bewaking moeten laten doorgaan,' zei Ambrose.

Stacey haalde haar schouders op. 'Zoals iedereen hier altijd zo graag tegen mij zegt, het komt altijd weer neer op het ouderwetse politiewerk.' Ze draaide zich om naar haar schermen. 'Ik kan maar beter een mail naar de chef sturen. Zij vindt niets zo leuk als het vinden van ontbrekende stukjes van de legpuzzel.'

39

Ewan McAlpine werd wakker en voelde onmiddellijk hoe de opwinding door zijn aderen suisde. Vandaag, het was vandaag. Hij zou eindelijk iets kunnen gaan proberen waar hij al zo lang naar had verlangd. Vanmiddag om een uur of drie zou hij op een crossmotor over ruw terrein stuiteren, een stofwolk om hem heen, een zakdoek voor zijn mond om doorheen te ademen, als een cowboy op de ranch.

Hij had nooit toestemming gekregen voor iets dat door zijn vader en moeder als gevaarlijk werd beschouwd. Ze hadden hem zijn hele leven als een porseleinen popje behandeld, alsof hij zou breken als hij alleen maar viel. Hij kon zich nog steeds de ongelooflijke afgang van zijn eerste schoolreisje herinneren toen hij een hele nacht wegbleef. Hij was acht jaar oud geweest en zijn klas logeerde in een outdoorcentrum in de Pennines. Behalve de leraren waren er ook een paar ouders meegegaan, zodat er per leerling voldoende volwassenen aanwezig waren. En natuurlijk was zijn moeder er ook bij geweest. En telkens als hij net mee wilde gaan doen aan een van de activiteiten – abseilen, bergbeklimmen, kajakken of crossen – was zij tussenbeide gekomen en had er een stokje voor gestoken. Hij had twee dagen doorgebracht op de hindernisbaan en de schietbaan. Zijn vijanden hadden hun lol niet op gekund.

Zijn moeder bedoelde het goed, dat wist hij wel. Maar door de jaren heen was hij door haar schuld het mikpunt geweest van eindeloze hoeveelheden grappen, en soms nog erger. Gelukkig voor hem was het op zijn basisschool beleid geweest pesten en treiteren rigoureus de kop in te drukken. Toen hij was doorgestroomd naar zijn privé-middelbare-school had hij erg zijn best gedaan onzichtbaar te zijn. De sportieve jongens waren zich niet bewust van zijn bestaan, dus ze hadden ook niet in de gaten dat hij nooit mee mocht doen met iets wat ook maar in de verste verte gevaarlijk was.

Maar toch bleef Ewan uitkijken naar een gelegenheid om een

keertje iets opwindends te doen. Hij vond het heerlijk om naar het tv-kanaal te kijken waarop ze extreme sporten uitzonden. En hij had de laatste paar jaren flink zijn best gedaan om fit te blijven en spieren te ontwikkelen. Zelfs zijn moeder kon geen bezwaar aantekenen als hij trainde in de fitnessruimte die zijn pa in de kelder had laten inrichten. Het enige wat hij nog miste was de gelegenheid om zijn lichaam voor iets te gebruiken wat hem tot het uiterste zou uitdagen.

Totdat hij op Rig contact kreeg met BB. Die bofkont woonde op een boerderij waar hij zijn eigen quad en crossmotoren had. Maar het was echt helemaal te gek dat hij Ewan had uitgekozen om mee bevriend te zijn. En nu zou hij vanavond zijn kans krijgen om te ervaren waar hij alleen nog maar van had gedroomd.

Zijn moeder dacht dat hij in Manchester was om deel te nemen aan een debatingwedstrijd. Ze verwachtte hem niet voor negen uur thuis, wat prima uitkwam. BB zei dat hij wel iets had wat Ewan aan kon trekken en hij mocht douchen voordat hij met de bus van halfnegen vertrok. Het kon allemaal niet beter.

Ewan had geen idee hoe hij de dag door moest komen zonder van opwinding te ontploffen. Maar op de een of ander manier zou hem dat wel lukken. Hij had zijn leven aardig onder controle.

Op anderhalve kilometer afstand, in het politiebureau dat het dichtst bij het huis van de familie McAlpine lag, nam Carol met het bewakingsteam de laatste instructies door. Er waren drie auto's, een motor en een verzameling voetgangers, plus ter ondersteuning een busje, waarin ze van uiterlijk konden veranderen door middel van een ander jasje of een andere pruik of gezichtshaar. 'Het wordt een lange dag,' zei Carol. 'We zullen waarschijnlijk niet veel te doen hebben als Ewan nog op school zit, maar er moet iemand aan de voor- en aan de achterkant staan voor het geval hij er stiekem tussenuit wil knijpen. Er is geen reden waarom hij dat zou doen – we weten wat hij heeft afgesproken. Maar misschien wordt de opwinding hem wel te machtig. Dus we moeten op onze hoede zijn. Zijn er nog vragen?'

Paula stak haar hand op. 'We weten dat deze moordenaar snel handelt. Slaan we toe zodra hij Ewan te pakken heeft?'

'Ik ga nog geen beslissing nemen over de afloop tot we er middenin zitten,' zei Carol. 'Er zijn te veel variabelen. Ewan is natuurlijk onze prioriteit. Maar we moeten er wel zeker van zijn dat we echt bewijzen van een ontvoering in handen hebben. Goed, als we allemaal klaar zijn moesten we onze posities maar eens gaan innemen. Als we hem naar school toe volgen, krijgen we de gelegenheid om zijn uiterlijk in ons op te nemen, en tegelijk is het een nuttige repetitie. Dus aan de slag. En veel succes, iedereen.'

Het naar school brengen leverde geen moeilijkheden op. De Audi van Ewans moeder zat ingeklemd tussen surveillancewagens, met daarachter het bestelbusje. Mevrouw McAlpine liet hem op een hoek uitstappen, een paar honderd meter van de school, en twee van de voetgangers pikten hem van daaraf op. Ze lieten drie agenten op hun post achter – twee te voet en eentje in een auto – en gingen toen terug naar het bureau. Deze fase was altijd het moeilijkst. Sommigen zaten te kaarten, sommigen lazen, anderen legden hun hoofd op hun armen en sliepen. Tegen de tijd dat Tony om halfvier kwam, waren ze allemaal klaar voor de strijd.

'Ik verwachtte je niet,' zei Carol.

'Ik vind het leuk om jullie achter de broek te zitten.'

'Jij blijft in het controlebusje met mij,' zei ze, en ze leidde hem weg van de rest van het team.

'Prima. Ik wil je het leven niet moeilijker maken,' zei hij. 'Ik dacht alleen dat ik zou kunnen helpen. Je weet wel – als je moeilijke keuzes moet maken over wanneer je moet ingrijpen of wanneer je juist niets moet doen. Ik ben vrij goed in dat psychologische gedoe.' Hij glimlachte met dat grappige kleinejongetjeslachje dat haar altijd in gelijke mate irriteerde en amuseerde. 'Je kunt net zo goed van mijn aanwezigheid profiteren. Want hoe meer ik voor je kan betekenen, des te gemakkelijker wordt je gesprek met Blake als hij je weer eens met Tim Parker wilt laten werken.'

'Zijn ze allemaal zo onnozel als hij?'

Tony ging op het hoekje van het bureau zitten. 'Nee. Een paar hebben echt wel talent. Een of twee anderen zijn redelijk competent. En dan zijn er nog een paar die de hele voorgeschreven stof hebben bestudeerd, maar die geen inzicht hebben, geen invoelingsvermogen. En die kun je niets leren. Je hebt het of je hebt het niet. Als je hier echt je werk van wilt maken, ervan uitgaande dat je de empathie en het inzicht hebt, dan moet je met patiënten gaan werken. Als je dat niet doet, blijf je ergens op de universiteit hangen.' Hij haalde zijn schouders op. 'Tim kan nog wel wat beter worden, maar briljant wordt hij nooit. Je hebt gewoon pech gehad. Als Blake je dit kunstje nog eens flikt, moet je de keus niet aan een ander overlaten. Ik kan je wel een paar namen geven van mensen die goed werk kunnen leveren.'

'Maar niet zo goed als jij.'

'Daar ga ik niet met je over in discussie. Maar misschien ben ik er niet altijd, Carol.' Hij klonk serieus en het maakte haar bang. Ze wist niet echt wat er met hem in Worcester was gebeurd, niet bij hem vanbinnen. Maar vanaf het moment van zijn terugkomst was hij in een vreemde stemming geweest. Carol vond het niet prettig als ze iets niet begreep. En dit begreep ze niet.

Dus maakte ze er een grapje over. 'Ben je nog niet wat te jong voor pensioen? Of heb je al die jaren gelogen over je leeftijd?'

Hij grinnikte. 'Ik ben niet zo'n type voor pensioen. Straks strompel ik hier met een looprekje rond en dan zeg ik nog: "Je zoekt naar een blanke man, tussen de vijfentwintig en de veertig, die moeite had met het aangaan van relaties." En een of andere goocheme hoofdinspecteur denkt dan nog steeds dat ik fantastisch ben.'

'Nou, dat zal dan een nieuwe ervaring voor je worden,' zei ze snibbig. Ze liep weg en verhief haar stem. 'Oké iedereen. Tijd om je plaats in te nemen.' Ze wendde zich weer tot Tony. 'Heb je gehoord dat we Warren Davy met de slachtoffers in verband hebben kunnen brengen? Bij de nationale databank zijn ze op het spoor gekomen van Bill Carr, de neef die fungeert als het postadres van Davy.'

'Dat is goed om te weten. Het is altijd een opluchting als wij profielschetsers jullie het juiste bos in hebben gestuurd. Nu heeft Fiona Cameron zeker een duur drankje van me te goed.'

Ze liepen samen op naar de deur. 'Heb jij er nooit over gedacht om die geografische profielen te doen? Als een extra pijl op je boog?'

Hij schudde zijn hoofd. 'Met getallen bezig zijn? Daar zou ik zo slecht in zijn, Carol. Ik zou de godganse tijd met de computer zitten te worstelen. Het is al erg genoeg dat ik met mezelf praat. Als er dan nog eens zielloze voorwerpen bij komen is het einde zoek.'

Toen Ewan onderweg was naar de bushalte gebeurde er niets. Hij had blijkbaar niet door dat hij in de gaten werd gehouden. Twee van de bewakers gingen in dezelfde bus zitten – een vrouw van middelbare leeftijd met een regenjas aan en een jongeman met een leren jack en een knalrood honkbalpetje diep over zijn ogen getrokken. Carol pleegde een telefoontje toen de bus wegreed. Er waren al twee rechercheurs in Barrowden. De ene zou daar in de bus stappen, de ander zou hem net missen en zou blijven wachten in het bushokje, zogenaamd om de dienstregeling te bestuderen. Ze verzekerden haar dat ze allebei op hun post stonden en dat er in het dorp niemand te zien was, afgezien van twee oude mannen die in de pub zaten te dominoën.

'Dit wordt geen simpele opgave,' zei Carol tegen Tony. 'Ik ben gisteravond op verkenning geweest en het is er verdorie net een spookstad. Vier straten en een dorpswinkel die om zes uur dichtgaat en een pub waar je alleen maar in uiterste nood heen gaat. We moeten ons echt op de achtergrond houden.'

'Ga je nog wat meer wandelaars inzetten?'

'Nee. We hebben die twee in de bus, die stappen uit in Barrowden. Zij gaat naar de pub en hij blijft wat staan kletsen met de man die de bus heeft gemist. Als er nog meer bij komen, gaat het er verdacht uitzien. We hebben ook een camera gehangen in de klimop op de methodistenkerk.' Ze wees naar iets achter hem. Toen hij zich omdraaide zag hij een zwart-witscherm, waarop je de achterkant van een plexiglazen bushokje en de punt van het dak van de pub kon zien. Afgezien van de man in het bushokje was er geen teken van leven.

'Verwacht je dat Davy komt aanzetten op een quad, zoals hij op Rig heeft aangekondigd?'

'Ik denk dat hij in een auto komt. Dan kan hij hem beter in de gaten houden.'

Ze zwegen, terwijl het busje handig door de smalle weggetjes manoeuvreerde. Ze waren buiten het zicht van de bus, maar de drie technici in het busje stonden de hele tijd in stemcontact met de volgers. Ten slotte draaide Johnny, de hoofdtechnicus, zich om naar Carol en zei: 'De bus rijdt Barrowden binnen.' Carol en Tony tuurden naar het scherm en zagen hoe de bus naar de halte toe reed.

Ze waren nu aan de rand van het dorp en de chauffeur reed van de weg af en ging op een privéoprit staan. 'Dit heb ik gisteren geregeld,' zei Carol. 'We blijven hier zitten kijken en luisteren.'

De bus kwam tot stilstand. Ewan liet beleefd de vrouw voorgaan bij het uitstappen, en toen stapte hij ook uit. De man met het honkbalpetje bukte zich om zijn schoenveter vast te maken; de man in het bushokje stapte in de bus. Ewan keek om zich heen alsof hij nieuwsgierig was, niet bang. Hij keek op zijn horloge en liep toen wat weg van de halte en bleef halverwege het bushokje en de pub staan, een plek waar niemand hem over het hoofd zou kunnen zien. De vrouw liep vlug de pub in en de bus reed weer weg. Toen hij vaart maakte kwam er een man aan rennen uit een van de twee zijstraten. Toen hij zag hoe de bus uit zicht verdween, bleef hij hijgend staan, met de handen op zijn knieën. De man met het honkbalpetje liep naar hem toe. Hij was duidelijk een vriend. Ze stonden wat te praten en liepen toen langzaam terug naar de bushalte, waar ze een levendig gesprek hadden waarin voor de dienstregeling een grote rol was weggelegd.

Minder dan een minuut later kwam er een donkergekleurde Volvo stationcar het dorp in rijden vanuit de richting van Manchester. De auto reed langzaam langs het dorpsplein en het bushokje. Hij draaide voor de pub en stopte naast Ewan.

'Dat is hem,' zei Carol grimmig.

Johnny trok een oortelefoon weg van zijn hoofd. 'Er zit een vrouw achter het stuur,' zei hij.

'Wat?'

'Een vrouw.' Hij drukte de oortelefoon weer terug.

Carol keek Tony aan. 'Een vrouw? Je hebt nooit iets over een vrouw gezegd.'

Hij spreidde zijn handen om aan te geven dat hij het ook niet wist. Op het scherm zagen ze Ewan naar voren komen en door het open raampje aan de kant van de passagier naar binnen leunen.

Johnny zei weer wat. 'Ze heeft het erover dat BB's quad *bike* kapot is... Ze is de moeder van BB en komt hem ophalen.'

'Hij stapt in,' zei Carol. 'Fase 2 Johnny, geef dat door.'

'Een donkergekleurde Volvo stationcar rijdt het dorp uit richting Manchester. Eerste letters van kenteken MM07. De rest onzichtbaar. Wandelaars, naar het busje.'

En toen zaten ze weer op de weg. Dat ze zo ver weg zaten was frustrerend, maar Johnny gaf hun regelmatig updates. 'Nog steeds richting Manchester... Tango Lima 2 erachter... Motor komt erachteraan, passeert Tango Lima 2, ziet er wat verdacht uit... Motor rijdt nu voorop. Inderdaad vrouw achter stuur... De jongen drinkt iets uit een blikje... Er komt een kruising aan... De motor gaat rechtdoor. De Volvo is zonder richting aan te geven links afgeslagen. Tango Lima 2 rechtsaf, Tango Lima 3 neemt het over... We rijden langs de stad richting zuiden... De motor zit weer achter Tango Lima 3.'

'Het lijkt erop dat we naar de boerderij van Davy rijden,' zei Carol. 'Waar hij zogenaamd niet meer is geweest sinds vorige week vrijdag.'

'Misschien kan de vriendin beter liegen dan Ambrose besefte,' zei Tony. 'Tenminste, als zij rijdt.'

'Zeg tegen Tango Lima 2 dat ze moeten passeren. Hij rijdt langs Davy's huis heen en wacht aan de andere kant. Tango Lima 4 is nu aan de beurt,' was de opdracht van Carol.

Na twintig minuten wisten ze zeker wat de bestemming was. De smalle weg waarop ze reden leidde rechtstreeks naar het hoofdkwartier van DPS en nergens anders heen. 'Tango Lima 3 en de motor moeten achterblijven. Denk eraan, Ambrose zei dat de hele omtrek van het terrein met camera's wordt bewaakt. We willen voorlopig nog even uit zicht blijven. Tango Lima 4 moet langsrijden en moet verderop bij 2 blijven.'

Ze stopten achter de motor toen Johnny zei: 'De Volvo is het hek in gereden... Tango Lima 3 is buiten bereik van hun camera's, denkt hij. Hij is uitgestapt en staat op het dak... Hij heeft een verrekijker. Hij kan zien hoe de Volvo vlak voor de boerderij stopt... De vrouw stapt uit... Volgens hem is het portier van de passagier open... De deur van de boerderij staat open. Hij ziet niemand anders, ze sleept zelf de jongen naar binnen... De vrouw staat weer buiten, doet het portier van de passagier dicht, gaat weer in de auto zitten, rijdt ermee het erf over, blokkeert de deur van de schuur... ze loopt terug naar het huis... is binnen. Deur dicht.' Johnny keek naar Carol. 'Ontvoering volgens het boekje, zou ik zeggen.'

Carol maakte het achterportier van het busje open en sprong op de grond, gevolgd door Tony. 'Het enige wat we hebben is ontvoering,' zei ze. 'We weten niet of Warren al binnen is of dat hij eraan komt.'

'Hij kan er ook best geweest zijn toen Ambrose er op bezoek was,' zei Tony. 'Hij heeft toen toch geen huiszoeking gedaan?'

'Nee. En het had geen zin om de boerderij onder bewaking te stellen. Met hun beveiliging konden we niet dicht genoeg in de buurt komen zonder te worden gezien. En achter hun huis zijn er alleen maar heidevelden. Iemand die het terrein kende, zou er in het donker gemakkelijk in de buurt hebben kunnen komen.' Hoe meer ze zei, hoe minder voorbereid Carol zich voelde. 'Maar we weten wel dat hij gistermorgen in Bradfield was, want hij heeft Ambrose een e-mail gestuurd vanuit de bibliotheek.'

'Je moet naar binnen, Carol. We weten dat deze moordenaar niet treuzelt. De jongen is al bewusteloos. Als Warren daarbinnen is, dan is hij nu al het hoofd aan het inpakken. Je kunt je niet veroorloven om deze jongen te laten sterven. Dat vergeef je jezelf nooit. En Paula vermoordt je waarschijnlijk,' voegde hij eraan toe zonder een spatje luchtigheid in zijn stem.

Ze knikte. 'Je hebt gelijk.' Ze leunde naar achteren in het busje en riep: 'Geef het startsein maar, Johnny. Iedereen onmiddellijk naar het hek.' Ze sprong weer in het onopvallende witte busje en trok toen Tony naar binnen. Ze waren eerder weg dan de auto en de motor en arriveerden als eersten bij het hek. Carol klom naar buiten en liep naar de intercom. 'Politie. Openmaken,' riep ze. 'Ik tel tot drie... Een... twee...' De zware hekken zwaaiden langzaam open. Carol rende over de zijkant van de oprit naar de boerderij. Het busje gevolgd door de rest van de voertuigen reed langzaam met haar op.

Ze stapten allemaal uit op het erf en zwermden uit richting boerderij. Carol liep voorop en gooide de deur open. Ze bleef staan op de drempel en nam alles in zich op. Ewan McAlpine lag op een stuk plastic in het midden van de plavuizen vloer. Hij was bewusteloos, maar hij ademde nog wel. Op de tafel lagen een dikke doorzichtige plastic zak, een rol duct-tape en een scalpel. Met het hoofd in de handen zat een vrouw aan de tafel hartverscheurend te snikken. 'Het spijt me zo,' jammerde ze. 'Het spijt me zo verschrikkelijk.'

40

Tony en Carol zaten allebei gespannen te kijken naar het toneelstuk dat werd opgevoerd aan de andere kant van de confrontatiespiegel. Het had even geduurd voordat ze van de DPS-boerderij terug waren op het hoofdbureau in Bradfield. Eerst hadden ze op de ambulance moeten wachten en op de ambulancebroeders die moesten bevestigen dat Ewan McAlpine onder politiebewaking naar Bradfield Cross mocht worden gebracht. Daarna moesten ze wachten tot de hysterische aanval van Diane Patrick wat bedaarde. Toen ze haar in hechtenis hadden genomen was ze voldoende bij haar positieven geweest om naar een advocaat te vragen. Daardoor hadden Carol en Tony de gelegenheid gekregen om het verhoor te plannen.

'Ik denk dat je Paula de spits moet laten afbijten,' had Tony gezegd zonder dat hem om zijn mening was gevraagd.

'Dat zou ík moeten doen, ik ben de onderzoeksleider. Dat geeft wat cachet aan het verhoor. Dat brengt mensen van de wijs, of ze nu schuldig zijn of niet.' Carol deed de deur van haar kantoor open en schreeuwde. 'Hé, kan me niet schelen wie het doet, maar we moeten hier koffie hebben.'

Tony begon te ijsberen. 'Juist omdat je de onderzoeksleider bent, moet je op de achtergrond blijven. Diane Patrick heeft duidelijk een rol gespeeld bij deze moorden. Misschien onder dwang. Maar misschien heeft ze ook wel een actieve rol gespeeld. Zo ja, dan zal ze woest zijn dat we haar niet belangrijk genoeg vinden om door de chef zelf te worden verhoord. En woest is goed. Dat weet je. We willen graag dat ze woest zijn. Dan willen ze nog wel eens een beetje de draad van het verhaal kwijtraken.'

'Geloof me, ik kan ook wel iets anders bedenken om haar woest te krijgen,' zei Carol.

'En als ze zich op de een of andere manier voor het blok gezet voelt, reageert ze veel eerder positief op iemand die ze niet als een bedreiging ziet. Met andere woorden: een jonge politiebeambte. Dit is een win-winsituatie. Je laat Paula als eerste met haar praten. Ik zeg niet dat jij niet aan de beurt komt, maar laat Paula eerst gaan.'

'Wil je alsjeblieft gaan zitten? Ik word gek als je de hele tijd in deze kleine ruimte op en neer dendert,' brieste Carol.

Hij liet zich in de stoel vallen die het dichtstbij stond. 'Dan kan ik beter denken.'

Een klopje op de deur. 'Koffie,' zei Kevin.

Carol deed de deur open, nam de twee bekers van hem aan en gebruikte haar heup om de deur weer dicht te doen. 'Ik doe wel een oortje in. Dan kun jij me op het juiste spoor houden.'

'Je weet dat niemand zo goed kan verhoren als Paula.' Hij wist dat hij met vuur speelde, maar het moest gezegd worden.

'Zeg je nu dat ze een betere verhoorder is dan ik?' Ze duwde de koffie ruw naar hem toe. Hij dacht dat het niet veel scheelde of ze had hem in zijn gezicht gesmeten. Hij had haar zelden zo opgefokt gezien over een arrestatie. Hij nam aan dat het kwam omdat Warren Davy nog steeds ergens vrij rondliep.

'Dit is geen wedstrijd wie het verst kan pissen en dat weet je,' zei hij. 'Je hebt geen enkele reden om aan je professionele kwaliteiten te twijfelen. Jouw leiderschap van het team heeft dit resultaat mogelijk gemaakt. Het werkt omdat je ze laat doen waar ze goed in zijn, zelfs als het om iets gaat waar je zelf ook goed in bent.'

'Ik begrijp het niet,' zei ze, koppig haar wenkbrauwen fronsend.

'Neem nou Sam,' zei hij. 'Je weet dat hij een vrijbuiter is. Je weet dat hij niet graag iets met iemand deelt omdat hij denkt dat hij sowieso beter is dan ieder ander. Hij steekt mensen een mes in de rug als hij denkt dat het zijn carrière ten goede zal komen, maar alleen als het onderzoek er niet door in gevaar komt. Een heleboel onderzoeksleiders zouden Sam allang op straat hebben gezet, omdat hij geen teamspeler is. Maar jij houdt hem erbij. Je laat hem in zijn waarde.' Hij zweeg met een uitdrukking van heb-ik-gelijk-of-niet op zijn gezicht.

'Natuurlijk doe ik dat. Hij heeft ongelooflijk veel capaciteiten.'

'Dat is maar een deel van de reden. Het andere deel is dat je iets van jezelf in hem ziet. Iets van de jonge Carol Jordan, de vechtjas, die haar natuurlijke niveau nog niet had bereikt. Zo doe je dat bij alle anderen ook.' Hij trok een grimas. 'Nou ja, misschien geldt dat niet voor Stacey. Maar je weet dat Paula een fantastische verhoorder is. Je weet dat, omdat de fantastische verhoorder in jezelf het in haar herkent. Laat het door haar doen, Carol.'

Hij zag de twijfel op haar gezicht. 'Soms heb ik het gevoel dat ik hier al het saaie werk doe en dat de leuke dingen aan mijn neus voorbijgaan,' klaagde ze.

Hij glimlachte. 'Ik hou wel van een flinke dosis zelfmedelijden. Dat is erg aardig van je. Bovendien, als de juiste vriendin niet op het juiste moment over de juiste kennis had beschikt had dit ons waarschijnlijk veel meer tijd gekost om het allemaal te combineren. Paula heeft haar moment in de zon verdiend.'

Carol keek hem woedend aan. 'Ik vind het vreselijk als ik me door jou fatsoenlijk ga gedragen.'

'Maar je kunt jezelf morgen in de spiegel wel recht in de ogen kijken.' Hij nam een paar slokken koffie en trok een vies gezicht. 'Kom mee, laten we gaan kijken hoe Paula doet waar ze goed in is.'

Paula liet Diane Patrick en haar advocaat bijna twintig minuten wachten. Ze nam dat besluit toen ze ontdekte dat de advocaat van de vrouw Bronwen Scott was, de deken van de strafadvocaten van Bradfield. Scott had haar reputatie te danken aan het feit dat ze niet alleen onschuldige mensen van blaam wist te zuiveren maar dat ze ook de schuldigen vrij wist te pleiten, dus ze zou bij de politie nooit de populariteitsprijs winnen. Maar ze vond het leuk om hun haar successen onder de neus te wrijven. Carol maakte geen geheim van haar afkeer van Scott, en haar team had er geen enkele moeite mee haar in die afkeer te steunen.

Het contrast tussen de twee vrouwen die tegenover Paula zaten kon nauwelijks groter zijn geweest. Scott zag er onberispelijk uit in een mantelpak waarvan snit en stof uitschreeuwden dat hier niet een door de staat gesubsidieerde rechtshulp zat. Ze had altijd al een hooghartige uitstraling gehad, maar tegenwoordig leek haar gezicht helemaal niet meer te bewegen. Paula vermoedde botox, of een facelift die een tikkeltje te strak was uitgevallen. Diane Patrick echter zag er onverzorgd uit, getekend door de tranen van eerder op de dag. Haar kapsel was een puinhoop, haar donkere ogen waren gezwollen en bloeddoorlopen. Ze keek Paula aan met een zielige blik en een bibberende onderlip. Paula liet zich door geen van beiden van de wijs brengen.

Ze zorgde ervoor dat Diane op haar rechten werd gewezen en dat dit op de band kwam te staan en sloeg toen haar map open. 'Vanavond heb je een veertienjarige jongen ontvoerd en gedrogeerd, Diane. Toen we het huis binnenkwamen, waar jij woont met je partner Warren Davy, troffen we jou alleen aan met Ewan McAlpine. Hij was bewusteloos. Voor je op tafel lagen een doorzichtige plastic zak, een rol duct-tape en een scalpel...'

'Komt er zo langzamerhand nog een vraag? Dit is allemaal bekend. Jullie hebben ons inzage gegeven,' viel Scott haar in de rede.

Paula liet zich niet op stang jagen. 'Ik wil uw cliënte er alleen maar aan herinneren hoe ernstig haar positie is. Zoals ik dus zei: de dingen die op tafel lagen zijn identiek aan de spullen die gebruikt zijn bij vier moorden die in de afgelopen twee weken gepleegd zijn op veertienjarigen. Het is moeilijk om niet tot de conclusie te komen dat je op het punt stond om Ewan McAlpine te vermoorden.'

Diane Patrick sperde haar ogen zover open als haar gezwollen oogleden het toestonden. Ze keek ontzet. 'Dat was ik niet. Nee.' Haar stem schoot in paniek omhoog. 'Ik heb niemand vermoord. Je moet me geloven. Het was Warren. Ik was op Warren aan het wachten. Hij heeft me gedwongen.' Ze snikte; het was een vreselijke, gekwelde snik. 'Ik haat mezelf. Ik wou dat ik dood was.' Ze verborg haar gezicht in haar handen.

Paula wachtte. Ten slotte tilde Diane haar hoofd op. Haar wangen waren vlekkerig van de tranen. 'Beweer je nu dat Warren Davy Jennifer Maidment heeft vermoord? En Daniel Morrison, Seth Viner en Niall Kwantick? En dat hij van plan was om Ewan McAlpine te vermoorden?'

Diane slikte moeizaam. Toen knikte ze. 'Ja. Hij heeft ze allemaal vermoord. En ik moest helpen. Hij zei dat hij me zou vermoorden als ik niet deed wat hij zei.'

'En jij geloofde dat?' Paula klonk opzettelijk ongelovig.

Diane keek haar aan alsof ze gek was. 'Natuurlijk geloofde ik hem. Hij had mijn baby ook al vermoord. Waarom zou ik hem niet geloven?'

'Heeft hij jouw baby vermoord? Wanneer was dat?'

Diane huiverde. 'Vorig jaar. Ze was nog maar een paar uur oud.' Een lange zucht leek de weg vrij te maken voor woorden. 'Hij had me in feite gevangen gehouden tijdens de laatste paar weken van mijn zwangerschap. Ik ben thuis bevallen. Hij zei dat we niet naar een ziekenhuis hoefden, dat vrouwen het al generaties lang thuis deden. En hij had gelijk. Het ging goed. Jodie heb ik haar genoemd. Het was het beste wat me ooit was overkomen. Het was alles wat ik wilde. En toen heeft hij haar weggenomen en heeft hij zijn hand over haar mond en haar neus gelegd tot ze niet meer ademde.' Haar woorden begonnen staccato te klinken alsof er een dj over een plaat scratchte. Ze sloeg haar armen om zich heen. 'Hij heeft haar vermoord. Hij heeft haar voor mijn ogen vermoord.' Ze begon heen en weer te wiegen; haar vingers klauwden zich in haar bovenarmen.

Opnieuw zweeg Paula tot de storm was uitgewoed. Ze wist dat Scott wilde dat dit ophield, maar ook dat ze wilde dat Paula die knoop doorhakte. En Paula was vastbesloten om de advocaat geen excuus te geven. 'Waarom zou hij dat doen?' vroeg ze, toen Diane weer wat rustiger was.

'Hij heeft iets slechts gedaan. Ik weet niet wat het was. Hij kon het me niet vertellen. Het had iets te maken met gegevens van klanten. Hij heeft iets gedaan en er is iemand gestorven.' Het leek alsof ze in haar eigen binnenste keek, alsof ze een situatie in haar herinnering herbeleefde. 'En iets in hem leek de grip te verliezen.' Ze keek Paula, die haar strak aankeek, in de ogen. 'Ik weet dat het raar klinkt, maar zo was het. Hij had het de hele tijd over een kwaad dat hij als een virus met zich meedroeg. En hij zei dat mijn Jodie niet mocht leven om zijn virus over te dragen op de volgende generatie. Hij huilde toen hij het deed.' Ze sloeg haar hand voor haar mond en begon weer heen en weer te wiegen.

Paula was erop voorbereid dat Diane haar partner van alles de schuld gaf. Vooral daar hij de dans blijkbaar ontsprongen was en dus niet zijn lezing van de gebeurtenissen kon geven. Ze was begonnen met een sceptische houding, maar naarmate het verhoor verderging verschrompelden haar twijfels. Er was iets afschuwelijk overtuigends aan het verhaal van Diane Patrick. En ze was zeker overstuur. Het was moeilijk voorstelbaar hoe ze deze instorting kon veinzen. 'Gecondoleerd met je verlies,' zei ze. 'Maar dit is me toch niet helemaal duidelijk. Waarom moesten die tieners ook nog dood, nadat hij zijn eigen kind had vermoord?'

Het gezicht van Diane Patrick liet stomme verbazing zien. Het was zo schokkend dat Paula ging twijfelen aan alles wat ze tot dan toe had gezien. 'Omdat het óók zijn kinderen waren. Wist je dat niet?'

'Hoe konden wij dat weten?' vroeg Paula. 'We wisten dat ze dezelfde spermadonor gemeenschappelijk hadden, maar we konden er met geen mogelijkheid achter komen dat Warren dat was. Niemand krijgt toegang tot die informatie. Zelfs geen politieagent met een huiszoekingsbevel.'

Diane staarde haar aan en wist kennelijk niet meer wat ze moest zeggen.

Paula glimlachte. 'Wat wel een interessante vraag opwerpt. Hoe is Warren erachter gekomen wie ze waren?'

Het was lang stil. Paula had kunnen wedden dat Diane zat af te wegen of ze betrapt zou kunnen worden op een leugen. Na een hele poos begon ze te praten. Langzaam en heel tastend. 'Hij heeft me ertoe gedwongen. Hij dreigde me te vermoorden.'

'Dat had ik al begrepen, ja. Hij heeft je baby vermoord en heeft je toen bedreigd. Kwam het niet bij je op dat je kon ontsnappen?'

Diane liet een verbitterd lachje horen. 'Het is duidelijk dat je niet weet hoe het er in de moderne wereld aan toegaat. Als we het over cyberspace hebben is Warren een van de meesters van het universum. Ik had er wel vandoor kunnen gaan, maar ik kon me niet verstoppen. Hij had een manier gevonden om me te pakken te krijgen.'

'Je praat nu toch ook,' wees Paula haar terecht.

'Ja. Maar jullie gaan hem pakken en hem van me weghouden,' zei Diane, die voor het eerst tijdens het verhoor volkomen kalm was

'Waar is hij dan? Waar kunnen we hem vinden?'

'Dat weet ik niet. Sinds de eerste moord heeft hij niet meer thuis geslapen.'

'Je hebt mijn collega verteld dat hij op Malta zat.'

Diane keek naar haar advocaat. 'Ik was bang,' zei ze.

'U hebt gehoord wat mijn cliënte zegt,' zei Scott. 'Ze heeft voor haar leven gevreesd. Haar daden zijn het resultaat geweest van dwang.'

'Dwang kan niet worden aangevoerd als rechtvaardiging van moord,' zei Paula.

'Maar tot dusver heeft niemand beweerd dat mijn cliënte schuldig is aan moord of aan een poging tot moord of verraad, wat de enige uitzonderingen zijn voor de rechtvaardiging van moord,' antwoordde Scott. Het staal in haar stem paste precies bij haar gezichtsuitdrukking.

'Ik wil even een stapje terug doen,' zei Paula terwijl ze strak naar Diane keek, die kennelijk hun woordenwisseling aan zich voorbij had laten gaan. 'Hoe is Warren achter de namen gekomen van de kinderen die met zijn zaad zijn verwekt?'

Diane moest haar ogen neerslaan. Ze plukte wat met de nagel van haar duim aan de rand van de tafel en keek aandachtig naar haar hand. 'De HFEA heeft een databeveiligingsbedrijf in dienst dat hun back-ups in bewaring heeft. We vormen een kleine gemeenschap. Iedereen kent iedereen. Warren ontdekte wie de HFEA deed en het kwam erop neer dat hij ze heeft omgekocht. Hij zei dat wij de back-up zouden doen en dat we die dan aan hen zouden overhandigen en wij zouden dan hetzelfde ervoor neertellen als de HFEA. Dus dan zouden zij het dubbele bedrag krijgen zonder er iets voor te hoeven doen.'

'En ze vroegen zich niet af waarom jullie die gegevens in handen wilden krijgen? Maakten ze zich geen zorgen dat hun beveiliging in gevaar werd gebracht?'

'Je brengt je beveiliging niet in gevaar als je te maken hebt met een collega.'

Paula vond dit grote onzin en maakte een aantekening dat ze hier later nog eens op terug moest komen. 'Dus Warren heeft toegang gekregen tot de HFEA en heeft een back-up gemaakt van hun database?'

Ze kauwde op het velletje naast de nagel van haar duim. 'Dat was ik. Hij dacht dat ze minder achterdocht zouden hebben bij een vrouw.'

'Dus je hebt jezelf aan de gegevens geholpen waarmee jullie konden bepalen wie het sperma van Warren hebben ontvangen?'

'Ik had geen andere keus,' zei ze. Nu klonk ze koppig.

'We hebben allemaal een keus,' zei Paula. 'Je hebt ervoor gekozen om af te zien van dat recht en vier kinderen zijn dood.'

'Vijf,' zei Diane. 'Denk je dat ik dat niet weet?' Scott boog zich naar haar over en fluisterde iets in haar oor. Ze knikte.

'Wist je wat Warren van plan was toen je die gegevens stal?' vroeg Paula.

'Ik kon toen onderhand niet meer normaal denken. Ik was halfgek van verdriet.'

'We moeten Warren vinden, Diane. Eerlijk gezegd moet je zo langzamerhand aan jezelf gaan denken. Als medepleger – mevrouw Scott wil vast wel zo vriendelijk zijn het aan jou uit te leggen – kijk je tegen vier beschuldigingen van moord aan. Ik kan niets beloven omdat het niet in onze macht ligt afspraken te maken zoals ze dat op tv doen. Maar als jij ons nu helpt, dan helpen wij jou in een later stadium. Waar is hij, Diane?'

Ze knipperde nog meer tranen weg. 'Ik weet het niet. Ik zweer het. We zijn al zeven jaar samen en hij is nooit zo weggegaan. Als hij ooit al weg is, is het voor zaken en dan weet ik in welk hotel hij verblijft. Hij heeft zich nooit eerder voor mij verstopt.'

'Wat was de bedoeling van vanavond? Zou hij zich bij jou voegen om Ewan te vermoorden?'

'Hij had er al moeten zijn voordat ik Ewan ophaalde. Hij zei dat hij ruim op tijd terug zou zijn. Toen het tijd werd om Ewan af te halen wist ik niet of ik moest gaan of niet. Maar ik was bang voor wat hij zou doen als ik het verpestte. Dus ben ik gegaan en heb ik hem opgehaald.' Ze glimlachte bijna. Paula meende iets van triomf te zien. 'En nu komt hij natuurlijk niet meer opdagen, want nu zijn jullie mensen er.'

'Die ziet hij niet,' zei Paula.

'Dat denk jij. Hij kan alles bekijken wat jullie vanmiddag hebben gedaan. Hij kan van overal toegang krijgen tot alle camera's. Hij wist het al zodra jullie naar het hek reden. Hij wist alles over die grote zwarte agent die hier op zondag was nog voordat ik hem e-mailde. Waar hij ook is, hij is jullie één stap voor.'

'Je klinkt alsof je daar blij om bent,' zei Paula.

'Als je dat denkt dan is er iets mis met je oren.'

Het was het eerste teken van strijdlust dat Diane had getoond en het intrigeerde Paula. 'Hoe zit het met zijn familie? Ouders, broers of zussen? Vrienden?'

'We gingen met niemand om,' zei ze. 'Hij kan niet opschieten met zijn ouders. Hij heeft geen contact met hen.'

'Je bewijst jezelf hier geen dienst mee, Diane,' zei Paula. 'We zijn nu in het bezit van jullie computers. Je zei dat Warren een meester van het universum was met computers. Nou, ik heb een collega die zelfs nog beter is. Ze zal ondertussen jullie adresboeken al wel aan het doorspitten zijn.'

'Dat denk ik niet,' zei Diane. 'Wij zijn specialisten op het gebied van beveiliging. Als ze probeert binnen te komen, worden alle gegevens meteen herschreven en blijft er abracadabra over.'

Paula grinnikte. 'Daar zou ik maar niet op rekenen.' Ze duwde haar stoel naar achteren. 'Als je geen zin hebt om ons te helpen, wil ik mijn tijd niet langer verknoeien. We hebben je op heterdaad betrapt op ontvoering, wederrechtelijke vrijheidsberoving en poging tot moord.'

'Stel mijn cliënte in staat van beschuldiging of laat haar vrij. Jullie hebben niets. De jongen is uit vrije wil met haar meegegaan. Hij is flauwgevallen. Mijn cliënte kan niet verantwoordelijk worden gehouden voor wat haar partner op de keukentafel heeft laten slingeren.' Scott was aan het toewerken naar een toppunt van verontwaardiging, maar Paula sneed haar de pas af.

'Vertel dat morgen maar aan de rechters. Ik ben nu klaar. Voorlopig. We zullen later meer vragen hebben, dus het zou ons helpen als u zich beschikbaar zou houden, mevrouw Scott.'

41

Tony haalde zijn handen uit zijn zak en deed zijn armen over elkaar. 'Ze is goed. Ze is erg goed. Ze liegt alleen als het niet anders kan, dus dan merk je niet echt dat ze liegt. En je ziet ook niets aan haar.'

Hij draaide zich om toen Paula binnenkwam. 'Het is een moeilijke tante,' zei ze.

'Goed gezien,' zei Tony. 'Ze is het beste soort leugenaar. Een van die mensen die zichzelf wijsmaken dat ze de waarheid vertellen.'

'Wat vind je van haar?' vroeg Carol aan Paula.

'Eerst stond ik helemaal aan haar kant. Ik geloofde alles. Ik dacht dat ze echt geterroriseerd was. Toen was er een moment – ik denk dat het was toen ik de vraag stelde waaruit zogenaamd bleek dat we niet wisten dat Warren de vader van de slachtoffers was. Haar reactie was zo volkomen oprecht dat ik mijn beeld moest bijstellen en doorkreeg dat ze lang niet zo open was als ze wil doen voorkomen.' Paula duwde haar haren uit haar gezicht. 'Ik heb er niets uit gekregen. Niets van enige waarde.'

'Dat zou ik niet zeggen,' zei Tony. 'We weten veel meer dan we daarvoor deden. Het beeld begint wat duidelijker te worden.'

'Maar we moeten Warren vinden,' zei Carol. 'Ik heb Stacey aan het werk gezet met zijn creditcard, zijn rijbewijs, zijn paspoort en al zijn bij ons bekende e-mailadressen. Ze laten vanavond zijn foto zien tijdens het journaal.'

'Dan is hij allang de hort op,' zei Paula.

'Tony denkt van niet. Tony denkt dat hij een missie moet afmaken, hè Tony?'

Tony, die verdiept was in zijn eigen gedachten, keek vragend op. 'Wat?'

'Een missie. Hij moet een missie afmaken.'

Hij krabde op zijn hoofd. 'Dat heb ik gezegd, ja. Maar je gaat hem niet vinden, Carol.' Hij pakte zijn jasje van de stoel waarover hij het had gegooid. 'Ik moet met iemand gaan praten.' Hij liep naar de deur.

'Met wie praten? Waarover?' vroeg Carol dringend. Maar ze zat tegen een dichtvallende deur te praten.

Stacey was niet de enige die haar voordeel kon doen met het informatietijdperk. Als je tegenwoordig een zoekbevel had, kon alles met een verbazingwekkende snelheid gaan. Neem nou de telefoonmaatschappijen. Eenmaal terug in de teamkamer van het TZM was Kevin belast met het binnenhalen van de telefoonafschriften van DPS en van Diane Patrick. Hij had een rechter weten op te snorren die binnen een uur een zoekbevel had ondertekend, waarna hij dat had gescand en elektronisch had laten betekenen. De bedrijven voor vaste telefoons en voor mobieltjes waren voor de verandering ook eens een keer heel snel geweest.

Hij was verbaasd hoe weinig er door en naar die nummers gebeld was, en dat had hij ook aan Stacey verteld. 'Denk je dat ze gebruik heeft gemaakt van een telefoon waar wij niets van af weten? Een weggooiertje?'

'Misschien,' zei Stacey. 'Maar de meeste mensen in de ICT-gemeenschap gebruiken liever e-mail of IMing. Daar kun je veel gemakkelijker een codering op loslaten. Telefoons zijn verschrikkelijk onveilig.' En toen had ze hem toegang tot wat software gegeven die diende als een omgekeerd telefoonboek. Met een druk op een toets ontrolden zich de namen en adressen die hoorden bij de nummers op het scherm voor hem.

Hij keek de lijst af en zag dat het voornamelijk om bedrijven ging. Vermoedelijk allemaal klanten van DPS, maar voor de zekerheid moest hij ze allemaal afwerken. Er was een paar keer naar de garage van Carr gebeld. Kevin meende dat dat de neef was die pakjes voor DPS aannam, maar hij maakte een aantekening om het bij Ambrose na te vragen.

Een nummer viel op te midden van alle andere – de directe verbinding met de regionale afvalverwerker. Diane Patrick had hen op donderdagmorgen gebeld. Het gesprek had acht minuten geduurd. In een opwelling zette Kevin het boven aan de lijst van te bellen nummers en toetste het nummer in. Hij kreeg het onvermijdelijke automatische menu. Na drie keer kiezen kreeg hij iemand aan de lijn. Hij vertelde wie hij was en zei toen: 'Ik ben geïnteresseerd in een telefoontje dat op donderdagmorgen naar uw afdeling is gegaan. Het zou om bewijzen in een moordonderzoek kunnen gaan.' Hij had de ervaring dat het woordje 'moord' een opmerkelijk effect had op bureaucraten.

'Moord?' riep de vrouw aan de andere kant van de lijn uit. 'Wij hebben absoluut niets van doen met moord.'

'Dat denk ik ook niet.' Kevin zette zijn meest sussende stem op. 'Ik zou graag willen dat u uw gegevens nakijkt. Ik geloof dat een moordverdachte u op donderdagmorgen heeft gebeld en dat er toen is afgesproken dat er bij hen thuis iets door jullie zou worden opgehaald. Ik moet weten of ik gelijk heb en zo ja, waar het om ging.'

'Ik weet niet of ik dat wel mag doen,' zei ze aarzelend. 'Het gaat om de wet op de bescherming van persoonsgegevens, ziet u?' Kevin kreunde bijna. De wet op de bescherming van persoonsgegevens lag altijd voor in de mond bij alle ambtenaren. 'Bovendien,' vervolgde ze, 'hoe weet ik dat u van de politie bent?'

'Zal ik u mijn persoonsgegevens geven? Dan kunt u uw superieur raadplegen en dan kunt u mij sowieso terugbellen op het hoofdbureau hier in Bradfield. Ik vind het zonde van mijn tijd hier een huiszoekingsbevel voor aan te moeten vragen, maar als uw superieur dat per se wil, dan doe ik dat. Wat denkt u daarvan?'

'Dat zou kunnen,' zei ze met tegenzin. Kevin gaf haar de gegevens van Diane Patrick en het nummer van de receptie en noemde toen zijn naam en rang nog maar eens. Toen hij de telefoon neerlegde, maakte hij een wedje met zichzelf dat hij pas de volgende morgen iets van de gemeente zou horen, daar het al bijna halfvijf was. Hij kon net zo goed alvast met de particuliere sector beginnen.

Hij was net de tweede klant van DPS aan het bellen toen Sam naar hem zwaaide. 'Ik heb hier iemand aan de lijn van duurzame vuilbewerking,' riep hij. 'Iets over een vrieskist?'

Kevin maakte een eind aan zijn gesprek en nam de andere lijn aan. 'Met rechercheur Matthews. Bedankt voor het terugbellen.'

'Met James Meldrum, hoofd van de afdeling duurzame afvalbewerking,' hoorde hij een correcte stem zeggen. 'U heeft net met een medewerker van me gesproken.'

'Dat klopt. Over een telefoontje van Diane Patrick of van DPS.'

'Ik heb mijn richtlijnen erop nageslagen en ik geloof dat ik u kan voorzien van de informatie waarnaar u heeft gevraagd.' Hij zweeg alsof hij applaus verwachtte.

'Dank u. Dat waardeer ik zeer,' zei Kevin, die wat laat in de gaten had dat hij had moeten reageren.

'Ene Diane Patrick heeft ons gevraagd een vrieskist bij haar thuis af te halen. Dat hebben we gisteren gedaan.'

'Een vrieskist?' Kevin voelde hoe de opwinding bezit van hem nam. 'Was die leeg?'

'Als dat niet zo was geweest hadden onze werklieden hem niet opgetild.'

'Weet u waar die kist zich nu bevindt?'

'We hebben een terrein dat uitsluitend bestemd is voor de opslag van koelkasten en vrieskisten, voordat ze worden vernietigd. We zijn wettelijk verplicht om speciale verwijderingsvoorzorgsmaatregelen te treffen. Dus dit voorwerp zal daarheen zijn gebracht.' Meldrum was duidelijk iemand die genoegen schepte in alle bijzonderheden van zijn werk. En daaronder viel ook het correct gebruik van de grammatica.

'En daar bevindt hij zich nog? Hij is nog niet verwijderd?'

'Helaas hebben we inderdaad te maken met een kleine achterstand in termen van de feitelijke verwijdering. Dus ja, hij is er nog. Samen met vele andere, moet ik daaraan helaas toevoegen.'

'Kunt u aanwijzen welke kist uit het huis van Diane Patrick afkomstig was?' vroeg Kevin en hij deed gauw een schietgebedje.

'Niet ik persoonlijk, begrijpt u. Maar het is niet onmogelijk dat de werklieden die hem verwijderd hebben, met een bepaalde mate van zekerheid zullen kunnen bepalen welk apparaat oorspronkelijk van mevrouw Patrick was.'

'Zijn ze nog aan het werk, die werklieden?'

Meldrum giechelde. Er was, dacht Kevin, geen ander woord voor. 'Lieve hemel, nee. Niet zo laat op de avond. Ze beginnen om zeven uur 's ochtends met hun werk. Als u zich dan bij ons depot kunt vervoegen, weet ik zeker dat ze u met alle plezier van dienst zullen zijn.'

Kevin schreef op hoe hij bij het depot moest komen, evenals de namen van de werklieden met wie hij moest praten. Hij bedankte

Meldrum, leunde toen achterover in zijn stoel met een grote grijns op zijn sproeterige gezicht.

'Je ziet eruit als de kat die de kanarie verschalkt heeft,' zei Sam.

'Als een moordenaar zijn vrieskist kwijt wil terwijl hij druk aan het moorden is, denk ik dat ik veilig kan stellen dat we er interessant bewijsmateriaal in zullen vinden, jij niet?'

Tony trof Alvin Ambrose in de teamkamer van het TZM, waar hij zorgvuldig het portfolio controleerde dat DPS op zijn website had gezet. 'Ik probeer iemand te vinden met wie Warren Davy iets van een sociale relatie had,' legde hij uit toen Tony vroeg waar hij mee bezig was. 'Tot nu toe nul komma nul.'

'Ik vroeg me af... Zou jij me misschien een lift willen geven naar de garage van die neef van Davy? Hoe heette hij ook alweer?'

Ambrose wierp hem een bevreemde blik toe. 'Oké, oké. Ik had dat verslag ook bij jullie moeten inleveren. Bill Carr. Zo heet hij.' Een berouwvolle grijns. 'Iedere eenheid heeft zijn eigen grapjes, toch?'

Tony vertrok zijn mond even in een glimlach. 'Dat zal best. Kun je me erheen brengen?'

Ambrose kwam met moeite overeind. 'Geen probleem. Maar ik denk niet dat hij weet waar Davy is. Ik heb hem vanmiddag al gesproken.'

'Ik denk ook niet dat hij het weet,' zei Tony. 'Maar daar wil ik ook niet met hem over praten. Ik zou zelf gaan, maar mijn oriëntatievermogen is gewoon beneden alle peil. Ik zou tot zondag rondjes rijden in South Manchester als ik in mijn eentje ging.'

'En jij denkt dat het mij beter afgaat? Ik kom uit Worcester, weet je nog wel?'

'Zelfs dan ben je nog een stuk beter dan ik.'

Onder het rijden kreeg Tony Ambrose aan de praat over zijn leven daarginds in Worcester. En hoe het bij het korps van West Mercia was. En dat hij vond dat Worcester een fantastisch stadje was. De perfecte plaats om kinderen groot te brengen. Klein genoeg om te weten wat er speelde, groot genoeg om geen claustrofobie in de hand te werken. Op die manier ging de tijd vlug voorbij en hij hoefde er niet over na te denken wat hij met Bill Carr ging bespreken. Dat wist hij al.

Ambrose draaide de doodlopende straat in en wees waar de garage was. Ze waren nog net op tijd: Bill Carr stond met de rug naar hen toe en was bezig het zware luik naar beneden te trekken. 'Vat dit niet verkeerd op, Alvin, maar ik denk dat ik dit beter in mijn eentje kan doen,' zei Tony. Hij stapte uit en liep op een holletje naar Carr toe omdat die op het punt stond te vertrekken.

'Bill,' riep Tony.

Carr draaide zich om en schudde zijn hoofd. 'Te laat, man. Ik ben klaar voor vandaag.'

'Nee, het is oké, het is geen werk.' Tony stak zijn hand uit. 'Ik ben Tony Hill. Ik ben bij de politie van Bradfield. Ik vroeg me af of we even konden praten.'

'Heeft dit te maken met dat gedoe laatst met de auto van Warren? Ik heb die andere vent al verteld dat ik mijn neef gewoon wat heb geholpen. Ik heb niets van doen met hun bedrijf of zo.' Hij keek naarstig om zich heen of achter Tony de weg vrij was. Hij zette de kraag van zijn spijkerjack op en stopte zijn handen in de zakken van zijn jeans. Als een kind dat wat op zijn geweten heeft.

'Het is oké, ik wil alleen maar even met je praten over Warren en Diane,' zei Tony op een warme, vertrouwelijke toon. 'Kan ik je een biertje aanbieden?'

'Zit hij in de puree? Onze Warren?' Carr keek bevreemd, maar niet verbaasd.

'Ik zal er niet omheen draaien. Daar lijkt het wel op, ja.'

Carr blies zijn wangen op en liet de adem toen ontsnappen. 'Hij is de laatste tijd anders. Alsof er iets op hem drukte. Ik dacht gewoon dat het de zaken waren, weet je? Er gaan tegenwoordig heel wat mensen failliet. Maar daar zou hij met mij niet over hebben gepraat. We waren niet zo dik met elkaar.'

'Laten we toch maar een biertje gaan drinken,' zei Tony vriendelijk. 'Waar is er hier een goede tent?'

De twee mannen liepen zwijgend naar een pub op de hoek die vroeger een volkscafé voor arbeiders was geweest, maar die nu was veranderd in een toevluchtsoord voor de gemiddelde lezer van de *Guardian*. Tony vermoedde dat een brouwerij in de jaren zeventig de pub de nek had omgedraaid en dat hij onlangs was gerestaureerd, met als gevolg deze nepversie met de oorspronkelijke, geschuurde grenen vloeren en de ongemakkelijke Thonetstoeltjes.

‘Later op de dag stikt het hier goddomme van de studenten, maar op deze tijd gaat het nog wel,’ zei Carr, terwijl ze tegen de bar leunden en nipten aan hun donkere bier dat stamde uit de een of andere piepkleine brouwerij met een belachelijke naam.

‘Zijn ze al een poos samen, Diane en Warren?’ vroeg hij.

Carr dacht even na; het puntje van zijn tong kwam tevoorschijn uit zijn mondhoek. ‘Dat is toch al wel een jaar of zeven; ze kenden elkaar van vroeger. Ze hebben een hele tijd maar wat aangesudderd, weet je.’

Tony was een expert op het gebied van sudderen en van smeulende vuren. En hoe die soms gewoon nooit vlam wilden vatten. ‘Het scheelde natuurlijk wel dat ze samen dat bedrijf hadden,’ was het enige wat hij zei.

‘Ik denk niet dat onze Warren een relatie met iemand had kunnen hebben die zelf niet tot over haar oren in de computers zat. Dat was altijd al het enige waarover hij kon praten. Hij kreeg zijn eerste computer toen hij nog op de basisschool zat en daarna was er geen houden meer aan.’ Hij nam een slok bier en veegde het schuim met de rug van zijn hand van zijn bovenlip. ‘Ik denk maar zo: hij heeft de hersens en ik heb mijn uiterlijk mee.’

‘Konden ze goed met elkaar opschieten, Diane en Warren?’

‘Zo te zien wel. Zoals ik al zei, ik ging niet echt met ze om. We hadden niet zoveel gemeen, weet je? Warren hield niet eens van voetballen.’ Carr klonk alsof dat iets was waarvoor je moest worden opgenomen.

‘Ik ben zelf een fan van Bradfield Victoria,’ zei Tony. Dat leidde weer tot een langdurige omweg waarbij ze onderweg Manchester United, Chelsea, Arsenal en Liverpool er flink van langs gaven. En aan het eind waren ze dikke vrienden. Toen ze aan hun tweede pint begonnen, zei Tony: ‘Maar ze hadden geen kinderen, hè?’

‘Heb jij kinderen?’

Tony schudde zijn hoofd.

‘Ik heb er twee. Bij mijn ex. Ik zie ze om het weekend. Maar ik mis ze wel, hoor. Hoewel het niet te ontkennen valt dat het leven eenvoudiger is als je niet vierentwintig uur per dag op ze moet letten. Dat had Warren nooit aangekund. Hij moest kunnen doen wat hij wilde, en dat is iets wat je met kinderen wel kunt vergeten.’

‘Veel te veel mensen krijgen kinderen en dan komen ze er opeens tot hun schrik achter dat je dan ook echt contact met ze moet hebben.'

'Precies,' zei Carr. Hij tikte met zijn vinger op de bar om dit punt te beklemtonen. 'Warren was zo slim om in de gaten te hebben dat hij daar niet aan moest beginnen. Hij heeft er verdomd goed voor gezorgd dat het niet kon gebeuren.'

'Hoe bedoel je?' Tony's voelsprieten stonden rechtovereind.

'Hij heeft zich laten steriliseren toen hij nog studeerde. We hadden toen wat meer contact dan nu. Ja, die Warren wist altijd precies hoe zijn leven eruit zou moeten zien. Hij wist dat hij slim was en hij wist dat hij goede genen had. Maar hij besefte ook dat hij een klotevader zou zijn, dus leek het hem wel een goed idee om spermadonor te worden. Hij maakte hun plastic bekertje vol, nam het geld aan en heeft zich toen laten opereren. Wat zei hij toen ook alweer? Ik weet nog dat het iets heel slims was... "Nageslacht zonder verantwoordelijkheid." Dat was het, ja.'

'En hij heeft er nooit spijt van gehad?'

'Voor zover ik weet niet. Maar hij heeft het nooit aan Diane durven vertellen. Ze snakte naar een baby, vooral de laatste paar jaren. Warren zei dat hij knettergek werd van het gezeur. Dat ging maar door. Het was het enige wat telde. En omdat hij haar vanaf het begin niet had verteld dat hij zich had laten steriliseren, kon hij er nou ook niet meer mee aankomen. Vooral omdat hij haar al helemaal in het begin had verteld dat hij spermadonor was geweest. Het was eigenlijk belachelijk. Dan gingen ze weer met z'n tweeën op pad naar zo'n vruchtbaarheidskliniek en hij hield zijn mond stijf dicht over die sterilisatie. Uiteindelijk heeft ze het nog geprobeerd met donorsperma, maar toen was het al te laat. Ze is een jaar of zes ouder dan hij, dus zij was al een eind in de veertig en haar eitjes waren al oudbakken.'

'En ze is er nooit achter gekomen?' vroeg Tony terloops.

'Ben je nou helemaal? Als ze daarachter was gekomen, had ze hem godverdomme eigenhandig een kopje kleiner gemaakt.'

Tony staarde in zijn bierglas. 'Die gedachte was ook al bij mij opgekomen,' zei hij.

42

Carol keek Tony stomverbaasd aan. 'Een vasectomie? Meen je dat serieus?'

'Zo serieus als maar kan. Warren Davy heeft een vasectomie laten doen toen hij voor in de twintig was.' Hij had Carol gevonden in de observatiekamer samen met Paula, waar ze de tactiek doornamen voor het volgende gesprek met Diane Patrick.

'Hoe heeft ze dan vorig jaar een kind weten te krijgen?' vroeg Paula.

'Dat heeft ze niet,' zei Tony. 'Het is de dikke vette leugen waarop al haar andere leugens steunen. Als je die leugen weghaalt, blijft er van het hele verhaal niets over. Dan vervalt de reden om voor haar leven te vrezen. Dus waarom helpt ze Warren bij het vermoorden van zijn kinderen?' Hij keek hen beiden verwachtingsvol aan en wapperde wat met zijn handen, als een leraar die een antwoord aan zijn leerlingen wil ontlokken.

De twee vrouwen wisselden een verbijsterde blik. 'Dat doet ze niet?' probeerde Paula voorzichtig.

'Goed geantwoord,' zei Tony.

'Maar ze heeft Ewan McAlpine opgehaald en gedrogeerd,' zei Paula. 'Daar kun je niets tegen inbrengen.'

Tony deed net alsof hij teleurgesteld was. 'Goed antwoord, foute redenering. Ze helpt Warren niet. Ze doet het op haar eigen houtje.' Hij hield zijn hoofd schuin en keek omhoog naar een hoek van het plafond. 'Nu we het daar toch over hebben; waarschijnlijk heeft ze eerst Warren vermoord.'

'Nu ga je toch echt een beetje te snel,' zei Carol. 'Ik kan hier niet helemaal bij.'

'Het is afschuwelijk, maar uiterst simpel. Haar biologische klok begint te tikken. Ze wil een baby, maar niet zomaar een baby. Ze is helemaal bezeten van een baby van Warren. Ik bedoel echt bezeten.

Het soort bezeten dat auto's met een baby-aan-boordsticker wil rammen, omdat zij hebben wat zij niet heeft. Ze weet dat Warren ooit in staat was om kinderen te verwekken omdat hij spermadonor was, dus hij moet wel een eersteklas kandidaat zijn. Ze proberen alsmaar om een baby te krijgen, maar de jaren gaan voorbij en het lukt niet. Dus gaat ze naar de fertiliteitskliniek, en op een bepaald moment krijgen ze in de gaten dat Warren onvruchtbaar is. Ze proberen het met donorsperma, maar eigenlijk wil ze dat niet. Ze wil een baby van Warren. Maar ze hebben te lang gewacht en haar eitjes zijn voorbij de houdbaarheidsdatum. Ze is er kapot van. Waarschijnlijk suïcidaal. Kun je het nog volgen?'

'Ik denk dat ik het zo ongeveer net kan bijhouden,' zei Carol sarcastisch.

'Nu komen we bij het stukje dat ik niet zeker weet. Op de een of andere manier ontdekt Diane Warrens vreselijke geheimpje – dat hij zich heeft laten steriliseren nadat hij sperma gedoneerd had.'

'Misschien vroeg ze zich af waarom hij opeens niet meer vruchtbaar was. Of misschien kan ze er gewoon niets aan doen. Ze is toch de koningin van de hackers? Er staan tegenwoordig allerlei medische gegevens online,' zei Paula. 'Misschien ziet ze zichzelf graag als de persoon die alles over alle anderen in de kamer weet.'

'Misschien. Het belangrijke is dat ze erachter komt. En dan verliest ze haar vat op de werkelijkheid. Ze gaat volledig door het lint. Deze man van wie ze zoveel hield dat ze alleen met hem een kindje wilde krijgen, heeft haar verraden. Niet alleen kan hij haar zelf geen baby geven, hij heeft haar eigenlijk er ook van weerhouden om met iemand anders een kind te krijgen, omdat ze het zo lang zijn blijven proberen. Al die zinloze pogingen. En om het allemaal nog erger te maken heeft hij al god mag weten hoeveel van die kleine rotzakjes op de wereld gezet.' Tony zat bijna te schreeuwen. 'Geen van hen verdient het om te leven. Niet die leugenachtige klootzak van een Warren en ook niet zijn verzameling bastaardjes.'

Carol klapte licht spottend in haar handen. 'Een prachtige voorstelling. En hoe gaan we dit allemaal bewijzen?'

Tony haalde zijn schouders op. 'Door het lichaam van Warren te vinden?'

'Daar is ze te goed voor,' zei Carol. 'Als je gelijk hebt, had ze waarschijnlijk al heel lang het plan klaarliggen om Warren overal de schuld van te geven en om daarna zijn zelfmoord te faken of om voor te wenden dat hij ergens ondergedoken zat. Zijn lichaam ligt heus niet op een voor de hand liggende plaats.'

Een paar minuten lang werd er door niemand iets gezegd. Ze dachten na over het probleem. Ten slotte zei Paula: 'Je kunt altijd nog een bekentenis uit haar slaan, chef.'

Carol kon nog net een beetje mat glimlachen. 'Dit is geen keiharde politieserie op tv, Paula. Ze willen niet meer dat we zo te werk gaan.'

Tony liep de kamer door en omhelsde Paula, die duidelijk niet wist wat haar overkwam. 'Maar ze heeft gelijk, Carol,' zei hij, en ze ging weer wat van Paula af staan. 'Niet met vuisten, maar met woorden.'

'Jij bent de enige die dat kan,' zei Carol. 'En Diane Patrick heeft Bronwen Scott. Zij vindt het nooit goed dat jij erbij zit.'

'Maar ze kan me niet uit je oor houden.'

Tony keek toe hoe Carol en Paula de verhoorkamer in kwamen lopen. Bronwen Scott, die met haar cliënte had zitten praten, schoot rechtovereind. Carol ging zitten en gooide met een klap het dossier op het bureau. 'Wanneer ben je erachter gekomen dat Warren een vasectomie had ondergaan?' wilde Carol weten.

Diane Patrick sperde haar ogen open.

'Mooi,' zei Tony in de microfoon. 'En nu nog zo'n klap.'

'Laat me de vraag nog een keer stellen. Wanneer heb je ontdekt dat Warren Davy een vasectomie had ondergaan?'

'Ik weet niet waar u het over heeft.' Diane had besloten dat ze angstig en zielig moest overkomen. Tony dacht niet dat ze dat lang zou kunnen volhouden.

'Warren Davy heeft zich vijftien jaar geleden laten steriliseren. Je weet toch wat een vasectomie is, Diane?'

'Natuurlijk weet ik dat,' zei ze. 'Maar ik geloof u niet. Ik heb zijn baby gekregen.'

Carol snoof. 'O ja. De verzonnen baby. Het zal interessant zijn om te zien wat jouw medisch dossier daarover te zeggen heeft.'

'Mijn cliënt heeft al uitgelegd dat de heer Davy haar weg heeft gehouden van artsen toen ze zwanger was,' viel Scott haar in de rede. 'Ik snap niet waarom we hier nu weer op terug moeten komen.'

'Je moet zeggen dat er helemaal geen baby was,' zei Tony. 'Zeggen, niet vragen.'

'Er was geen baby. Dat kon helemaal niet, omdat Warren op zijn eenentwintigste een vasectomie heeft gehad.'

'U zet mijn cliënte onnodig onder druk,' zei Scott. 'Stel de vraag en ga verder.'

'Vraag het nu,' zei Tony in Carols oor.

'Hoe heb je met Warren een baby kunnen krijgen na zijn sterilisatie?'

'Dat gebeurt. Ik heb erover gelezen. Mensen kunnen daarna nog best baby's krijgen,' zei Diane. 'Als u gelijk heeft, wat ik niet geloof, dan is er zoiets gebeurd.'

'Negeer haar antwoord, Carol. Ga verder met hoe ze geen baby kon krijgen, dat ze nooit een baby zal krijgen.'

'De waarheid is dat je nooit een baby met Warren hebt gehad. Je hebt überhaupt nooit een baby gehad. Wees eerlijk, Diane. Je zult ook nooit een baby hebben. En als je geen baby van Warren kunt krijgen, krijg je die ook niet meer van een ander, hè?' Carols toon was meedogenloos, haar blik kil en strak. Toen Bronwen Scott iets zei, keurde Carol haar geen blik waardig.

'U zet mijn cliënte onder druk, hoofdinspecteur Jordan. Ik sta erop dat u een vraag stelt,' zei Scott.

'Dat heb ik net gedaan,' zei Carol. 'Maar ik zal de vraag anders stellen. Je wilt ook niet dat iemand anders een kind van Warren krijgt, hè Diane?'

'Met die kinderen heb ik niets te maken,' zei Diane op zachte toon.

'Wrijf haar nog eens onder de neus dat ze nooit een kind van Warren zal krijgen,' zei Tony. 'Omdat hij niet genoeg van haar hield.'

'Dat zijn de kinderen die jij nooit zult krijgen. De kinderen over wie je hebt gedroomd. De kinderen die hij aan andere vrouwen heeft gegeven. Maar niet aan jou. Denk je dat hij de waarheid voor je verborgen hield omdat hij niet echt om je gaf?'

'Hij hield van me,' zei Diane. Tony meende het begin van woede op haar gezicht te zien.

'Hij hield niet genoeg van je om je de waarheid te vertellen. Hij hield niet genoeg van je om de vasectomie ongedaan te maken. Hij wilde geen kinderen met jou, hè? Als het aankwam op het dragen van zijn kind, verkoos hij een volslagen vreemde vrouw boven jou, hè?'

'Inspecteur, als u nu niet ophoudt met dit constante gepest, ga ik eisen dat we dit verhoor onmiddellijk stopzetten,' onderbrak Scott haar, en ze legde een hand op de arm van Diane om haar de mond te snoeren.

Tony werd heel even afgeleid door Kevin, die zijn hoofd om de deur stak. 'Ik denk dat Carol misschien wel iets kan gebruiken wat ik net heb opgediept.'

'Wat dan?' Tony probeerde zich nu op twee dingen tegelijk te concentreren.

'De gemeente heeft gisteren een vrieskist ter verwijdering opgehaald bij DPS. Morgenochtend in alle vroegte zullen we hem in handen hebben.'

Tony grijnsde. 'Je bent geweldig, Kevin. Bedankt.' Hij stemde weer af op wat er zich in de verhoorkamer afspeelde. Carol en Scott zaten nog steeds te bekvechten. Hij dacht niet dat hij veel had gemist. Hij wachtte tot er even niets werd gezegd en gaf toen de informatie van Kevin door aan Carol.

Haar glimlach was vals. 'Wil je dat ik vragen stel, Bronwen? Oké. Laat ik dan eens wat vragen. Ik zou jouw cliënte willen vragen waarom ze gisteren door de gemeente een vrieskist bij haar op heeft laten halen.'

Ditmaal was de schok op het gezicht van Diane duidelijk te zien. 'Omdat... omdat hij kapot was. Hij doet het niet meer.'

'We laten ons hele team van forensische technici elke vierkante centimeter van die vrieskist onderzoeken,' zei Carol. 'Zullen we sporen van het bloed van Warren vinden?'

'Dat heb ik toch al verteld?' De stem van Diane klonk nu schril. 'Ik weet niet waar Warren is.'

'Wanneer heb je hem vermoord, Diane?'

'U weet niet waar u het over heeft. Vertel het haar, mevrouw Scott. Ik weet niet waar Warren is en ik heb hem niet vermoord. Ik hou van hem.'

'Vraag haar of ze heeft gezien dat de kinderen op Warren lijken. En hoe de hare eruit zouden hebben gezien,' zei Tony.

'Is het je opgevallen dat de kinderen op Warren leken?'

'Natuurlijk deden ze dat. Het waren zijn kinderen. Zijn slechte zaad, zo noemde hij ze. Hij is degene die zei dat ze dood moesten, niet ik.' Ze was nu aan het schreeuwen, ondanks de hand van Scott op haar schouder.

'Vroeg je je daarom wel eens af hoe jouw kind eruit had gezien? Als hij je een kind had laten krijgen?'

Scott duwde haar stoel achteruit. 'Nu is het afgelopen. Ik heb er genoeg van. Mijn cliënte is het slachtoffer van deze slechte man. Uw intimidatiepraktijken zijn volledig onacceptabel. Zo gauw u bewijzen heeft, komt u maar weer eens met ons praten.'

'Herinner haar eraan dat ze heeft gefaald,' zei Tony. 'Zij is de laatste van de lijn, maar hij leeft voort.'

Carol negeerde Scott en staarde Diane Patrick aan. 'Je hebt gefaald, hè? Je hebt er maar vier te pakken gekregen. De rest loopt nog ergens rond. Ze lachen je uit. De kinderen die jij niet kon krijgen. Ze worden groot, Warrens kinderen. Ze zetten zijn bloedlijn voort. Maar als jij doodgaat, zetten ze er een streep onder. Het slechte zaad eindigt met jou. Jou en je onvruchtbare baarmoeder.'

Dianes tanden trokken zich terug in een sneer en ze wilde zich over de tafel heen op Carol werpen. Maar Bronwen Scott reageerde snel en ze greep haar cliënte vast. 'Het is oké, Diane. Rustig maar. Trek het je niet aan. Ze hebben niets in handen, daarom probeert ze je uit te lokken.'

De spanning van het moment werd verstoord door een klop op de deur. Stacey kwam binnen en zei voor de tape wie ze was. 'Ik moet even met u praten, mevrouw,' zei ze formeel.

Carol zette de band stil en liep achter Stacey aan naar de hal. Tony rende de observatiekamer uit en kwam bij hen staan. 'Wat is er, Stacey?' vroeg Carol.

'Kevin heeft contact gehad met klanten van DPS,' zei ze. 'Hij was de telefoontjes aan het natrekken van de telefoonlijnen van DPS om te kijken of ze van klanten kwamen en niet van iets minder onschuldigs. Hoe dan ook, Kevin dacht dat nu hij toch met hen praatte, hij wel eens kon nagaan wanneer ze Warren Davy voor het laatst gezien hadden. En hij heeft een aantekening gemaakt van alle tijdstippen. Toen ik besefte wat hij had gedaan, heb ik de tijdstippen ernaast gelegd waarop de moordenaar op Rig zat te chatten met zijn slachtoffers. En de plaatsen vanwaar hij zijn boodschappen verstuurde. En dan komt er een duidelijk patroon naar voren.

Warren heeft een solide alibi voor minstens twintig van de online-sessies. Hij kon helemaal niet bezig zijn met het stalken van de slachtoffers. Hij was bij klanten op volledig andere locaties.' Ze overhandigde een stapel papieren aan Carol. 'Daar was Warren. En hier werden tegelijkertijd de boodschappen vandaan gestuurd.'

Carol gooide haar hoofd in haar nek. 'Halleluja godverdomme!'

'Ik kan wel op het dak gaan zitten met mijn psychologische benadering,' zei Tony wrang.

Carol gaf hem een schouderklopje. 'We hebben haar murw gemaakt. Nu kunnen we de genadeklap geven. Dit gaat leuk worden.'

43

Tony trok zijn das los toen hij door de voordeur kwam en gooide hem over de trapleuning. Hij liep linea recta door naar de keuken en schonk zich een glas water in dat hij in één teug leegdronk. Hij bleef even tegen het aanrecht geleund staan en staarde in het niets. Hij had Carol en haar team achtergelaten terwijl ze zaten te drinken achter in hun favoriete Thaise restaurant. Hij begreep hun behoefte om zich te bevrijden van de afschuwelijke druk van een onderzoek naar een meervoudige moord, maar hij kon niet met hun feestje meedoen.

Voor hem was er niets feestelijks aan de uiteindelijke ineenstorting van Diane Patrick. Dat wrak dat daar zat te gillen en niets anders dan wartaal uitsloeg was ooit een competente, succesvolle vrouw geweest, met een carrière en een relatie. Eén enkele obsessie had grip op haar gekregen en had al het andere weggevaagd. En toen ze op het laatst had begrepen dat het niet alleen onmogelijk was, maar dat die mogelijkheid haar ontnomen was door de enige persoon van wie ze echt had gehouden, was ze volledig de weg kwijtgeraakt. Voor de meeste mensen in die gemoedstoestand was het vermoorden van Warren Davy voldoende geweest. En als het daarbij was gebleven zou er misschien een bepaalde mate van vergeving in het systeem gevonden kunnen worden, omdat haar geestelijke evenwicht volkomen verstoord was door het ontstellende verraad van haar geliefde.

Maar de obsessie van Diane Patrick was zo overweldigend geweest, zo'n diepgewortelde behoefte, dat ze haar met wortel en tak moest uitrukken. En dat betekende het vernietigen van de kinderen die met zijn genen waren geschapen. Het was volledig onredelijk, maar ook volkomen begrijpelijk. Maar het systeem had geen plaats voor ingewikkelde menselijke obsessies. Niet als daar ook vermoorde kinderen bij hoorden. Diane Patrick zou nooit meer vrijkomen. Als ze geluk had zou ze uiteindelijk terechtkomen in Bradfield Moor of een instelling die daarop leek, en als ze pech had werd het een extra beveiligde penitentiaire inrichting.

Het was niet zo dat hij vond dat ze haar straf moest kunnen ontlopen. Maar of hij wilde of niet, hij voelde eerder medelijden dan haat. Hij vroeg zich af hoe hijzelf zou zijn omgegaan met het lot dat haar was toebedeeld.

Hij moest er niet aan denken.

Tony trok zijn jasje uit en liet het over de rug van een keukenstoel vallen. Hij pakte een biertje uit de ijskast en ging aan de tafel zitten. De verlichting aan de onderkant van de keukenkastjes viel op iets wat half verborgen lag te glinsteren in de stapel papieren op de tafel. Zonder erbij na te denken reikte hij ernaar en vond de digitale recorder die Arthur hem had nagelaten. Hij bleef er een poosje naar kijken. Deze hele zaak ging over vaders en kinderen, prentte hij zichzelf in. En uiteindelijk draaide alles om onwetendheid.

Het was niet slim om te vluchten voor kennis. Hij had dat de hele tijd geweten. Hij was er alleen nog niet klaar voor geweest. Hij pakte zijn biertje en liep naar zijn studeerkamer, waar de koptelefoon groot en zacht was. Tony sloot hem aan op het piepkleine apparaat en ging in zijn lievelingsstoel zitten. De andere stoel stond er nog tegenover, een herinnering aan zijn recente oefening met de geest van de moordenaar. Hij stelde zich voor dat Arthur daar tegenover hem zat en drukte op het knopje.

'Hallo, Tony. Dit is Arthur. Of Eddie, zoals ik vroeger in Halifax heette toen ik verkering had met je moeder,' begon hij. Zijn stem was licht en muzikaal en het accent uit het Yorkshire van zijn jeugd was nog goed hoorbaar. 'Bedankt dat je naar me wilt luisteren.

Ik kan niets tegen je zeggen waarmee ik kan goedmaken dat ik geen deel heb uitgemaakt van je leven. In het begin wist ik niets van je bestaan af. Toen ik uit Halifax wegging, heb ik alle banden verbroken. Ik leg zo dadelijk wel uit waarom. Dus ik wist niets over jouw geboorte. Veertien jaar later was ik op vakantie op Rhodos toen ik stomtoevallig een echtpaar tegen het lijf liep dat vroeger bij mij op de fabriek in Halifax had gewerkt. Natuurlijk herkenden ze me onmiddellijk. Het had geen zin te ontkennen wie ik was. Ze stonden erop om me iets te drinken aan te bieden en om me op de hoogte te brengen van het wel en wee van al mijn vroegere werknemers.

Ze waren met het nieuwe bedrijf mee verhuisd naar Sheffield, maar ze hadden nog familie in Halifax wonen, dus waren ze ook op de hoogte van dingen die daar waren gebeurd. Ze wisten nog dat ik met Vanessa verloofd was geweest en ze hadden het erover wat voor keurige jongen haar zoontje was geworden. Heel anders dan de meeste pubers, zeiden ze. Ik hoefde niet zo lang na te denken om te beseffen dat als de zoon van Vanessa al een tiener was, hij dan wel eens van mij zou kunnen zijn.

Maar ik ben niet het type om overhaaste conclusies te trekken. En dus stond ik mezelf niet toe om te hopen, niet echt. Toen ik terugkwam van mijn vakantie heb ik een privédetective ingehuurd om zo veel mogelijk over jou te weten te komen. Hij heeft je geboortebewijs opgespoord en hij heeft ook een paar foto's van jou genomen. De data klopten en je leek veel op mij toen ik jouw leeftijd had. Ik was stomverbaasd en tegelijk ontzettend blij. Ik twijfelde er geen moment aan dat jij mijn zoon was.' Arthurs stem beefde en Tony drukte op de pauzeknop. Zijn ogen waren vochtig en hij had moeite met slikken. Hij dwong zich om een slok bier te drinken en luisterde toen verder.

'Toen werd het me duidelijk dat ik niets kon doen. Vanessa had duidelijk besloten dat we niets meer over elkaar zouden weten. Ik was bang dat jij er op de een of andere manier onder zou lijden als ik in je leven zou proberen te komen. En ik wist dat ze daartoe in staat was.' Hij schraapte zijn keel. 'Ik was ook bang voor het effect dat het op jou zou hebben. Je deed het goed op school en daar wilde ik niet tussen komen. Dat wilde ik het liefst zo laten. Veertien is geen gemakkelijke leeftijd. Misschien zou je helemaal niet blij met mij zijn geweest. Je zou volledig terecht boos zijn geweest op de man die je aan de zorgen van Vanessa had overgelaten. Dus bleef ik op afstand. Ik troost me met de gedachte dat ik dat voor jou heb gedaan, maar waarschijnlijk had het voor een deel ook te maken met mijn eigen lafheid. En ik zal je uitleggen waarom ik ook daar mijn redenen voor had.

Nu komt het stuk dat ik het moeilijkste vind. Je denkt misschien dat ik wat ik je ga vertellen, uit mijn duim zuig. Misschien denk je wel dat ik niet goed bij mijn hoofd ben. Maar dit is de waarheid. Ik zweer het. Je kunt het geloven of niet, de keus is aan jou. Je kent je moeder minstens zo goed als ik destijds. Jij kunt beoordelen of mijn verhaal waar zou kunnen zijn of niet.

Toentertijd was ik een slimme jongeman die een mooie toekomst tegemoet ging. Ik heb altijd iets gehad met uitvinden. De meeste ideeën konden zo de prullenmand in, maar met een paar heb ik succes gehad. Mijn eerste bedrijf was succesvol omdat ik een unieke procedure voor het galvaniseren van chirurgische precisie-instrumenten bedacht had. Het liep goed en er waren een paar grotere firma's bereid om veel geld voor mijn patent op tafel te leggen. Ik was nogal tevreden over mezelf. Ik wist dat ik op weg was rijk en succesvol te worden, wat een hele prestatie was voor een arbeidersjongen uit Sowerby Bridge.

Ik had toen verkering met je moeder. Ik was smoorverliefd op Vanessa. Ik had nog nooit zo iemand ontmoet. Ze had iets heel bijzonders. Alle andere meisjes in Halifax waren kleurloos in vergelijking met haar. Ik wist dat ze hard was. Je grootmoeder was bikkelhard en zij had Vanessa in dezelfde trant opgevoed. Maar toen het steeds serieuzer tussen ons werd, leek ze wat zachter te worden. Ze was ontzettend leuk gezelschap. En ze was mooi.' Zijn stem klonk nu hartstochtelijk, warm en krachtig. Tony had vaak genoeg gezien hoe charmant zijn moeder kon zijn als er anderen bij waren en hij kon dus goed begrijpen hoe ze Arthur om haar pink had kunnen winden.

'Toen ik haar ten huwelijk vroeg, was ik er half en half van overtuigd dat ze me onmiddellijk zou afwijzen. Maar ze zei ja. Ik was in de zevende hemel. We praatten over een bruiloft in de lente en Vanessa stelde voor dat we allebei een testament ten gunste van de ander zouden laten opmaken. Op dat moment werkte ze op een advocatenkantoor, dus kon ze het voor niets laten doen. En natuurlijk zou ze ophouden met werken als we trouwden, dus het was verstandig om het te doen toen het nog voor niets was.' Hij grinnikte wrang. 'Nu denk je vast dat ik een typische man uit Yorkshire ben. Niets voor niets, hè? Nou, het testament mag me dan niets hebben gekost, in een ander opzicht had het me bijna veel meer gekost.

We stelden de testamenten op waarin we alles aan elkaar nalieten. Rond die tijd kreeg ik een bedrijf uit Sheffield achter me aan. Ze wilden het bedrijf onmiddellijk kopen, met mijn patent erbij.

Ze boden een heleboel geld, plus gedurende de rest van mijn leven een aandeel in de opbrengst. Het zou voor een man die niet de ambitie had om nog hogerop te komen helemaal niet zo gek zijn geweest. Maar ik wilde wél hogerop. Ik had allerlei dromen en verwachtingen voor de toekomst, en daar hoorden mijn bedrijf en mijn personeel ook bij. Vanessa vond dat ik knettergek was. Zij vond dat ik alles moest verkopen en dat ik het er met de opbrengst goed van moest gaan nemen. "Maar wat doen we dan als het geld op is?" wilde ik weten. Ze zei dat ze me kende, dat ik wel weer met een ander slim idee op de proppen zou komen en dat we het dan weer precies zo zouden doen. Maar ik was niet overtuigd. Ik had te vaak gelezen over andere uitvinders die nooit meer een tweede bruikbaar idee uitbroeiden.

Nou, ik denk dat je wel weet hoe je moeder is als ze een idee in haar hoofd heeft. Het is dan net alsof je ruzie hebt met een stoomwals. Maar ik zette me schrap. Het was mijn bedrijf en ik ging haar niet haar zin geven. Ik zei tegen mezelf dat ik voet bij stuk moest houden, want dat ik anders mijn hele leven zou moeten toegeven. Dus toen zaten we in een patstelling. Of dat dacht ik tenminste.

Op een avond liepen we terug naar huis door Savile Park. Het was donker, het was laat, en er was in de verste verte niemand te zien. Vanessa was weer aan het zeuren over de verkoop. Ik weet nog dat ik zei: "Over mijn lijk," en voordat ik het wist voelde ik een afschuwelijke, stekende pijn in mijn borst. Het was net alsof alles zich in slow motion afspeelde. Vanessa stond voor me, en ze had een mes in haar hand dat vol met bloed zat. Ik keek naar beneden en op de voorkant van mijn overhemd zat een grote rode vlek. Ik voelde hoe ik viel en ik zweer dat ik haar hoorde zeggen: "Je heb het zelf gezegd, Eddie."

Voor ik goed en wel besefte wat er gebeurd was, lag ik in het ziekenhuis en zei de dokter dat het een wonder was dat ik nog leefde. En daar was Vanessa die mijn hand vasthield en lief glimlachte. Ik dacht dat ik gek werd. Maar toen de dokter ons alleen liet, zei ze: "Ik heb tegen de politie gezegd dat we zijn overvallen. Als je probeert ze iets anders te vertellen, denken ze dat je gek bent."

Ik had eigenlijk dood moeten gaan, zie je. Dan had zij haar zin kunnen doordrijven. Maar ik ging niet dood. Ik ben ervandoor gegaan. Nadat ik was opgeknapt, heb ik alles verkocht en ben ik hem gesmeerd. Ik heb een jaar in Canada metallurgie gestudeerd. Toen ben ik teruggekomen en ben ik in Worcester gaan wonen. Het leek me een aardig stadje en ik kende niemand die daar iemand kende. Ik ben nooit meer met iemand anders in zee gegaan, niet echt. Vanessa heeft dat grondig voor mij bedorven. Het is moeilijk om jezelf toe te staan om verliefd te worden als de laatste persoon van wie je hield je wilde vermoorden.

Maar ik heb een goed leven opgebouwd. En toen hoorde ik over jou. Toen ik eenmaal van jouw bestaan wist, heb ik je op een onopvallende manier in de gaten gehouden. Ik heb met trots je carrière gevolgd. Ik weet dat ik niets van de eer kan opeisen, maar ik ben er trots op dat je je zo hebt ontwikkeld. Ik had je nog graag met een gezin gezien, maar het is nog niet te laat. Ik heb begrepen dat je goed kunt opschieten met die rechercheur met wie je samenwerkt, Carol Jordan. Als zij de ware is, laat haar dan niet door je handen glippen.

Hoe dan ook, ik heb gezegd wat ik wilde zeggen. En het spijt me nog steeds dat ik nooit een vader voor je was. Ik hoop dat je het nu begrijpt, ook al voel je geen neiging om me te vergeven. Succes met je leven, mijn zoon.' Toen was het stil.

Uiteraard deed dat laatste woord hem de das om. Tony trok de koptelefoon van zijn hoofd en beet op zijn lip. Een zwaar verdriet drukte op hem, waardoor zijn borst en keel pijn deden. Hij wist niet zeker wat erger was – horen wat hij net had gehoord of er geen seconde aan twijfelen dat het waar was. Als ze zo'n schokkende openbaring over hun moeder hoorden, zouden de meeste mensen razend van woede worden. Het zou niet bij hen opkomen het te geloven. Hun eerst reactie zou zijn dat dit een smerig verzinsel was. Want de meeste mensen hadden geen moeder als Vanessa.

Zolang hij zich kon herinneren, had Tony zich gevoeld als de man die Diane Patrick had beschreven. Het slechte zaad. De man die wist dat hij het talent voor het kwade met zich meedroeg. Een van de redenen waarom hij deed wat hij deed, was zijn eeuwige overtuiging dat hij gemakkelijk het type man had kunnen worden dat hij zijn hele leven al had willen opsporen en daarna helpen. Zijn empathie moest ergens vandaan komen en hij had altijd geloofd dat ze geworteld was in zijn eigen vermogen om de weg te bewandelen die door bijna niemand wordt gekozen.

En natuurlijk had Vanessa elke gelegenheid aangegrepen om hem het gevoel te geven dat hij niets voorstelde. Hij had genoeg inzicht om te begrijpen hoe sterk ze hem had ondermijnd, maar zelfs zijn professionele training stond hem niet toe om zijn opvoeding en de omstandigheden de schuld van alles te geven. Er moest ook een genetische component zijn. Een evenwicht tussen *nature* en *nurture*, tussen conditionering en omstandigheden. En nu wist hij hoeveel van het slechte zaad er in hem zat.

Maar voor het eerst wist hij ook dat zijn eigen fantasieën over zijn vader niet klopten. Hij had altijd gedacht dat een man die zijn kind in de steek kan laten een fatale karakterfout moest hebben. Tony had geloofd dat hij was voortgebracht door twee diep gestoorde mensen, een erfenis die hem weinig kansen bood om daar in emotionele termen bovenuit te groeien. Nu moest hij zijn verwachtingen over zichzelf bij gaan stellen. Omdat hij voor de helft gemaakt was door een fatsoenlijke man die besefte dat hij hem ontzettend in de steek had gelaten. En die trots op hem was geweest.

Het zou een grote aanpassing vergen. En terwijl hij hieraan dacht, besefte Tony tegelijkertijd dat verandering een eigen omgeving nodig had. Hij moest ergens in zijn leven iets zien te vinden dat deze grote verandering symboliseerde.

44

Carol werd veel vroeger wakker dan ze van plan was geweest. Tegenwoordig was dat het gevolg van te veel alcohol. Toen ze jonger was stond dronken naar bed gaan garant voor acht uur bewusteloosheid. Tegenwoordig sliep ze, als ze te veel had gedronken, rusteloos en lang niet lang genoeg. Weer een reden om het advies van Tony op te volgen en rigoureus te minderen, prentte ze zichzelf in. Haar hoofd voelde duf en door de mangel gehaald aan, haar maag was pijnlijk en gevoelig. Ze herinnerde zich vaag dat ze had overgegeven toen ze uiteindelijk in de kleine uurtjes thuis was gekomen.

Maar het was het waard geweest. Het was voor het team een enorm feestelijke avond geworden. Moorden opgelost, levens gered en Bronwen Scott de mond gesnoerd. Het toefje slagroom op de taart was het telefoontje geweest dat Sam van Brian Carson had ontvangen, de beheerder van Bayview Caravan Park. Hij had tot zijn verbazing de foto van Nigel Barnes op de lokale nieuwszender gezien. Hij herinnerde zich nog dat Barnes op een avond met een lekke band op de stoep had gestaan. Carson had erop gestaan hem te helpen met het verwisselen van de band, ondanks de verzekering van de man dat hij dat niet hoefde te doen. Hij kon zich speciaal herinneren er een baal doorzichtig plastic, een pak met zwarte vuilniszakken en rollen duct-tape achter in de Volvo stationcar hadden gelegen, omdat ze die moesten verplaatsen om bij de reserveband te kunnen komen.

Een vrouw kon eigenlijk niet veel meer verlangen. Carol lag op haar rug en rekte zich uit als een zeester. Een zacht plofje en daarna een knuffelig gekietel in haar oor. 'Nelson,' zei ze lief, en ze krabde haar kat achter zijn oor. Hij snorde en gaf kopjes. 'Oké,' mopperde ze. 'Je krijgt eten.'

Haar twee mobieltjes, privé en van het werk, lagen op het werkblad boven de bestekla. Toen ze een lepel eruit haalde, zag ze dat er een berichtje op haar privételefoon stond: ONTBIJT? SMS ALS JE DIT KRIJGT. IK BEN OP. TX

Ze keek hoe laat het was. Ze had gelijk gehad, het was pas kwart over zes. Het was niets voor Tony om al zo vroeg op te zijn. Carol had hem niet weg zien gaan uit het restaurant, maar ze wist dat het spontane feestje nog niet zo lang aan de gang was. Ze had om een uur of negen naar hem gezocht, toen ze wat te eten hadden besteld. Maar hij was nergens te vinden geweest. Ze had het aan Paula gevraagd, als degene die zijn vertrek het eerst zou hebben opgemerkt, maar zij had het veel te leuk gehad met Elinor Blessing. Wat uiteraard iets positiefs was, maar wat op dat moment niet zo goed uitkwam.

Ze deed het eten voor Nelson in zijn bakje en sms'te terug: BIJ JOU OF IN CAFÉ?

BIJ MIJ. IK KAN WORSTJE EN EIEREN REGELEN.

HALFUUR. Ze zette water op en liep naar de douche.

Vijfendertig minuten later, gedoucht en aangekleed, klom ze met een flinke dosis paracetamol en een kleintje koffie achter de kiezen, de trap op die van het appartement in het souterrain naar zijn huis leidde. De verbindingsdeur stond al open en ze trof hem in de keuken, waar hij een schaal met worstjes uit de oven haalde die hij achterdochtig bekeek. 'Ik denk dat ze nog vijf minuten moeten,' zei hij. 'Dan heb ik net genoeg tijd om de eieren te doen.' Hij wuifde naar het koffieapparaat. 'Alles staat klaar, wil jij het zelf even doen?'

Dat deed ze. Terwijl hij de eieren klutste in de pan, maakte ze voor hen beiden een latte macchiato en bracht ze naar de tafel. 'Ik kan niet geloven dat je al zo vroeg op bent en dat je zelfs met een echt ontbijt bezig bent,' voegde ze eraan toe toen ze het bord met geroosterde, van de boter druipende *crumpets* zag.

'Ik ben de hele nacht op geweest,' zei hij. 'Ik ben een eind gaan wandelen en de supermarkt was open en ik moest met je praten. Dus ik dacht: ontbijt.'

Carol stortte zich meteen op het kerngedeelte van zijn antwoord. 'Je moet met me praten? Je wilt toch niet zeggen dat je denkt dat er een complicatie is met Diane Patrick?'

'Nee, nee, dat niet,' zei hij ongeduldig. Hij deed de eieren op een bord en haalde de worstjes uit de oven. Toen zette hij met een zwierig gebaar het bord met eten voor haar neer. Carol probeerde een rilling te onderdrukken. 'Alsjeblieft. Scharreleieren en worstjes uit de streek.'

'Ik kan me niet herinneren wanneer je voor het laatst voor me hebt gekookt,' zei ze. Ze prikte voorzichtig in de eieren. Ze waren beter dan ze had verwacht.

'Nee,' zei hij na enig nadenken. 'Ik ook niet.' Hij schrokte een worstje en de helft van zijn eieren naar binnen. 'Dit is goed, zeg,' zei hij, en hij klonk verbaasd. 'Ik zou dit vaker moeten doen.'

Carol vorderde langzaam maar gestaag. 'Waar wil je dan met me over praten?'

'Je moet naar iets luisteren. Maar pas als we het eten ophebben.'

'Dit is heel spannend,' zei ze.

'Je zult er steil van achteroverslaan,' zei hij opeens weer somber. 'En ik bedoel dit niet positief.'

Carol wist met moeite de rest van haar eten door haar keel te krijgen en duwde toen haar bord weg. 'Ik ben klaar,' zei ze. 'Ik kan niet meer.'

'Goed gedaan voor een vrouw die hier binnenkwam met de kater van de eeuw,' zei Tony droog terwijl hij de borden weghaalde. Hij kwam terug met de recorder en de koptelefoons. 'Je moet hier eens naar luisteren.'

'Wat is het?'

'Het behoeft geen uitleg,' zei hij. Hij zette de koptelefoon op haar hoofd en drukte op play.

Toen ze doorhad waar ze naar luisterde viel Carols mond open. 'O mijn god,' hijgde ze. Toen keek ze hem met tranen in de ogen aan. 'O Tony...?' En toen: 'Dit is toch niet te geloven! Jezus!' Tony zei niets. Hij zat daar maar te kijken naar hoe ze reageerde.

Toen ze bij het einde was, trok ze de koptelefoon af en pakte zijn hand. 'Geen wonder dat je de hele nacht op was,' zei ze. 'Wie verwacht er nu zoiets?'

'We zeiden allebei dat we het verhaal van Vanessa niet vertrouwden. Dat er een verborgen agenda moest zijn. Kennelijk hadden we gelijk.' Zijn stem klonk dof en emotieloos.

'Ja, maar ik had nooit verwacht dat ik op deze manier gelijk zou hebben,' zei Carol. 'Wat ga je doen? Ga je haar hiermee confronteren?'

Hij zuchtte. 'Ik zie daar het nut niet van in. Dan ontkent ze het gewoon. Het zal geen enkel effect hebben op het leven dat ze leidt.'

'Je kunt haar toch niet ongestraft verder laten gaan,' protesteerde Carol. Wat hij nu suggereerde, ging lijnrecht in tegen haar hele gevoel voor rechtvaardigheid.

'Ze is er al mee weggekomen. Daar kunnen we niets meer aan doen. Ik wil haar nooit meer zien, Carol. Het enige wat ik wil is haar uit mijn leven snijden zoals zij Arthur uit mijn leven heeft gesneden.'

'Ik snap niet hoe je er zo kalm onder kunt blijven,' zei Carol.

'Ik heb er de hele nacht over na kunnen denken,' zei hij. 'Bij deze laatste zaak heb ik me niet bepaald van mijn beste kant kunnen laten zien. Mijn enige echte bijdrage als profielschetser was dat we wisten waar we moesten zoeken. En dat heeft Fiona Cameron gedaan, niet ik.'

'Jij kwam tot de conclusie dat Warren dood was. En jij hebt de vragen weten te stellen die de vasectomie aan het licht brachten,' protesteerde ze.

'Dat zou jij ook wel hebben ontdekt. Maar ik ben met mijn neus op het feit gedrukt dat ik hier misschien toch niet zo goed in ben als ik graag wil denken. In de laatste paar weken ben ik tot het besef gekomen dat ik volledig moet heroverwegen wie ik ben. Ik heb keuzes gemaakt in mijn leven die gebaseerd zijn op onvolledige gegevens. Ik moet alles weer opnieuw overdenken, Carol.'

Zijn ernst had iets absoluuts, waardoor ze wist dat het niet in haar vermogen lag daar iets tegen in te brengen. Ze nam haar toevlucht tot de tactiek die haar het best lag. De tactiek die haar tot zo'n ontzettend goede politievrouw had gemaakt. Twijfel? Ga in de aanval. 'Wat betekent dat, Tony? Je klinkt als een politicus. Veel woorden, maar niets concreets.'

Hij schonk haar een triest glimlachje. 'Ik kan best concreet worden, Carol. Ik wilde alleen eerst mijn eigen uitleg geven. Ik ben van plan om mijn ontslag in te dienen bij Bradfield Moor. Ik ben van plan om de boot te verkopen omdat ik die niet leuk vind. En ik ben van plan om in het huis van Arthur in Worcester te gaan wonen, want ik heb nog nooit ergens geslapen waar ik me zo volledig thuis voelde. Meer weet ik nog niet.'

Ze begreep alle woorden afzonderlijk, maar bij elkaar zeiden ze haar niets. Het was net alsof ze in de ene wereld naar bed was gegaan en in een andere was wakker geworden. 'Ga je in Worcester wonen? In Worcester? Je hebt er één nacht geslapen en nu ga je daarheen verhuizen? Ben je gek geworden?'

Hij schudde zijn hoofd, hij zag er doodongelukkig uit. 'Ik wist dat je zo zou reageren. Ik ben niet gek geworden, nee. Ik probeer er gewoon achter te komen hoe ik verder moet met mijn leven, nu ik weet waar ik vandaan kom. Zoveel van wat ik dacht te weten is niet waar. En ik moet ontdekken waar ik nu sta.'

Ze wilde gillen: 'En ik dan?' Het niet uit te gillen kostte lichamelijke inspanning. Ze klampte zich vast aan de tafelrand en perste haar lippen op elkaar.

'Het is goed, Carol. Je mag het wel zeggen. "En ik dan?" Dat wil je toch zeggen, hè?'

'En juist daarom wil ik dat zeggen,' zei ze, ontzet dat ze zo verstikt klonk. 'Omdat je het al weet zonder dat ik iets gezegd heb.'

'Ik kan geen keuzes voor jou maken,' zei hij. 'Die zijn aan jou. Je hebt deze ronde van Blake gewonnen, maar je bent de eerste tijd nog niet van hem af. Je hebt Alvin Ambrose ontmoet, je hebt met Stuart Patterson gesproken. Het zijn fatsoenlijke mannen met hart voor de zaak. Als je een verandering zou willen, zou West Mercia waarschijnlijk onmiddellijk toehappen.' Hij maakte een klein handgebaar alsof hij iets wilde aanbieden.

Carol wist dat het waarschijnlijk onmogelijk voor hem was om haar te vragen met hem mee te komen. Hij had nooit geloofd dat hij goed genoeg voor haar was. Maar zij had meer dan dit nodig. 'Waarom zou ik, Tony? Wat is de winst voor mij?' Ze daagde hem uit met haar doordringende smerisblik.

Hij wendde zijn blik af. 'Het is een groot huis, Carol. Er is meer dan voldoende ruimte voor twee.'

'Ruimte voor twee zoals er hier ook ruimte voor twee is? Of een ander soort ruimte voor twee?' Ze wachtte, speurde naar iets in zijn gezicht dat haar hoop gaf.

Ten slotte pakte Tony de chromen recorder en woog hem op zijn hand. 'Vanmorgen,' zei hij langzaam, 'lijkt alles mogelijk.'

DANKWOORD

Een terloopse opmerking van dr. Gillian Lockwood gaf de eerste aanzet tot dit boek. Kelly Smith bracht op het strand twee dingen met elkaar in verband, wat cruciaal was en allerlei mogelijkheden zichtbaar maakte. Professor Sue Black was weer eens van onschatbare waarde voor alles wat te maken had met pathologie en identiteit. Mijn dank gaat ook uit naar Brian en Sue uit Huddersfield. Hun weblog over tochten met hun kanaalschip is een van de redenen waarom ik zo gek ben op het internet.

Ik wil alle mensen bij Little, Brown bedanken dankzij wie dit nieuwe avontuur zo bevredigend is verlopen, en met name mijn onverstoorbare redacteur, David Shelley. Anne O'Brien is zoals altijd de 'Mistress Yoda' van het persklaar maken. Jane Gregory en haar team van Gregory & Co hebben me door woelige wateren naar een veilige haven geleid.

En ten slotte bedank ik Kelly en Cameron, die me laten lachen.